دروس اللغة العربية

ARABIC COURSE

for English-Speaking Students

3

DR V. ABDUR RAHIM

UK ISLAMIC ACADEMY

© UK Islamic Academy, 2004 C.E. / 1425 A.H.

Enlarged edition
ISBN 1 872531 53 9
ISBN 1 872531 68 7 (Set of 3 books)

Author: Dr V. Abdur-Rahim

Published by

UK Islamic Academy
PO Box 6645
Leicester
LE5 5WT
United Kingdom

Website: www.ukiabooks.com
E-mail: info@ukiabooks.com

British Library Cataloguing in Publication Data
A catalogue record for this book is available from the British Library.

Cover design: Imtiaze A. Manjra

Printed and bound in UK: Deluxe Printers

محتويات الدروس

بسم الله الرحمن الرحيم

مقدمـــــة

الحمد لله رب العالمين، والصلاة والسلام على أشرف الأنبياء والمرسلين، نبيّنا محمد وعلى آله وصحبه أجمعين، ومن تبعهم بإحسان إلى يوم الدين .

أمّا بعد : فهـذا هو الجـزء الثالث من كتاب «دروس اللغة العربية لغير الناطقين بها»، وهو ليس كتاب نحو فحسب، إنما هو كتاب شامل لتعليم اللغة العربية بنحوها وصرفها ومفرداتها وجوانبها الأخرى، فينبغي أن يعني بهذه الجوانب كلها عند الشرح. ونرى أن يراعي المعلم الأمور الآتية عند تدريس هذا الكتاب :

١ ـ يمهِّد للمسائل الرئيسة الواردة في الدرس من غير النظر في الكتاب .

٢ ـ يقرأ الدرس، وفي أثناء القراءة يشير إلى المسائل التي سبق أن شرحها، ويشرح المسائل الفرعية التي لم يتطرَّق إليها في التمهيد، ويوجِّه إلى الطلاب أسئلة للتأكد من فهمهم هذه المسائل .

٣ ـ يقوم مجموعات من الطلاب بتمثيل الدرس .

٤ ـ يشترك الطلاب في حلّ جميع التمارين شفويّاً، ويحلُّونها تحريرياً خارج الفصل .

والله نسأل أن يوفقنا جميعاً لخدمة دينه، ولغة كتابه .

مدينة الرسـول ﷺ

غرة المحرَّم ١٤١٤هـ

ف . عبد الرحيم

(١) الدرّس الأول

الإعراب والبنـــاء

(أ) في الأسمـــــاء

الاسْمُ إما مُعربٌ وإمَّا مَبْنِيٌّ .

فالمعربُ ما تَغَيَّرَ آخِرُه بِسَبَبِ العامِلِ ، نحو :

جاء المدرسُ .		**مَرْفـوعٌ**

سألت المدرسَ .		**مَنْصوبٌ**

سلّمت على المدرسِ .	**مَجْـرورٌ**

والمبني مالا يتغير آخِرُه بسبب العامِلِ نحو :

جاء هؤلاءِ .		**في مَحَلِّ رَفْـعٍ**

سألت هؤلاءِ .		**في محلِّ نَصْبٍ**

سلّمت على هؤلاءِ .	**في محلِّ جَـرٍّ**

المعربُ والمبنيُّ من الأسماءِ :

الأسماءُ كلُّها معربةٌ ما عدا الفِئاتِ الآتيةِ :

(١) **الضّمائر**، مثل: هو، هم، أنت، أنتم، أنا، ذهبت، قالوا (**هـذه ضَمـائِرُ الرَّفْـعِ**)

رأيته، أسألك، ضربني **(هذه ضمائرُ النَّصْب)**

كتابه، دفترها، اسمك، عليها، لنا **(هـذه ضمائر الجَرِّ)**

(٢) **أسماء الإشارة، مثل** : هذا، هذه، ذلك، أولئك. («هَذانِ وهاتانِ» مُعْرَبانِ).

(٣) **الأسماء الموصولة، مثل**: الذي، التي، الذين، («اللذان واللتان» معربان).

(٤) **أسماء الاستفهام، مثل**: مَنْ، أَيْنَ، ما، متى، كيفَ.

(٥) **بعض الظروف، مثل**: إذا، الآنَ، حيثُ، أمسِ.

(٦) **أسماء الأفعال، مثل**: آمينْ، أُفٍّ، آهِ.

(٧) **الأعداد المركبة، مثل**: أَحَدَ عشَرَ، تَسْعَةَ عَشَرَ، الثالثَ عَشَرَ.

(الجزء الأول من «اثْنا عَشَرَ» معربٌ، نحو :
يدرس في الفصل اثْنا عَشَرَ طالباً.
رأيت اثْنَيْ عَشَرَ طالباً.
هذا الطعام لِاثْنَيْ عَشَرَ طالباً).

عَلاماتُ الإِعرابِ الأَصْلِيَّةُ والفَرْعِيَّةُ :

علاماتُ الإِعرابِ الأَصْلِيَّةُ في الاسمِ :

الضَّمَّةُ : وهي علامةُ الرَّفْعِ .

الفَتْحَةُ : وهي علامةُ النَّصْبِ .

الكَسْرَةُ : وهي علامةُ الجَرِّ .

وهناك علاماتٌ أُخْرى فَرْعِيَّةٌ، وهي في الأَنْواع الآتية من الاسماء :

(١) **جَمْع المؤنثِ السالم : علامةُ النصب فيه الكسرة نحو** : خلقَ الله السَّمواتِ والأرضَ.

(٢) **المَمْنوع من الصَّرْفِ : علامة الجر فيه الفتحة، نحو** : اِذْهبْ إلى فِرْعَوْنَ .

(٣) **الأسماء الخمسة. وهي : أَبُوك، أَخُوك، حَمُوك، فُوك، ذُو.**

كُلُّ العلاماتِ فيها فرعيةٌ. وهي :

علامةُ الرفعِ الواوُ نحو : أجاء أبوك؟

علامةُ النصبِ الأَلِفُ نحو : أعرف أباك.

علامةُ الجرِّ الياءُ نحو : أين سيارة أبيك؟

تُعْـرَبُ الأسـماءُ الخمسـةُ بهذه العلامات إذا كانت مُضافَةً إلى غيرياءِ المُتَكَلِّمِ ، وإلا أُعْرِبَتْ بالعلامات الأَصْلِيَّةِ ، نحو:

لي أَخٌ .

سألت أخاً .

أنت كأخٍ .

(٤) جمع المذكر السالم. كل العلامات فيه فرعية. وهي :

علامة الرفع الـواو نحو : دخل المُدَرِّسونَ.

علامة النصب الياء نحو : سألت المدرسينَ.

علامة الجر اليـاء نحو : هذه غرفة المدرسينَ.

(٥) المُثَنّى. كلُّ العلاماتِ فيه فرعيةٌ. وهي :

علامةُ الرفعِ الأَلِفُ نحو : غاب طالِبانِ.

علامة النصبِ الياءُ نحو : طلب المدير طالِبَيْنِ.

علامة الجرِّ اليـاءُ نحو : هذه الغرفة لطالِبَيْنِ.

الإِعرابُ التَّقْـدِيريُّ :

لا تَظْهَـرُ علامـاتُ الإعـرابِ في ثلاثة أنواع من الأسماء، فَتُقَدَّرُ فيها العلاماتُ. وهذه الأنواع هي : المَقْصورُ، والمَنْقوصُ، والمُضافُ إلى ياءِ المُتَكَلِّمِ .

(١) **المَقْصُورُ** : هو الاسمُ المعربُ الذي آخرُه أَلِفٌ لازِمَةٌ، نحو: المُسْتَشْفَى. الفَتَى. العَصَا.

تُقَدَّرُ فيه العلاماتُ الثَّلاثُ، نحو : قتل الفَتَى الأَفْعَى بالعَصَا.

تقول في إعراب هذه الكلمات :

(الفتى) : فاعلٌ مرفوعٌ، علامةُ رَفْعِهِ ضَمَّةٌ مُقَدَّرَةٌ.

(الأفعى) : مَفْعولٌ به منصوبٌ، علامة نصبه فتحةٌ مُقَدَّرَةٌ.

(العصا) : مجرورٌ بـ(الباء)، علامةُ جره كسرةٌ مقدرةٌ[١].

(٢) **المَنْقُوصُ : هو الاسمُ المعرب الذي آخرُه ياءٌ لازِمَةٌ مكسورٌما قَبْلَها، نحو** : القاضِي، المحامِي، الثانِي، الماضِي، الوادِي، المعانِي.

تقدر فيه الضمة والكسرة، وتظهر فيه الفتحة نحو : سأل القَاضِيْ المُحَامِيَ عن الجَانِيْ.

تقول في إعراب هذه الكلمات :

(القاضِيْ) : فاعلٌ مرفوعٌ، علامة رفعه ضمةٌ مُقَدَّرَةٌ.

(المحامِيَ) : مفعولٌ به منصوبٌ، علامةُ نصبه فتحةٌ ظاهِرةٌ.

(الجانِيْ) مجرورٌ بـ(عن)، علامةُ جرِّه كسرةٌ مقدرةٌ.

---

(١) إذا نُوِّن المقصورُ حُذِفَتِ الألفُ في النُّطق لِالْتِقَاءِ السَّاكِنَيْن، نحو «الفَتَى» ← «فَتًى»، وحِينئِذٍ تُقَدَّرُ العلاماتُ على الألِفِ المحذوفةِ، نحو: «الْتَقى مُصْطَفًى بِفتًى ضُحًى».

وقد يكون المنقوصُ محذوفَ الياءِ، نحو: ذهبَ قَاضٍ إلى مُحَامٍ[1].

تقول في إعراب هاتَيْنِ الكلمتين :

(قاضٍ) : فاعلٌ مرفوعٌ، علامة رفعه ضمةٌ مقدرةٌ على الياء المَحْذُوفَةِ.

(مُحَامٍ) : مجرورٌ بـ(إلى)، علامة جره كسرةٌ مقدرةٌ على الياء المحذوفة.

(٣) **المضُافُ إلى ياءِ المتكلمِ ، نحو** : زميلِي.

تُقَدَّرُ فيه العلاماتُ الثلاثُ، نحو : دعا جَدِّي أُسْتاذِي مع زُمَلائِي.

تقول في إعراب هذه الكلمات :

(جَدِّ) : فاعل مرفوع، علامة رفعه ضمة مقدرة.

(أُستاذِ) مفعول به منصوب، علامة نصبه فتحة مقدرة.

(زُمَلاءِ) : مضاف إليه مجرور، علامة جره كسرة مقدرة[2].

---

(١) تَثْبُتُ ياءُ المنقوصِ في ثلاثِ حالاتٍ، وهي :

(أ) أن يكونَ مُحَلّىً بالألِفِ واللام، نحو: القاضِي.

(ب) أن يكونَ مضافاً، نحو: قاضِي مَكَّةَ.

(جـ) أن يكونَ منصوباً، نحو: سألتُ قاضِيا.

(٢) يرى بعض النُحاةِ أن هذه كسرةٌ ظاهرةٌ.

عَلاماتُ الإِعْرَاب الأَصْليَّةِ والفَرعيَّةِ (في الاسْم)

الحالة الأعرابيّة	العامل	الاسم ذو علامات الإعراب الأصلية	جَمْع المؤنث السَّالم	المثنّي	جَمْع المذكر السَّالم	الممنوع من الصّرف	الأسماء الخمسَة
المرفُوع	جَـاء	الأَبْنَـاءُ	وَالبنَـاتُ	وَالوَالِدانِ	وَالأقربونَ	وإبراهيمُ	وأخُـوهُ
علامة الرفع		الضمة	الضمة	الألف	الواو	الضمة	الواو
المنصُوب	رَأيتُ	الأبنَـاءَ	وَالبنَاتِ	والوالِدَين	وَالأقربينَ	وَإبرَاهِيمَ	وَأَخَـاهُ
عَلامة النصْب		الفتحَة	الكسرةِ	اليَـاء	اليَـاء	الفتحَـة	الألف
المجـرُور	سَلّمت على	الأبنـاءِ	والبنات	وَالوالدَينِ	وَالأقربينَ	وَإبرَاهِيمَ	وَأخيـهِ
عَلامة الجـر		الكسرة	الكسرة	اليَاء	الياء	الفتحة	اليَاء

الإعْرَابُ التَقْدِيرِي

الحَالة الإعرَابيَّة	العَامـل	المضَاف إلى ياء المتكلم	المنقُوص	المقصُور
المرفوع	جـاء	صَدِيقيّْ	المحامي	المصطفى
علامة الرفع		ضمة مقدرة	ضمة مقدّرة	ضمة مقدّرة
المنصوب	رَأيتُ	صَدِيقيْ	المُحامِيْ	المُصطفَى
علامة النصب		فتحة مُقدّرة	فتحة ظاهِرَة	فتحة مُقدّرة
المجرور	سلّمت عَلى	صَدِيقيْ	المُحامِيْ	المُصطفَى
علامة الجر		كسْرة مقدّرة	كسْرة مقدّرة	كسْرة مقدّرة

العلامات الأصليَّة، والفرعيَّة؛ والظاهرة؛ والمقدَّرة

المرفـوع : حَضرَ الأبنـاءُ / والبناتُ، والوالدانِ، والأقربونَ، وإبراهيمُ وأخوه / وصَديقِي المُحاميَ المصطفَى.

المنصوب : دَعَـوتُ / الأبنـاءَ، والبنـاتِ، والـوالـدَيْن، والأقـربِـينَ، وإبراهيمَ، وأخاهُ / وصَديقِي المُحاميَ المصطفَى.

المجــرور : اتَّصلْتُ بالأبنـاءِ / والبنـاتِ، والـوالـدَيْن، والأقـربِـينَ، وإبراهيمَ، وأخيه / وصَدِيقي المُحامِي المصطفَى.

تمـــــارين

(١) عَيِّن المُعْرَبَ والمَبْني فيما يأتي :

كتـاب. هذا. حامـد. مسـاجد. هو. أنا. سيارة. الذي. أمس. الجامعة. مسلمان. مسلمات. هذان. الآن. اللتان. مَنْ. الله. أربعة عشر. أربعة. آمين.

(٢) ما علامات الإعراب الأصلية في الاسم ؟

(٣) ما علامات الإعراب الفرعية في :

(١) الأسماء الخمسة .

(٢) وجمع المذكر السالم .

(٣) والمثـــنى ؟

(٤) ما علامة الجر في الممنوع من الصرف ؟

(٥) ما علامة النصب في جمع المؤنث السالم؟

(٦) هات مثالاً للمقصور، وآجعله في ثلاث جمل على أن يكون مرفوعاً في الأولى، ومنصوباً في الثانية، ومجروراً في الثالثة.

(٧) هات مثالاً للمنقوص الثابت الياء وأدخله في ثلاث جمل على أن يكون مرفوعاً في الأولى، ومنصوباً في الثانية، ومجروراً في الثالثة.

(٨) هات مثـالاً للمنقـوص المحـذوف الياء، وأدخله في ثلاث جمل على أن يكون مرفوعاً في الأولى، ومنصوباً في الثانية، ومجروراً في الثالثة.

(٩) هات مثالاً للمضاف إلى ياء المتكلم ، وأدخله في ثلاث جمل على أن يكون مرفوعاً في الأولى ، ومنصوباً في الثانية ، ومجروراً في الثالثة .

(١٠) أعرب ما تحته خـــط :

(١) يحب الله المتقين .   (٢) خلق الله السموات والأرض .

(٣) افتح فـــــاك .   (٤) أين سيارة أبيـــك .

(٥) حفظت سورتين .   (٦) أعرف قاضي مكة .

(٧) خرج الجرحى من المستشفى .   (٨) أخذ صديقي كتابي من حقيبتي .

(٩) اشتريت هذا بخَمْسَةَ عَشَرَ ريالاً .   (١٠) أنا محامٍ .

المَرْفوعاتُ من الأَسماءِ

(١) و(٢) المُبْتَدأُ والخَبَرُ :   اللهُ أكبرُ .

(٣) اِسْمُ كانَ :   كانَ البابُ مفتوحاً .

(٤) خَـبَـرُ إنَّ :   إنَّ اللهَ غفورٌ .

(٥) الفاعِـلُ :   خَلَقَنا اللّهُ .

(٦) نائِبُ الفاعلِ :   خُلِقَ الإنسانُ من طينٍ .

المَنْصوباتُ من الأسمـــاءِ

(١) اسـمُ إنَّ :   إنَّ اللّهَ غَفُورٌ .

(٢) خَـبَـرُ كانَ :   كانَ الطعامُ لذيذاً .

(٣) المفعولُ بـه :   فهمت الدرسَ .

(٤) المفعولُ فيه :   سافر أبي ليلاً . جلس المدرس عِنْدَ المدير .

(٥) المفعولُ لأَجْلِهِ :   ما خرجت من البيت خَوْفاً من الحرِّ .

(٦) المفعولُ مَعَهُ :   سِرت والجبلَ .

(٧) المفعولُ المُطْلَقُ :   يقرأُ حامد قراءةً جَيِّدةً .

(٨) الحَـــالُ :   جَدِّي يُصَلِّي قاعداً .

(٩) التَّمْيـــيزُ :   أنا أكبر منك سِنّاً .

(١٠) المُسْتَثْنَى :   حضر الطلاب كلُّهم إلا حامداً .

(١١) المُنَـــادَى :   ياعبدَ اللهِ .

المجـــرورات

(١) **المضافُ إليـــــه** : القرآن كتاب اللَّهِ .

(٢) **المَسْبوقُ بحرفِ جَرٍّ** : الطلاب في الفصلِ .

التوابـــــع

التَّابعُ هو الاسمُ المُشَارِكُ لِما قَبْلَهُ في إعرَابِهِ مُطْلَقاً. وهو على أربعة أنواع : النَّعْت، والتَّوْكيد، والعَطْف، والبَدَل.

وإليك الأمثلـــة :

(١) **النعـــت** :

المرفـوع : أَحضَر الطالبُ **الجديدُ**؟

المنصوب : يطلب المديرُ الطالبَ **الجديدَ**.

المجـرور : هذا دفتر الطالبِ **الجديدِ**.

(٢) **التَوْكيـــد** :

المرفـوع : حضر الطلاب **كلُّهم**. قال لي هذا المديرُ **نَفْسُه**.

المنصوب : سألت الطلّابَ **كلَّهم**. سألت المديرَ **نفسه**.

المجـرور : سلّمت على الطلابِ **كلِّهم**. سلّمت على المديرِ **نفسِه**.

(٣) العطف(١) :

المرفـوع : خرج حامد وصديقُه.

المنصوب : طلب المديرُ حامداً وصديقَه.

المجرور : أين كُتُبُ حامدٍ وصديقِه؟

(٤) البـدل :

المرفـوع : أنجح أخوك هاشم؟ أنجح هذا الطالبُ؟

المنصوب : أعرف أخاك هاشماً. أعرف هذا الطالبَ.

المجرور : أين غرفة أخيك هاشمٍ؟ أين غرفة هذا الطالبِ؟

(ب) في الأفعـال

المعرب والمبني من الأفعال :

الفعل الماضِي وفِعْلُ الأَمْرِ مَبْنِيّانِ.

والفعلُ المضارعُ معربٌ (إلا إذا اتصلتْ به نونُ النِّسْوَةِ فيكون مبنياً)(٢) نحو:

---

(١) العطف نوعان : عطف النَسَق وعطف البَيَانِ. عطف النسق نحو: أُحِبُّ الله ورسولَه، أما عطف البيانِ فيُشْبِهُ البَدَلَ وستَدْرُسه في المستقبَل إن شاء الله.

(٢) وكذلك يُبْنَى المضارعُ إذا باشرتْهُ نونُ التَّوكيد، نحو: «لَأَشْرَبَنَّ، لَنَشْرَبَنَّ، لَتَشْرَبَنَّ، لَيَشْرَبَنَّ».

أفهمُ هذا الدرس. مرفوع.

أريد أَنْ أفهمَ هذا الدرس منصوب.

لم أفهمْ هذا الدرس. مجزوم.

علاماتُ الإِعرابِ الأصليةُ والفرعيةُ :

علامات الإِعراب في المضارع ثلاث، وهي :

الضمـــــةُ : وهي علامة الرفع.

الفتحـــةُ : وهي علامة النصب.

السُّــكُونُ : وهي علامة الجَزْمِ.

وهناك علامات أخرى فرعية، وهي في الأنواع الآتية من الفعل :

١ ـ الأفعال الخمسة : علامة الرفع فيها ثُبوتُ النونِ، وعلامة النصب والجزم حَذْفُ النونِ. نحو:

أتريدونَ أنْ تَذْهَبُوا؟ ألم تَذْهَبِي إلى المدرسة يامريمُ؟

٢ ـ الفعل الناقص: علامة الجزم فيه حَذْفُ آخرِه، نحو :

لم يَمْشِ، لم يَدْعُ. لم يَنْسَ

الإعراب التَّقْـديرِيُّ :

تُقَـدَّرُ :

١ ـ **علامةُ الرَّفْعِ في الفعلِ الناقصِ ، نحو:** يَمْشِي ، يَدْعُو. يَنْسَىٰ .

٢ ـ **علامةُ النَّصْبِ في الفعل الناقص المفتوح العَيْنِ، نحو:** لن أَنْسَى .

٣ ـ **علامـةُ الجَزْمِ في الفعلِ المُضَعَّفِ، نحو:** لم أَحُجَّ، **فعلامة جزمه** سكون مُقَدَّر.

تمـــــارين

(١) **عين المعرب من المبني فيما يأتي :**

دخل، اِجلس . يذهب . تَفْهَمْنَ . يخرجون . تشربين . يَكْتُبْنَ .

(٢) **ما علامات الإعراب الأصلية في المضارع؟**

(٣) **ما علامات الإعراب الفرعية في الأفعال الخمسة؟**

(٤) **ما علامة الجزم الفرعية في الفعل الناقص؟**

(٥) **ما علامة الرفع في الفعل الناقص؟**

(٦) **ما علامة النصب في الفعل الناقص المفتوح العين؟**

(٧) **ما علامة الجزم في الفعل المضعف؟**

(٢) الدرس الثاني

المدرس : أين حامدٌ؟

فيصـل : سيأتي بعدَ قليلٍ إن شاء الله. رأيته وهو يدخل الحمّامَ.

المدرس : وأين حمزةُ؟

فيصـل : خرج من الفصل وهو يحمل كتبه. أظنّ أنه رجع إلى المهجع.

معاويـة : رأيته وهو يدخل المستوصَفَ. لعلَّه مريض.

المدرس : شَفَاهُ الله... متى رجعتم من مكّة ياإخوان؟

فيصـل : رجعنا مساءَ أمسِ. خرجنا من مكّة والشمسُ تَطْلُعُ، ووصلْنا طَيْبَةَ الطَّيِّبَةَ والناسُ يخرجون من المسجد النَّبَوِيِّ بعد صلاة الظهر.

المدرس : تَقَبَّلَ الله عُمْرَتَكم !

الطلاب : آمِـــينْ.

المدرس : اقرأ الحديث المكتوب على السَّبّورة يامُعاوية.

معاويـة : (يقف ويقرأ) بسم الله الرحمن الرحيم.

المدرس : اقرأ وأنت جالسٌ.

معاويـة : أريد أن أقرأ وأنا واقف.

المدرس : كما تشاء.

معاويـة : عن جابرٍ رضي الله عنه قال : أتيت النبيَّ ﷺ وهو في المسجد فقال: «صَلِّ ركعتين» . متفق عليه .

المدرس : أَشرحُ لكم الـدرس الآن ، فٱسمعوا ، ولا تكتبوا شيئاً وأنا أشرح . تأتي الـواوُ لِمعـانٍ كثيرة ، منها العَطْفُ ، نحو: خرج الزُّبَيْرُ وحامدٌ . درسنا اليوم السِّيرةَ والفِقْهَ . أكلت وشربت .

ومنها : القَسَمُ ، نحو: واللَّهِ مارأيته . وواوُ القَسَمِ مِنْ حروفِ الجَرِّ .

ومنها : الحالُ ، نحو: أتيت النبيَّ ﷺ وهو في المسجد ، أي حالَ كَوْنهِ في المسجد . رأيت الحَسَنَ وهو يخرج من المَقْصِف ، أي حالَ خُروجِهِ منه . وإليكم أمثلةً أخرى لِوَاوِ الحال :

(١) مات أبي وأنا صغيرٌ . (٢) دخلت المسجدَ والإمامُ يَرْكَعُ .

(٣) لا تأكلْ وأنت شَبْعانُ .

لعلكم فهمتم . هاتِ الآنَ مثالاً لِوَاوِ العطف ياأَيُّوبُ .

أيــوب : ذهبت إلى السوق وٱشتريت أشْياءَ .

المدرس : أحسنت . هات مثالاً لواو القَسَم يامعاوية

معاويـة : والله ما غِبْتُ قَطُّ .

المدرس : أحسنت . هات مثالاً لواو الحال يافيصل .

فيصـل : دخلت المسجد والإمام يخطُب .

المدرس : أحسنت. هات مثالاً آخرَ يايونُس.

يونـــس : طلبت العلم وأنا كبير.

المدرس : أحسنت. ياعُبَيْدَالله، اذكر آية فيها واوٌ للحال.

عبيدالله : أعوذ بالله من الشيطان الرجيم. بسم ٱلله ٱلرحمن ٱلرحيم.

﴿إِنَّ ٱلَّذِينَ كَفَرُوا وَمَاتُوا وَهُمْ كُفَّارٌ أُولَـٰئِكَ عَلَيْهِمْ لَعْنَةُ ٱللهِ وَٱلْمَلَائِكَةِ وَٱلنَّاسِ أَجْمَعِينَ﴾[البقرة/ ١٦١].

المدرس : أين واو الحال في هذه الآية؟

عبيدالله : في قوله تَعَالَى : ﴿وَهُمْ كُفَّارٌ﴾.

المدرس : أحسنت... بَقِيَ ثلاثُ دقائقَ. فَهَلْ مِنْ سُؤالٍ؟

معاويـة : نعم. لَدَيَّ سؤالٌ. ما معنى (الحُرُم) في قوله تعالى : ﴿ياأيها الذين آمنوا لا تَقْتُلوا الصَّيْدَ وأنتم حُرُمٌ﴾؟[المائدة/ ٩٥].

المدرس : معناها : «مُحْرِمُون». مفردها «حَرَامٌ» : أي «مُحْرِمْ».

معاويـة : جزاك الله خيراً.

(يَرِنُّ الجَرَسُ، ويخرج المدرس وهو يقول: السلام عليكم ورحمة الله وبركاته)...

تمـــــارين

١ - **أجب عن الأسئلة الآتيـــة :**

(١) أين رأى فيصل حامدا؟

(٢) أين ذهب حمزة؟

(٣) متى خرج الطلاب من مكة، ومتى وصلوا المدينة المنورة؟

(٤) من الذي قرأ الحديث؟

(٥) ما معنى «الحُرُم» في الآية الواردة في الدرس؟ وما مفردها؟

٢ - **تأمل الأمثلة الآتية لـ(واو الحال) :**

(١) حَجَجْتُ وأنا صغيرٌ.

(٢) دخلت المسجدَ والناسُ يخرجون منه.

(٣) مات الرجل وهو نائمٌ.

(٤) عاش جَدِّي أكثرَ من مِائَةِ عامٍ، ومات وأنا صغيرٌ.

(٥) طلبت العلم وأنا مُتَزَوِّجٌ.

(٦) لا تقرأ الصحيفة وأنت تمشي في الشارع.

(٧) قال تعالى : ﴿**لا تَقْرَبوا الصَّلاةَ وأنتم سُكارَى**﴾[النساء/٤٣].

٣ - **مَيِّزْ (واو العطف) مِن (واو الحال) في الجمل الآتية. ضع خطّاً واحداً تحت واو العطف، وخطّين تحت واو الحال.**

(١) خرج المدرس من الفصل، وذهب إلى مكتب المدير.

(٢) دخلت على المدير وهو يكتب.

(٣) دخل حامد ومُعَاوِيَة والحسن الفصل والمدرس يشرح الدرس .

(٤) أعرف اللغتين الإنكليزية والفرنسية .

(٥) جاءني الولد وهو يبكي ، ورجع وهو يضحك .

(٦) دخل إسماعيل المسجد والإمام يقرأ الفاتحة .

٤ - عيِّن نوع كل واوٍ مما ورد في الجملة الآتية :

والله ما غبت يوما وأنا صحيح لا هذه السَّنةَ ولا السنةَ الماضيةَ .

٥ - أكمل كل جملة مما يأتي بجملة حالية مناسبة (و+ جملة اسمية) :

(١) دخلت المسجد

(٢) وصلتِ الطَّائرة مطار جدة

(٣) حججت

(٤) رأيت المدرس

(٥) مات عَمِّي

(٦) خرجت من المدينة ووصلت الرياض

٦ - اجعل كل جملة مما يأتي جملة حالية لجملة من إنشائك :

(١) .... أنت تمشي في الشارع .

(٢) .... أنا طفل .

(٣) .... المدرس يكتب الدرس على السّبورة .

(٤) .... المَطَرُ ينزِل .

(٥) .... الشمس تَغْرُبُ .

(٦) .... المُؤَذِّنُ يُقِيمُ .

(٧) .... أنا صغير.

٧ ـ يطلب المدرس إلى كل طالب أن يقرأ الدرس وهو جالس/ وهو واقف للتأكد من فهمه للجملة.

٨ ـ تفيد «لَعَلَّ» التَرَجِّيَ والإِشْفاقُ، ويَتَّضِحُ الفَرْقُ بينهما من المثالينِ الآتيين :

(١) لعلّه بخير، أي أرجو أن يكون بخير. (هذا التَّرجـيّ)

(٢) لعلّه مريض، أي أَخْشىَ أن يكون مريضاً. (هذا الإِشْفاقُ)

ماذا تفيد (لعلّ) في الجمل الآتية :

(١) لعلّك ناجــــحٌ. (٢) لعلّي راسبٌ.

(٣) لعلّ الامتحان سهل. (٤) لعل الامتحانَ صعبٌ.

(٥) قال ﷺ في حَجَّةِ الوداعِ : لعلّي لا أَحُجُّ بعد عامي هذا.

٩ ـ «إِلَيْكُمْ أمثلةً أُخْـرى». هنـا «إليكم» اسمُ فِعْلٍ. واَسْمُ الفِعْلِ كلمة تَدُلُّ على ما يدل عليه الفعل غيرَ أنها لا تَقْبَلُ عَلامَتَهُ.

و«إليك» معناه «خُذْ». تقول :

(١) إليكَ هذا الكتابَ. (٢) ياأختي، إليكِ المَلاعِقَ.

(٣) يقول المُذيعُ : إليكم نَشْرَةَ الأَخْبارِ.

وكذلك «آمِينْ» اسمُ فعل بمعنى «اِسْتَجِبْ».

١٠ ـ «أَشْياءُ» ممنوعٌ من الصرف لأنَّ أصله (أَشْيِئاءُ) على وزن (أَفْعِلاء)، نحو: أَغْنِياء، وأَصْدِقَاء.

١١ ـ «شَفَاه الله» . هذا دُعاءٌ . والفعل الماضي هنا مُسْتَقْبَلٌ في المعنى(١) .

هات مثالاً آخر من الدرس للفعل الماضي الذي يُفِيدُ الدُّعاءَ .

١٢ ـ «هَلْ مِنْ سُؤالٍ ؟» . أَصْلُ هذه الجملة «هَلْ مِنْ سُؤَالٍ عِنْدَكَ؟» .

هذه «مِنْ» الزائدةُ ، ومن شُروط دُخولِها :

(١) أنْ يَسْبِقَها نَفْيٌ ، أو نَهْيٌ ، أو اسْتِفْهامٌ بـ«هَلْ» .

(٢) أنْ يكونَ مجرورُها نَكِرةً .

كَوِّنْ جُمَلاً على غِرارِهِ مستعملاً الكلمات التي بين القوسين :

المثال : هَلْ مِنْ سُؤَالٍ ؟ (سـؤال)

(١) .... ؟ (خَبَـر)

(٢) .... ؟ (جديـد)

(٣) .... ؟ (مَـزِيـد)

١٣ ـ «لَدَيَّ سؤالٌ» . «لَدَي» ظَرْفُ مكانٍ بمعنى «عندَ» . وتُقْلَبُ أَلِفُهُ ياءً مع الضمير كما تُقْلَبُ أَلِفُ «إلى» و«على» ، فتقول : لَدَيْهِ ، لَدَيْكَ ، لديَّ .

وإليك الأمثلـة :

(١) وجدتـه لَدَى البـاب . (٢) ماذا لَدَيْكَ .

(٣) وفي التنزيل : (أ) ﴿وَلَدَيْنَا كتابٌ يَنْطِقُ بالحَقِّ﴾[المؤمنون/٦٢] .

(ب) ﴿كُلُّ حِزْبٍ بما لَدَيْهِمْ فَرِحُونَ﴾[الروم/٣٢] .

---

(١) يُنْفَى الفعلُ الماضي الذي يُفيدُ الدُّعاءَ بـ«لا» نحو : «لا فَضَّ اللّهُ فَاكَ!» .

١٤ـ ما ضِدُّ «المريض» ؟

١٥ ـ هات ماضِيَ الأفعالِ الآتية :

يَحْمِلُ، يَطْلُعُ، يَخْطُبُ، يَغْرُبُ، يَقْرَبُ، يَنْطِقُ.

١٦ ـ هات مفرد الأسماء الآتيـــة :

حُرُم، سُكارَى، مَلائكة، مَعانٍ.

١٧ ـ هات جمع الأسماء الآتيـــة :

عام، طِفْل، صَحيح، مُتَزَوِّج، حِزب، إمَام.

١٨ ـ «دخلتُ على المدير»، أي: دخلتُ مكتبَ المديرِ وهو فيه.

١٩ ـ «أقامَ الصلاةَ»، المضارع: «يُقِيمُ»، والأمر: «أَقِمْ».

٢٠ ـ ما الفرق بين «العبَدْ» و«العُبَيْد»؟ ماذا تُسَمَّى صِيغَةُ «العُبَيْد» في الصرف؟

٢١ ـ «وَصَلْتُ المدينةَ»، و«وَصَلْتُ إلى المدينةِ» كلاهما صحيح.

٢٢ ـ يُجْمَعُ «مَعْنَى» على «مَعانٍ». هاكَ أمثلةً أخرى لمثل هذا الجمع :

جارِيَة: جَوَارٍ، مَاشِيَة: مَوَاشٍ، دَاعِية: دَواعٍ، نَادٍ: نَوادٍ، لَيْلَة: لَيَالٍ.

هذه الأسماء على وزن «مَفَاعل»، غير أنها تُنَوَّنُ في الرفع والجرِّ، ولا تُجَرُّ بالفتحة. تقول:

(١) للـــواوِ مَعَـــانٍ كثـيرةٌ.

(٢) تأتي الواوُ لِمَعَانٍ كثيرةٍ.

(٣) أعـــرفُ للـــواوِ مَعَـــانِيَ كَثـيرةً.

(٣) الدرس الثالث

المدرس : لِمَ تَأَخَّرْتُم ياإخوان؟

الزبيــر : لأنَّ المطعمَ فُتِحَ اليومَ مُتَأَخِّراً.

المدرس : متى فُتِحَ؟

الزُّبَيْرُ : فُتِحَ الساعةَ السادسةَ.

المدرس : ومتى يُفْتَحُ كلَّ يومٍ ؟

جابــر : يُفْتَحُ الساعةَ السادسةَ إلا رُبعاً.

المدرس : اِجْلِسوا وٱفتحوا الكتاب. أين كتابك ياإدريس؟

إدريس : سُرِقَ كتابي ياأستاذ.

المدرس : سُرِقَ كتابُك؟! متى وأين؟

إدريس : سُرِقَ البارِحَةَ من غرفتي وأنا غائبٌ عنها. وسُرِقَتْ مَعَه أشياءُ أُخَرُ: ساعتي وحِذائي ومُعْظَمُ ملابِسي.

المدرس : عَوَّضَكَ الله منها... أريد الآن أن أسألكم أسئلة فيما درستم أمس. في أيِّ شَهْرٍ وُلِدَ رَسُولُ الله ﷺ؟

أحمــد : وُلِدَ ﷺ في شَهْرِ رَبيعٍ الأَوَّلِ.

المدرس : وفي أي سَنَةٍ وُلِدَ ﷺ ياجابر؟

جــابر : ما أدري.

المدرس : ألم تدرسوا هذا؟

جـــابر : بلى، درسناه، ولكنّني نَسِيتُ.

المدرس : من يعرف هذا؟

إدريس : وُلِدَ ﷺ عام سَبْعِينَ وخَمْسِمائَةٍ للمِيلاد (٥٧٠م).

المدرس : هذا صحيح. في أَيِّ عامٍ وُلِدْتَ أنت ياإدريس؟

إدريس : ولدتُ عامَ خمسةٍ وثمانِينَ وثلاثِمائَةٍ وألفٍ للهجرة (١٣٨٥هـ).

المدرس : وفي أي عام ولدت أنت ياأحمد؟

أحمـــد : ولدت عامَ سبعةٍ وسِتِّينَ وتِسْعِمائَةٍ وألفٍ للميلاد (١٩٦٧م).

المدرس : أين وُلِدْتَ ياأحمد؟

أحمـــد : وُلدت في باكستان.

المدرس : أنت إذاً باكستانيٌّ... اسمعوا ياإخوان. أَشْرَحُ الآن قاعدةً نَحْوِيَّةً مُهِمَّةً. الفعلُ إمَّا مَبْنِيٌّ للمَعْلوم، وإمّا مبنِيٌّ للمجهول. أمّـا المبنيُّ للمعلوم فمِثْـلُ (قَتَلَ يَقتُلُ). وأما المَبنيُّ للمجهول فَمِثْلُ (قُتِلَ يُقْتَلُ).

يُحْذَفُ الفاعلُ مع الفعل المبنيِّ للمَجْهول، ويُحَلُّ المفعولُ به مَحَلَّهُ ويُسَمَّى (نائبَ فاعلٍ)، وهو مرفوع. نقول:

قَتَلَ الجنديُّ الجاسوسَ. ← قُتِلَ الجاسوسُ.

يَسْمَعُ الناسُ الأذانَ بوُضوحٍ. ← يُسْمَعُ الأَذانُ بوضوحٍ.

يامُعاويـةُ : ابْنِ الفعلَ في هذه الجملة للمجهول : خَلَقَ اللهُ الإنسانُ من طينٍ.

معاويـة : خُلِقَ الإِنسانُ من طينٍ. (الإِنسانُ) هنا نائبُ فاعلٍ.

المدرس : هات مثالاً آخَرَ للفعل المبني للمجهول ياإدريس.

إدريس : قُتِلَ عُمَرُ رضي الله عنه وهو يصلِّي بالناس في المسجد النَبَوِيِّ.

المدرس : ياأحمد، هات مثالا آخر على أن يكون الفعل فيه مُضارِعاً.

أحمـــد : يُقْتَلُ آلافٌ من الناس في الحُروب.

المدرس : ياجابر، هات مثالاً آخر على أن يكون نائب الفاعل فيه مَؤَنَّثاً.

جــابر : تُقْرَأُ سُورةُ الفاتِحَةِ في كلِّ رَكْعَةٍ.

المدرس : ياحَسَنُ، أتستطيع أن تَذْكُرَ آيةً فيها فعلٌ مبني للمجهول؟

الحسـن : نعم، أستطيع بِعَوْنِ الله. قال تعالى: ﴿وَٱلَّذِينَ يَدْعُونَ مِنْ دُونِ ٱللهِ لا يَخْلُقونَ شَيْئاً وَهُمْ يُخْلَقُونَ﴾[النحل/ ٢٠].

المدرس : أحسنت ياحسن. أَيُمْكِنُكَ أن تذكر حديثاً نبويّاً يَحْوِي فعلاً مبنياً للمجهول يازُبَيْرُ؟

الزبـير : يُمْكِنُني إن شاءَ الله. قال ﷺ: «لا يُلْدَغُ المؤمنُ من جُحْرٍ واحدٍ مَرَّتَيْنِ». (رواه البخاري ومسلم).

المدرس : ما شاء الله.

الحسين : انتهى الوقت ياأستاذ.

المدرس : أَرَنَّ الجَرَسُ؟.

الحُسَيْنُ : لا يُسْمَعُ صوتُ الجرسِ في فصلنا هذا.

المدرس : مُنْذُ متى؟

الحسين : منذ أُسبوعين أو أكثرَ.

تمـــــارين

١ - أجب عن الأسئلة الآتيــة :

(١) لِمَ تَأَخَّرَ الطلاب؟

(٢) في أي ساعة يُفتَحُ المطعم كلَّ يوم؟ ومتى فُتِحَ اليوم؟

(٣) في أي شهر ولد النبي ﷺ؟

(٤) في أي عام ولد النبي ﷺ؟

(٥) في أي عام ولدت أنت؟

(٦) أين قتل عمر رضي الله عنه؟

(٧) أيُّ سورة تقرأ في كل ركعة؟

(٨) من الذي سُرِقَ كتابه؟

٢ - تأمل الأمثلة الآتية للفعل المبني للمجهول، وعَيِّنْ نائبَ الفاعلِ في كل واحد منها :

(١) بُنِيَ الإسلامُ على خمسٍ : شَهادةِ أَنْ لا إله إلا الله وأنَّ محمداً رسولُ الله، وإِقامِ الصّلاةِ، وإيتاء الزكاة، والحجِّ، وصَوْمِ رمضانَ».

(٢) قُتِــلَ عليٌّ رضي الله عنــه بالكُوفــة.

(٣) لا تُفْتَحُ المكتبـةُ يـومَ الجُمُعَـةِ.

(٤) وُجِـدَ هـذا القلمُ تحـتَ المكتبِ.

(٥) تُقْطَـعُ يَـدُ السـارقِ.

(٦) لا يُسْـمَعُ الأذانُ في بيتنـا.

(٧) يَجِبُ أن يُكْتَبَ العُنْوانُ بخَطٍّ واضِحٍ.

(٨) قُبِضَ النبيُّ ﷺ وهو ابنُ ثلاثٍ وستِّينَ سنةً.

٣ ـ تأمل ما يلي :

جلسَ الطالبُ. هنا (الطالب) فاعلٌ. الفاعلُ يَتَقَدَّمهُ فعلٌ مبني للمعلوم.

سُئِلَ الطالبُ. هنا (الطالبُ) نائبُ فاعلٍ. نائب الفاعل يتقدمهُ فعل مبني للمجهول.

٤ ـ اِبْنِ الأفعالَ الآتيةَ للمجهول. لاحظْ أنَّ الفعلَ الماضيَ المبنيَّ للمجهول يُكْسَرُ ما قَبْلَ آخِرِه، ويُضَمُّ كلُّ مُتَحَرِّكٍ قَبْلَه، نحو: كَتَبَ / كُتِبَ.

المبْنِيُّ للمعلوم	المبْنِيُّ للمجهول	المبْنِيُّ للمعلوم	المبْنِيُّ للمجهول
ضَرَبَ	....	شَرِبَ	....
سَمِعَ	....	غَسَلَ	....
ذَبَحَ	....	أَخَذَ	....
بَنَـى	....	حَفِظَ	....
وَلَـدَ	....	سَـأَلَ	....
وَجَـدَ	....	قَـرَأَ	....

٥ ـ ٱبنِ الأفعال الآتية للمجهول :

لاحِظْ أن الفعل المضارع المبني للمجهول يُضَمُّ أولهُ، ويُفْتَحُ ما قبلَ آخِرِه، نحو: يَكْتُبُ / يُكْتَبُ.

المبْنِيُّ للمعلوم	المبْنِيُّ للمجهول	المبْنِيُّ للمعلوم	المبْنِيُّ للمجهول
يَشْرَبُ	....	يَفْهَمُ	....
يَعْبُدُ	....	يَخْلُقُ	....
يَقْطَعُ	....	يَشْرَحُ	....
يَسْأَلُ	....	يَأْخُذُ	....
يَبْنِي	....	يَلِدُ	يُوْلَدُ[١]
يَكْوِي	....	يَجِدُ	....
يَدْعُو	....	يَزِنُ	....

٦ ـ تأمل الأمثلة الآتية، ثم ٱبْنِ الأفعالَ في الجمل التي تليها للمجهول :

(أ) فَهِمَ الطلابُ الدرسَ. فُهِمَ الدرسُ.

(ب) فَتَحَ البَوَّابُ البابَ. فُتِحَ البابُ.

(ﺟ) سَرَقَ اللِّصُّ ساعَتَهُ. سُرِقَتْ ساعتَهُ.

(د) يَفْتَحُ التُّجَّارُ الدكاكينَ الآنَ. تُفْتَحُ الدكاكينُ الآنَ.

بعد بناءِ الفعلِ للمجهول يُحْذَفُ الفاعلُ، ويَحُلُّ المفعولُ به محلَّه مرفوعاً ويُسَمَّى (نائبَ فاعلٍ).

---

(١) لاحظ أنَّ واوَ المِثالِ لا تُحْذَفُ في المضارع المبني للمجهول.

(١) يَشْرَحُ المدرسُ الدرسَ مَرّتينِ.

(٢) ما صَلَبَ اليَهودُ المسيحَ.

(٣) يَقْرَأُ الطالبُ الدرسَ بصوتٍ عالٍ.

(٤) يَعْبُدُ النَّاسُ الأوثانَ في كثيرٍ من البلاد.

(٥) مَنَعَ المديرُ الطلابَ المتأخرين من الدخول.

(٦) لم يَخْلُقْ الله مِثْلَهم.

(٧) تَبْني الحكومةُ مسجداً جميلاً في حيِّنا.

(٨) صَبَّ الرجلُ القهوةَ في الفناجين.

(٩) ما عَرَفَ الطلابُ ٱسمَه.

(١٠) لا يَجِدُ النَّاسُ السَّمَكَ في السوق هذه الأيامَ.

٧ ـ **تأمل ما يلـــي :**

أَسَأَلَكَ المديرُ عن الغِياب؟ أَسُئِلْتَ عن الغياب؟

إذا كان المفعـول به ضَميراً، أُتِيَ بضمير الرَّفْعِ لِيَحلَّ مَحَلَّهُ، كما يَتَّضِحُ من الجَدْوَلَيْنِ التالِيَيْنِ:

(أ) جدول الفعل الماضي :

الفعل المبني للمعلوم	الفعل المبني للمجهول	نائب الفاعل
سَأَلَه المدرسُ	سُئِلَ	ضَميرٌ مستتر
سَأَلَهم المدرسُ	سُئِلوا	الواو
سَأَلَها الأَبُ	سُئِلَتْ	ضمير مستتر
سَأَلَهُنَّ الأَبُ	سُئِلْنَ	النـــون

سَأَلَكَ المدرسُ	سُئِلْتَ	التـــاء
سَأَلَكُم المدرسُ	سُئِلْتُمْ	تُـــمْ
سَأَلَكِ الأَبُ	سُئِلْتِ	التـــاء
سَأَلَكُنَّ الأَبُ	سُئِلْتُنَّ	تُـــنَّ
سَأَلَني المدرسُ	سُئِلْتُ	التـــاء
سَأَلَنَا المدرسُ	سُئِلْنَا	نـــا

(ب) جدول الفعل المضارع :

الفعل المبني للمعلوم	الفعل المبني للمجهول	نائب الفاعل
يَسْأَلُهُ المدرسُ	يُسْأَلُ	ضمير مستتر
يَسْأَلُهم المدرسُ	يُسْأَلُونَ	الـــواو
يَسْأَلُها الأَبُ	تُسْأَلُ	ضمير مستتر
يَسْأَلُهُنَّ الأَبُ	يُسْأَلْنَ	النـــون
يَسْأَلُكَ المدرسُ	تُسْأَلُ	ضمير مستتر
يَسْأَلُكُمُ المدرسُ	تُسْأَلُونَ	الـــواو
يَسْأَلُكِ الأَبُ	تُسْأَلِينَ	اليـــاء
يَسْأَلُكُنَّ الأَبُ	تُسْأَلْنَ	النـــون
يَسْأَلُني المدرسُ	أُسْأَلُ	ضمير مستتر
يَسْأَلُنا المدرسُ	نُسْأَلُ	ضمير مستتر

٨ ـ عَيِّنْ نائب الفاعل فيما يأتي :

(١) ﴿وإذا المَوْءُودَةُ سُئِلَتْ بأيِّ ذنْبٍ قُتِلَتْ﴾؟ [التكوير/٨-٩].

(٢) ﴿ولا تَقولُوا لِمَنْ يُقْتَلُ في سَبيلِ اللهِ أَمْواتٌ﴾[البقرة/١٥٤].

(٣) ﴿ولا تُسْأَلونَ عَمَّا كانوا يَعْمَلُونَ﴾[البقرة/١٣٤].

(٤) ﴿لا يُسْأَلُ عَمَّا يَفْعَلُ وهم يُسْأَلُونَ﴾[الأنبياء/٢٣].

(٥) ﴿أفلا يَنْظُرونَ إلى الإبِلِ كَيْفَ خُلِقَتْ، وإلى السَّماءِ كيف رُفِعَتْ، وإلى الجِبالِ كيفَ نُصِبَتْ، وإلى الأرض كَيْفَ سُطِحَتْ﴾[الغاشية/١٧-٢٠].

٩ ـ اِبْنِ الأفعالَ في الجمل الآتية للمجهول :

(١) عَمَّ سَأَلَكَ المديرُ؟

(٢) قَتَلَهُم المُجْرِمُ بالمُسَدَّس.

(٣) لا يَسْأَلُهم أحدٌ عن سَبَبِ تَأَخُّرِهم.

(٤) لِمَ أَخَذَكُمُ المُرَاقِبُ إلى المدير؟

(٥) ضَرَبَنَا الرَّجُلُ بالعَصا.

(٦) سَرَّنِي الخَبَرُ.

١٠ ـ اِسْتَخْرِجْ من الدرس الأفعالَ المبنيةَ للمجهول، واذكر نائب فاعل كل واحد منها.

١١ ـ يُوَجِّهُ المدرسُ إلى كل طالب هذا السؤال: (في أي عام ولدت؟) فيجيب الطالب قائلاً: (ولدتُ عامَ كذا للهجرة/ للميلاد) بادِئاً بالعدد الأَدْنَى.

١٢ ـ تُحْذَفُ الألِفُ واللاَّمُ من العَلَمِ المُقْتَرِنِ بهما عندَ النِّداءِ، نحو: الحَسَنُ/ ياحَسَنُ.

نادِ الأعلامَ الآتيةَ :

الحُسَيْنُ :　　الزُّبَيْرُ:　　الحَارِث :　　البَرَاء :

١٣ ـ النَّسَبُ : إلْحَاقُ ياءٍ مُشَدَّدَةٍ في آخِرِ الاسْمِ لِتَدُلَّ على نِسْبَتِهِ، نحو :

الهِنْدُ : هِنْدِيٌّ.

العِرَاقُ : عِرَاقِيٌّ.

اُنْسُبْ إلى الأَسماء الآتيــة :

السودان :　　الكُوَيْتُ :

اليابــان :　　الـدِّيْنُ :

النَّحْـوُ :　　التَّارِيْـخُ :

النَّبِيُّ : نَبَوِيٌّ　　الأخ : أَخَوِيٌّ

١٤ ـ استخرج من الدرس أمثلة للنسب.

١٥ ـ «أُخَرُ» جمع أُخْرَى، وهي ممنوعة من الصَّرْفِ. قال تعالى : ﴿فَمَنْ كانَ منكم مريضاً أو على سَفَرٍ فَعِدَّةٌ من أيامٍ أُخَرَ﴾[البقرة/١٨٤].

١٦ ـ تأمل ما يلي :

يَسْتَطِيعُ، تَسْتَطِيعُ، أَسْتَطِيعُ.

(١) مَن يَسْتَطِيعُ أن يكتبَ الدرس على السبورة بِخَطٍّ واضح؟.

(٢) أتستطيع أن تسوقَ شاحِنَةً يازبير؟

(٣) هذه الرسالة بخطٍّ رَدِيْءٍ لا أستطيع أن أقرأها. أتستطيع أن تقرأها أنت يابَراء؟

(٤) أتستطيعين أن تغسلي هذه الملابِس اليومَ يالَيْلَى؟

١٧ ـ تأمــل ما يلي :

صَلَّى، يُصَلِّي، صَــلِّ.

(١) أصلّيت الظهر ياحسين؟

(٢) صَلّيتُ في المـسـجـد الحَـرام وفي المـسـجـد الـنـبـويّ الشريف، وأُحِبُّ أن أُصَلِّيَ في المسجد الأَقْصَى بِإِذْنِ الله.

(٣) صَــلِّ بِنَــا ياشَــيْخُ.

(٤) لا تُصَــلِّ الفَرائِضَ في البيت.

(٥) لَمَّــا أُصَــلِّ العَصْــرَ.

١٨ ـ هذه أسماء الشهور العربية :

(١) المُحَــرَّمُ.	(٧) رَجَــبُ.
(٢) صَفَــرُ.	(٨) شَعْبَــانُ.
(٣) رَبِيعُ الأَوَّلُ.	(٩) رَمَضَــانُ.
(٤) رَبِيعُ الآخِــرُ.	(١٠) شَــوَّالُ.
(٥) جُمادَي الأولَى.	(١١) ذُوْ القَعْــدَةِ.
(٦) جُمادَي الآخِرَةُ.	(١٢) ذو الحِجَّــةِ.

١٩ ـ تأمل ما يلي :

إِمَّا .... وإِمَّا

(١) الاسم في اللغة العربية إِمَّا مُذَكَّرٌ وإِمَّا مُؤَنَّثٌ.

(٢) إِمَّا تَزورُني وإِمَّا أَزورُك.

(٣) إبراهيم إِمَّا مريضٌ وإِمَّا مسافرٌ.

أَدْخِلْ (إِمّا) في ثلاث جمل من إنشائك.

٢٠ ـ «الحَرْبُ» مؤنثة. تقول: الحربُ العَالَمِيَّةُ الأُولَى/ الثانِيةُ. الحربُ الأَهْلِيَّةُ.

٢١ ـ هات مضارع الأفعال الآتية:

حَوَى	....	لَدَغَ	....
قَبَضَ	....	نَصَبَ	....
سَرَق	....	صَلَبَ	....
مَنَعَ	....	سَرَّ	....

٢٢ ـ هات جمع الأسماء الآتية:

حَرْب	....	جُحْر	....	قَاعِدَة	....
وَثَن	....	ذَنْب	....	جَاسُوس	....
حِذَاء	....	شَاحِنة	....	لِصّ	....
دِيْن	....	مَلْبَس	....	حَدِيث	....

٢٣ ـ أدخِلْ كلَّ كلمة مما يأتي في جملة مفيدة:

صَلَّى، سَرَقَ، مَنَعَ، سَرَّ، الحرب، مُعْظَم، ابنُ كذا وكذا سَنَة.

٢٤ ـ في «ثَلاثمائَةٍ» لفظ «مِائة» مجرورٌ بالإِضافةِ. أما «ثَلاث» فيُعْرَبُ

بِحَسَبِ العامِلِ ، نحو :

(أ) «عندي ثَلاثُمائَةِ ريالٍ» . هنا «ثلاثُ» مرفوعٌ لأنَّهُ مبتدأ .

(ب) «أريدُ ثلاثَمائَةِ ريالٍ» . هنا «ثلاثَ» منصوبٌ لأنَّهُ مفعولٌ بهِ .

(جـ) «اشتريتُ هذه السَّاعةَ بثلاثِمائَةِ ريالٍ» . هنا «ثلاثِ» مجرورٌ بالباء .

ومثلُ «ثلاثِمائةٍ» أخواتُها «أرْبعُمائَةٍ» و«خَمْسُمائَةٍ» . . . إلى «تِسْعِمائة» .

اقرأ الأعدادَ فيما يلي قراءةً صحيحة :

(١) في هذا الكتاب خمسمائة صفحة، قرأت منها أربعمائة صفحةٍ .

(٢) ثَمَنُ التَّذكرة تِسعمائة دولارٍ .

(٣) اشتريت هذا السِّوارَ بسبعمائة جُنَيهٍ .

(٤) يدرس في هذه الكُلِّيَّة ستّمائة طالبٍ .

(٥) جئت إلى المدينة المنورة عامَ أربعمائة وألفٍ للهجرة .

٢٥ ـ «اليَهود» اسمُ جِنْسٍ جَمْعِيٌّ ، واسمُ الجِنْسِ الجمعِيُّ هو الذي يُفْرَق بينَه وبين واحدِهِ بالياء ، أو بالتَّاء .

أمثلةُ الإفرادِ بالياء : يهود ← يهوديّ ؛ عَرَبٌ ← عَرَبِيّ ؛ رُومٌ ← رُومِيّ ؛ تُرْكٌ ← تُرْكِيّ ؛ إنكليزُ ← إنْكِلِيزِيّ .

وأمثلة الإفرادِ بالتَّاء : سَمَكٌ ← سَمَكَةٌ ؛ شَجَرٌ ← شَجَرَةٌ ؛ تُفَّاحٌ ← تُفَّاحَةٌ ؛ عِنَبٌ ← عِنَبَةٌ ؛ مَوْزٌ ← مَوْزَةٌ ؛ حَبٌّ ← حَبَّةٌ .

(٤) الدرس الرابع

البــراء : نريد أن نعرفَ نَتِيجَةَ الاخْتِبار الشَّهْرِيِّ ياأستاذ .

الحارث : كَمْ راسباً في فصلنا ياأستاذ؟

المدرس : كلُّكم ناجحٌ والحمد لله .

خالــــد : نحن مسرورون . هل مِنْ راسبٍ في الفصول الأخرى؟

المدرس : نعم . ولٰكنَّ الراسبين قليلون . . مَنْ كاتِبُ هذا على السبورة؟

حامــد : ما ندري . وجدناه مكتوباً عندما دخلنا الفصل . يُتْرَكُ الفصلُ مفتوحاً فَيَدْخُلُه طلابٌ من جِهاتٍ مُخْتَلِفَةٍ .

المدرس : ماذا نعمل فالقُفْلُ مكسورٌ . . . هل مِنْ ذاهِبٍ إلى السوق اليومَ؟

غالــب : أنا ذاهب إن شاء الله .

المدرس : أرجو أن تَشْتَرِيَ قفلاً جَيِّداً .

غالــب : إن شاء الله .

المدرس : اقرأ الآية الوارِدَة في الدرس ياعارف .

عــارف : أعوذ بالله من الشيطان الرجيم . بسم الله الرحمن الرحيم .
﴿وَٱلسَّارِقُ وَٱلسَّارِقَةُ فَٱقْطَعُوا أَيْدِيَهُمَا جَزَاءً بِمَا كَسَبَا﴾ [المائدة/ ٣٨] .

المدرس : ما شاء الله! إنك قارِىءٌ جيّد. لم أسمعك تقرأُ القرآن من قَبْلُ. أَحافِظٌ أنت؟

عارف : نعم.

المدرس : ما أنا بِغَافِلٍ عمّا تعمل يامَنْصُور.

منصور : أرجو أن تسمح لي بالخروج فإنِّي أريد أن أذهب إلى النَّاسِخ.

المدرس : لا أسمح لك بذلك. ألا تعرف أن الخروج في أثناء الدرس مَمْنُوع؟

منصور : أنا آسِفٌ ياأستاذ.

المدرس : أتذكر الحديثَ الوارِدَ في الدرس السابق؟

منصور : نعم. عن سَهْلِ بْنِ سَعْدٍ عَنِ النَّبِيِّ ﷺ قال: «أَنَا وكافِلُ اليَتِيمِ في الجنة هٰكَذا». وأَشَارَ بالسَّبَّابَة والوُسْطَى، وفَرَّجَ بَيْنَهُما. (متّفق عليه).

المدرس : أحسنت يامنصور. أرجو أن تكون سامِعاً للدرس وفاهِماً له.

تمـــارين

١ ـ أجب عن الأسئلة الآتيــة :

(١) ماذا أراد الطلاب أن يعرفوا؟

(٢) أرسب أحد في هذا الفصل؟

(٣) من الذي قرأ الآية؟ وماذا قال له المدرس؟

(٤) من الذي أراد أن يخرج من الفصل؟ أسمح له المدرس بالخروج؟

٢ ـ **«السَّارِقُ» اِسْمٌ يدلُّ على من قام بالسَّرِقَة، وهو مُشْتَقٌّ من سَرَقَ يَسْرِقُ، ويُسَمَّى «آسْمَ فاعِلٍ». اسمُ الفاعِلِ اسمٌ مَصُوغٌ لِمَا وَقَعَ مِنْه الفِعْلُ، وهو على وَزْنِ (فَاعِلٍ) نحو: عَالِم. جَاهِل. ذَاهِب.**

استخرج من الدرس أسماءَ الفاعلين الواردة فيه، واذكر مَعَ كلِّ واحد منها الفعل الذي آشْتُقَّ منه على النحو التالي :

اسم الفاعل	الفعل الذي اشتقّ منه
سَـــارِقٌ	سَـــرَقَ يَسْـــرِقُ

٣ ـ صُغْ أسماءَ الفاعلين من الأفعال الآتية :

الفعـــل	اسم الفاعل	الفعـــل	اسم الفاعل
قَتَلَ يَقْتُـــلُ	....	عَلِمَ يَعْلَـــمُ	....
جَهِلَ يَجْهَلُ	....	سَجَدَ يَسْجُدُ	....
رَكَعَ يَرْكَـعُ	....	رَكِبَ يَرْكَبُ	....

جَلَسَ يَجْلِسُ	خَدَمَ يَخْدِمُ ....
شَهِدَ يَشْهَدُ	كَرِهَ يَكْرَهُ ....
لَعِبَ يَلْعَبُ	عَقَلَ يَعْقِلُ ....
سَأَلَ يَسْأَلُ	بَرَأَ يَبْرَأُ ....
أَكَلَ يَأْكُلُ	أَمَرَ يَأْمُرُ ....

٤ - عين أسماء الفاعلين فيما يلي :

(١) من قاتِلُ عليٍّ رضي الله عنه .

(٢) لا تَنْهَرْ السَّائِلَ .

(٣) أَلَدَيْكَ شاهِدٌ على ما تقول .

(٤) المَجُوسُ عُبَّادُ النارِ .

(٥) ذلك الرجلُ الجالِسُ أمامَ المِحْرَابِ عالِمٌ كبير من أَفْغانِسْتَان .

(٦) أَلاعِبُ كُرَةِ قدمٍ أنتَ؟ .

(٧) ظَنُّ العاقِلِ خيرٌ من يَقِينِ الجاهِلِ .

(٨) فعلتُ ذلك وأنا كَارِهٌ له .

(٩) فاتحُ الأَنْدَلُسِ طارِقُ بنُ زِيادٍ .

(١٠) عن أَنَسِ بنِ مالكٍ رضي الله عنه قال: قال رسول الله ﷺ : «يَأْتِي على الناس زَمانٌ الصَّابِرُ فيهم على دِيْنِه كالقابِضِ على الجَمْر» . رواه التِّرْمِذِيُّ .

(١١) قال تعالى : ﴿يُريدونَ أن يَخْرُجُوا من النار وما هم بِخَارِجِينَ منها، ولهم عَذَابٌ مُقِيْمٌ﴾ [المائدة/٣٧] .

٥ ـ «مَسْرُوقٌ» اِسْمٌ يَدُلُّ على ما وَقَعَتْ عليه السَّرِقَةُ، وهو مُشْتَقٌّ من سُرِقَ، ويُسَمَّى (اسْمَ مَفْعُولٍ). اسمُ المفعولِ اسمٌ مَصُوغٌ من الفعلِ المَبْنِيِّ للمجهول للدلالة على ما وَقَعَ عليه الفعلُ. وهو على وزن (مَفْعُول) من الفعل الثُّلاثِيِّ المُجَرَّدِ.

استخرج من الدرس أسماء المفعولين الواردة فيه، واذكر مع كلّ واحد منها الفعل المشتقّ منه على النحو التالي :

اسم المفعول	الفعل
مَكْتُوبٌ	كُتِبَ يُكْتَبُ

٦ ـ صُغْ أسماءَ المفعولين من الأفعال الآتية :

الفعل	اسم المفعول	الفعل	اسم المفعول
قُتِلَ	....	وُلِدَ	....
عُلِمَ	....	كُرِهَ	....
سُئِلَ	....	أُكِلَ	....
شُرِبَ	....	دُفِنَ	....
قُرِئَ	....	غُسِلَ	....
وُجِدَ	....	خُلِقَ	....
كُسِرَ	....	فُصِلَ	....

٧ ـ عَيِّنْ أسماءَ الفاعِلين وأسماء المفعولين فيما يلي. ضع خَطّاً واحداً تحت الأولى وخطَّيْن تحت الثانية :

(١) قال المدير للطالبين : مَنْ منكما الضاربُ ومَنْ المضروبُ ؟

(٢) فَرَّ القاتِلُ ونُقِلَ المقتولُ إلى المستشفى .

(٣) قَبَضْنا على السارق، ولكنّنا لم نجد لديه المالَ المسروقَ .

(٤) أذَانُ المسجدِ النَّبَوِيِّ مسموعٌ في جميع أَحْياءِ المدينة المنوَّرة .

(٥) قلت للبَقَّال : أيوجد لديك دجاجٌ مذبوح ؟

(٦) هذا الطالب مَفْصُول .

(٧) لا طاعةَ لِمَخْلُوقٍ في مَعْصِيَةِ الخالِقِ .

(٨) هذا بَيْضٌ مسلوق .

(٩) عن عبدالله بن عمر رضي الله عنهما قال : أَخَذَ رسول الله ﷺ بِمَنْكِبي فقال : «كُنْ في الدنيا كَأَنَّكَ غَريبٌ أو عَابِرُ سَبيلٍ »(رواه البخاري) .

(١٠) قال تعالى : ﴿إنّ الله فالِقُ ٱلحَبِّ وٱلنَّوَى﴾ [الأنعام/٩٥] .

٨ ـ تأمل ما يلي :

اِشْـتَرَى. يَشْـتَرِي. اِشْـتَرِ.

(١) بِكَم اشتريت هذه الساعة؟

(٢) ماذا تريد أن تَشْتَرِيَ في المكتبة؟ .

(٣) لا تَشْتَرِ هذا المُعْجَم . اِشْتَرِ ذاك فإنه أحسنُ .

(٤) قال تعالى : ﴿إنَّ ٱلله اشْتَرَى مِنَ ٱلمؤمنين أَنْفُسَهم وأَمْوالَهُم بأنَّ لهم الجَنَّةَ﴾[التوبة/ ١١١] .

٩ ـ «ما أنا بغافلٍ . . .» هذه ما النافية، وهي من أخوات (لَيْسَ) تدخل على الجملة الاسمية، فَتَرْفَعُ الاسْمَ وتَنْصِبُ الخَبَرَ، وتسمّى (ما الحِجَازِيَّةَ) نحو: ﴿ما هٰذا بَشَراً﴾[يوسف/ ٣١].

وقد يَقْتَرِنُ خبرُها بالباء الزَّائِدَة، نحو: ﴿وما ٱلله بِغافِلٍ عمّا تَعْمَلُون﴾[البقرة/ ٧٤].

اقرأ المثال، ثم أَدْخِلْ ما الحجازيةَ على الجمل الآتيـة :

أنت مجتهـدٌ	ما أنت مجتهداً	ما أنت بِمجتهدٍ

(١) أنا قارِيءٌ ....

(٢) نحن تُجّارٌ ....

(٣) هو قريبٌ ....

١٠ ـ هات مضارع الأفعال الآتيـة :

كَفَل .... أَسِف .... وَرَدَ .... سَبَقَ ....

غَفَلَ .... نَهَرَ .... فَرَّ .... سَلَقَ ....

فَلَقَ .... عَبَرَ ....

١١ ـ هات جمع الأسماء الآتيـة :

يَتيم .... قُفْل .... جِهَة .... عَابِد ....

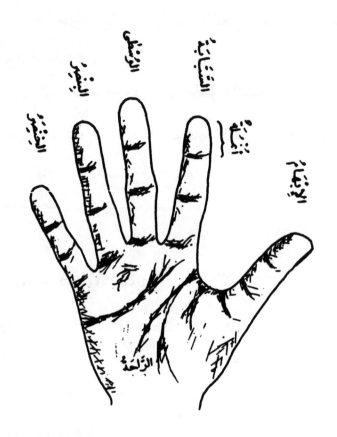

السبابة

الوسطى

البنصر

الخنصر

الإبهام

الراحة

(٥) الدرس الخامس

في مكتب مدير مَعْهَدِ اللّغة العربيّة

(يُسْمَعُ طَرْقٌ على الباب)

المـدير : ادخـل.

(يدخل شَابٌّ ويُسَلِّمُ)

وعليكم السلام ورحمة الله وبركاته. أطالب جديد أنت؟

الشاب : لا. أنا زَائِـرٌ.

المـدير : أَهْلاً وسَهْلاً. اجلس. من أين أنت؟

الشاب : أنا من باكستانَ، أنا مُحاضِرٌ في معهد اللغة العربية بِلاهُور. جئت حاجّاً، فَاْغْتَنَمْتُ هذه الفُرْصَةَ لِزيارة معهدِكم الشَّهيرِ. قِيْلَ لي إنه أحسنُ معهدٍ لتعليم اللغة العربية لغَيْرِ الناطِقين بها، فَأُحِبُّ أن أَطَّلِعَ على مَنَاهِجِهِ وكُتُبِه.

المـدير : مَرْحَباً بك. ما اسمك؟

الشاب : اسمي مَهْدِيُّ بنُ عَبْدِ الهادِي.

المـدير : يدرس في معهدنا دارسون من مُعْظَم بلاد العالم. يَتَراوَحُ عَدَدُهم بينَ أربعِمائَة وخَمْسينَ وخَمْسِمائَة. ومُدَّةُ الدِّراسةِ فيه سنتان. هذه نُسْخَةٌ من المَنَاهِج، وهي هَدِيَّةٌ لك. وهذه بعضُ كُتُبِنا.

مهـديّ : أين يُمْكِنني شِراءُ هذه الكتب؟

المـــدير : هذه الكتب لا تُباعُ. يمكنك الحُصُول عليها مَجّاناً من مَرْكَزِ شُؤُونِ الدَّعْوَةِ.

(يدخل سَاقٍ ويَصُبُّ لهما القَهْوَةَ)

مهـديّ : أدعوك لزيارة معهدنا. هذه بِطَاقَتِي، وفيها عنواني وعنوان المعهد.

المـــدير : أنا مَدْعُوٌّ لِحُضُورِ مُؤْتَمَرٍ في باكستانَ بعدَ أَشْهُرٍ. سَأَنْتَهِزُ هذه الفُرْصَةَ وأَزُورُ معهدكم إن شاء الله.

الســاقي : أَأَصُبُّ لك مَزِيْداً من القَهْوَة ياشيخ؟

مهـدي : لا، وشكرا... أَسْتَأْذِنُكَ الآن يافضيلة الشيخ. جزاك الله خيراً.

المـــدير : إلى اللقـاء. صَحِبَتْكَ السَّلامَةُ في الحَلِّ والتَّرْحَال. والسلام عليكم ورحمة الله.

تمـــارين

١ ـ أجب عن الأسئلة الآتيــة :

(١) من الزائر؟ ما اسمه؟ لم زار المعهد؟

(٢) أَتُبَاعُ كتبُ المعهدِ؟ من أين يمكن الحصول عليها؟

٢ ـ تأمل المثال للفعل الأجوف المبني للمجهول، ثم أكمل النَّاقِصَ :

المضـــارع		المـــاضي	
المبني للمجهول	المبني للمعلوم	المبني للمجهول	المبني للمعلوم
يُقَــالُ	يَقُــوْلُ	قِيْــلَ	قَــالَ
يُبَــاعُ	يَبِيْـعُ	بِيْـعَ	بَــاعَ
	يَسُــوقُ		سَــاقَ
	يَــزُورُ		زَارَ
	يَزِيْــدُ		زَادَ
	يَخَــافُ		خَافَ

٣ ـ عَيِّنِ الأفعالَ الجَوْفَاءَ في الأمثلة الآتيــة :

(١) بكم بِيْعَتْ سيارتك يازبير؟ بيعت بِعَشَرَةِ آلاف ريال.

(٢) هنا تُبَاعُ الصُّحُفُ والمَجَــلاَّتُ.

(٣) يُقَالُ إنَّ هذه الأرضَ سَتُبَاعُ بالمَزَادِ.

(٤) أَيُكَــالُ التَّمْــرُ أَمْ يُــوْزَنُ.

(٥) وفي التَّنْزِيلِ : ﴿وإِذا قِيلَ لَهُمُ ارْكَعُوا لا يَرْكَعُون﴾ [المرسلات/٤٨].

٤ ـ تأمل المثال لاسم الفاعل المَصُوغ من الفعل المُضَعَّفِ، ثم أكمل الناقِص :

حَـــجَّ حَـــاجٌّ أصله حَـــاجِجٌ

ظَـــنَّ ....

مَـــرَّ ....

ضَـــلَّ ....

دَلَّ ....

٥ ـ تأمل المثال لاسم الفاعل المَصُوغ من الفعل الأَجْوَف الوَاوِيِّ، ثم أكمل الناقص :

قَالَ يَقُــولُ قَائِلٌ أصله قَاوِلٌ

زَارَ يَــزُورُ ....

صَامَ يَصُومُ ....

نَامَ يَنَـــامُ .... (عَيْنُه واوٌ وتَظْهَرُ في المَصْدَرِ «نَوْم»)

٦ ـ تأمل المثال لاسم الفاعل المصوغ من الفعل الأجوف اليَائِيِّ، ثم أكمل الناقص :

بَاعَ يَبِيعُ بَائِعٌ أَصْلُه بَايِعٌ

مَالَ يَمِيلُ ....

سَارَ يَسِيرُ ....

عَاشَ يَعِيْشُ ....

سَالَ يَسِيلُ ....

٧ ـ **تأمل المثال لاسم الفاعِل المَصُوغ من الفعل الناقص الواوي، ثم أكمل الناقص :**

دَعَا يَدْعُو   دَاعٍ (الدَّاعِي)   أصله دَاعِوٌ

نَجَا يَنْجُو ....

عَفَا يَعْفُو ....

تَلَا يَتْلُو ....

٨ ـ **تأمل المثال لاسم الفاعل المصوغ من الفعل الناقص اليائي، ثم أكمل الناقص :**

سَقَى يَسْقِي   سَاقٍ   السَّاقِي

هَدَى يَهْدِي ....

زَنَى يَزْنِي ....

بَنَى يَبْنِي ....

بَكَى يَبْكِي ....

نَسِيَ يَنْسَى ....

٩ ـ **صُغْ أسماءَ الفاعِلين من الأفعال الآتية، واذكر نوع كل فعل منها على النحو التالي :**

الفِعْل	نَوْعُه	اسمُ الفاعِل المَصُوغ منه	أصله
حَجَّ	المُضَعَّف	حَـــاجٌّ	حَاجِجٌ

جَلَسَ . أَكَلَ . سَأَلَ . قَرَأَ . وَقَفَ . شَكَّ . تَابَ . غَابَ . شَفَى . رَجَا .

١٠ ـ تأمل المثال لاسم المفعول المصوغ من الفعل الأجوف الواوي، ثم أكمل الناقص :

قِيْلَ	(قَالَ يَقُول)	مَقُولٌ	أصلَهُ مقْوُوْلٌ
زِيْـــرَ	(زَارَ يَزُورُ)	....	
لِــيْمَ	(لَامَ يَلَوُمُ)	....	

١١ ـ تأمل المثال لاسم المفعول المصوغ من الفعل الأجوف اليائي، ثم أكمل الناقص :

بِيْعَ	(بَاعَ يَبِيْعُ)	مَبِيْعٌ	أصلهَ مبْيُوْعٌ
كِيْــلَ	(كَالَ يَكِيْلُ)	....	
زِيْـــدَ	(زَادَ يَزِيْدُ)	....	

١٢ ـ تأمل المثال لاسم المفعول المصوغ من الفعل الناقص الواوي، ثم أكمل الناقص :

دُعِـــيَ	(دَعَا يَدْعُو)	مَدْعُوٌّ	أصله مَدْعُوْوٌ
تُلِــيَ	(تَلَا يَتْلُو)	....	
رُجِــيَ	(رَجَا يَرْجُو)	....	

١٣ ـ تأمل المثال لاسم المصوغ من الفعل الناقص اليائي، ثم أكمل الناقص :

بُنِــيَ	(بَنَى يَبْنِي)	مَبْنِيٌّ	أصله مَبْنُوْيٌ
قُــلِيَ	(قَلَى يَقْلِي)	....	

شُــوِيَ (شَوَى يَشْوِي)[1]

كُــوِيَ (كَوَى يَكْوِي)

١٤ ـ صغ أسماء المفعولين من الأفعال الآتية، واذكر نوع كل فعل منها على النحو الآتي :

الفعل	نوعه	اسم المفعول المصوغ منه	أصله
شَــوَي	الناقِصُ اليائِيُّ	مَشْــوِيٌّ	مَشْوُوْيٌ

كُتِبَ. أُخِذَ. سُئِلَ. قُرِىءَ. سُرَّ. وُزِنَ. صِينَ (صَانَ يَصُونُ). نُسِيَ.

١٥ ـ استخرج من الدرس أسماء الفاعلين والمفعولين، واذْكُرْ أَصْلَ كل واحد منها والفعل الذي اشتق منه، ونوع هذا الفعل على النحو التالي :

اسم الفاعل / اسم المفعول	الفعل الذي اشتق منه	نوع الفعل

١٦ ـ عين أسماء الفاعلين والمفعولين في الجمل الآتية، واذكر أصل كل واحد منها، والفعل الذي اشتق منه، ونوع هذا الفعل.

(١) أبي قــاضٍ.

(١) ذكرنا اللَّفِيفَ مع الناقص اليائي لكَوْنِهِما مُشْتَرِكَيْنِ في هذه المسألة.

(٢) ما أَجْمَلَ هذا البيتَ المَبْنِيَّ بالحجر!

(٣) أصائم أنت؟

(٤) أُحِبُّ اللَّحْمَ المَشْوِيَّ والبَيْضَ المَقْلِيَّ.

(٥) الدَّالُّ على الخير كَفَاعِلِه.

(٦) قالت لي أمي : مَلابِسُك مَغْسُولَةٌ ومَكْوِيَّةٌ.

(٧) رجعت عائشة من الطائف في الأسبوع الماضي.

(٨) لا تَخَفْ فإن سِرَّكَ مَصُونٌ.

(٩) أين المَسْؤُولُ عن الامتحان.

(١٠) ألا تَزَالُ نائماً؟ قُمْ فَقَدْ أُذِّنَ للعصر.

(١١) لا تُقْبَلُ السِّلْعَةُ المَبِيعَةُ.

(١٢) أجب عن السؤال التَالِي.

(١٣) عن أبي هريرة رضي الله عنه عن النبي ﷺ قال: «يُسَلِّمُ الصَّغِيرُ على الكبير، والمَارُّ على القَاعِدِ، والقليلُ على الكثير». وفي رواية: «يُسَلِّم الراكِبُ على الماشِي، والماشي على القاعد، والقليل على الكثير».

(١٤) التَّائِبُ مِنَ الذَّنْبِ كَمَنْ لا ذَنْبَ له.

(١٥) قال تعالى: ﴿ولِكُلِّ قَوْمٍ هَادٍ﴾ [الرعد/٧].

(١٦) وقال: ﴿كُلُّ نَفْسٍ ذَائِقَةُ المَوْتِ﴾ [العنكبوت/٥٧].

(١٧) تُنْقَلُ صلاةُ الجُمُعة بالإذاعَتَيْنِ المَسْمُوعَةِ والمَرْئِيَّةِ.

١٧ ـ تأمل ما يلي :

سَلَّمَ عليه أي قال له : السلام عليكم . سَلَّمَ يُسَلِّمُ . سَلِّمْ .

اِطَّلَعَ على الأمر : عَلِمَهُ . اِطَّلَعَ . يَطَّلِعُ . اِطَّلِعْ .

اِسْتَأْذَنَه في كذا : أي طَلَبَ إِذْنَهُ فيه . اِسْتَأْذَنَ . يَسْتَأْذِنُ . اِسْتَأْذِنْ .

اِغْتَنَمَ الفُرْصَةَ : أي اِنْتَهَزَها . اِغْتَنَمَ . يَغْتَنِمُ . اِغْتَنِمْ .

اِنْتَهَزَ . يَنْتَهِزُ . اِنْتَهِزْ .

تَرَاوَحَ . يَتَرَاوَحُ .

١٨ ـ هات مضارع الأفعال الآتيـــة :

طَـرَقَ　　نَطَـقَ　　صَحِـبَ

١٩ ـ هات جمع الكلمات الآتيـة :

نُسْخَةٌ　　هَدِيَّة　　مَرْكَز　　فُرْصَة　　عُنْوان　　سِرّ

٢٠ ـ هات مفرد :

شُـــؤون . مَنَـــاهِج .

اسْم الفَاعِل وَاسْم المَفْعُول

نَوعُ الفِعْل		الفِعْلُ	اسْمُ الفَاعِل	أَصْلُهُ	اسْمُ المَفْعُول	أَصْلُهُ
السَّالِمُ		كَتَبَ	كَاتِبٌ	—	مَكْتُوبٌ	—
المُضَعَّفُ		سَرَّ	سَارٌّ	سَارِرٌ	مَسْرُورٌ	—
المَهْمُوزُ	الفَاءِ	أَخَذَ	آخِذٌ	—	مَأْخُوذٌ	—
	العَيْنِ	سَأَلَ	سَائل	—	مَسْؤُولٌ	—
	اللاَّمِ	قَرَأَ	قَارِئٌ	—	مَقْرُوءٌ	—
المِثَالُ	الوَاوِيُّ	وَزَنَ	وَازِنٌ	—	مَوْزُونٌ	—
	اليَائِيُّ	يَسَرَ	يَاسِرٌ	—	مَيْسُورٌ	—
الأَجْوَفُ	الوَاوِيُّ	قَالَ يَقُولُ	قَائِلٌ	قَاوِلٌ	مَقُولٌ	مَقْوُولٌ
	اليَائِيُّ	بَاعَ يَبِيعُ	بَائِعٌ	بَايِعٌ	مَبِيعٌ	مَبْيُوعٌ
النَّاقِصُ	الوَاوِيُّ	دَعَا يَدْعُو	دَاعٍ الدَّاعِي	دَاعِوٌ	مَدْعُوٌّ	مَدْعُوْوٌ
	اليَائِيُّ	هَدَى يَهْدِي	هَادٍ الهَادِي	هَادِيٌ	مَهْدِيٌّ	مَهْدُويٌ

(٦) الدرس السادس

المُشْرِفُ : (بعد التَّحِيَّة) أأنتم المُشْتَرِكُونَ في رِحْلة الحَجِّ؟

أحمـــد : نعم.

المشرف : (يَعُـدُّهُم ويُنَادِيهِم، ثم يقول): أنتم الآنَ ثمانِيَةَ عَشَرَ. أين حامد وعبدُالبَاقِي؟

البـــراء : حامـد في المَـطْعَم، أمـا عبدالباقي فقد ذهب إلى المَصْرِف. سَيأتِيَان بعد عَشْرِ دقائِقَ إن شاء الله.

المشرف : أَمُسْتَعِدُّون أنتم؟

الحسن : إن شاء الله.

عـــلي : متى السَّفَرُ إن شاء الله؟

المشرف : في الساعة الثالثة بِإِذْنِ الله.

أحمـــد : أين نَلْتَقِي؟

المشرف : نلتقي في مَوْقِفِ السيارات بالجامعة. يجب أن تكونوا هناك قبل مَوْعِدِ السفر بِنِصْفِ ساعةٍ. . . هاتوا حَقَائِبَكُم، وضَعُوها في السَّيَّارةِ الواقفةِ أمامَ مَدْخَل المَهْجَع.

نائــف : لَمَّا يأْتِ زُمَلاؤُنا الساكِنُون في المهجع الثاني.

المشرف : أولئك سَيَلْحَقُون بنا عندَ مَحَطَّةِ القِطَارِ القديم.

إبراهيم : كم هُمْ؟

المشرف : هم عَشَرَةٌ.

عمرو : نحن ذاهبون في اليوم السابع. أخشى أن يكون الزِّحَامُ شديداً في المَطَاف والمَسْعَى.

المشرف : لا تَخَفْ. الله المُيَسِّرُ. . . أنا ذاهب إلى مكتبي. لا تَنْسَوْا أنَّ مَوْعِدَنا الساعةُ الثانيةُ والنِّصْفُ في موقِف السيارات إن شاء الله.

تمارين

١ - أجب عن الأسئلة الآتية :

(١) ما عدد المشتركين في رحلة الحج؟

(٢) أين ذهب حامد وعبد الباقي؟

(٣) متى موعد السفر؟

(٤) أين يلتقي الطلاب؟ وفي أي ساعة؟

(٥) أين يلحق بهم طلاب المهجع الثاني؟

٢ - كلمة (مَوْعِد) مَأْخُوذَةٌ من (وَعَدَ يَعِدُ) للدَّلالة على زَمانِ الوَعْدِ، أو مَكانهِ. وتُسَمَّى (آسمَ زمانٍ) إذا كانت للدلالة على الزَّمان، و(آسْمَ مَكَانٍ) إذا كانت للدلالة على المكان.

اِسما الزمانِ والمكانِ اسْمانِ مَصُوغَانِ للدَّلالة على زَمانِ الفِعْلِ أو مَكَانِه. ويُصَاغان من الفعل الثُّلاثِيِّ المُجَرَّدِ على وزن (مَفْعَلٍ ومَفْعِلٍ).

ويأتيان على وزن (مَفْعَلٍ) إذا :

(١) كان الفعل ناقصاً، نحو : مَجْرًى من جَرَى يَجْرِي.

(٢) أو كان المضارعُ مفتوحَ العَيْنِ أو مضمومَها[١]، نحو :

مَلْعَبٌ من لَعِبَ يَلْعَبُ.

مَكْتَبٌ من كَتَبَ يَكْتُبُ.

ويأتيان على وزن (مَفْعِلٍ) إذا :

(١) كان الفعلُ الصحيحَ الآخِرِ مكسورَ العينِ في المضارع، نحو:

مَجْلِس من جَلَسَ يَجْلِسُ.

(٢) أو كان مِثالاً صحيحَ الآخِرِ، نحو : مَوْقِف من وَقَفَ يَقِفُ.

ومَوْضِع من وَضَعَ يَضَعُ.

وقد تَلْحَقُ (مَفْعِلاً) هاءُ التأنيث كما في : مَدْرَسَة، مَحْكَمَة، مَكْتَبَة، مَنْزِلَة.

---

(١) قد جاء من (يَفْعُل) المضموم العين كلمات على (مَفْعِلٍ) بالكسر، نحو:

مَشْرِق من شَرَقَ يَشْرُقُ.

مَغْرِب من غَرَبَ يَغْرُبُ.

مَسْجِد من سَجَدَ يَسْجُدُ.

٣ - صُغْ أسماء الزمان والمكان من الأفعال الآتيــة :

(أ)

سَعَى يَسْعَى ....

لَهَــا يَلْهُو ....

رَمَــى يرْمِي ....

أَوَى يَــأْوِي ....

نَفَى يَنْفِي ....

(ب)

لَعِبَ يَلْعَبُ ....

طَعِمَ يَطْعَمُ ....

طَبَخَ يَطْبُخُ ....

قَعَدَ يَقْعُدُ ....

هَجَعَ يَهْجَعُ ....

(جـ)

كَــانَ يَكُونُ مَكَانٌ

قَــامَ يَقُومُ ....

طَافَ يَطُوفُ ....

زَارَ يَزُورُ ....

(د)

مَرَّ يَمُرُّ مَمَــرٌّ

حَلَّ يَحُلُّ ....

قَرَّ يَقَرُّ ....

حَطَّ يَحُطُّ ....

(هـ)

وَلَدَ يَلِدُ ....

وَرَدَ يَرِدُ ....

وَقَفَ يَقِفُ ....

وَضَعَ يَضَعُ ....

(و)

رَجَعَ يَرْجِعُ ....

صَرَفَ يَصْرِفُ ....

عَرَضَ يَعْرِضُ ....

جَلَسَ يَجْلِسُ ....

٤ ـ استخرج مما يأتي أسماء الزمان والمكان، واذكر وزن كل واحد منها، والفعل الذي اشْتُقَّ منه :

(١) يُقالُ : هُوَ مِنِّي بِمَرْأىً ومَسْمَع ، أي بِحَيْث أَراه وأَسْمَعُ كَلامَه .

(٢) قال تعــالى : ﴿إِنَّ مَوْعِــدَكُـمُ ٱلـصُّبْــحُ. أَلَيْسَ ٱلصُّبْــحُ بِقَــرِيبٍ﴾ [هود/٨١].

(٣) وقــال : ﴿لَـقَــدْ كانَ لِسَبَــإٍ في مَسْـكَـنِهِم آيــة. جَنَّتــانِ عَنْ يَمِــينٍ وَشِمالٍ﴾[سبأ/١٥].

(٤) وقال : ﴿قَدْ عَلِمَ كُلُّ أُناسٍ مَشْرَبَهُم﴾[البقرة/٦٠].

(٥) وقال : ﴿أَلَيْسَ في جَهَنَّمَ مَثْوى للكافِرين﴾؟[العنكبوت/٦٨].

(٦) وقال : ﴿مالكُمْ مِنْ مَلْجَأٍ يَوْمَئِذٍ﴾[الشورى/٤٧].

(٧) عن أبي هريرة رضي الله عنه أن رسول الله ﷺ قال: «مَنْ قام مَن مجلسِهِ ثم رَجَعَ إليه فَهُوَ أَحَقُّ به». (رواه مسلم).

٥ ـ استخرج ما في الدرس من أسماء الزمان والمكان، واذكر وزن كل واحد منها، والفعل الذي اشتق منه.

(٧) الدرس السابع

هشـــام : أتريدين شيئاً من السوق ياأم أحمد؟

أم أحمد : نعم. أريد مِغْرَفَةً ومِقْلاةً ومِكْواةً ومِقَصّاً.

هشـــام : ما أكثرَ طَلباتِك ياأم أحمد! ألم أَشْتَرِ لكِ هذه الأشياء في العام الماضي؟

أم أحمد : بلى، ولكنها من الطِّراز القديم. وقد جاءت في السوق الآن أَطْـرِزَةٌ حديثة وهي طَبْعاً أَحْسَنُ وأَجْوَدُ... نسيت أن أذكر القَمْحَ والعَدَس... اسمع إن هذا البَقَّال الجديد مُطَفِّفٌ فلا تَشْتَرِ منه شيئاً.

هشـــام : وَيْلٌ لِلْمُطَفِّفِينَ. ولكن كيف عرفت ذلك؟

أم أحمد : إن الجُبْنَ الذي اشتريت منه قبل أيام وَزَنْتُه بِمِيزَانِنا، فوجدته ناقِصاً. وكذلك كِلْتُ البُرَّ، فوجدته أيضاً ناقصاً.

هشـــام : سأَنْصَحُهُ وَأَتْلُو عليه قولَهَ تعالى : ﴿ولا تَنْقُصُوا ٱلْمِكْيَالَ وَٱلْمِيزَانَ﴾[هود/ ٨٤] لَعَلَّ الله يَهْدِيهِ... أتريد أنت شيئاً ياأحمد.

أحمـــد : نعم. أريد مِسْطَرَةً ومِمْحَاةً ومِبْرَاةً.

هشـــام : هات مِفْتَاحَ السيارة من غرفتي. أنا لَدَى بَاب المِصْعَدِ.

تمـــارين

١ - أجب عن الأسئلة الآتيــة :

(١) ماذا طلبت أم أحمد من السوق؟ .

(٢) وماذا طلب أحمد؟

(٣) أي آية يُريد هشام أن يتلو على البقال الجديد؟ ولماذا؟

٢ - كلمـةُ «مِفْتَـاح» مأخـوذةٌ من مصـدر فتَـحَ يَفْتَحُ للدلالة على آلة الفَتْحِ ، وتسمى (آسْمَ آلَةٍ) .

اِسْمُ الآلَةِ اسمٌ مَصُوغٌ من الفعل الثلاثي للدلالة على ما وقعَ الفعلُ بِواسِطَتِه .

لاِسْم الآلـةِ ثلاثـةُ أوزانٍ : مِفْعَـالٌ، ومِفْعَلٌ، ومِفْعَلَةٌ، نحو : مِفْتَاح، ومِبْرَد، ومِكْنَسَة .

٣ - صغ من الأفعال الآتية أسماء الآلة على وزن (مِفْعَال) :

فَتَـحَ يَفْتَـحُ ....

نَشَـرَ يَنْشُـرُ ....

حَرَثَ يَحْرُثُ ....

زَلَـجَ يَزْلِـجُ ....

قَـاسَ يَقِيـسُ ....

كَـالَ يَكِيـلُ ....

وَزَنَ يَـــزِنُ　　مِيزان　　أصله : مِوْزان

٤ ـ **صُغْ من الأفعال الآتية أسماء الآلة على وزن (مِفْعَل) :**

بَـرَدَ يَـبْرُدُ ....

حَلَبَ يَحْلُبُ ....

صَعِدَ يَصْعَدُ ....

قَبَضَ يَقْبِضُ ....

قَـادَ يَقُـودُ ....

قَصَّ يَقُصُّ مِقَصٌّ

حَكَّ يَحُكُّ ....

٥ ـ **صُغْ من الأفعال الآتية أسماء الآلة على وزن (مِفْعَلَة) :**

كَنَسَ يَكْنُسُ ....

لَعِـقَ يَلْعَقُ ....

طَـرَقَ يَطْـرُقُ ....

سَطَـرَ يَسْطُـرُ ....

عَصَـرَ يَعْصِـرُ ....

غَـرَفَ يَغْـرِفُ ....

قَلَى يَقْلِي مِقْـلاَةٌ أصلها : مِقْلَيَةٌ

مَحَـا يَمْحُو مِمْحَاةٌ أصلها : مِمْحَوَةٌ

كَوَى يَكْوِي ....

بَـرَى يَـبْرِي ....

صَفَـا يَصْفُـو ....

رَأَى يَـــرَى ....

رَقِيَ يَرْقَـى ....

٦ ـ **عيِّن أسماء الآلة فيما يأتي، واذكر وزنَ كل واحد منها :**

(١) عن أبي هريرة رضي الله عنــه أن رســول الله ﷺ قال: «المـــؤمـن مِرْآة المؤمن». (رواه أبوداود).

(٢) في حديث : «نزل رسول الله ﷺ مِرْقَاة من المِنْبَر». (رواه أحمد).

(٣) في حديث : «طـاف النبي عليه الصـلاة والسـلام في حَجَّــة الـوَدَاع على بَعِير يَسْتَلِمُ الرُّكْنَ بالمِحْجَن. (متفق عليه)[١].

(٤) عن عبـدالله بن عبـاس رضي الله عنهـما قال : «نَهَى رســولُ الله ﷺ عن كلِّ ذِي نابٍ من الـسِّـبَــاع، وعــن كل ذي مِخْلَبٍ من الـطَّير». (رواه مسلم).

٧ ـ **استخرج ما في الدرس من أسماء الآلة، واذكر وزنَ كلِّ واحدٍ منها، والفعلَ الذي اشْتُقَّ منه.**

---

(١) البعير: من الإبل بمنزلة الإنسان من الناس، يطلق على الجمل والناقة.
استلم الحجر الأسود: أي لمسه باليد. (يستلم).
الركن: المراد به هنا الحجر الأسود.
المحجن: خشبة في طرفها اعْوجاجٌ. حَجَنَ الشيءَ (ـُ): جذبه بالمحجن.
الناب: السن بجانب الرَّباعَية. ج أنياب ونيوب.
السَّبُع: كل ما له ناب كالأسد والذئب والنَّمِر. ج سباع.
المخلب: هو للطائر والسبع كالظفر للإنسان.
الطير: جمع مفرده طائر.

٨ ـ **بين نوعَ كلٍّ من المشتقات الآتية :**

(أ) مَرْئِـيّ . مَـرْأًى . مِـرْآة .

(ب) مِكْيـال . مَكِيـل .

(جـ) فَـاتح . مِفْتَـاح . مَفْتُـوح .

(د) مَوْلِـد . مَوْلُـود .

٩ ـ **هات جمع الأسماء الآتيـة :**

طَلِبَـة . طِـرَاز . مُطَـفِّف .

المِخْلَبُ

المِحْجَنُ

(٨) الدرس الثَّامـــن

المَشْـــتَرِى : ألديك أقلامٌ؟

صاحبُ المَحَلِّ : نعم، لدينا أقلامُ حِبْرٍ وأقلامٌ جَافَّة .

المشـــترى : أَعْطِني ذَاك (يُشِيرُ إلى قلمٍ) .

صاحب المحل : هــذا؟

المشـــترى : لا ، الذي فَوقَـه .

صاحب المحلّ : هــذا؟

المشـــترى : نعم. . . وأَعْطِني قلمَ رَصاصٍ .

صاحب المحل : هذا قلمُ رَصاصٍ .

المشـــترى : أعطني دفـــتراً .

صاحب المحلّ : الدفاتر أَنْواعٌ مُخْتلِفَةٌ . أيَّ نوعٍ تريد؟

المشـــترى : أريد دفتراً ذا وَرَقٍ مُسَطَّرٍ على غِلافِهِ خَرِيطةُ العالَمِ الإِسْلامِيِّ .

صاحب المحلّ : أتريد شيئاً آخر؟

المشـــترى : لا .

صاحب المحل : (يُنَـادِي ٱبْنَـه) ياولـد، ضَعْ هذه الأشياء في كِيْسٍ .
(للمشترى) أتلميذ أنت؟

المشـــترى : نعم.

صاحب المحل : ما ٱسْمك؟

المشتري : اسمي مَالِكٌ.

صاحب المحلّ : في أي مدرسة تدرس؟

مالك : في مدرسة عُمَرَ الثانَوِيَّةِ.

(يُسَلِّمُ لَهُ الولدُ الأشياءَ في كيسٍ، ويَدْفَعُ مالكٌ قِيْمتَها، ويخرج)

صاحب المحلّ : يامالك، تعالَ. هذه لَوحةٌ جميلة تَحْوِي آيات وأحاديث. هي هديَّة لك.

مالك : شكراً. (يقرأ) ﴿ما عندكم يَنْفَدُ وما عند الله بَاقٍ﴾ [النحل/ ٩٦].

«المُسْلِمُ مَنْ سَلِمَ المسلمونَ مِنْ لِسانِه وَيَدِه».

(رواه الشيخان).

تمارين

١ - أجب عن الأسئلة الآتية :

(١) ما الأشياء التي ٱشتراها مالك؟

(٢) أين يدرس مالك؟

(٣) ماذا حوت اللوحةُ؟

٢ ـ **الاسمُ إمّا مَعْرِفَةٌ وإمَّا نَكِرَةٌ.**

فالمعرفةُ : **ما دَلّ على مُعَينٍ كمُحَمَّد، وأنت، وهذا، وكتاب المدرس، والجامعة.**

والنَّكِرَةُ : **ما دَلَّ على غَيْرِ مُعينٍ كرُجِل، وكتاب، وجامعة.**

أقسام المعرفة :

المعارفُ سبعةُ أَقْسَامٍ وهي :

(١) **الضَمِيرُ مثل** : أنا، وأنت، وهو، والتاء من كتبت، والواو من يكتبون.

(٢) **العَلَم مثل** : أحمد، والهِنْد، ومكّة.

(٣) **اسمُ الإشارة مثل** : هذا، وذلك، وهذه، وتلك، وهؤلاء.

(٤) **الاسمُ الموصول مثل** : الذي، والذين، والتي، واللاتي، وَمَا، وَمَنْ المَوْصُوْلَتَيْنِ.

(٥) **المُحَلَّي بـ (اَلْ) مثل** : الكتاب، والرجل.

(٦) **المُضَافُ إلى مَعْرِفةٍ مثل** : كتابه، وكتاب حامد، وكتاب هذا، وكتاب الذي خرج من الفصل قبلَ قَليلٍ ، وكتاب المدرس.

أَمَّا المُضَافُ إلى نَكِرَةٍ فَنكرةٌ مثل : كتاب طالب، وبيت مدرس.

(٧) **النَكِرة المَقْصُودَة بالنداء مثل** : يارجلُ، وياشيخُ إذا نَادَيْتُ رَجُلاً وشَيْخاً مُعَيَّنَيْنِ.

أما النَكِرة غيرُ المقصودة بالنداء فنكرةٌ كقَوْلِ الأَعْمَى : يارجلاً خُذْ بِيَدِي .

والمعرفةُ لا تَتَغَيَّرُ حالُها بالنِداء نحو : ياخالدُ، ياهذا .

الآن حُلَّ هذه التمارين :

(١) هات ثلاثةَ أمثلة للنَكِرة .

(٢) هات ثلاثةَ أمثلةٍ لكل قِسْمٍ من أقسام المعرفة .

(٣) اِسْتَخْرِجُ من الدرس ما فيه من النَكِرَات .

(٤) استخرج من الدرس ما فيه من المَعَارِف، وآذكر نوع كلِّ واحدةٍ منها .

(٥) ورد في الدرس (ياولد . يامالك) . أيُّهما آكتَسَبَ التَعْرِيفَ بالنداء .

(٦) اقرأ الحديث الآتي، وعيِّنْ ما فيه من النكرات والمعارف، واذكر نوعَ كلٍّ مَعْرِفةٍ :
عن أنسِ بْنِ مالكٍ أن رجلاً سأل النبيَّ ﷺ : «مَتَى الساعةُ يارسول الله؟ قال: مَا أَعْدَدْتَ لها؟ قال: ما أعددت لها من كثير صلاةٍ ولا صوم ولا صدقةٍ وَلَكِنِّي أُحِبُّ الله ورَسَولَه . قال: أَنْتَ مَعَ مَنْ أَحْبَبْتَ» . (مُتَّفقٌ عليه) .

(٧) حوِّل كل نكرة مما يأتي إلى معرفة بالطريقة المذكورة أمامها :

(١) سيَّــــارة .	بالإضافة .
(٢) رســـول .	بِتَحْلِيَتِهَا بِـ(ال) .
(٣) أستـــاذ .	بالنِــداء .

٣ ـ **استخرج من الدرس :**

(١) مثَالين للمُضاف إلى معرفة، ومثالَين للمضاف إلى نكرة .

(٢) ثلاثَةَ أمثلةٍ لاسمِ الفاعلِ المُشتَقِّ من الفعل الثُلاثِيِّ المُجرَّدِ.

(٣) مثالاً للنَسَبِ.

٤ ـ **يُجْرَى التَمْرِيْنَانِ الشَفَوِيان الآتيان :**

(١) يقول كلّ طالب لزميله : اعْطِني قلمَك / كتابك / دفترك ....

(٢) يقول كلّ طالب لزميله مُشِيْراً إلى زميلٍ آخر: أعْطِهِ كتابَك دفترك / مِبْراتك ....

٥ ـ تعلَّم الأفعال الآتية :

نَادَي . يُنَادِي . نَادِ.

دَفَعَ . يَدْفَعُ .

نَفِدَ . يَنْفَدُ . تقول : نَفِدَتْ نُسَخُ هذا الكتاب في المكتبة .

سَلَّمَ الشيءَ له أي أَعطاه إِيَّاه . تقول : سَلَّمْتُ الدفتر للمدرس . (يُسَلِّمُ) .

أَمَّا سَلَّمَ عَلَيْهِ فَمَعْنَاهُ : قال له السلام عليك . (وقد عرفت هذا مِنْ قَبْلُ) .

سَلِمَ يَسْلَمُ . تقول : اِنْقَلَبَتْ سَيَّارته ولكنَّه سَلِمَ .

٦ ـ **هات جمع الأسماء الآتية :**

كِيس .... لَوحة .... خَرِيطَة .... غِلاف ....

لِسَان .... يَد ....

٧ ـ **ما ضِد «فَوق»؟**

(٩) الدَّرسُ التَّاسِع

المدّرسُ : أينَ قلمَايَ؟ (بصوتٍ عالٍ) أرأيتُمْ قلَميَّ ياإخْوانُ؟

ماجــد : هـٰهُماذَانِ ياأستاذُ. هُما تَحْتَ حقيبتِكَ.

المدرسْ : هاتُوا دفاتِركُمْ ياإخوانُ. يُسَلِّمُ لي كُلُّ واحدٍ مِنْكُم دفْتَريْنِ : دفترَ النَّحو ودفتَر الصَّرْفِ.

(الطلابُ يُسلِّمونَ لهَ دفاتِرَهُمْ) أينَ دفتَراكَ ياهِشامُ؟

هِشَــامُ : سَلَّمتُهُما لكَ أمس.

المدّرسُ : أسلَّمْتَ لي دفتَرَيْكَ ياماجِدُ؟

ماجــدُ : إني نسيتُ أن آتيَ بهِما.

المدرسُ : اذهبْ إلى المهجعِ في الفُسْحةِ وَأْتِ بهِما. . . دفاترُ مَنْ هذِهِ ياحارِثُ؟

الحـارِثُ : هذانِ دفترَايَ، وهذانِ دفترا حامدٍ.

المدرس : تعـالَ ياهشـامُ. خُذْ دفـتريْـكَ. ذانِـكَ دفـترا زميلِكَ. . . يامسعودُ، أين أخَواكَ؟ لا يَحْضُرانِ مُنْذُ يومينِ أو ثلاثةٍ.

مسعـودُ : كلاهُما مريض.

المدرس : ماذا بهِمَــا؟

مسعود : إنَّ كِلَيْهما مصابٌ بإسهالٍ شديدٍ.

المدرس : شفاهُما الله.

النعمـان : الجوَّ حــارٌّ ياأستاذ.

المدرس : افتح تَيْنِكَ النافذتينِ ياماجد . . . اقرأ الدرس ياهِشام .

هشـــام : عن عائشة رضي الله عنها عن النبيّ ﷺ قال : «رَكْعَتَا الفَجْرِ خَيْرٌ مِنَ الدنيا وما فِيها» . (رواه مسلِمُ والتِرْمِذِيُّ) .

المدرس : إنّ نون المُثَنَّى تُحَذَفُ عندَ الإضافة ، فـ(رَكْعَتَا) أَصْلُه (رَكْعَتَانِ) .

وكذلك تُحْذَفُ نونُ جَمْعِ المذكَّرِ السالمِ ، تقول : مُسْلِمُو اليَابَانِ .

قال تعالى في سورة البقرة(١٣٣) : ﴿أَمْ كُنْتُمْ شُهَدَاءَ إِذْ حَضَرَ يَعْقُوبَ الموتُ ، إِذْ قَالَ لِبَنِيهِ ما تَعْبُدُونَ مِنْ بَعْدِي؟ قالوا نَعْبُدُ إِلٰهَكَ وإِلٰهَ آبائِكَ إبراهيمَ وإِسْمَٰعِيلَ وإِسحٰقَ إِلٰهاً وَاحِداً ، وَنَحْنُ لَهُ مُسْلِمُونَ﴾ . فقَولُه تعالى : ﴿لِبَنِيْهِ﴾ أي لأَبْنَائِهِ .

الابْنُ له جَمْعانِ : بَنُونَ وَأَبْنَاءٌ . أفهمتم؟

الطلاب : نعم ، فهمنا جيداً .

المدرس : ياحامد ، هات آيةً تَحْوِي مُثَنًّى حُذفت نونُه للإضافة .

حامـــد : قال تعالى لِمُوسَى عليه السلام في سورة طه (١٢) : ﴿إِنِّي أَنا رَبُّك فَٱخْلَعْ نَعْلَيْكَ ، إِنَّكَ بِٱلوادِ المُقَدَّسِ طُوًى﴾ .

المدرس : أحسنت! ياحَارِث ، هات مثالاً من الحديث النَّبَوِيّ الشريف .

الحارث : قولُ النبي ﷺ لِعَائِشَة رضي الله عنها : «ياعائشة، إنَّ عَيْنَيَّ تَنَامَان، ولاَ يَنَامُ قَلْبي». (متفق عليه).

المدرس : أحســـنت .

المراقب : (يَـدخـل وَيُسلِّم ثم يقول) أيها الإخوة! أيُّ درس لكم في الحِصَّتَيْنِ الأخِيرتين؟

ماجــد : كِلْتَاهُما للقرآن الكريم .

المراقب : مُدَرِّسـو القـرآنِ الكـريم في آجْتِـمَاعٍ مع المدير. فَيُمْكِنُكُمُ الانْصِرَافُ بعدَ الحصة الثالثة .

تمـــــارين

١ ـ أجب عن الأسئلة الآتيــة :

(١) من الذي نسى دفتريه؟

(٢) لم لا يحضر أخَوا مسعودٍ؟

(٣) أين مدرسو القرآنِ الكريم؟

٢ ـ تأمل ما يلي :

(أ) هذا كتابٌ	هذا كتابُ الله .	يُحذفُ التنوينُ عندَ الإضافة
(ب) أين البِنْتَانِ؟	أينَ بنْتَا حامــدٍ؟	

رأيت بِنْتَيْنِ .	رأيت بِنْتَي حامدٍ .	تُحذَفُ نون المثنى ونُون الجمع المذكر السالم عندَ الاضافة
جاء الْمُدَرِّسُونَ .	جاء مُدَرِّسُو الفِقْهِ .	
أَبْحَثُ عن المدرِسينَ .	أبحث عن مُدَرِّسِي الفِقْه .	

٣ ـ استخرج من الدرس الأسماء الْمُثَنَّاةَ والمجموعةَ جمعَ مذكرٍ سالماً المحذوفة نونُها للإضافة .

٤ ـ تأمل الأمثلة الآتية للمثنّى وجمع المذكر السالم المحذوفةِ نُونهما للإضافة :

(١) اغسِل يَدَيْكَ وَرِجْلَيْك .

(٢) اِبْنَا عليٍّ في الجامعة ، وبِنتاه في المدرسة .

(٣) بابا المسجد مفتوحان .

(٤) قرأت في هذه المجلّة مقالاً عن مسلمي الهند .

(٥) أريد أن أبيع دَرَّاجَتَيَّ هاتين .

(٦) ما أرى أحداً من مُدَرِّسِي التَفْسير.

(٧) يدرس في هذه المدرسة مِائَتَا طالبٍ .

(٨) اشْتَريت هذه الإِرِيكةَ بِمائَتيْ ريال .

(٩) سَحَبْت اليومَ أَلْفَيْ ريال من المصرِف .

(١٠) غَمَّضَ المريضِ عَيْنَيْه .

(١١) أين أبَوَاك ياأَنَس؟

(١٢) قال تعالى في سورة المَسَد : ﴿تَبَّتْ يَدَا أَبِي لَهَبٍ وَتَبَّ﴾ .

٥ - **اقرأ ما يلي، ثم اكتبه مع كتابة الأرقام الواردة فيه بالحروف:**

(١) جاء من الصين هذا العام ٢٠٠ حاجٍّ.

(٢) أريد ٢٠٠ نُسْخَةٍ من هذا الكتاب.

(٣) اشتريت هذه الساعة بـ٢٠٠ ريال.

(٤) عَدَدُ الطلاب الهنود بالجامعة ٢٠٠.

(٥) أ ١٠٠٠ جُنَيْهٍ دَفَعْتَ أم ٢٠٠٠؟

(٦) عَاشَ عيسى عليه السلام قبل ٢٠٠٠ سنة.

(٧) عندي ١٠٠٠ ريال، وعندك ٢٠٠٠. وهذا المَبْلَغُ يَكْفِينَا.

(٨) يدرس بالجامعة ٢٠٠٠ طالب من دُوَلِ آسِيا.

٦ - **أَضِف الكلمة الأولى إلى الثانية فيما يلي:**

اِبْنان / حامدٌ	ابْنَا حامدٍ
بِنْتَانِ / راشِدٌ	....
نَافِذَتَانِ / الغرفةُ	....
مسلمونَ / اليابانُ	....
بَنُونَ / إسرائيلُ	....
بَابان / المدرسةُ	....
مُدِيْرُونَ / المدارسُ	....
يَدَانِ / أنتَ	....
أَبَوانِ / أنا	....
عَيْنَانِ / هِيَ	....

٧ - ثَنِّ الكلماتِ التي تحتها خطٌّ في الجمل الآتية :

(١) أين عمُّك ياإبراهيم؟ أين عمّاك ياإبراهيم؟

(٢) اِرْفَعْ يَدَكَ. ....

(٣) ماذا قالت المرأة لِبِنْتِهَا. ....

(٤) غسلت رِجْلِي. ....

(٥) أهذا تلميذُكَ؟ ....

(٦) خُذ رسالَتك. ....

(٧) باع عُكَاشَةُ بَيْتَهُ. ....

(٨) هذا السِوارُ ثَمَنُه مائةُ ريال. ....

(٩) أعْطَيْتُ الأَجِيرَ مائةَ ريال. ....

(١٠) أخوه طبيبٌ. ....

(١١) تَبْحَثُ فاطمةُ عن أخيها. ....

(١٢) مَاتَ أَبُوه. ....

٨ - أضف الأسماء الآتية إلى ياء المتكلم وآضبط الياء بالشكل، علما بأن ياء المتكلم مَفْتُوحةٌ مع آسْمٍ آخِرُه أَلِفٌ أو ياءٌ ساكِنَةٌ :

أَخَوانِ أَخَوايَ

أُختان ....

أَبَوان ....

صَدِيقان ....

زَميلان ....

يَـــدَان ....

عينـــان ....

٩ ـ أضف الكلمات التي تحتها خطٌّ إلى ياء المتكلّم واضبط الياء بالشكل :

(١) غَسَلْتُ الرِّجلَيْنِ   غسـلت رِجْـلَيَّ: (رِجْـلَيْنِ ← رِجْـلَيْ+ىَ= رِجْلَيَّ).

(٢) غَمَّضْتُ العَيْنَيْنِ . ...

(٣) دَعَوتُ الصَدِيقَيْنِ . ...

(٤) سَأَلت الزَمِيْلين . ...

(٥) رفعت اليَدين . ...

(٦) الأُسْتَاذان من مِصْرَ. ....

(٧) أين وجدتَ الدفترين؟ ....

(٨) إنّ الأَخوين عالمانِ جليلان . ...

(٩) ذهبنا إلى مكَّة بسيّارتين . ...

(١٠) ضَاعَ قلمانِ .

١٠ ـ تأمل الأمثلة الآتية لـ(كِلَا وَكِلْتَا) :

(أ) أين أَخَواك؟   كِلَاهُما في دِمَشْقَ .

أرأيت المدرسَيْنِ؟   نعم ، رأيت كِلَيْهِما .

(ب) أين الطالبتان الجديدتان؟   كِلْتاهُما عندَ المديرةِ .

أيَّ السورتَيْنِ حَفِظْتَ؟   حفظت كِلتيهِمَا .

(١) أبالعربيَة كَتبت العُنوان أم بالفرنسية؟ كتبت بِكِلْتَيْهِما.

(٢) من منكما مريض اليوم؟ كِلانا مريضٌ.

(٣) من أين الطالبتان الجديدتان؟ كِلتاهُما من النِّمْسَا.

(٤) أيَّ المدرسين سألتَ؟ سألت كِلَيْهِما.

١١ ـ أجب عن الأسئلة الآتية مستعملاً (كلا وكلتا) :

(١) أيُّ القَلَمَينَ ضَاعَ؟ ....

(٢) أيَّ الكتابين تريد أن تشترى؟ ....

(٣) أيَّ المجلّتين قرأت؟ ....

(٤) أيُّ الساعتين سُرِقَتْ؟ ....

(٥) أيَّ اللُغتين تعرف؟ آلأُرْدِيَّةَ أَمِ الفَارِسيَّةَ؟ ....

(٦) أيُّ العُمْلَتَين عندك؟ آلجُنَيْهُ أَمِ الدُّولار؟ ....

(٧) أيُّ مُدَرِّسَيِ الفِقْهِ غاب اليوم؟ ....

(٨) أيَّ البابين فتحتَ؟ ....

(٩) أيُّ النافذتَيْنِ مفتوحةٌ؟ ....

(١٠) مَنْ مِنهما ضعيفٌ في النَّحو؟ ....

(كِلَا وكِلتْا اسمان لَفْظُهما مفردٌ، معناهما مثنىً، ومُراعَاةُ اللفظ أكثرُ، نحو : كلاهما جديدٌ. كلتاهما مجتهدةٌ. ويجوز مراعاةُ مَعْنَاهُما).

١٢ ـ تأمل الأمثلة لـ (ذَانِكَ وتَانِكَ) :

هـذا كتـابٌ .	هـذانِ كتـابانِ .
هـذه سيـارةٌ .	هَاتَان سيـارتانِ .
ذلك قَلَـمٌ .	ذَانِكَ قلمـانِ .
تِلْكَ مدرسـةٌ .	تَانِك مدرستـانِ .

(١) هذا أخي ، وذلك صديقي .

(٢) هذان كتاباىَ ، وذانِكَ كتابا زميلي .

(٣) هاتان الحافلتان تَسِيران إلى الجامعة ، وتانِكَ إلى المطار .

(٤) لمن هذه الدفاتر؟ ـ هي لِذَيْنِكَ الطالبين .

(٥) لَونُ تَيْنِكَ السيارتين جميلٌ .

(٦) قال الله تعالى لموسى عليه السلام : ﴿فَذَانِكَ بُرْهَانَانِ مِنْ رَبِّكَ إلىَ فِرْعَوْنَ وَمَلَئِهِ﴾ . [القصص/ ٣٢].

١٣ ـ ضع في الفراغ فيما يأتي آسْم إشارةٍ مناسباً للبعيد :

(١) هـذا بيتي ، و.................. بيت أخي

(٢) هذان أَخَواي ، و.................. زميلاىَ

(٣) هاتـانِ بِنْتَايَ ، و.................. بنتا أُخْتِي

(٤) اِفْتَح هذَيْنِ البَابَين . لا تفتح ....

(٥) ياولد ، اغسل هاتين السيارتين . لا تغسل ....

١٤ ـ هات مضارع الأفعال الآتية :

سَحَبَ .... غَمَّضَ .... كَفَى .... ضَاعَ ....

١٥ ـ هات جمع الأسماء الآتيــة :

أريكَة .... مَبْلَغ .... أَجِير .... سِوَار .... حِصَّة ....

١٦ ـ هات مفرد الأسماء الآتيــة :

هُنُـود .... دُوَل .... فَوَاكِـه ....

١٧ ـ الأمـر من أَتَى يأْتِي : (ايْتِ) أصله : اِئْت (إِئـ ← إِيْ). ولكن الهمزة الثانية تعود بعد الواو والفاء (وأْتِ، فَأْتِ) ذلك لأن الهمزة الأولى في هذه الحالة تُحْذَفُ في النُطْقِ. لاحِظْ أن همزَةَ الأمرِ تُحْذَفُ في الكِتَابة أيضاً في هذه الكلمة (وَأْتِ، فَأْتِ).

أَتَى بالشيء أي أحْضَرَهُ، تقول: ما أتيتُ اليوم بدَفترِ النَحْو.

وفي التنزيل (البقرة/ ٢٥٨): ﴿قال إبراهيم فَإِنَّ الله يَأْتِي بالشَّمْسِ من المشْرِقِ فَأْتِ بِهَا منَ المَغْرِبِ﴾ . . . (قال ذلك لِنَمْرُودَ).

(١٠) الدَّرْسُ العاشـــر

رَنّ الجرسُ، وبَدَأَتِ الْحِصَّة الخامسة. مرت عشرُ دقائقَ أو أكثرُ ولم يأت المدرس، سَئِمَ الطلابُ الانتظارَ، وطَفِقُوا يَتحرَّكُونَ من أماكِنهم ويعْبَثُون. فبعضهُم وقف يخطب، وبعضهم جَعَلَ يكتب على السبُّورة.

دخل المراقب فَجْأَةً وقال : ما هذا؟ أمرُكم فَوْضَى. كأنَّ الفصلَ سُوقٌ! اسمعـوا. إن مدرسكم مريض، فلم يحضرْ اليـوم. فَيُمْكِنُكُم الذَّهَابُ إلى المكتبة، أو الانْصِرَاف إلى المهاجع. أن تَذْهَبُوا إلى المكتبة خيرٌ لكم.

خرجنا من مَبْنَى المعهد. كانت الساعةُ الثانيةَ عَشْرَةَ والنِصْفَ. رأى بعضُ زُملائِي أن نَعُود مدرسنا المريضَ. فقلت لهم : ليس الوقتُ مُنَاسِباً للعِيادة. سنعود بَعْد صلاة العصر إن شاء الله. قالوا : الرأْىُ رأْيُكَ.

تمــــارين

١ ـ أجب عن الأسئلة الآتيــة :

(١) لم لم يحضر المدرس ؟

(٢) من الذي سمح للطلاب بالانصراف؟

(٣) كم كانت الساعةُ عندما خرجوا من مبنى المعهد؟

٢ ـ الجُمْلَة إِمَّا آسْمِيَّة وإِمَّا فِعْلِيَّة :

فالجملةُ الاسميةُ هي التي صَدْرُها :

(أ) اسمٌ صَرِيْحٌ، نحو: الله غفورٌ. هذه مدرسةٌ. أَنَا مجتهدٌ.

(ب) مَصْدر مُؤَوّل نحو: ﴿وَأَنْ تَصُومُوا خيرٌ لَكُمْ﴾[البقرة/ ١٨٤].

فـ (أن تصوموا) تَقْدِيْرُهُ (صِيامُكُمْ).

(جـ) حرفٌ مُشَبَّهٌ بالفعل، نحو: ﴿إِنَّ آللهَ غفورٌ رحيمٌ﴾.

(الأحرف المُشَبَّهةُ بالفِعلِ هي «إنَّ» وأَخَواتُها).

والجملةُ الفعليَّةُ هي التي صدرُها :

(أ) فعلٌ تامٌّ، نحو: طَلَعَتِ الشمسُ.

(ب) فعلٌ ناقص، نحو: كان الجوُّ بارداً.

(الأفعالُ الناقصة هي «كان» وأَخَواتُهَا).

الجملـــــة

الجملة الاسميـة	الجملة الفعليـة
(أ) الله غفُـــورٌ.	(أ) طَلَعَتْ الشَمْـسُ.
(ب) أَنْ تَصُومُوا خيرٌ لكم.	(ب) كَانَ الجوُّ بـاردًا.
(جـ) إنَّ الله غفـــورٌ.	

(١) استخرج ما في الدرس من الجمل الاسميَّة، وعَيِّنْ نوعَ الصَّدر في كل واحدةٍ منها.

(٢) استخرج ما في الدرس من الجُمَلِ الفِعْليَّة، وعيِّن نوعَ الصَّدْرِ في كلّ واحدةٍ منها.

(٣) حَوِّل المصَادِر الواردة في الجمل الآتية إلى مصادر مُؤَوَّلَة :

(أ) بَقَاؤُكَ هنا في العُطْلَة أحسن لك.

(ب) سَكَنُنا في المهجع أفضل لنا.

(جـ) قال مدرس الخَطِّ : كِتابتُكم نِصْفَ صَفحةٍ بِخَطٍ جميلٍ أَحَبُّ إليَّ من كِتابتكم صَفَحاتٍ بخطٍّ رَدِيءٍ.

(٤) ما تقـديرُ المصدر المؤولّ في قوله تعالى في سورة البقرة (١٣٧): ﴿وأن تَعْفُوا أَقْرَبُ للتَّقْوى﴾؟ (عَفَا يعْفُو مصدره : عَفْوٌ).

(٥) هات ثلاثةَ أمثلة للجملة الاسمية صدرُها أحرفُ مشَبَّهَةٌ بالفعل.

(٦) هات ثلاثةَ أمثلةٍ للجملة الفعليَّة صدرها أفعالٌ تامةٌ.

(٧) هات ثلاثة أمثلة للجملة الفعلية صدرُها أفعالٌ ناقصةٌ.

٣ ـ طَفِقَ يفعلُ كذا/ جَعَلَ يفعل كذا/ أَخَذ يفعل كذا أي شَرَعَ بفعله. هذه الأفْعالُ الثلاثةُ تَعْمَلُ عَمَلَ (كان) إلا أن خبرَها يجب أن يكونَ جملةً فِعليَّةً فعلُها مُضارعٌ.

أدخل كلّ فعل من هذه الأفعال في جملة مفيدة.

٤ ـ هات مضارع الأفعال الآتيـــة :

تحـرّك .... عَـبَثَ .... سَـئِمَ[١] ....

(١) يقال: سَئِمَ الشيء، ومنه. وفي التنزيل: ﴿لا يَسْئَمُ الإنسان من دعاء الخير. . .﴾ [فصلت/٤٩].

(١١) الدرسُ الحادى عشر

المــــدرس : الطلابُ قليلونَ. أين الآخرونَ؟

عَـــــليٌّ : عُمَرُ غائبٌ، وحامدٌ عندَ المديرِ، وإسحاق في المِرحاض، والحسن ذَهَبَ إلى غرفة المُراقِب.

عبدالرزاق : والزبيرُ أَخُوه مريضٌ، وقَدْ ٱسْتَأْذَنَ المديرَ في الذَّهاب إلى المستشفى.

المــــدرس : ماذا بِـــــه.

عبدالرزاق : بِـــــه مَغَصٌ.

(يدخل حامد وإسحاق، ويجلسان في مَقْعَدَيْهِما).

المــــدرس : ياحامد، كَأَنَّكَ تريد أن تقول شيئاً. هل لَدَيْكَ سؤالٌ؟

حامـــــد : نعم. أنـا مَطْلُوبٌ الآنَ في النَّادي الرِّياضِيِّ. أَفَأَذْهَبُ أم أَحْضُرُ الدرسَ؟

المــــدرس : أن تَحْضُرَ الدرسَ خيرٌ لك. يُمْكِنُكَ الذَّهابُ إلى النادي في الفُسْحَة.

(يدخل الحسن وَبِيَدِهِ عُلْبَةٌ) ماذا في العلبة ياحسن؟

الحســـــن : فيها طَبَاشِيرُ.

(يدخل المراقب ومَعَه طالبٌ جديدٌ، ويُسَلِّمانِ)

المـــراقب : هذا طالب جديد.

المـــدرس : أهلا وسهلاً . كيف حالُك؟

هـــــو : بخير، والحمد لله .

المـــدرس : ما آسمـــــك؟

هـــــو : مُنِـــــير.

المـــدرس : أَأَلْـمانيٌّ أنت؟

منـــــير : لا . برِيْطانيٌّ .

المـــدرس : أين درست اللغة العربية يامنير؟

منـــــير : درستها في مَدْرسةٍ إسلاميَّة .

المـــدرس : أفي بريطانيةَ مدارسُ إسلاميةٌ؟

منـــــير : نعم .

المـــدرس : كم مدرسةً هنـــاك؟

منـــــير : لا أدرى بالضَّبْطِ . المدارسُ كثيرةٌ .

تمــــارين

أجب عن الأسئلة الآتيـــة :

(١) أين أراد حامد أن يذهب؟

(٢) بماذا أتى الحسن من غرفة المراقب؟

(٣) ما آسم الطالب الجــديد؟

(٤) من أين هـــــو؟

المُبْتَــدأُ والخَــبَرُ

المبتدأ هو الاسم الذي نَتَحدَّثُ عنه، والخَبَرُ هو الحَدِيثُ الذي تَتِمُّ به الفائِدةُ نحو: «القَمَرُ جَميلٌ». ففي هذه الجملة نريد أن نَتَحدَّثَ عن القمر، فَلَفْظُ (القمر) مبتدأٌ، ونريد أن نقول إنه جميل، فَلَفْظُ (جميل) خَبَرٌ.

المبتدأُ والخبرُ مَرْفُوعَــــانِ.

من أحكام المبتـــدأ:

(١) أَنْواعُ المُبْتَدَأ:

المبتدأ إمَّا آسمٌ صَرِيحٌ، وإمَّا مَصْدَرٌ مُؤَوَّلٌ، نحو:

(أ) الله ربُّنا. القِراءَةُ مفيدةٌ. الجُلُوسُ هنا ممنوعٌ. نحن طلابٌ.

(ب) ﴿وَأَنْ تَصُومُوا خيرٌ لكم﴾. ﴿وأن تَعْفُوا أقربُ لِلتَّقْوى﴾.

(٢) تَعريف المبتدأِ وتَنْكِيرُهُ:

الأصل في المبتدأ أن يكونَ مَعْرِفَةً كما في الأمثلة الآتية (المبتدأ تحته خط):

(أ) محمدٌ رسولُ اللَّهِ.

(ب) أنـــا مدرسٌ.

(جـ) هــذا مسجــدٌ.

(د) الذي يعبد غيرَ الله مُشْرِكٌ.

(هـ) القــرآنُ كتاب الله.

(و) مفتاحُ الجنَّةِ الصلاةُ.

وقد يكون المبتدأُ نَكِرَةً بِشرُوطٍ منها:

(أ) أن يكونَ الخبرُ شِبْهَ جُمْلةٍ (المُراد بِشِبْهِ الجملةِ: الظَّرْفُ والجَارُّ والمَجْرُورُ)، وأن يَتَقَدَّمَ على المبتدأِ، نحو:

* عِنْدَنَا سيارةٌ. هنا (سيارةٌ) مبتدأٌ، والظرفُ (عِنْدَ) خبر.

* لِــي أَخٌ. هنا (أخٌ) مبتدأٌ، والجارُّ والمجرور (لِي) خَبرٌ.

(ب) أن يكونَ المبتدأُ آسْمُ آسْتِفْهامٍ (وأسْماءُ الاستفهام نَكِراتٌ)، نحو:

* ما بِكَ؟ هنا اسمُ الاستفهام (ما) مبتدأ، والجارُ والمجرور (بِكَ) خبر.

* مَنْ مريضٌ؟ هنا اسم الاستفهام (مَن) مبتدأ، و(مريضٌ) خبر.

كَمْ طالبا في الفصل؟ هنا اسم الاستفهام (كم) مبتدأ، و(في الفصل) خبر.

(٣) تَرْتِيبُ المبتدأِ والخَبَر:

الأصلُ أن يَتَقَدَّمَ المبتدأُ على الخَبَر، نحو: أنتَ مدرسٌ. ويجوز عَكْسُه، نحو: أمدرسٌ أنتَ؟.

ويجب أن يَتَقدَّم المبتدأُ إذا كان اسم استِفْهامٍ، نحو: ما بك؟ مَـنْ مريض؟

ويجب أن يتقدّم الخبرُ إذا كان آسمَ آسْتِفْهامٍ، نحو: ماآسْمُك؟ كَيْفَ حالُك؟

(٤) حَـذْفُ المبتدأ :

يجوز حَذْفُ المبتدإِ إذا عُلِمَ. تقـول للسـائل عَنِ آسْمِك: حامدٌ. أي: اسمي حامدٌ.

من أَحْكـام الخـبر :

(١) أنواع الخبر :

الخبر إِما مُفْرَدُ (أي ليس جملةً)، وإِما جملةٌ، وإما شِبْهُ جملةٍ.

(أ) فالخبرُ المفردُ نحو : المؤمنُ مرآةُ المؤمنِ.

(ب) والخبرُ الجملةُ نحو :

* المديرُ ما آسْمُهُ؟ الجملة الاسمية (ما آسْمُهُ) خبرٌ، وهي في مَحَلِّ رفعٍ.

* والله خَلَقَـكُمْ. الجملة الفعلية (خلقكم) خبرٌ، وهي في مَحَلِّ رَفْعٍ.

(جـ) والخبرُ شبْهُ الجملةِ نحو :

* الجنةُ تحتَ أقدامِ الأمهاتِ. الظرفُ (تحتَ) خبر. وهو

منصوبٌ في مَحَلِّ رَفْعٍ .

* الحمــدُ للهِ . الجار والمجرور (لله) خبر. وهو في مَحَلِّ رفعٍ .

(٢) مُطابَقَتُهُ للمُبْتَـدَأِ :

يُطابِقُ الخبرُ المُبْتَدَأَ في :

(أ) الإِفْـراد والتَّثْنِيَـة والجمع ، نحو : المدرس واقف . والطلاب جالسون . بَابَا الفَصْلِ مُغْلقَان ، ونافِذَتَاهُ مفتوحتان .

(ب) في التَذْكير والتَأْنِيْث ، نحو : حامدٌ مهندسٌ ، وزوجتُه طبيبةٌ ، وآبْنَاهُما تاجرانِ ، وبِنتاهما مُدَرِّسَتَانِ .

تمـــارين

١ - اجعل كلّ آسم مما يأتي مبتدأ :

أحمد . أحمد وأخوه . المسلمون . السيارة . مَنارتا المسجد . الطالبات . قلم . الكتب . مَا . مَن .

٢ - اجعل كلّ آسم مما يأتي خبراً :

مفتوحتان . مغلَقتان . جميلة . ناجحون . مُتَحَجِّبَات . كيفَ . أين . مَا . مَن . مَتى . عندَ . فوقَ .

٣ ـ اجعل لفظ (المدرس) مبتدأ في خَمْسِ جُمَل على أن يكون الخبر :

مفردا في الأولى .

وظرفاً في الثانية .

وجاراً ومجروراً في الثالثة .

وجملةً فِعلية في الرابعة .

وجملةً آسميةً في الخامسة .

٤ ـ هات ثلاث جمل خبرُ كلِّ واحدةٍ منها ظرف .

٥ ـ هات ثلاث جمل خبر كلٍّ واحدة منها جارّ ومجرور .

٦ ـ اجعل كلَّ آسم مما يأتي مبتدأ على أن يكون خبره جملةً آسميةً وآستَعِنْ بالاسم الذي بين القوسين لتكوين الخبر :

أحمد	(أخوه)
سيارتك	(لونها)
الكُتُبُ الأجْنَبِيّة	(ثمنها)
الطالب الجديد	(آسمه)
اللّه	(فضله)

٧ ـ استخرج من الدرس أمثلة للجملة الاسمية حُذِفَ مبتدؤُها .

٨ ـ استخرج ما في الدرس من المبتدآت والأخبار، وعيِّن نوع كل خبر على النحو الآتي :

الجملة   المبتدأ   الخبر نوعه : مفرد/ جملة/ شبه جملة .

بعض أحوال المبتـــدأ والخـبر

(١) أحوال المبتـــدأ

سبب تقدمـه أو تأخـره	مقدم / مؤخر	معرفة / نكرة	المبتـــدأ
هو الأَصْل	مُقَدَّمٌ	مَعْرفة	(١) الله غَفُورٌ.
هذا جائِزٌ	مُؤَخَّرٌ	معرفة	(٢) عجيبٌ كَلامُه .
لِكَوْنِ المبتدأ نكرةً والخَبَرِ شِبْهَ جُملةٍ	مؤخر	نَكِرة	(٣) عندكَ سيارةٌ .
لِكَوْنِ المبتدأِ نكرة والخَبرِ شبهَ جملة	مؤخر	نكرة	(٤) أ في الله شكٌّ؟
لكونِ المبتدأ آسْمَ آسْتفْهام	مقدّم	نكرة	(٥) مَنْ غائبٌ؟
لكونِ آلخبر آسمَ استفهامٍ	مؤخر	معرفة	(٦) مَنْ أنـــتَ؟
هو الأصل	مقدّم	معرفة لأن التقدير صِيامُكُمْ	(٧) وأن تَصُومُوا خيرٌ لكم

(٢) أحوال الخـــبر

الخـــبر	نوعه : مفرد/ جملة / شبه جملة
(١) الدِّينُ يُسْـــرٌ.	مُفْـــرَد
(٢) المدرسُ عنـدَ المديرِ.	شِبْهُ جُملةٍ (ظَرْفٌ)
(٣) الطلاب في الملعب.	شِبْهُ جُمْلةٍ (الجارّ والمَجْرُورُ)
(٤) النِّيَّةُ مَحَلُّها القَلْبُ.	جملةٌ اسْميَّـــةٌ
(٥) الإِسلامُ يَجُبُّ مَا كانَ قَبْلَه.	جملةٌ فِعْليَّـــةٌ

(١٢) الدرسُ الثاني عشر

المدرس : أُرَحِّبُ بكم في اليوم الأوَّل من العام الجديد. متى وصلتم من بلادكم؟

أحمــد : وصلنا قبلَ أسبوعٍ.

الحسين : أمّا أنا فوصلت أمسِ.

عــلي : أنـا وصلت يومَ الثُـلاثَـاءِ، وذهبت إلى مكة لأداءِ العُمْرَةِ، وبَقِيْتُ هُنَاكَ ثَلاثةَ أيامٍ، ورجعت البارحةَ.

المدرس : أهلاً وسهلاً.

جمــال : ياأستاذ، أتسمح لي أن أجلس أمَامك؟ إن هذا المقعد خالٍ، فَإنَّ صَاحِبَه طُوِىَ قَيْدُه العامَ الماضِيَ.

المدرس : اجلس حَيْثُ شئتَ.

الزبـير : لا أريد أن أجلس تَحْتَ المِرْوَحةِ فإن ذلك يَضُرُّنِي، أَفَأَجلس خَلْفَ جمالٍ؟

المدرس : لا مانعَ لَــدَيَّ.

جمــال : أيْنَ سَافَرْتَ في عُطْلَة الصَّيْف هذه السنةَ ياأستاذ؟

المدرس : إلى الفلبِّين.

جمــال : ألم تَمُرَّ بكُوَالاَلَمْبُورَ؟

المدرس : بلى، ولكنني لم أَمْكُث فيها طويلاً .

جمـــال : كم لبثت ثَمَّ ياأستاذ؟

المدرس : لبثت ثَمَّةَ يوماً أو بعض يومٍ .

جمـــال : لَو عرفت أنك تأتي إلى بلدي لاسْتَقْبَلْتُك في المطار. أسافرت إلى سِنْغَافُورَةَ أيضاً؟ .

المدرس : لا .

جمـــال : ألم تُسافِر إليها مِنْ قبلُ؟

المدرس : نعم، لم أُسَافِر إليها قَطُّ .

أجب عن الأسئلة الآتيـــة :

(١) متى وصل الحسين؟

(٢) كم يوماً بقي عليّ في مكة؟

(٣) لم لا يريد الزبير أن يجلس تحت المروحة؟

(٤) أين سافر المدرس في عطلة الصيف؟

(٥) كم لبث في كوالالمبور؟

*** المَفْعُـول فِيـهِ :**

(وصلت يومَ الثُـلاثاءِ). هنا (يوم) مفعول فيه. المفعول فيه اسمٌ منصوبٌ يُذْكَرُ لِبيانِ زَمانِ الفِعْلِ أو مكانِهِ، ويُسمَّى أيضاً ظَرْفاً. نحو :

(أ) خرجت ليلاً. سأُسَـافِـرُ غداً إن شاء الله. نِمْتُ بَعْدَ نومِك. (ظَرْفُ زمان).

(ب) مَشَيْت مِيلاً. جَلَسْت عندَ المدير. نمت تحتَ شَجَرةٍ. (ظرف مَكانٍ)

بعضُ الظروف مَبْنِيَّةٌ منهـا :

مَتَى. تقول: متى خرجت؟ هنا (متى) ظرفُ زمان مبنيٌّ على السكون في مَحَلٍّ نصبٍ.

أيْنَ. تقول: أينَ تدرس؟ هنا (أين) ظرف مكانٍ، مبنيّ على الفتح في محلٍّ نصب.

أمسِ. تقول: لم أَغِبْ أمس. هنا (أمس) ظرفُ زمانٍ، مبنيّ على الكسر في محلّ نصب.

قَـطُّ. تقول: لم أَذُقْ هذه الفاكهةَ قَطُّ. هنا (قط) ظرف زمان، مبنيّ على الضم في محلّ نصب.

هُنـا. تقول: اجلس هنا. هُنا (هُنا) ظرف مكان، مبنيّ على السكون في محلّ نصب.

الآن. تقول: آلآنَ جئتَ؟ هنا (الآن) ظرف زمان، مبنيّ على الفتح في محلّ نصب.

حيثُ. تقول: اجلسْ حَيْثُ شئتَ. هنا (حيثُ) ظرف مَكان مبنيّ على الضم في محلّ نصب.

هناك أسماءُ تَنُوبُ عَنِ الظرف، منها:

(١) **المضافُ إلى الظرف مما دَلَّ على كُلِّيَّةِ الزمانِ أو المكانِ، أو جُزْئِيَّتِهِمَا**، نحو:

سافرنا كلَّ النهار. انْتَظَرْتُكَ رُبْعَ ساعة. مَشَيت نصفَ كيلو متر.

هنا الكلمات (كلّ، وربع، ونصف) نابَتْ عن الظروف.

(٢) **صِفَتُه**، نحو: جلست طويلاً، أي وقتاً طويلاً. هنا (طويلاً) صفةٌ للظرف نابت عنه.

(٣) **اسمُ الإشارة**، نحو: جئت هذا الأسبوعَ. هنا (هذا) نابَ عن الظرف.

(٤) **العَدَدُ**، نحو: مَكَثْت في بغدادَ أربعةَ أيامٍ. سِرنا مِائَةَ كيلو مترٍ.

هنا (أربعة ومائة) عَدَدانِ نابا عن الظرف.

١ ـ استخرج ما في الدرس من ظروف الزمان والمكان.

٢ ـ استخرج ما فيه من الظروف المبنيَّة.

٣ ـ استخرج منه كلماتٍ نابَتْ عن الظرف.

٤ ـ عيِّنْ ظروف الزمان والمكان فيما يأتي:

(١) انْتَظِرْ لحظةً.

(٢) جلس الزُّوَارُ عِنْدَ المدير نصفَ ساعةٍ.

(٣) كَمْ ساعةً بَقِيَ الجَرِيْحُ في المستشفى؟

(٤) قِفْ حَيْثُ لا يراكَ أحدٌ.

(٥) أتُسَافِر إلى الرياض هذا الشهرَ؟

(٦) أَقَبْلَ الأذانِ ذهبْتَ إلى المسجد أم بعده؟

(٧) صَبرْت طويلاً.

(٨) نِمْتَ كلَّ الليل.

(٩) أساعتَيْنِ نمتَ أم ثلاثَ ساعاتٍ؟

(١٠) أين مكثتَ هذه المدةَ؟

٥ ـ عيِّن ظروف الزمان والمكان في الآيات الكريمة الآتية:

(١) ﴿وجاءوا أَباهم عِشاءً يبكون﴾. [يوسف/١٦].

(٢) ﴿وبَنَيْنا فوقَكم سَبْعاً شِداداً﴾[النبأ/١٢].

(٣) ﴿قَالَ رَبِّ إني دَعَوْتُ قَومِي لَيْلاً ونهاراً﴾ [نوح/٥].

(٤) ﴿وَمَا تَدْرِى نفسٌ ماذا تكسِبُ غداً﴾ [لقمان/٣٤].

(٥) ﴿وقِيلَ اليومَ نَنْسَاكُمْ كَما نَسِيتم لِقاءَ يومِكم هذا﴾ [الجاثية/٣٤].

٦ ـ هات ثلاث جمل تحوى كلُّ واحدة منها عدداً ناب عن الظرف.

٧ ـ هات ثلاث جمل تحوى كل واحدة منها ٱسمَ إشارةٍ ناب عن الظرف.

٨ ـ أدخل كل ظرف مما يأتي في جملة مفيدة:

قبل. بعد. عند. أمام. خلف. تحت. فوق. هنا. ثَّم. ثَمَّة.

* ورد في الدرس: (لَوْ عرفتُ أنك تأتي إلى بلدي لاسْتَقْبَلْتُك في المطار).

لَوْ حرفُ ٱمْتِناعٍ لامتناعٍ. وتُفِيد ثلاثةَ أمور:

(١) الشَّرطيّةَ.

(٢) تَقْيِيدَ الشرطية بالزمن الماضي.

(٣) الامْتِنـــاعَ.

نحو: لو ٱجْتهدتَ لَنَجَحْتَ. معناه: لم تَجْتَهِدْ، فلم تنجح.

يَقْتَرِنُ جوابُها الْمُثْبَتُ باللام، ولا يقترن بها جوابُها الْمَنْفِيُّ. (يجوز عَكْسُه وهذا قليل). نحو:

(١) لو سمعت قِصَّتَه لَبَكَيْتَ.

(٢) قال المدرس لحامد: لو حضرت أمس ما شَكَوْتك إلى المدير.

(٣) هذا طعام فاسد. لو أكله الناس لمِرضوا.

(٤) لو رأيت ذاك المنظر لبكيت.

(٥) لو عرفت أن الاختبار اليوم ما تأخّرت.

١ - **أدْخِل (لو) على الجمل الآتية، وغَيِّرْ ما يَلْزَمُ :**

(١) ضربني ذاك الولد / ضربتُهُ ....

(٢) عرفت أن المدرس مُسافِرٌ/ ما جئت ....

(٣) تأخَّرتُ دَقِيقَتَيْنِ/ فاتَتْني الطائرةُ ....

(٤) سمعتَ تلاوةَ هذا القارِىء/ بكيت ....

(٥) قرأت هذه القِصَّةَ/ ضَحِكْت كثيراً ....

(٦) عرفت أنه يكذِب/ ما سَاعَدْتُه ....

(٧) زادتْ دَرَجَاتي بِنِصْفِ دَرَجَةٍ/ نجحت بِتَقْدِير مُمْتَازٍ ....

٢ - **أكمل الناقص فيما يلي :**

(١) لو .... ما رَسَبْت.

(٢) لو عرفت أنك تأتي إلى المدينة ....

(٣) .... لَمرِضْتَ.

(٤) .... لَفَاتَتْنا ركعةٌ

٣ - **أدخل (لو) في جملتين على أن يكون جوابُها في الأولى مُثْبَتاً، وفي الثانية مَنْفِيّاً.**

* **(مِنْ قَبْلُ). يُبْنَى (قَبْلُ) و(بعد) على الضم إذا قُطِعَ عن الإضافة لفظاً لا معنى. قال تعالى : ﴿لله الأمرُ مِنْ قَبْلُ وَمِنْ بَعْدُ﴾**[الروم/ ٤].

تمـــــارين عامة

١ - **هات مضارع الأفعال الآتيــــة :**

اسْتَقْبَلَ. انْتَظَرَ. سَافَرَ. سَاعَدَ. رَحَّبَ. مَكَثَ. لَبِثَ. كَسَبَ. فَاتَ . ضَرَّ.

٢ - **هات مفرد :** زُوَّار، شِدَاد.

٣ - **هات جمع :** جَرِيح، نَفْس.

٤ - **هات ضـــد :** ضَـــرًّ.

٥ - **أدخل كل كلمة مما يأتي في جملة مفيدة.**

خَالٍ. جريح. استقبل. ضرًّ. ساعد. فَاتَ. رَحَّب.

(١٣) الدرسُ الثالث عشرَ

الحسـن : ياأستاذ، لم أفهمْ درس الأَمْسِ جيّداً.

المدرس : اقرأْه مرّةً أخرى تَفْهَمْه إن شاء الله . . . خذوا دفاتِركم.

(يأخذ الطلاب دفاترهم)

محمـد : لم أجد دفتري ياأستاذ.

المدرس : اِبْحَثْ جيّداً تَجِدْهُ إن شاء الله. هو ذو غِلافٍ أصفر. أليس كذلك؟

محمـد : بَلَى . . . هَا هُوَ ذَا.

علـى : بالباب رجلٌ يريد أن يدخل.

المدرس : لِيَدْخُلْ.

الرجـل : أنا مُمَرِّضٌ في مستشفى الجامعة. أريد أن آخذ الطلاب الجدد للتَّطْعِيم.

المدرس : خذهم. لِيَذْهَبِ الطلابُ الجدد إلى المستشفى وَلْيَرْجِعُوا بعدَ التطعيم.

(يخرج الطلاب الجدد، وهم ثلاثة) اسمعوا ياإخوان، سيزورُ المعهدَ غداً وَفْدٌ من إِحْدَى جامعات نَيْجِيريا. فلا يَغِبْ أَحَدٌ ولا يَتَأَخَّرْ، وَلْيَلْبَسْ كُلُّ طالبٍ لِبْسَ بلده . . . لِنَقْرَأِ الدَّرسَ الآنَ. تعال ياعدنان واكتبْ هذه الآيةَ على السبّورة.

عدنـان : لِيَكْتُبْ عليٌّ فإن خطَّه أجملُ من خطّي.

المدرس : اكتب ياعليّ. (بعد فراغِه من الكتابة) مَنْ يَقْرَؤُها؟

الحسـن : لِيَقْرَأْها محمّدٌ فإنّه قارِئٌ ذو صوتٍ جميلٍ.

محمـد : (بعد الاسْتِعاذَةِ والبَسْمَلَةِ) ﴿فَلْيَنْظُرِ ٱلإنسانُ إلى طَعَامِهِ...﴾

أنـور : ياأستاذ، أريد أن أخرج.

المدرس : لا يخرجْ أحدٌ في أَثناءِ الدرسِ.

الزبـير : وَارَأْساهْ!! وَارَأْسَاهْ!!

المدرس : ما بِك يازبـير؟

الزبـير : بي صُداعٌ شديد. آهِ آهْ.

المدرس : اذهب إلى المستشفى. وَلْيَذْهَبْ مَعَك أحدُ زملائِك في السَّكَن.

الزبـير : فَلْيَذْهَبْ معي عدنـانُ.

أجب عن الأسئلة الآتيــة :

(١) لماذا جاء الممرِّض إلى الفصل؟

(٢) من أين يأتي الوفد إلى المعهد؟

(٣) من الذي كتب الآية على السبّورة، ومن الذي قرأها؟

* (لِيَـدْخُـلْ) هذه لامُ الأَمْرِ. تدخل على الفعل المضارع وتَجْزِمُه. وتُفِيْدُ الأَمْرَ.

تدخل على فعلِ الغائبِ والمُتَكَلِّم، نحو: لِيَجْلِسْ كلُّ طالبٍ في مكانه. لِنَجْلِسْ معاً.

لامُ الأمرِ مَكْسورَةٌ، وتُسَكَّنُ بعدَ الواوِ، والفاءِ، وثُمَّ.

١ - استخرج ما في الدرس من أمثلة لام الأمر.

٢ - عيِّنْ لامَ الأمرِ فيما يأتي، واَضْبِطْها بالشكل :

(١) ليذهب الطلابُ الجددُ إلى المدير، وليرجعوا بعد مُقَابَلَتِهِ.

(٢) ليكتب الطلابُ الأَجْوبَةَ بالحِبْرِ الأَزْرَقِ أو الأَسْوَدِ.

(٣) لنذهب إلى المكتبة ولنقرأ الصُّحُفَ والمَجلّات.

(٤) ليقرأ كلُّ طالب هذا الدرسَ وليكتبه.

(٥) لِيُساعِد الطلابُ القدامَى الطلابَ الجُدُدَ.

(٦) لِيَبْقَ كلُّ واحدٍ في مكانه.

(٧) لنجلس الآن في الحديقة، ثمّ لنذهب إلى المسجد.

٣ ـ **أدخلْ لامَ الأمرِ على الأفعال الآتية، واضْبِطْها بالشكل :**

يَدْخُلُ	يقرأُ ويكتبُ ....
يَأْكُـلُ	يركعُ ويسجدُ ....
نَنَــامُ	نجلسُ هنا ونقرأُ القرآن ....
يَذْهَبُونَ	يَمْشِـي ....
فَنَأْكُـلُ	يَقُـولُ ....
يَنْسَـى	يَبِيْـعُ ....
نَدْعُـو	يَشْتَرِي ....

٤ ـ **هات خمسةَ أمثلةٍ لـ (لامِ الأمر) في جمل مفيـدة.**

* **سَبَقَ أن درستَ (لا الناهيةَ) الداخِلةَ على فِعلِ المُخاطَب، نحو : ياأحمد لا تلعبْ في الفصل. ياإخوان، لا تَذْهَبُوا إلى المطعم قبلَ الساعة الواحدة. ياآمنة لا تَجْلِسِي هنا. ياأخوات لا تَفْتَحْنَ النوافذ.**

وتـدخـلُ (لا الناهية) على فعلِ الغائبِ أيضاً، نحو : لا يَخْرُجْ أحدُكم من الفصل.

١ - اِضْبِط بالشكل الأفعالَ الآتية بعد (لا الناهية) فيما يلي :

(١) لا يدخل أحدُكم الفصلَ في أَثْناءِ الدرس .

(٢) لا يضرب بعضُكم بعضاً .

(٣) لا تدخل الجامعةَ سيّارةُ الأُجْرَةِ .

(٤) لا يكتب أحدٌ على السبّورةِ بِغَيْرِ إِذْنِ المدرِّس .

(٥) لا يكتب الطلابُ الأَجْوِبَةَ بالحِبْرِ الأحمر .

(٦) لا يأكل أحدٌ بالشِّمال .

(٧) لا يأخذ أحدٌ المَجلّات خارجَ المكتبة .

(٨) لا يسخر أحدٌ من أَحَدٍ .

(٩) لا يَسُبّ أحدُكم أخاه المسلمَ .

(١٠) لا يَنس أحدٌ جوازَ سَفَرِه .

(١١) لا يقل لي أحدٌ في المُسْتَقْبَل : إني نسيت الكتاب أو الدفتر .

(١٢) عن ابن عُمَرَ رضي الله عنهما أن النبيّ ﷺ قال : «لا تُسَافِرِ المَرْأَةُ ثلاثةَ أيامٍ إلّا مَعَ ذِي مَحْرَمٍ» . (رواه البخاري) .

(١٣) عن أبي هريرة رضي الله عنه أن رسول الله ﷺ قال : «لا يَمْنع جارٌ جارَه أن يَغْرِزَ خَشَبَهُ في جِداره» . (متفق عليه) .

٢ - أمام كل جملة فيما يأتي فعلٌ مضارعٌ . ضَعْه في الفَراغ مسبوقاً بـ(لا الناهية) واضْبِط آخره :

(١) .... أحدكم في الطريق . (يَجْلِسُ)

(٢) .... أحدٌ بابَ الفصل قبل أن يَرِنَّ الجَرَسُ . (يَفْتَحُ)

* الجازِمُ فعلًا واحداً أربعةُ أَحْرُفٍ، وهي :

(١) لَمْ، كما في قوله تعالى : ﴿أَلَمْ نَجْعَلْ لَهُ عَيْنَيْنِ وَلِسَاناً وَشَفَتَيْنِ﴾ [البلد/ ٧، ٩].

(٢) لَمَّا، كما في قوله تعالى : ﴿وَلَمَّا يَدْخُلِ ٱلإِيْمانُ في قُلُوبِكُمْ﴾ [الحجرات/ ١٤].

(٣) لا الناهِيَةُ، كما في قوله تعالى: ﴿لا تَحْزَنْ إِنَّ ٱللهَ مَعَنَا﴾ [التوبة/ ٤٠].

(٤) لامُ الأمرِ، كما في قوله تعالى : ﴿فَلْيَنْظُرْ ٱلإِنْسَانُ إلى طَعَامِه﴾ [عبس/ ٣٤].

(٣) ....ني اليومَ أحدٌ. (يَزُورُ)

(٤) .... أحدٌ في الفصل. (يَنَــامُ)

(٥) .... أحدٌ في الفصل بعدَ الحِصَّةِ الأخيرة. (يَبْقى)

(٦) .... الزُّوَّارُ عند المريض أكثرَ مِن رُبْعِ ساعةٍ. (يَجْلِسُ)

(٧) .... الطلابُ قاعةَ الامْتِحان قبل الساعة السابعة،

و .... منها قبل الساعة الثامنة. (يدخلُ/ يخرجون)

(٨) .... بعضُكم من بعضٍ. (يَسْخَرُ)

(٩) .... أحدٌ صوتَه في المسجد. (يَرْفَعُ)

(١٠) .... الطالباتُ أسماءَهُنَّ في دفاترِ الإجابة. (تَكْتُبُ)

٣ ـ هاتِ ثلاثةَ أمثلة لـ (لا الناهية) الداخلة على فعل الغائب.

هات أربعَ جُمَل مِن إنشائك تَحْوِي كلُّ واحدةٍ منها حَرْفاً يَجْزِمُ فعلاً واحداً.

* (اِقْرَأْهُ مَرَّةً أُخْرى تَفْهَمْهُ). هنا (تَفْهَمْ) مجزومٌ لأنه وَقَعَ جواباً للطَّلَب.

إذا وَقَعَ المضارعُ جواباً للطَّلَبِ جُزِمَ. ومن أَنواع الطَّلَب: الأَمْرُ والنَّهْيُ، نحو: اِعْمَلْ عَمَلاً صالِحاً تَدْخُلِ الجَنَّةَ. لا تَكْسَلْ تَنْجَحْ.

١ - عَيِّنْ جوابَ الطَلَبِ في كل جملةٍ مما يأتي، واضْبِطْه بالشكل:

(١) اِجْلِسْ نسمع الأخبار.

(٢) قِفْ نقرأ هذا الإِعْلانَ.

(٣) زُرْني أَزُرْكَ.

(٤) تَعالَ نذهب إلى السوق.

(٥) اِجْتَهِد تنجح.

(٦) لا تُشْرِكْ بالله تدخل الجنّة.

(٧) في التنزيل: ﴿وقال رَبُّكُمُ ٱدْعُونِي أَسْتَجِب لَكم﴾[غافر/ ٦٠].

(٨) قال موسى عليه السلام لله تعالى: ﴿رَبِّ أَرِني أَنْظُر إِليك﴾، كما جاء في سورة الأعراف الآية ١٤٣.

(٩) في حديث ابن عبّاس رضي الله عنهما: «اِحْفَظِ ٱللهَ يَحفَظك. اِحْفَظْ الله تجده تُجَاهَك». (رواه الترمذي).

٢ - أكمل كل جملة مما يأتي بالفعل المكتوب أمامها :

(١) قِفْ .... كتابا. (أَشْتَرِى)

(٢) تعالِ .... لك شيئاً. (أَقُولُ)

(٣) اِبْحَثْ عن هذا الكتاب في المَكْتَبات .... ـهُ. (تَجِدُ)

(٤) اِسْأَلِ المدرِّس عن هذه المَسْأَلَةِ .... ـها. (يَشْرَحُ)

(٥) أُدْعُ الله .... لَكَ. (يَسْتَجِيبُ)

٣ - هات ثلاثة أمثلة للجَزْمِ بالطلب.

* تأمل الأمثلة الآتية للنُّدْبَة، وأكمل الناقِص :

رَأْسِي : وَارَأْسَاهْ!

يَدِيْ : وَايَـدَاهْ!

بَطْنِي : وَابَطْنَـاهْ!

قَلْبِي ....

ظَهْرِي ....

عَيْنِي ....

سِنِّي ....

رِجْلِي ....

* **(آهِ، آهٍ) اسمُ فعلٍ مضارع بِمَعْنى (أَتَوَجَّعُ)، مَبْنِيٌّ على الكَسْرِ، وفاعلُه ضميرٌ مُسْتَتِرٌ وُجوباً تَقْدِيْرُهُ «أنا».**

تمـــارين عامَّـــة

١ ـ **هات جمعَ الكلمات الآتيـــة :**

وَفْد، غِلاف. طَعام. جَار. جِدار. شَفَة. مَرِيض.

٢ ـ **هات مفرد الأسماء الآتيـــة :**

أَجْوِبَـــة. قُدَامَى. زُوَّار.

٣ ـ **هات مضارع الأفعال الآتيـــة :**

لَبِسَ. كَسِلَ. فَرَغَ. سَخِرَ مِنْه. غَرَزَ. حَزِنَ. أَشْرَكَ بالله. اِسْتَجَابَ.

٤ ـ **يُجْرَى التمرينانِ الشَّفَهِيَّانِ الآتيـانِ :**

(١) يقول الطالب لزميله : أَرِني كتابَك/ ساعتَك/ قلمَك ....

(٢) يقـول الـطالب لزميله مشـيراً إلى طالب آخـر: أَرِهِ دفـتَرك/ ساعتَـك / كتابَك ....

(١٤) الدرس الرابع عشر

هشـــــام : أَمُعْجَمٌ هذا يافضيلةَ الشيخِ ؟

المـــدرس : نعم . هذا معجمٌ مَدْرَسِيٌّ . إذا أردت أَنْ تَشْتَرِيَ معجماً فَاشْتَرِ هذا ، فإنَّه مُفِيْدٌ جِدّاً .

هشـــــام : ياأستاذ ، قلتَ «معجمٌ مَدْرَسِيٌّ» . أَ(مدرسيّ) مَنْسُوبٌ إلى (مَدْرَسَة)؟ وإذا كان الأمر كذلك ، فأينَ تاؤُها؟

المـــدرس : نعم . هو منسوب إلى (مـدرسة) . إذا نسبتَ إلى ٱسْمٍ مَخْتُومٍ بتـاءِ التَّأْنيث حَذَفْتَ التاءَ . فإذا نسبت إلى مَكَّةَ ـ مَثَلاً ـ قلتَ : (مَكِّيٌّ) . أفهمتَ؟ .

هشـــــام : نعم . جزاك الله .

(يدخل المُراقِبُ)

المـــراقب : ألم يأتِ الحسينُ؟

المـــدرس : نعم . لَمَّا يأتِ .

المـــراقب : إذا جاء فَقُـلْ له يَأْتِني في مكتبي ، فإنَّ له بَرْقِيَّةً . . . أين إبراهيم؟ أَتَأَخَّرَ اليومَ أيضاً كَعَادَتِهِ؟ إذا جاء فلا تَسْمَحْ له بالدخول ، وَلْيَذْهَبْ إلى المدير .

المـــدرس : إن شاء الله .

(يخرج المراقب)

المـــدرس : ياهشام، اقرأ الآية الواردة في الدرس.

هشـــــام : (بعد الاستعاذة) ﴿وإذا سَألَكَ عِبادِي عَنِّي فَإنِّي قَرِيبٌ﴾.

المـــدرس : اقرأ الأَحاديثَ الوارِدَةَ في الدرس ياأبابَكْر.

أبوبكــــر : الحــديث الأول : عن أبي هريــرةَ رضي الله عنــه أن رســول الله ﷺ قال: «إذا جاءَ رَمَضــانُ فُتِحَتْ أَبْـوابُ الجَنَّةِ». (متفق عليه).

الحديث الثاني : قال أبو بُرْدَةَ : سمعت أبا موسى مِراراً يقول: قال رسول الله ﷺ : «إذا مَرِضَ العبدُ أو سافَرَ كُتِبَ له مِثْلُ ما كان يَعْمَلُ مُقِيماً صَحِيحاً». (رواه البخاري).

الحديث الثالث : عن أبي سعيد الخُدْرِيِّ رضي الله عنه أن رسول الله ﷺ قال: «إذا سَمِعْتُمُ النِّداءَ فقولوا مِثْلَ مايقولُ المُؤَذِّنُ». (متفق عليه).

(يُسْمَعُ صَوْتُ العُطاسِ)

المـــدرس : مَن العاطِسُ؟

عبد الهادي : أنـــا.

المـــدرس : ياعبد الهادي، إذا عَطَستَ فَاْحْمَدْ الله. قال النبي ﷺ : «إذا عَطَسَ أحـدُكم فَلْيَقُـلْ: الحمـدُ لله. وَلْيَقُـلْ له أخـوه أو صاحِبُه: يَرْحَمُكَ الله. فإذا قال له: يرحمك الله، فَلْيَقُلْ: يَهْدِيكُم الله ويُصْلِحُ بالَكُمْ». (رواه البخاري).

أجب عن الأسئلة الآتيـــة :

(١) عَمَّنْ سألَ المراقِبُ؟

(٢) ماذا قال المراقب للمدرس بالنِّسْبَةِ إلى إبراهيم؟

(٣) من الذي عطس؟ أحَمِدَ الله بعدَ العُطاسِ ؟

* (إذَا) ظَرْفٌ تَضَمَّنَ مَعْنَى الشَّرْطِ.

تدخل غالباً على الفعل الماضي. فَتُحَوِّلُه في المعنى إلى المُسْتَقْبَلِ، نحو:

إذا جاء رمضانُ	فُتِحَتْ أبوابُ الجنّةِ
الشرط	جَوابُ الشَّرْطِ

وقد تدخل على المُضارع. وكذلك يجوز أن يكون جواب الشرطِ فعلاً مضارعاً، كما في قول الشاعر :

والنَّفْسُ راغِبَةٌ إذا رَغَّبْتَها وإذا تُرَدُّ إلى قليلٍ تَقْنَعُ

* يَجِبُ اقْتِرَانُ جوابِ الشرط بالفاء في مَواضِعَ، منها :

(١) أن يكون الجوابُ جملةً اسميّةً، نحو : ﴿وإذا سَأَلَكَ عِبادِي عَنيِّ فإني قريبٌ﴾.

(٢) أن يكون الجوابُ فعلاً طلبيّاً (ومن أنواع الطلب : الأَمْرُ والنَّهْيُ والاسْتِفْهَامُ)، نحو:

(أ) إذا رَأَيْتَ حامداً فَاسْأَلْهُ عن مَوْعِدِ السَّفرِ.

(ب) إذا وجدتَ المريضَ نائماً فلا تُوْقِظْهُ.

(جـ) إذا رَأيتُ بِلالاً فماذا أقولُ له؟

١ - عينِّ الشَّرْطَ وجوابَ الشرطِ فيما يأتي. وإذا كان الجوابُ مُقْتَرِناً بالفاء فاذْكُرْ سَبَبَ ذلك:

(١) قال تعالى: ﴿ياأيُّها ٱلذين آمنوا، إذا قُمْتُمْ إلى الصَّلاة فَٱغْسِلُوا وُجُوهَكُم وأَيْدِيَكُم إلى ٱلمَرَافِقِ، وٱمْسَحُو بِرُؤُوسِكُم وَأرْجُلَكُم إلى ٱلكَعْبَيْنِ﴾ [المائدة/٦].

(٢) قال تعالى: ﴿وإذا مَرِضْتُ فَهُوَ يَشْفِينِ﴾. = (يَشْفِيْنِي) [الشعراء/٨٠].

(٣) قال تعالى: ﴿ياأيُّها ٱلذين آمَنوا إذا نُودِيَ للصلاة مِنْ يَوْمِ الجُمُعَةِ فَٱسْعَوْا إلى ذِكْرِ ٱللهِ، وَذَرُوا ٱلبَيْعَ﴾[1] [الجمعة/٩].

(٤) «إذا دخلَ أحدُكم المسجدَ فَلْيَرْكَعْ رَكْعَتَيْنِ قبلَ أن يجلِسَ».

(٥) قال تعالى: ﴿فإذا جاءَ أَجَلُهُمْ لا يَسْتَأْخِرُونَ ساعةً ولا يَسْتَقدِمونَ﴾ [النحل/٦١].

(٦) «إذا شَرِبَ الكلبُ في إناءِ أَحَدِكُم فَلْيَغْسِلْهُ سَبْعاً».

(٧) «إذا سَمِعْتُمْ بِالطَّاعُونِ في أَرْضٍ فلا تَدْخُلُوها، وإذا وَقَعَ بأرضٍ وأنتم بها فلا تَخْرُجُوا منها».

(٨) «وإذا نَعَسَ أحدُكم في الصلاةِ فَلْيَنَمْ حتى يَعْلَمَ ما يَقْرَأُ».

(٩) «إذا أُقِيمَتِ الصلاةُ فلا صَلاةَ إلا المَكْتُوبَةُ».

---

(١) وَذِرَ الشيء، يَذَرُه أي تركَه، والأمر: ذَرْ. وكذلك: وَدْعَ الشيء يَدَعُه: تركه. والأمر: دع. لا يستعمل ماضيهما.

(١٠) قال الشاعر :

إذا لَمْ تَسْتَطِعْ شيئاً فَدَعْهُ وَجاوِزْهُ إلى ما تَسْتَطِيعُ

(١١) قال شَوْقِيٌّ في مَدحِ النبي ﷺ : وإذا رَحِمْتَ فَأَنْتَ أُمٌّ أَوْ أَبٌ

٢ ـ أدخل (إذا) في جملتين على أن يكون جوابُها خَالياً من الفاء.

٣ ـ أدخل (إذا) في أربع جمل على أن يكون الجوابُ :

(١) في الأولى جملةً اسميةً.

(٢) وفي الثانية فعلَ أمرٍ.

(٣) وفي الثالثة فعلاً مضارعاً مُقْتَرِناً بـ(لامِ الأَمْرِ).

(٤) وفي الرابعة فعلاً مضارعاً مقترناً بـ (لا الناهِيَة).

(١٥) الدرس الخامسَ عَشَرَ

المدرس : ياياسر، إنك غِبْتَ أسبوعَيْنِ كامِلَيْنِ. إنْ تَغِبْ بعدَ هذا تُفْصَلْ. فَإِنَّ اللائِحَةَ تَنُصُّ على أنَّه مَنْ يَغِبْ أَكْثَرَ مِنْ أسبوعين يُطْوَ قَيْدُهُ.

ياسر : لَنْ أَغِيبَ بعدَ هذا إن شاء الله.

المدرس : كَمْ مَرَّةٍ قلتَ لي هكذا!

ياسر : ما كنتُ أغيبُ إلا بِعُذْرٍ.

المدرس : مَهْمَا يَكُنِ العُذْرُ فلن يُقْبَلَ بعدَ الآنَ.

(يدخل النعمان)

مَنْ جاءَ مُتَأخِّراً فلا يَدْخُلْ حتى يَسْتَأْذِنَ.

النعمان : أنا آسِفٌ. رأيتك مشغولاً، فدخلت حتّى لا أَشْغَلَك.

(يدخل المراقب)

المراقب : هَاؤُمْ إِعْلاناً مُهِمّاً. هذه خمسةُ كُتَيِّبَاتٍ مُفِيدةٍ تَحْوِي قِصَصاً إسلاميَّةً. فمَن يقرأْها ويُجِبْ عن الأسئلة الواردة في آخِرِها فَلَهُ جَائِزَةٌ. فمن أراد أن يَشْتَرِكَ في هذه المُسَابَقَةِ فَلْيُسَجِّلْ آسْمَهُ عندي.

إبراهيم : ياشيخ، لا نجدك في مكتبك في كثير من الأَحْيان.

المراقب : إن لم تَجِدُوني في مكتبي فَسَتَجِـدُونَني في مكتب المـديـر. . .
يافضيلة الشيـخ، إن عبـدالله في مكتبي. إِنْ ٱعْتَـذَرَ إليـك أَفَتَسْمَحُ له بالدخول؟

المدرس : نعم.

(يخرج المراقب)

ياأحمـــد، اقرأ الآية الواردة في الدرس.

أحمـــد : (بعد الاِسْتِعاذَةِ والبَسْمَلَةِ) ﴿ياأَيُّها ٱلذين آمَنوا، إنْ تَنْصُرُوا الله يَنْصُرْكُمْ، ويُثَبِّتْ أَقْدامَكُمْ﴾[محمد/ ٧].

إبراهيم : لماذا جُزِمَتِ الأفعالُ الواردة في هذه الآية يافضيلة الشيخ؟

المدرس : (إِنْ) أَدَاةُ شَرْطٍ تَجزِمُ فِعْلَيْنِ، نحـو: إِنْ تَجْتَهِـدْ تَنْجَحْ. إِنْ تَذْهَبْ إلى السُّوقِ أَذْهَبْ مَعَكَ.
وُيَسَّمى الأَوَّلُ فعـلَ الشرطِ، والآخَرُ جوابَ الشرطِ. وفي الآيـة الكـريمـة فعـلُ الشرطِ (تَنْصُروا)، وجوابُهُ (يَنْصُرْ)، والفعـل (يُثَبِّتْ) مَعْطُوفٌ على (يَنْصُرْ). أرجو أن تكونوا قَدْ فهمتم. . . أتستطيع أن تذكر آية أخرى تحوي (إِنْ) ياياسر؟

ياســـر : نعم بعون الله. قال تعالى: ﴿وَإِنْ تَعُودُوا نَعُدْ﴾[الأنفال/ ١٩].

المدرس : أحسنت. أيمكنك أن تذكر آية أخرى يانعمان؟

النعمـان : نعم بعون الله. قال تعالى: ﴿وَإِلَّا تَغْفِرْ لي وتَرْحَمْني أَكُنْ مِنَ ٱلخَاسِرِيْنَ﴾[هود/ ٤١].

المدرس : ما شاء الله! (إلّا) هنا أَصْلُها (إنْ) ولا النافِيَةُ.

أحمــد : أَثَمَّةَ أدوات أخرى تَجْزِمُ فعلَيْن ياأستاذ؟

المدرس : نعم. (إنْ) حَرْفٌ. وهناك عَشَرَةُ أسماءٍ تجزم فعلَيْن، أَهَمُّها:

مَنْ، نحو: ﴿فَمَنْ يَعْمَلْ مِثْقَالَ ذَرَّةٍ خَيْراً يَرَهُ﴾[الزلزلة/ ٧].

ما، نحو: ﴿وما تَفْعَلُوا مِنْ خَيْرٍ يَعْلَمْهُ ٱللهُ﴾[البقرة/ ١٩٧].

مَتَى، نحو: متى تُسَافِرْ أُسَافِرْ.

أَيْنَ، نحو: أَيْنَ تَسْكُنْ أَسْكُنْ. وكثيراً ما تلحقها (ما) الزَّائِدَةُ لِلتَّوْكِيْدِ، نحو: ﴿أَيْنَما تَكُونُوا يُدْرِكْكُمُ ٱلْمَوْتُ﴾[النساء/ ٧٨].

أَيّ، نحو: أَيَّ مُعْجَم نَجِدْ في المكتبة نَشْتَرِهِ.

مَهْمَا، نحو: مهما تَقُلْ نُصَدِّقْ.

افهموا هذا الدرس جيّداً، فَمَنْ فَهِمَ هذا الدرسَ فَقَدْ فَهِمَ دُروساً كثيرةً. لي درسٌ إِضَافِيٌّ هذا المَسَاءَ. فمن أراد أنْ يَسْتَفِيْدَ فَلْيَحْضُرْ ومَنْ لم يَحْضُرْ فَلَيْسَ بِمَلُومٍ.

أحمــد : كُلُّنا سَيَحْضُرُ إن شاء الله.

المدرس : متى تَأْتُـونَ ؟

أحمــد : متى تَـأتِ نَـأْتِ.

المدرس : سَآتي الساعةَ الرابعةَ إن شاء الله.

أحمــد : في أَيِّ فَصْلٍ نَجْلِسُ؟

المدرس : أيَّ فصلٍ نَجِدْ خالياً نَجْلِسْ فيه.

أجب عن الأسئلة الآتيـــة :

(١) من الذي غاب أسبوعين؟

(٢) من الذي جاء متأخراً؟ ماذا قال له المدرس؟

(٣) في أيِّ ساعة يأتي المدرس للدرس الإضَافيِّ؟

* يكون الشرطُ والجوابُ :

(١) إمَّا مُضَارعَينْ، نحو: ﴿وإنْ تعودوا نَعُدْ﴾.

(٢) وإمّا ماضِيَينْ، نحو: ﴿وإنْ عُدْتُمْ عُدْنَا﴾[الإسراء/ ٨].

(٣) وإما ماضياً فَمُضَارِعاً، نحو: ﴿مَنْ كانَ يُرِيدُ حَرْثَ الآخِرَةِ نَزِدْ لَهُ في حَرْثِهِ﴾[الشورى/ ٢٠].

(٤) وإما مضارعاً فماضِياً، نحو قوله ﷺ: «مَنْ يَقُمْ ليلةَ القَدْرِ إيماناً وآحْتِسَاباً غُفِرَ لَهُ». وهذا قليلٌ.

١ - في كل فِقْرَةٍ مما يأتي جملتان. اجعلْ فعل الأولى شرطاً، وفعلَ الأُخْرَى جَوابَه مستعملاً (إنْ) :

(١) تَضرِبُني / أَضرِبُكَ. ....

(٢) نعملُ صالحاً/ ندخلُ الجنَّة. ....

(٣) تأكلُ طعاماً فاسداً/ تَمْرَضُ. ....

(٤) لا تجتهدُ/ ترْسُبُ. ....

(٥) تُسافِرينَ/ أُسافِرُ. ....

(٦) تَنامُ مُبكِّراً/ تَسْتيْقِظُ مُبكِّراً. ....

(٧) تَكْتُبُونَ إليَّ/ أكتبُ إليكم. ....

(٨) تَغِيبُ كثيراً/ تَفُوتُكَ الدروسُ. ....

(٩) تَبِيعُ سيارتَك/ أَشْتَرِيهَا. ....

(١٠) تَبْقَيَانِ في مكَّةَ/ أَبْقَي معكما. ....

(١١) لا أكتبُ/ أَنْسَى. ....

(١٢) تَصُومُ غداً/ أَصُومُ. ....

(١٣) تقولُ الحَقَّ/ تَنْجُو. ....

(١٤) تزورُني/ أَزورُك. ....

٢ - **في كل فِقْرَةٍ مما يأتي جملتان. اجعل فعلَ الأولَى شرطاً، وفعلَ الأُخْرىَ جوابَه مستعملاً أداة الشرط المذكورة بين القوسين :**

(١) يغيبُ أكثرَ من أسبوعين/ يُفْصَلُ. (مَـن)

(٢) تأكلُ/ آكُـــلُ. (مَـا)

(٣) تكونونَ أَزورُكم إن شاء الله. (أَيْنمَـا)

(٤) لا يَرحَمُ/ لا يُرحَمُ. (مَـنْ)

(٥) تعودُ/ أعودُ. (مَتـى)

(٦) تجلسُ أجلسُ. (أَيْـنَ)

(٧) تقرأُ/ أقــرأُ. (مَهْمَـا)

(٨) يتوبُ إلى الله / يتوبُ عليه الله . (مَـنْ)

(٩) يُشْرِكُ بالله / يدخلُ النارَ. (مَـنْ)

(١٠) ينجحُ بِتَقْدِيرٍ مُمْتَازٍ/ يَحْصُلُ على جَائِزَةٍ. (مَـنْ)

* عرفت في الدرس السابق أن جوابَ الشرطِ يَقْتَرِنُ بالفاء في مَواضِعَ منها:

(١) أن يكونَ جملةً اسميّةً.

(٢) أن يكون فعلاً طَلَبِيّاً. ومن أنواعِ الطلبِ: الأمرُ والنَّهْيُ والاستفهامُ.

نذكر الآنَ بَقِيَّةَ المَواضِعِ :

(٣) أن يكون فعلاً جَامِداً، نحو: «مَنْ غَشَّنا فَلَيْسَ مِنَّا».

(٤) أن يقـترن بـ(قَدْ)، نحو: ﴿وَمَنْ يُطِعِ ٱللهَ ورسولَه فَقَدْ فازَ فَوْزاً عَظِيماً﴾[الأحزاب/ ٧١].

(٥) أن يقترن بـ(مَا) النافِيَةِ، نحو: مَهْمَا تَكُنْ الظُّروفُ فَما أَكْذِبُ.

(٦) أن يقـترن بـ (لَنْ)، نحو: «مَنْ لَبِسَ الحَرِيرَ في الدُّنْيا فَلَنْ يَلْبَسَهُ في الآخرة».

(٧) أن يقترن بالسين، نحو: إن تسافرْ فَسَأُسافِرُ.

(٨) أن يقترن بـ(سوف)، نحو: ﴿وإن خِفتُم عَيلَةً فَسوفَ يُغْنِيكُمُ ٱللهُ مِنْ فَضْلِهِ إنَّ شاءَ﴾[التوبة/ ٢٨].

(٩) أن يُصَدَّر بـ(كَأَنَّما)، نحو: ﴿أَنَّه مَنْ قتلَ نَفْساً بِغَيْرِ نَفْسٍ، أَوْ فَسَادٍ في الأرض فكأنَّما قَتَلَ آلناسَ جَميعاً﴾[المائدة/ ٣٢].

لا يُجزَمُ جوابُ الشرطِ إذا اقتَرَنَ بالفاء، ويكون الإعرابُ حِينَئِذٍ للجُملة، فيُقال إنها في مَحَلِّ جَزْمٍ.

١ ـ أَدْخِلْ الفاء على جَواب الشرط في الجُمل الآتية إذا كان ذلك واجِباً، وآذْكُرْ السببَ:

(١) مَنْ جَـدَّ وَجَـدَ.

(٢) ضاعَ مني ألفُ ريالٍ. فَمَنْ يَجِدْه ويأْتِني به له عُشْرُهُ.

(٣) مَهْمَا يكنْ سَبَبُ غِيابِك قد فاتَكَ درسٌ مُهِمٌّ.

(٤) إن تكنْ مَشْغُولاً الآنَ سَآتيك غداً.

(٥) انْتَهى الدرسُ، فَمَنْ أراد أن يَخْرُجَ لِيَخْرُجْ.

(٦) إنْ تَأْتِ الساعةَ العاشرةَ تجِدْني في البيت إن شاء الله.

(٧) مهما تَقُلْ لي لن أُصَـدِّقَك.

(٨) قال المراقب للمدرس: من جاء متأخِّراً لا تَسْمَحْ له بالدخول.

(٩) إن أَنْجَحْ بتقديرِ ممتازٍ أَ أَحْصُلُ على جائزةٍ.

(١٠) إن تكنْ مُسْتَعْجِلاً لستُ مستعجلاً.

(١١) إن تَرَهُ صحيحاً ما أراه صحيحاً.

(١٢) ما أَنْسَ لا أَنْسَ ذاكَ المنظرَ.

(١٣) إن يَسْأَلْكَ أحدٌ عني قُلْ له أنا عند المدير.

(١٤) من يُرِدْ هذا الكتاب هو عند المدير.

(١٥) إذا سألني المديرُ عنك ماذا أقولُ له؟

(١٦) يدرس بالجامعة الإسلامية طلابٌ من جميع أنحاء العالم. فمن درَّس فيها كأنما درس في جامعات كثيرة.

(١٧) من يَقُلْ هذا الكلام إنّه جاهلٌ.

(١٨) ما تَزْرَعْ تَحْصُدْ.

(١٩) إن تَزُرْني سوف أَزورُك.

(٢٠) من يَسْتَغْفِرِ الله يَغْفِرْ له.

٢ ـ **تأمل المثال، ثم كَوِّنْ جملاً على غِراره مُسْتَعِيناً بالعبارات الآتية :**

المثال : مَنْ أراد أن يخرجَ فَلْيَخْرُجْ.

(١) من أراد أن يدخل الجنة/ يعمل عملاً صالحاً.

(٢) من أراد أن يعرف الأخبار/ يقرأ الصُّحُف ويسمع الإذاعة.

(٣) من أراد أن يجلس في الصف الأول في المسجد/ يذهب مبكِّراً.

(٤) من أراد أن يسألَني سُؤالاً/ يسألني بعد ٱنْتِهاءِ الدرسِ.

(٥) من أراد أن يذهب إلى المستشفَى/ يأخذ وَرَقَةً من المدير.

(٦) من أراد أن ينجح بتقدير ممتاز/ يجتهد لَيْلَ نَهارَ[1].

(٧) من أراد أن يفهم الإسلام فَهْماً جيِّداً/ يَتَعَلَّم اللغة العربية.

(٨) من أراد أن يحترمه الناس/ يحترمهم.

---

(١) مبنىّ على فَتْح الجزئين. وكذلك: صَباحَ مَساء.

٣ - عين أداةَ الشرطِ، والشرطَ وجوابَه في كل جملة مما يأتي. ضع خطّاً واحداً تحتَ أداةِ الشرطِ، وخَطَّين تحتَ الشرطِ، وثلاثَةَ خُطوطٍ تحتَ جوابِ الشرطِ. وإذا كان الجوابُ مقترناً بالفاء فاذْكُرْ السببَ:

(١) قال تعالى: ﴿وَمَنْ يَتَّقِ آللهَ يَجْعَلْ له مَخْرَجاً﴾[الطلاق/٢]

(٢) قال تعالى: ﴿إِنْ يَكُنْ مِنْكُم عِشْرونَ صَابِرُونَ يَغْلِبُوا مِائَتَيْنِ﴾ [الأنفال/٦٥].

(٣) قال تعالى: ﴿فَمَن تَطَوَّعَ خيراً فَهُوَ خَيْرٌ له﴾ [البقرة/١٨٤].

(٤) قال عليه الصلاة والسلام: «مَنْ أدرَكَ رَكْعَةً من الصلاةِ فَقَدْ أَدْرَكَ الصلاةَ».

(٥) قال عليه الصلاة والسلام: «مَنْ حَمَلَ علينا السِّلاَحَ فَلَيْسَ مِنَّا».

(٦) قال عليه الصلاة والسلام: «مَنْ قُتِلَ دُونَ مَالِهِ فهو شَهِيْدٌ».

(٧) قال عليه الصلاة والسلام: «مَنْ أَطَاعَني فقد أَطَاعَ الله، ومَنْ عَصَاني فقد عَصَى الله، وَمَن يُطِعْ الأَمِيْرَ فقد أَطَاعَني، ومَنْ يَعْصِ الأميرَ فقد عَصَاني».

(٨) قال عليه الصلاة والسلام: «مَنْ أَكَلَ مِنْ هذه الشَّجَرَةِ فلا يَقْرَبْنَا».

(٩) قال عليه الصلاة والسلام: «مَنْ كَانَ يُؤمِنُ بِالله واليَوْمِ الآخِرِ فَلْيَقل خَيْراً أو لِيَصْمُتْ».

(١٠) قال عليه الصلاة والسلام: «مَنْ رَأى منكم مُنْكَراً فَلْيُغَيِّرْهُ بِيَدِهِ. فإِنْ لَمْ يَسْتَطِعْ فَبِلِسَانِهِ، فإِنْ لم يستطعْ فَبِقَلبِهِ، وذلك أَضْعَفُ الإِيمَانِ».

(١١) قال المُتَنَبِّي:

فَمَنْ يَكُ ذا فَمٍ مُرٍّ مَرِيضٍ يَجِد مُرّاً به المَاءَ الزُّلاَلَ

(يَكُ = يَكُنْ. يجوزُ حَذْفُ نونِ يَكُنْ، تَكُنْ، أَكُنْ، نَكُنْ المَجْزُوماتِ).

٤ ـ هات عشرةَ أمثلةٍ للشرط والجواب على أن يكون الجواب في كلِّ واحدٍ منها على النحو التالي :

(١) جملةً اسميةً.

(٢) فعلاً طلبياً (الأمر).

(٣) فعلاً طَلَبِياً (النهي).

(٤) فعلاً طلبياً (الاستفهام).

(٥) مقترناً بـ (لَنْ).

(٦) مقترناً بـ (ما) النافِيَةِ.

(٧) مقترناً بـ (سَوْفَ).

(٨) مقترناً بالسين.

(٩) فعلاً جامداً.

(١٠) مقترناً بـ (قد).

٥ ـ أدخل كلا من أدوات الشرط الآتية في جملة مفيدة :

إِنْ. مَنْ. مَا. مَهْمَا. مَتَى. أَيْنَ. أَيّ.

* (كَمْ مَرَّةٍ قلتَ لي هكذا!). هذه (كَمْ الخَبَرِيَّةُ) ومعناها (كثير) فمعنى الجملة: قلتَ لي هكذا مَرَّاتٍ كثيرةً.
نذكر بعضَ أَحْكَامِها :

(١) عرفت أن (كَمْ الاِسْتِفْهَامِيَّة) تَمْيِيْزُها منصوبٌ، نحو: كَمْ كتاباً عندك؟

ويجوزُ جَرُّهُ إذا جُرَّتْ (كَمْ) بحرفِ جرٍّ، نحو: بِكَمْ رِيالاً هذا القلمُ/ بِكَمْ ريالٍ هذا القلمُ؟

أما تمييزُ (كَمْ الخبريّةِ) فَيَجِبُ جَرُّهُ، نحو: كَمْ نَجْمٍ في السماء! وقد يُجَرُّ بـ(مِنْ) نحو قوله تعالى: ﴿كَمْ مِنْ فئةٍ قليلةٍ غَلَبَتْ فِئَةً كثيرةً بِإِذْنِ ٱللَّهِ﴾! [البقرة/٢٤٩]

(٢) تمييز (كم الاستفهامية) مُفْرَدٌ. أما تمييز (كم الخبريَّةِ) فمفردٌ أو مَجْمُوعٌ، نحو: كم كتابٍ قرأت!/ كم كُتُبٍ قرأت! والإفراد أكثرُ وأَبْلَغُ.

كَمْ

كَمْ الخبريَّة	كَمْ الاستفهاميَّة
كم كتابٍ عندك!	كم كتاباً عندك؟
(كم من كتابٍ عندك!)	
(كم كُتُبٍ عندك)	

حوّل «كم» الاستفهامية فيما يلي إلى «كم» الخبرية:

(١) كم ريالاً أعطيتني؟

(٢) كم طالباً غاب اليوم؟

(٣) كم ساعةً نِمْتَ؟

٢ - حول «كم» الخبرية في الجمل الآتية إلى «كم» الاستفهامية :

(١) كم بابٍ للمسجد الحـــرام !

(٢) كم من مسجدٍ في هذه المدينة الصغيرة!

(٣) كم دَوَاءٍ تَتَنَـــاوَلُ!

يُنَبِّهُ المدرِّسُ الطلابَ لـ :

(١) التَنْغِيمِ الخَاصِّ بِكُلٍّ من «كم» الاستفهامية و«كم» الخبرية .

(٢) علامةِ التَّرقِيمِ الخاصّةِ بكلٍّ منهما (؟ / !) .

* (من جاء متأخراً فلا يدخل حتى يَسْتَأْذِنَ) . هنا (حتّى) بمعنى (إلى) .

(فدخلتُ حتى لا أَشْغَلَكَ) . هنا (حتّى) بمعنى لام التعليل . أي لِكَيْلاَ أَشغلَكَ .

ويكون الفعلُ المضارعُ بعدَها منصوباً بـ(أَنْ) مُضْمَرَةً وُجُوباً .

١ - اقرأ الجمل الآتية مع ضبط الأفعال الواقعة بعد (حَتَّى) وتَعْيِينِ معنى (حتّى) .

(١) أَجْتَهِدُ لَيْلَ نَهَارَ حتّى أنجح بتقدير ممتاز.

(٢) اِنْتَظِرْ حتّى أَتَوَضَّأ .

(٣) قال النبي ﷺ : «لا يُؤْمِنُ أحدُكم حتّى يُحِبّ لأخِيه ما يُحِبُّ لِنَفْسِه» .

(٤) وقال عليه الصلاة والسلام : «لا يُؤْمِنُ أَحَدُكم حتى أكونَ أَحَبَّ إليه من وَالِدِهِ وَوَلَدِه والناسِ أَجْمَعِينَ» .

(٥) خرجت من البيت مبكِّراً حتّى لا أَتَأَخّر عن المَوْعِدِ.

(٦) قال المدير للطالب: لن أسمح لك بالحضور حتّى تعتَذِر إلى المدرس.

٢ ـ **تأمل المثال، ثم كوّن جملاً على غِرَارِه، مُسْتَعِيْناً بالعبارات الآتية :**

المثال : اِنتَظِرْ حتّى أتوَضَّـــأَ.

أَلْبَسُ. أَشْرَبُ القَهْوَةَ. نَسْمَعُ الأَخْبَارَ. أَكْتُبُ الرسالةَ. يَعُودُونَ.

* **هَاؤُمْ إِعْلَانَاً. (ها) اسمُ فعلٍ بمعنى (خُذْ). تقول:**

هاءَ الكتابَ ياعليُّ.	**هاؤُمُ الكتابَ ياإِخْوَةُ.**
هاءِ الكتابَ ياآمنةُ	**هاؤُنَّ الكتابَ ياأَخَواتُ.**

وفي التنزيل : ﴿هَاؤُمُ ٱقْرَءُوا كِتَابِيَهْ﴾[الحاقة/ ١٩].

* **«كُتَيِّب» تصغيرُ «كِتاب» على وزنِ «فُعَيْعِل».**

للتصغير ثلاثةُ أَبْنِيَة، وهي :

(أ) فُعَيْلٌ، نحو: نُجَيْم من نَجْم؛ وجُبَيْل من جَبَل؛ وعُبَيْد من عَبْد.

(ب) فُعَيْعِل، نحو: فُنَيْدِق من فُنْدُق؛ ودُرَيْهِم من دِرْهَم؛ وكُتَيِّب من كِتاب؛ وشُهَيِّد من شَهيد.

(ج) فُعَيْعِيـل، نحـو: مُفَيْتِيح من مِفتاح؛ وفُنَيْجِين من فِنجان؛ ودُنَيْنِير من دِينار.

صَغِّر الأسماء الآتية، واذكر وزنَ كلِّ منها بعد التصغير :

وَلَد. قِنْديل. غُلام. عُصْفُور، طَعام، قَرِيب، جَعْفَر، حِمار، سَرِير.

تمــــارين عامــة

١ - هات مضارع الأفعال الآتيــة :

شَغَلَ	رَحِمَ	فَـاتَ	نَجَـا ......
غَشَّ	فَـازَ	زَرَعَ	حَصَـدَ ......
غَلَبَ	عَصَى	صَمَتَ	

٢ - هات مضارع الأفعال الآتيــة :

سَجَّلَ	ثَبَّتَ	صَدَّقَ	غَـيَّرَ	أَدْرَكَ ......
أَطَاعَ	أَغْنَى	آمَنَ	اِشْتَرَكَ	اِعْتَذَرَ ......
اِحْتَرَمَ	اِتَّقَى	تَأَخَّرَ	تَطَوَّعَ	تَعَلَّمَ ......
اِسْتَغْفَرَ	اِسْتَفَادَ	اِسْتَيْقَظَ	أَشْرَكَ	

٣ - هات جمع الأسماء الآتيــة :

لائِحَة	عُـذر	جَائِزَة	سِلَاح ......
أَمِير	دَوَاء		

(١٦) الدرسُ السادسَ عشرَ

المــــدرس : ياعبد السلام، أُهَنِّئُكَ بِفَوْزِكَ في مُسَابَقَةِ حِفْظِ القرآن الكريم وتَجْوِيْدِه .

عبدالسلام : أشكرك يادُكْتُور. جزاك الله خيراً .

المــــدرس : يامروان، وَزِّعْ هذه النُّسَخ على الطَّلَبَة .

عبدالسلام : ما هذا الكتاب الضَّخْمُ الذي معك يادكتور؟

المــــدرس : هذا معجم جامِعِيٌّ. إنّه ذو فوائِد مُتعَدِّدَة : إنه يأتي بِشَرْحٍ وَافٍ للكلمات مع أمثلةٍ كثيرةٍ، ويذكر المَسَائِلَ النَّحْوِيَّة، وكذلك يحوي صُوَراً مُلَوَّنَةً لِتوضِيحِ مَعَاني بعضِ الكلمات .

أحمــــد : في كم مُجَلَّدٍ هــو؟

المــــدرس : في مُجَلَّدَيْنِ ضَخْمَيْنِ.

إبراهــيم : من مُؤَلِّفُــه؟

المــــدرس : أَلَّفَهُ جماعةٌ من عُلَماءِ اللغة . . . أحضر حامد؟

حامــــد : هٰأَنَذَا ياأستــاذ.

المــــدرس : كَثُرَ غِيابُك هذه الأيامَ ياحامد .

حامــــد : جاء أبي إلى المدينة المنورة الأسبوعَ الماضِيَ، فكنت مَشْغُولاً باسْتِقْبَالِه، وخِدْمَتِه، وتَوْدِيعِه.

المـــدرس : مَهْما يَكُنِ السَبَبُ فقد فاتتك دروسٌ مهمَّة.

عبدالسلام : أَنُشَغِّلُ المُكَيِّفَ يادكتور، فَقَدِ اشْتَدَّتِ الحَرارَةُ؟

المـــدرس : لا مانـــعَ.

(يدخل المراقب)

المراقـــب : (بعد التَّحِيَّة) من أراد أن يشترك في مُخَيَّم الشَّباب فَلْيُسَجِّلِ اَسمه في مكتبي.

(يخـــــرج)

المـــدرس : لِنَسْمَعِ الحديثَ الشريفَ المُسَجَّلَ على الشَّرِيط. (يُشَغِّلُ المُسَجِّلَ).

ياإبـراهـيـم، لا تُكَلِّمْ زميلَك وأنت تسمـع... اِنْتَهى الحديث. لنسمعه مرة أخرى... (يُوَقِّفُ المُسَجِّلَ)...

اقرأ هذا الحديث ياأسامة.

أســـامة : عن أبي هريرة رضي الله عنه قال: قَبَّل النبيُّ ﷺ الحَسَنَ بْنَ عليٍّ رضي الله عنهما وعنـدَه الأَقْـرَعُ بْنُ حَابِسٍ. فقـال الأقرعُ: إنَّ لي عَشَرَةً من الوَلَدِ ما قَبَّلْتُ منهم أحداً. فنظر إليـه رسـول الله ﷺ، وقـال: «مَنْ لا يَرْحَمْ لا يُرْحَمْ». (متفق عليه).

المـــدرس : أحسنت. ماذا فهمت من هذا الحديث ياأسامة؟

أســـامة : فهمت منه أن تَقْبِيلَ الأطفال أمرٌ حسنٌ، وأنه يَدُلُّ على الشَّفَقَةِ والرَّحمَةِ.

المـــدرس : أحسنت. ياأحمد، ما معنى قول المُحَدِّثِيْنَ (إن هذا حديثٌ مُتَّفقٌ عليه)؟

أحمـــد : معناه: أن هذا الحديثَ رَواهُ المُحَدِّثَانِ الجَلِيْلَانِ الإِمَامُ البخاريُّ والإمام مُسْلِمُ - رَحِمَهُما الله - في صَحِيْحَيْهِما.

المـــدرس : أحسنت.

محمـــد : يادكتور، أنا حديثُ عَهْدٍ بالإسلام. أرجو أن تُعَلِّمَني كيف أُصَلِّي على المَيِّت.

المـــدرس : بِكُلِّ سرُورٍ. تُكَبِّرُ وتقرأُ سورةَ الفاتِحَةِ، ثم تكبّر وتُصَلِّي على النبي ﷺ، ثُمَّ تكبّر وتَدْعُو للميّت، ثم تكبّر وتُسَلِّمُ.

محمـــد : جزاك الله خيراً يادكتور.

أســـامة : يادكتور، في أيِّ سورةٍ قوله تعالى : ﴿وَوَرِثَ سُلَيْمانُ دَاوُدَ...﴾؟

المـــدرس : هي الآيَةُ السَّادِسَةَ عَشْرَةَ من سُورةِ النَّمْلِ.

أســـامة : يادكتور، أرجو أن تكتب لي أسماءَ بعضِ مُؤَلَّفاتِ شَيْخِ الإسلامِ ٱبنِ تَيْمِيَةَ.

المـــدرس : إن شاء الله . . . ياإخوان ، قد حانَ وقتُ صلاةِ الظُّهْرِ ، ولَمَّا يُؤَذَّنْ . يَبْدُو أن المؤذّن غيرُ موجودٍ . فَلْيَخْرُجْ أحدُكم إلى المُصَلَّى ولْيُؤَذِّنْ .

أجب عن الأسئلة الآتيـــة :

(١) من الذي قبّله النبيُّ ﷺ؟

(٢) ماذا قال الأقرع عندما رأى ذلك؟

(٣) ماذا قال له النبي ﷺ؟

١ ـ الفعلُ إمّا ثُلاثِيٌّ ، وإما رُباعِيٌّ .

فالثلاثيُّ ما كان فيه ثلاثةُ أحرفٍ أَصْلِيّةٍ ، نحو: دَخَلَ ، كَتَبَ ، شَرِبَ .

والرُّباعيُّ ما كان فيه أربعةُ أحرفٍ أصلية ، نحو: تَرْجَمَ ، هَرْوَلَ ، بَسْمَلَ .

وكلٌّ منهما إمّا مُجَرَّدٌ ، وإما مَزِيْدٌ .

فالمجردُ ما كان جميعُ أَحْرُفِهِ أَصْلِيَّةً .

والمَزيدُ ما زِيدَ فيه حرفٌ أو أكثرُ على أَحْرفِه الأصليّةِ .

الفعلُ الثلاثيُّ المُجَرَّدُ له ستةُ أَبْوابٍ ، وهي :

(١) فَعَلَ يَفْعُلُ نحو: كَتَبَ يكتُبُ .

(٢) فَعَلَ يَفعِلُ نحو: جَلَسَ يَجْلِسُ .

(٣) فَعَلَ يَفْعَلُ نحو: ذَهَبَ يَذْهَبُ.
(٤) فَعِلَ يَفْعَلُ نحو: شَرِبَ يَشْرَبُ.
(٥) فَعُلَ يفعُلُ نحو: كَثُرَ يَكْثُرُ.
(٦) فَعِلَ يَفْعِلُ نحو: وَرِثَ يَرِثُ.

(أ) مَيِّز الفعل الثلاثي من الفعل الرباعي فيما يلي:

حَفِظَ، نامَ، تَرْجَمَ، خَرَجَ، هَرْوَلَ، بَعْثَرَ، دَعَا.

(ب) ميز الفعل الثلاثي المجرد من الفعل الثلاثي المزيد فيما يأتي:

صَدَّقَ. قَرَأَ. فَتَحَ. أَسْلَمَ. تَقَبَّلَ. سَمِعَ. اِسْتَقْبَلَ. كَوَى. وَقَفَ. اِشْتَرَى.

٢ - من أبواب الفعل الثلاثيِّ المَزِيدِ بابُ (فَعَّلَ) زِيْدَ فيه حرفٌ واحدٌ، وهو العَيْنُ المُكَرَّرَةُ. (فَعَلَ = فَ عَ لَ. فَعَّلَ = فَ عْ عَ لَ).
تأمل الأمثلة الآتيـة لباب (فَعَّلَ)، ثم اكتب المضارع، والأمر، والمَصْدَر من الأفعال التي تليها:

الماضي	المضارع	الأمـر	المصدر
سَلَّمَ	يُسَلِّمُ[١]	سَلِّمْ	تَسْلِيْمٌ[٢]
قَبَّـلَ	يُقَبِّـلُ	قَبِّـلْ	تَقْبِيْلٌ
سَبَّحَ	يُسَبِّحُ	سَبِّحْ	تَسْبِيْحٌ

(١) أحرف المُضارعةِ من الفعل المكون من أربعة أحرفٍ مضمومة.

(٢) مصادر الفعل الثلاثي المجرد سماعية، ومصادر الأفعال الأخرى قياسية.

كَــبَّرَ ....

عَلَّـمَ ....

وَضَّـحَ ....

وَزَّعَ ....

سَجَّلَ ....

هَنَّـأَ .... تَهْنِئَةٌ

سَمَّى .... تَسْمِيَةٌ

حَــيَّى .... تَحِيَّةٌ (تَحْيِيَةٌ)

رَبَّــي ....

ـ مصـدر باب «فَعَّلَ» «تَفْعِيلٌ»، ويأتي على وزنِ «تَفْعِلَةٍ» إذا كان الفعل ناقِصاً، أو مهموزَ اللام.

٣ ـ عرفت في درس سابق أن (آسْمَ الفَاعِلِ) من الفعل الثلاثيَّ المجرّدِ على وزن (فَاعِل). وآعْلَمْ الآن أن آسْمَ الفاعِلِ من الفعل غير الثلاثيِّ المجرَّدِ يكون بلَفْظِ مُضَارِعِهِ بِإِبْدَالِ حرفِ المضارَعَةِ ميماً مضمومةً، وكَسْرِ ما قَبْلَ آخرهِ، نحو: يُعَلِّمُ ← مُعَلِّمٌ.

هات أسماء الفاعلين من الأفعال الآتيــة :

الماضي	المضارع	اسم الفاعل	الماضي	المضارع	اسم الفاعل
أَذَّنَ	يُؤَذِّنُ	....	دَرَّسَ	يُدَرِّسُ	....
سَجَّلَ	يُسَجِّلُ	....	صَوَّرَ	يُصَوِّرُ	....
حَدَّثَ	يُحَدِّثُ	....	دَخَّنَ	يُدَخِّنُ	....

٤ ـ عرفت في درس سابق أن (آسْمَ المَفْعُولِ) من الفعل الثُّلاثيِّ المجرَّدِ على وَزْنِ (مَفْعُولٍ). وَآعْلَمْ الآنَ أن آسْمَ المفعول من الفعل غيرِ الثلاثيِّ المجرّدِ يكون على وزن اسْمِ فاعِلِه مع فَتْحِ ما قبلَ الآخِرِ، نحو: يُسَجِّلُ ← مُسَجِّلٌ ← مُسَجَّلٌ.

هات أسماءَ الفاعلين من الأفعال الآتية، ثم حَوِّلْها إلى أسماء المفعولين:

الماضي	المضارع	اسم الفاعل	اسم المفعول
سَجَّلَ	يُسَجِّلُ	مُسَجِّلٌ	مُسَجَّلٌ
أَلَّفَ			
رَتَّبَ			
سَلَّحَ			
عَلَّقَ			
جَلَّدَ			
لَوَّنَ			
حَمَّدَ			

٥ ـ عرفت في درس سابق أن (آسْمَي الـزَّمَانِ والمَكَانِ) يُشْتَقَّانِ من الفعل الثلاثيِّ المجرّدِ على وَزْنِ (مَفْعَلٍ ومَفْعِلٍ). واعْلَمِ الآنَ أنهما يُشْتَقَّانِ من غير الثلاثيِّ المجرّد على وَزْنِ آسْمِ مَفْعُولِهِ، نحو: صَلَّى يُصَلِّي: مُصَلًّى أي مكان الصلاةِ.

٦ ـ **تأمل الأمثلة لباب (فَعَّلَ)، وعَيِّنْ فيها الماضِيَ، والمضارعَ، والأمرَ، والمَصْدَرَ، واسْمَ الفاعِلِ، واسْمَ المفعولِ واسْمَيِ الزمانِ والمكانِ.**

(١) قَبَّلَ الطفلُ أُمَّهُ.

(٢) أَذِّنْ للظُّهْرِ ياعليُّ، فقد حَانَ الوقتُ.

(٣) هذه الكتب لِلتَّوْزِيعِ على الحُجَّاجِ.

(٤) أعندك صُورةٌ مُلَوَّنَةٌ للكَعْبَةِ المُشَرَّفَةِ؟

(٥) قال تعالى: ﴿**ٱلرَّحْمَـٰنُ عَلَّمَ ٱلْقُرْآنَ. خَلَقَ ٱلإِنْسَانَ، عَلَّمَهُ ٱلبَيَانَ**﴾.

(٦) زارني صَديقِي، فَرَحَّبْتُ به.

(٧) قال تعالى: ﴿**ٱليومَ نَخْتِمُ على أَفْوَاهِهِمْ، وَتُكَلِّمُنا أَيْدِيهِمْ**﴾.

(٨) وُلِدَتْ لي بِنْتٌ، وَسَمَّيْتُها مَرْيَمَ.

(٩) من الذي أَلَّفَ (المُوَطَّأ)؟

(١٠) أُجِّلَ ٱلاِجْتِماعُ إلى أَجَلٍ غيرِ مُسَمًّى.

(١١) أَتُدَخِّنُ؟ ـ لا، وهلْ يُدَخِّنُ رجلٌ عاقِلٌ؟ إن التَّدْخِينَ سببُ أمراضٍ خَطِيرَةٍ كالسَّرَطَانِ.

(١٢) بَلَغَني أَنَّكَ عُيِّنْتَ سَفِيراً، فجئتُ للتَّهْنِئَةِ.

(١٣) أَيْن المُصلَّى؟

(١٤) أَدْرُسُ بالجامعة الإسلامية بالمدينةِ المُنَوَّرَةِ.

(١٥) هذا دَوَاءٌ مُقَوٍّ.

٧ ـ **من أوزان جَمْعِ التَّكْسِيرِ (فَعَلَة) نحو: طالِبٌ / طَلَبَةٌ.**

هات جمع الأسماء الآتية على هذا الوزن: كافِر. فاسِق. فاجِر.

٨ - من أوزان جمع التكسير (فُعَلٌ) نحو: نُسْخَةٌ / نُسَخٌ.

هات جمع الأسماء الآتية على هذا الوزن: صُورَة. سُورَة. غُرْفَة. أُمَّة. دَوْلَة.

٩ - (شَرْحٌ) مصدرُ (شَرَحَ يَشْرَحُ). وهو على وزن (فَعْلٍ).

هات مصادر الأفعال الآتية على وزن (فَعْل):

الماضي	المضارع	المصدر	الماضي	المضارع	المصدر
دَرَس	يَدْرُسُ	....	فَتَح	يَفْتَحُ	....
ضَرَبَ	يَضْرِبُ	....	أَمَرَ	يَأْمُرُ	....
قَتَلَ	يَقْتُلُ	....	نَهَى	يَنْهَى	....
مَـلأَ	يَمْـلأُ	....	صَبَرَ	يَصْبِرُ	....

١٠ -(غِيَابٌ) مصدر (غَابَ يَغِيبُ)، وهو على وزن (فِعَالٍ).

هات مصادر الأفعال الآتية على وزن (فِعَالٍ):

الماضي	المضارع	المصدر	الماضي	المضارع	المصدر
قَـامَ	يَقُومُ	....	صَامَ	يَصُومُ	....
آبَ	يَؤُوبُ	....	لَقِيَ	يَلْقَى	....
قَاسَ	يَقِيسُ	....	شَفَى	يَشْفِي	....

١١ - ما جمعُ (دُكْتُور)؟.

١٢ - أَدْخِلْ (يَبْـــدُو) في جملة.

(١٧) الدرسُ السابعَ عشرَ

المدرس : كيف أَصْبَحْتُم ياإخــوان؟

الطلبـة : أصبحنا بخير، والحمد لله. وكيف أصبحت أنت ياأستاذ؟

المدرس : بخير، أَحْمَدُه وأشكره. . . أَطْفِىءِ الأَنْوارَ ياإدريس فلا حاجة إليها الآن. . . أَعْطِني وَرَقَة الغِيابِ يايعقوب.

يعقوب : هاهي ذي. لم يحضر عثمان اليوم فإنه مُصَابٌ بِإِسْهَالٍ شديد.

المدرس : شفاه الله. (بعد تسجيل أسماء الغائبين) أَعْطِها المُراقبَ فإنه يريدها الآن لأمرٍ مَا. إن يكن مكتبُه مُغْلَقاً فستجده في مكتب المُشْرِف على النَّشاطِ الثَّقَافِيِّ.

(يخرج يعقوب، وبعد هُنَيْهَةٍ يفتح البابَ شابٌّ، ويَقِفُ لَدَيهِ)

الشـاب : (بعد التَّحِيَّة) أتسمح لي بالدخول يافضيلة الشيخ؟

المدرس : (بعد رَدِّ التحيّةِ) أهلاً وسهلاً ومرحبا. ادخل وأَغْلِقْ الباب. يبدو أنك طالب جديد. ما اسمك؟ ومن أين أنت؟

الشـاب : اسمي محمّدُ بْنُ وِلْيَمَ، وأنا من كَنَدا.

المدرس : أحديثُ عهدٍ بالإسلام أنت؟

محمـد : نعم.

المدرس : الحمد لله الذي هدانا للإسلام. . . متى أَسْلَمْتَ ياأخي الكريمَ؟

محمــــد : أسلمت عامَ ١٩٨١.

المدرس : أَ أَسْلَمَ أبَــــواكَ؟

محمــــد : لَمّا يُسْلِم أبي. هداه الله. أما أُمِّي فأَسْلَمتْ والحمد لله.

المدرس : ماذا يعمل أبــــوك؟

محمــــد : هو مُدِيْرُ مُتْحَفٍ... هاءَ خطابَ المدير.

المدرس : (يقرأ الخطاب) إن المدير يُثْنِي عليك كثيراً.

محمــــد : جزاه الله خــيراً.

المدرس : من أين لك هذا المُصْحَفُ الجميل الذي بِيَدِكَ؟

محمــــد : أَعْطَانِيْهِ المديرُ.

المدرس : والله لَقَدْ سُرِرتُ كثيراً بلِقَائِك، وإنِّي مُعْجَبٌ بِكَ... كيف وجدت الجامعة الإسلامية؟

محمــــد : أَعْجَبَتْنِي كثيراً. إنها جامعة فَرِيدَةٌ يدرس فيها أبناءُ المسلمين من مَشَارِقِ الأرضِ ومَغَارِبِها.

(يكتب المدرس آيتين على السبورة)

المدرس : اقرأ الآيتين ياهـــــارون.

هارون : (بعـد الاستعـاذة والبسملة) ﴿يُـريـدُونَ أَنْ يُطْفِئُوا نُورَ ٱللهِ بِأَفْوَاهِهِمْ، وَيَأْبَى ٱللهُ إلَّا أَنْ يُتِمَّ نُورَهُ، ولَوْ كَرِه ٱلكَافِرُونَ. هو ٱلـذي أَرْسَـلَ رَسُولَهُ بِالهُدَىٰ وَدِينِ ٱلحَقِّ لِيُظْهِرَهُ على ٱلدِّينِ

كُلِّه، ولو كَرِهَ ٱلْمُشْرِكُونَ﴾ . [التوبة/ ٣٢-٣٣] .

المدرس : فَكِّرُوا في هاتَيْنِ الآيَتَيْنِ، ثم أَجِيبُوا عن الأسئلة المُوَجَّهَةِ إليكم . ماذا يريد الكُفَّارُ ياإدريس؟

إدريس : يريدون إِطْفَاءَ نُورِ الله .

المدرس : أَيُمكِنُ هـذا ياعليّ؟

علـي : لا ، لهَـذا مُسْتَحِيْلٌ .

المدرس : وماذا يريد الله يايونس؟

يونـس : يريد إِتْمَامَ نُورِهِ .

المدرس : أتذكر آية أخرى في هذا المعنى ياشُعَيْبُ؟

شعيب : نعم . قال تعالى في سورة الصَّفِّ : ﴿وَٱللَّهُ مُتِمُّ نُورِهِ وَلَوْ كَرِهَ ٱلكافرون﴾ .

المدرس : بِمَ أَرْسَلَ الله رسولَهُ يامحمد؟

محمـد : أرسله بالهُدَى ودينِ الحقِّ .

(يدخل إسْحٰقُ)

المدرس : اَلآن تأتي وقد أَوْشَكَ الدرسُ أنْ يَنْتَهِيَ؟

إسحق : مَعْذِرَةً ياأستاذ . ذهبت إلى مكتب البريد لإِرْسَالِ بَرْقِيَّةٍ . فقد وَصَلَ أخي البارِحَةَ ، فَأَرْسَلْتُ برقيّةً إلى أبي أُخْبِرُه فيها بِسَلاَمَةِ وُصُولِهِ .

المدرس : لا بَأْسَ .

١ ـ **أجب عن الأسئلة الآتيـــة :**

(١) لِمَ لَمْ يَحْضُرْ عُثْمانُ؟

(٢) متى أسلم محمد؟

(٣) لم تأخر إسحٰـــق؟

٢ ـ **من أبوابِ الفعلِ الثلاثيِّ المزيدِ باب (أَفْعَلَ) زِيدَتْ في أوَّلِه الهمزةُ.**

تأمل المثالين لباب (أَفْعَلَ)، ثم هات المضارع والمصدر من الأفعال التي تليهما :

تليهما :

الماضي	المضارع	المصدر
أَرْسَلَ	يُرْسِلُ	إِرْسَالٌ
أَسْلَمَ	يُسْلِمُ	إِسْلَامٌ
أَغْلَقَ	......	......
أَخْبَرَ	......	......
أَطْفَأَ	......	......
أَجَابَ	يُجِيبُ	إِجَابَةٌ (أصله : إِجْوَابٌ)
أَقَامَ	......	......
أَتَمَّ	يُتِمُّ	إِتْمَامٌ
أَعَدَّ	......	......
أَلْقَي	......	إِلْقَاءٌ (أصله : إِلْقَايٌ)
آمَنَ (أصله : أَأْمَنَ)	......	إِيمَانٌ (أصله : إِئْمَانٌ)
أَوْجَبَ	......	إِيجَابٌ (أصله : إِوْجَابٌ)

٣ ـ تأمل طريقة صَوْغِ الأَمْرِ من باب (أَفْعَلَ)، ثم صغ الأمر من الأفعال الآتية:
(يُرْسِلُ) أصله (يُأَرْسِلُ) حُذِفَتْ منه الهمزةُ. ويصاغ الأمر من الصِّيغَةِ الأصليّةِ:

تُرْسِلُ أصله: تُأَرْسِلُ تُأَرْسِلُ ← أَرْسِلْ

تُغْلِقُ ....

تُسْلِمُ ....

تُعِـدُّ ....

تُؤْمِـنُ ....

تُجِيبُ ....

٤ ـ ضع اسم الفاعل من الأفعال الآتيـــة:

اسم الفاعل	المضارع	الماضي	اسم الفاعل	المضارع	الماضي
....	يُحْرِمُ	أَحْرَمَ	....	يُسْلِمُ	أَسْلَمَ
....	يُمْكِنُ	أَمْكَنَ	....	يُرْسِلُ	أَرْسَلَ
....	يُتِمُّ	أَتَمَّ	....	يُؤْمِنُ	آمَنَ
....	يُلْقِي	أَلْقَى	....	يُدِيرُ	أَدَارَ

٥ ـ اِبْنِ الأفعالَ الآتية للمجهول، ثم صُغْ اسْمَ المفعولِ من كلّ واحد منها:

اسم المفعول	المضارع	الماضي	اسم المفعول	المضارع	الماضي
....	يُكْرِهُ	أَكْرَهَ	....	يُغْلِقُ	أَغْلَقَ
....	يُعجِبُ	أَعْجَبَ	....	يُعْرِبُ	أَعْرَبَ

أَعَـدَّ .... يُعِـدُّ .... أَصَابَ .... يُصِيبُ ....

٦ ـ **تأمل الأمثلة لبـاب (أَفْعَـل)، وعيّن فيها الماضي، والمضارع، والأمر، واسم الفاعل، واسم المفعول، والمصدر، واسمي المكان والزمان :**

(١) أَغْلِقْ البابَ، ولا تُغْلِقْ النَّوافِذَ.

(٢) أَطْفِيء الأنوار قبل إِغْلاقِ الغرفة.

(٣) يُكْتَبُ اسمُ المُـرْسَـلِ إليه وعُنْوانُه في الجانب الأَيْمَنِ من الظَّرْفِ، واسم المُرْسِلِ وعُنْوانُه في الجانبِ الأَيْسَرِ.

(٤) أَكْرَهَنِي عَمِّي على تَرْكِ الدِّراسةِ.

(٥) لا يجوز نِكاحُ المُكْرَهِ.

(٦) وجدت القلم مُلْقىً في فِنَاء المَعْهَد.

(٧) الفعل المضارع مُعْرَبٌ، والفعل الماضي وفعل الأمر مَبْنِيّانِ.

(٨) أنا مُصَابٌ بِإِمْسَاكٍ شديد.

(٩) يلبَسُ المُحْرِمُ إزاراً وَرِداءً.

(١٠) أنا مُعْجَبٌ بهذا الطالب المجتهد.

(١١) قال الله تعالى : ﴿**إِنَّما يَعْمُرُ مَسَاجِد ٱلله مَنْ آمَنَ بِٱلله وٱليَوم ٱلآخِر وأَقَامَ الصَّلاةَ وآتَى ٱلزَّكاةَ ولم يَخْشَ إِلَّا ٱلله**﴾ [التوبة/١٨].

(١٢) ﴿**رَبَّنـا آتِنـا في ٱلـدُّنْيـا حَسَنَـةً، وفي ٱلآخِـرةِ حَسَنَـةً، وقِنـا عذابَ ٱلنَّارِ**﴾[البقرة/٢٠١].

(١٣) أنا من اليابان، ولكنّي أُقِيمُ الآنَ في ألمانيا.

(١٤) نسأل الله تعالى أن يجعل الجنَّةَ مُقامَنا.

٧ ـ استخرج من الدرس أفعالَ بابِ أَفْعَلَ ومُشْتَقّاتِها.

٨ ـ يَنْصِبُ (أَعْطَى) مَفْعُولَيْنِ: أَعْطَيْتُ حامداً كتاباً.

المفعول الأول المفعول الثاني

من أعطاك الكتاب؟ أعطانيه المديرُ.

المفعول الأول المفعول الثاني المفعول الأول المفعول الثاني

تأمل المثال، ثم أجب عن الأسئلة الآتية على غراره، وعَيِّنْ المَفْعُولَيْنِ:

(١) من أعطاك الكتاب؟ أَعْطانِيهِ أبي. (أبي)

(٢) من أعطاك الساعةَ؟ .... (خالي)

(٣) من أعطاك هذا القلم؟ .... (أمي)

(٤) من أعطاكم الكتب؟ .... (المدير)

(٥) من أعطاك الدفتر؟ .... (أنت)

(٦) من أعطاك الكتاب والدفتر؟ .... (زميلي)

٩ ـ تأمل الأمثلة الآتية لـ(وَلَوْ):

(١) ﴿وٱللهُ مُتِمُّ نُورِهِ ولو كَرِهَ ٱلكافرونَ﴾.

(٢) لا تشترِ هذه السيارةَ ولو أَعْجَبَكَ لَوْنُها وشَكْلُها، فإنها قديمةٌ.

(٣) أُحْضُرْ ٱلامْتِحانَ ولو كنتَ مريضاً.

(٤) اشترِ هذا المعجمَ ولو كان غالِياً.

(٥) لَنْ أَسْكُنَ هذا البيتَ ولو أَعْطَيْتَنِيهِ مجَّاناً.

١٠ ـ(لَهـذا مُسْتَحِيـلٌ). هذه لامُ الاِبْتِـدَاءِ، وتُفِيْـدُ تَوْكِيد مَضْمُونِ الجُملةِ. وفي التَّنْزِيْل .

(١) ﴿وَلَأَجْرُ ٱلآخِرَةِ أَكْبَرُ﴾ [النحل/ ٤١].

(٢) ﴿وَلَذِكْرُ ٱللهِ أكْـبَرُ﴾ [العنكبوت/ ٤٥].

(٣) ﴿ولَعَذابُ الآخِرةِ أكْـبَرُ﴾ [الزمر/ ٢٦].

(٤) ﴿وَلَأَمَةٌ مؤمنةٌ خيرٌ من مُشركَةٍ ولو أَعْجَبَتْكُمْ﴾ [البقرة/ ٢٢١].

(٥) ﴿وَلَعَبْدٌ مؤمنٌ خيرٌ من مُشرِكٍ ولو أَعْجَبَكُمْ﴾ [البقرة/ ٢٢١].

(٦) وفي الحديث: «لَغَدْوَةٌ في سبيلِ الله أو رَوْحَةٌ خيرٌ من الدُّنْيا وما فيها». (رواه البخاري).

١١ ـ(أَصْبَـحَ) من أَخَـوَاتِ (كَانَ)، نحو: أَصْبَحَ حامدٌ مريضاً، أَيْ أَدْرَكَهُ الصُّبْحُ وهو مَرِيْضٌ.

وفي التنزيل ﴿وَأَصْبَحَ فُؤَادُ أُمِّ مُوسَى فَارِغاً﴾ [القصص/ ١٠].

وقد تأتي بمعنى (صَارَ) كما في قوله تعالى: ﴿فَأَلَّفَ بينَ قُلوبِكم فَأَصْبَحْتُمْ بِنِعْمتِهِ إِخْوَاناً﴾ [آل عمران/ ١٠٣].

أدخل (أَصْبَح) على الجمل الآتيـة :

(١) البردُ شـديدٌ ....

(٢) أنـا مريضٌ ....

(٣) هُمْ أصدقـاءُ ....

١٢ ـ(أَوْشَـكَ): قَرُبَ. وهي من أخـوات (كـان)، ويجب أن يكون

خبرها مكونا من (أَنْ) والفعل، نحو: أَوشَكَ الدرسُ أن يَنْتَهي.
ويستعمل منها المضارِعُ أيضاً، نحو: يُوشِكُ الطلابُ أن يرجِعوا إلى بلادهم.

١٣ ـ (يـريـدها لأِمرٍ مَا). هذه (ما) النَّكِرَة التَّامة المُبهَمةُ وتأتي نَعْتاً لما قبلهـا، نحو: سافرت إلى الرياضِ لسببٍ ما. أعطني كتاباً ما. رأيته في مكانٍ ما. قرأت هذا الخبر في صحيفةٍ ما.

١٤ ـ (محمدُ بْنُ ولِيَمَ). تُحْذَفُ همزةُ (ابن) إذا جاء صفةً لِعَلَمٍ مضافاً إلى ٱسم أبيهِ، نحو: محمّدُ بْنُ عبدِالله بنِ عَبْدِالمطَّلِب. ويشترط أن تكونَ الكلماتُ الثلاثُ في سطرٍ واحد، وإذا جاء بعضُها في سَطْرٍ، وبعضُها في سطر آخر كُتِبَتْ كلمةُ (ابن) بالهمزة، نحو: الحَسَنُ ابْنُ عليٍّ.
ولا تُحْذَفُ في مثل: (حامدُ ابْنُ الشيخِ إبراهيم) لأن (ابن) لم يَقَعْ بين عَلَمَيْنِ.

١٥ ـ هات جمع الأسماء الآتيــة :
مُصْحَف. فِنَاء. نَشاط. جَانِب.

١٦ ـ هات ماضي (يَأْبَى).

١٧ ـ أدخل كلّ كلمة ممّا يأتي في جملة مفيدة :
أَعْجَبَ. أَثْنَى عليه. مُصَاب. مشارقُ الأرضِ ومَغَارِبُها. أَصْبَحَ. وَلَوْ. هُنَيْهَة. أَوْشَكَ. مَا (النكرة التامة المبهمة).

(١٨) الدرس الثامن عشر

(بعد صـلاة العصـــر)

المدرس : كيف أَمْسَيْتُم ياإخوان ؟

الطلبـة : أَمْسَيْنَا بخير، والحمد لله .

المدرس : لِمَ أَخْرَجْتَ السبّورة ياأسامة؟ أَدْخِلْهَا بِسُرْعَةٍ .

أسامــة : أَخْرَجْتُها لِأَنَظِّفَهَا . سَأُدْخِلُهَا بعد تَنْظِيفها .

المدرس : أيها الإِخوة أُهَنِّئكم بِنَجاحكم البَاهِر في الامتحان النِّصْفي .
والله لقد فَرِحْتُ كثيراً بهذه النَتيجة التي بَلَغَتْ نِسْبَتُهَا ٩٧٪ .

عكاشة : فرَّحَك الله دائماً ياأستاذ .

(يُدْخِلُ أسامة السبورة)

المدرس : إنّي جَوَّلْتُ في مشـارق الأرض ومغاربها ، وَدَرَّسْتُ في بِلاد كثيرة ، وَلَمْ أَرَ طلاباً أحسنَ منكم .

أسامــة : جزاك الله خيراً ياأستاذ .

المدرس : لعلكم أَحْضَرْتُم دفاتر النحو.

عكاشة : نعم أحضرناهـــا .

المدرس : هاتوها . أريد أن أُرِيَها المديرَ . سَيُسَرُّ بها كثيراً إن شاء الله .
ياعمرو، أَسْمِعْني بَيْتَ المُتَنَبِّي الذي ذكرته أمس .

عمـرو :

وَمَا ٱلتَّأْنِيثُ لاِسْمِ الشَّمْسِ عَيْبٌ

وَلاَ التَّـذْكِـيرُ فَخْـرٌ لِلْهِـلاَلِ

المدرس : قُل (التَأنيث) وأَخْـرِجْ لسـانَك. يجب إِخْراجُ اللسان عند النُّـطْقِ بثلاثـة أَحْـرُف، وهي الثاءُ (ث)، والـذالُ (ذ)، والظاءُ (ظ). . . أظنّ أنني فَهَّمْتُكم معنَاه.

أسامـة : نعم. معناه: إنَّما الشيءُ بِحَقِيقَتِه لا بِٱسْمِه.

علـي : ياأستاذ، أرجو أن تسمح لي بالذَّهاب إلى غرفتي فَإِنَّ بي صُداعاً شديداً.

المدرس : اذهب شفاك الله.

إبراهيم : ما به صداعٌ ياأستاذ، إنَّما يَكْذِبُ.

المدرس : وَمَا أَدْرَاكَ أَنّه يَكْذِب ؟

إبراهيم : أظـنّ.

المدرس : إياكَ والظَنَّ ياإبراهيم، فقد قال النبيّ ﷺ: «إِيَّاكُم والظَنَّ، فإنَّ الـظنَّ أَكْذَبُ الحديثِ». وقال عَزَّ وجَلَّ: ﴿إنَّ بَعْضَ الظَنِّ إثْمٌ﴾. [الحُجرات/١٢].

أجب عن الأسئلة الآتيـــة :

(١) لماذا أخرج أسامة السبورة من الفصل؟

(٢) كم بلغت نِسْبةُ النجاح؟

(٣) لماذا أراد عليّ أن يذهب إلى غرفته؟

(٤) ماذا يريد المدرس أن يُرىَ المدير؟

* يَنْقَسِمُ الفعلُ بٱعْتِبَارِ مَعْنَاه إلى مُتَعَدٍ ولَاَزِمٍ.
فَالْمُتَعَدِّي ما تَجَاوَزَ حَدَثُه الفاعلَ إلى المفعول به، نحو: بَنَي إبراهيمُ عليه السلام الكعبةَ.
وهو يَحْتَاج إلى فاعلٍ يفعلُه، ومفعولٍ به يَقَعُ عليه.
وعَلاَمَتُه أن يَقْبَلَ هاءَ الضمير التي تَعُودُ إلى المفعول به، نحو: قرأ الدرس، وَفهِمَه. رأيت حَشَرَةً سامَّة، فقَتَلْتُها.
واللازِمُ : ما لا يَتعَدَّى أَثَرُه فاعلَه، نحو: خَرَجَ الطلابُ. فَرِحَ المدرسُ.
لا يحتاج الفِعلُ اللازمُ إلى مفعول به.
قد يَتَعَدَّى الفعلُ اللازِمُ بِوَاسِطَةِ حرفِ الجَرِّ، نحو:
(١) غَضِبَ المدرسُ عَلَى الطالِب الكسلانِ.
(٢) ذَهَبْتُ بالمريضِ إلى المستشفى.
(٣) نَظَرْتُ إلى الجَبلِ.

(٤) قال ﷺ : « فَمَنْ رَغِبَ عَنْ سُنَّتِي فَلَيْسَ مِنِّي » .

(٥) أريد أنْ أطَّلع على مَنْهَجِ مدرستِكَ .

(٦) لا أَرْغَبُ في السَّفَر هذا الأسبوع .

ويُسَمَّى مفعولُ مِثْلِ هذا الفعلِ (غَيْرَ صَرِيحٍ) . وهو مجرورٌ لفظاً بحرف الجرِّ، منصوبٌ محلاً على أنه مفعولٌ به غيرُ صريحٍ .

ميز اللازم من المتعدِّي فيما يلي :

(١) يشرح المدرس الدرس مرَّتين .

(٢) ضحك الطلاب .

(٣) رجع أبي البارحة .

(٤) حفظت القرآن وأنا صغير.

(٥) اجلس هنــــا .

(٦) اِفتح البابَ ، وأَغْلِق النوافذ .

(٧) أَمَرَ الله تعالى إبراهيمَ عليه السلام بِذَبْحِ ابنِه إسماعيل عليه السلام .

(٨) نَامَ الطفلُ .

(٩) قُمت من النوم مُتَأَخِّراً .

(١٠) نَعْبُدُ الله ولاَ نُشْرِكُ به شيئاً .

(١١) لم آكـل شيئاً .

(١٢) تَعِبَ العُمَّال .

(١٣) رَحَّبْتُ بالضيوف .

* يَصِيْرُ الفِعْلُ اللاَّزِمُ مُتَعَدِّياً بنقله إلَى بَابَيْ (أَفْعلَ، وفَعَّلَ) كما يَتَّضِحُ مِنَ الأمثلة الآتيـة :

(أ)

(١) خَرَجَ حامد من الفصل. أَخْرَجَ المدرسُ حامداً من الفصل.

(٢) نَزَلَ الجَرِيْحُ مِنْ سَيَّارةِ الإسْعَافِ. أَنْـزَلَ المُمَـرِّضُـونَ الجَـرِيْحَ من سيارةِ الإِسْعافِ.

(٣) جَلَسَ الطالبُ الجديدُ أمامَ المدرس. أَجْلَسَ المُدَرِّسُ الطالِبَ الجديدَ أَمَامه.

(ب)

(١) نَزَلَ الطفلُ من الطائرة. نَزَّلْتُ الطفلَ من الطائرة.

(٢) نَـامَ المريضُ. نَوَّمَ الدواءُ المريضَ.

(٣) نَجَا رُكَّابُ السيارةِ التي ٱنْقَلَبَتْ. نَجَّى الله ركابَ السيارة التي انقلبت.

إِذا نُقِلَ الفعلُ المتعدِّى إلى مفعولٍ واحد إلى هٰذين البَابَيْنِ تَعَدَّى إلى مفعولين، نحو:

(١) سَمِعَ المدرسُ القرآن. أَسْمَعَ الطلابُ المدرسَ القرآن.

(٢) فَهِمَ الطالبُ الدرسَ. فَهَّمَ المُدَرِّسُ الطالبَ الدرسَ.

١ - أَدْخِلْ كُلَّ فعلٍ مِمَّا يأتي في جملتين: في الجملة الأولى كما هو، وفي الجملة الثانية بَعْدَ إِدْخال (همزة التَعدْيَةِ) عليه :

(١) خَرَجَ حامدٌ من الفصل أَخْرَجَ المُرَاقِبُ حامداً من الفصل

(٢) دَخَلَ ....

(٣) جَلَسَ ....

(٤) نَزَلَ ....

(٥) ضَحِكَ ....

(٦) بَكَى ....

(٧) سَمِعَ ....

٢ - أَدْخِلْ كلَّ فِعْلٍ مما يأتي في جملتين: في الجملة الأولى كما هو، وفي الجملة الثانية بعد تَضْعِيْفِه (أي نَقْلِهِ إلى باب فَعَّلَ) :

(١) درس ....

(٢) خَافَ ....

(٣) نَامَ ....

(٤) حَفِظَ ....

(٥) جَفَّ ....

٣ - كَيْف عُدِّيَتْ الأفعال التي تَحْتَها خطٌّ في الأمثلة الآتية؟ :

(١) مَنْ أَبْكى الطفلَ ياآمنة؟ ما أَبْكَاه أحدٌ، إِنَّما يَبْكِي من الجُوْعِ .

(٢) قال الطالب الجديد للمدرس: ياأستاذ، أَجْلِسْنِي قريباً من السبورة، فإِنَّ نَظَري ضَعِيفٌ.

(٣) نزلت من السيارة، ثم نَزَّلْتُ أُمِّي المريضة.

(٤) يا أحمد، لا تُضْحكْني وأنا أقرأ الدرس.

(٥) قال لي الطبيب: أَخْرِجْ لِسَانَكْ.

(٦) قال تعالى: ﴿والله أَخْرَجَكُمْ مِنْ بُطُونِ أُمَّهَاتِكُمْ لَا تَعْلَمُونَ شَيئاً﴾ [النحل/٧٨].

(٧) قال تعالى: ﴿وَمَنْ يَظْلِمْ مِنْكُمْ نُذِقْهُ عَذَاباً كَبِيراً﴾ [الفرقان/١٩].

(٨) قال الله تعالى لموسى عليه السلام: ﴿وأَدْخِلْ يَدَكَ في جَيْبِكَ تَخْرُجْ بَيْضَاءَ مِنْ غَيرِ سُوءٍ﴾ [النمل/١٢].

(٩) بَعْدَ الطَّوافِ والسَّعْي يَحْلِقُ المُعْتَمِرُ رَأْسَهُ، أو يُقَصِّرُ شَعْرَهُ.

(١٠) قال النبي ﷺ: «لَا يَنْكِحُ المُحْرِمُ، ولا يُنْكِحُ، ولا يَخْطُبُ».

(١١) قال تعالى: ﴿وَأَنَّهُ هُوَ أَضْحَكَ وأَبْكَى، وَأَنَّهُ هُوَ أَمَاتَ وأَحْيَا﴾.

(١٢) اللَّهم حَبِّبْ إِلَيْنَا الإيمانَ، وَكَرِّهْ إِلَيْنَا الكُفْرَ والفُسُوقَ والعِصْيانَ.

* «أريد أن أُرِيَهَا المديرَ». (أَرَى) أَفْعَلَ من (رَأَى). أصله (أَرْأَى). حُذِفَت منه عينُه. مضارعه: يُرِى.

والأمر منه: أَرِ. (أَرِني هذا يا علي. أَرُوْنِي هذا يا إخوان. أَرِيْني هذا يا مريم. أَرِيْنَنِي هذا يا أخوات).

تقول:

(١) أرانا المدرسُ كتابَ نحوٍ جديداً.

(٢) غداً سآخذكم إلى المكتبة العامة وأُرِيكم المعاجمَ كلَّها.

(٣) أَرِني جَوازَ سَفرِك ياأحمد.

وفي التنزيـــل :

(١) ﴿ وَلَقدْ أَرَيْنَاهُ آياتِنَا كلَّها، فَكَذَّبَ وَأَبَى﴾ [طه/ ٥٦].

(٢) ﴿هُوَ الذِّي يُرِيكُم آياتِهِ، ويُنَزِّلُ لَكُمْ مِنَ السَّماءِ رِزْقاً﴾ [غافر/ ١٣].

(٣) ﴿وإذْ قَالَ إبْرَاهِيمُ رَبِّ أَرِنِى كَيْفَ تُحْيِي المَوْتَى قالَ أَوَ لَمْ تُؤْمِنْ قَالَ بلَى، وَلكِنْ لِيَطْمَئِنَّ قَلْبِي﴾ [البقرة/ ٢٦٠].

(٤) ﴿هَذَا خَلْقُ الله، فَأَرُونِي مَاذَا خَلَقَ الَّذِينَ مِنْ دُونِهِ﴾ [لقمان/ ١١].

(٥) ﴿وَقَالَ الَّذِيْنَ كَفَرُوا رَبَّنَا أَرِنَا اللَّذيْنِ أضَلاَّنَا مِنَ الجِنِّ والإِنْسِ نَجْعَلْهُمَا تَحتَ أَقْدَامِنَا لِيَكُونَا مِنَ الأسْفَلِينَ﴾ [فصلت/ ٢٩].

١ - يُجرىَ التمرينانِ الشَّفويانِ الآتيـــان :

(١) يَقُـولُ الطالبُ لزميله: (أَرِني كتابَك/ ساعتَك/ قلمَك)، فيجيبه قائلاً: (سَأُرِيكَه/ ها بعد قليل. أو: لا أُرِيكَهُ/ ها).

(٢) يقول المدرس لكل طالب: (أَأَرَيْتَنِي دَفْتَرَكَ؟) فيجيبه قائلاً: (نعم، أَرَيْتَكَهُ).

* جَوَّلْتُ في مَشَارِقِ الأرض ومغاربها، أي جُلْتُ فيها كثيراً.

يُنْقَلُ الفِعْلُ إلى بَابِ (فَعَّلَ) لِمَعَانٍ مِنْها: التَكْثِيرُ أو المُبَالَغَةُ، نحو:

جَــوَّلَ أي جَالَ كَثيراً .

طَــوَّفَ أي طَافَ كثيراً .

قَتَّــلَ أي بَالَغَ في القَتْلِ .

كَسَّــرَ أي بَالَغَ في الكَسْرِ.

قَطَّــعَ أي بَالَغَ في القَطْعِ .

عَــدَّدَ أي عَــدَّ كثيراً .

ـ كَسَّرَتُ الأقْلامَ . (التكثير) .

ـ كَسَّرْتُ القَلَــمَ . (المبالغة) .

في التنزيل :

(١) ﴿إِنَّ ٱلَّذِينَ كَذَّبُوا بِآيَاتِنَا وَٱسْتَكْبَرُوا عَنْهَا لَا تُفَتَّحُ لَهُمْ أَبْوَابُ السَّماءِ وَلَا يَدْخُلُونَ الجَنَّةَ حَتَى يَلِجَ الجَمَلُ في سَمِّ الخِيَاطِ﴾ [الأعراف/٤٠] .

(٢) ﴿الَّذي جَمَعَ مَالاً وعَــــدَّدَهُ﴾ [الهمزة/٢] .

(٣) قال : ﴿سَنُقَتِّلُ أَبْنَاءَهم﴾ [الأعراف/١٢٧] .

(٤) ﴿وَغَلَّقَتِ الأَبْوَابَ﴾ [يوسف/٢٣] .

(٥) ﴿فَجَعَلْنَاهُمْ أَحَادِيثَ، وَمزَّقْنَاهُمْ كُلَّ مُمَزَّقٍ﴾ [سبأ/١٩] .

(٦) ﴿وإِذْ نَجَّيْنَــاكُم مِنْ آلِ فِرْعَــوْنَ يَسُــومُونَكُمْ سُوءَ العَذَابِ، يُذَبِّحُونَ أَبنَاءكُم﴾ [البقرة/٤٩] .

* (إِيَّاكَ والظَنَّ). هذا التَحْذِيرُ، وهو تَنْبِيهُ المُخَاطَبِ على أمرٍ مَكْرُوهٍ لِيَجْتَنِبَه. وهاء أمثلة له :

(١) إياكَ والكِلابَ يابُنَيَّ. (٢) إياكُم والكلابَ ياأبنائي.

(٣) إياكِ والكلابَ يابِنتي. (٤) إياكُنَّ والكلابَ يابَناتي.

(٥) ياعليّ، إياك وهذا الولدَ فإنَّه كذّابٌ.

(٦) إياكِ والكَسَلَ يازينب.

(٧) إياكم والتَّدْخين فإنه سَبَبُ أمراضٍ مُهْلِكَةٍ.

(٨) إيَّاكُنَّ وهذه المجلَّاتِ ياأخواتي.

(٩) قال النبي ﷺ : «إياكم والحَسَدَ، فإنّ الحَسَدَ يأكل الحَسَنَاتِ كما تأكل النارُ الحَطَب».

(١٠) وقال عليه الصلاة والسلام: «إيَّاكم والجلُوسَ بالطُّرُقَات».

(١١) وقال ﷺ : «وإياكم ومُحْدَثَاتِ الأمور فإنها ضَلاَلَةٌ».

كون أمثلة للتحذير مستعملاً الكلمات الآتيـــة :

(١) السُفُورُ / ياأخواتي ....

(٢) الكَذِبُ / ياعثمان ....

(٣) الحَسَدُ / ياعَزَّة ....

(٤) النَميمَةُ / ياأَخَوَيَّ ....

(٥) النُزولُ من الحافِلة وهي تَسِيرُ / ياأطفال ....

(٦) التَبَرُّجُ / يابِنْتَيَّ ....

(٧) البِدْعَة / أيها المسلمون ....

* (إِنَّما يَكْذِبُ) . (إِنَّما) أصلها (إِنَّ) اتَّصَلَتْ بها (ما الزائدةُ) . وتُسَمَّى هذه (ما الكافَّةَ) لأنها تَكُفُّ (إِنَّ) عن العَمَل .

تدخل (إنما) على الجملتين الاسميَّة والفِعْلية نحو:

﴿إِنَّمَا الصَّدَقَاتُ لِلْفُقَرَاءِ﴾ [التوبة/ ٦٠] . «إِنَّمَا الأَعْمَالُ بِالنِّيَّاتِ» .

﴿إِنَّمَا يَعْمُرُ مَسَاجِدَ اللهِ مَنْ آمَنَ بِاللهِ وَالْيَوْمِ الآخِرِ﴾ [التوبة/ ١٨] .

تفيد (إنما) التَّعْيِينَ، ويُوجِبُ إِثْباتَ الحُكْمِ المذكور، وَنَفْيَ غَيرِ هذا الحكم عنه .

فقولنا: (إنما هو مهندسٌ) يفيد أنه مهندسٌ فقط، وليس فيه صفةٌ أخرى .

* (واللهِ لَقَدْ فَرِحْتُ كثيراً) . هنا (فرحت كثيراً) جوابُ القَسَم . إذا كان جوابُ القَسَم جملةً فعلية مُثْبَتَةً مُصَدَّرةً بفعلٍ ماضٍ أُكِّدَ بـ(اللام وَقَدْ) كما في قوله تعالى : ﴿وَالتِّينِ وَالزَّيْتُونِ، وَطُورِ سِينِينَ وَهذا البَلَدِ الأَمِينِ . لَقَدْ خَلَقْنَا الإِنْسَانَ فِي أَحْسَنِ تَقْوِيمٍ﴾ .

اِجعل كل جملة مما يأتي جواباً للقسم :

(١) فَرِحْتُ بزيارَتِكَ .

(٢) قلت لي هكــذا .

(٣) رأيته في السوق .

* (أَمْسَى) من أَخَوَات (كَانَ). تقول: أَمْسَيْتُ مَرِيضاً، أي أَدْرَكَنِي المَسَاءُ وأنا مريضٌ.

أَدْخِلْ (أمسى) على الجمل الآتية:

(١) الجوُّ مُعْتَدِلٌ.

(٢) نَحْنُ مُتْعَبُونَ.

(٣) المريضةُ ضَعيفَةٌ.

* أعرب الجملة (إنَّ بي صُداعاً شديداً)، ثم أَجِبْ عن الأسئلة الآتية على غِرَارِها، مستعملاً أسماءَ الأمراضِ المذكورة بين القوسين:

(١) ماذا بك ياعليّ؟ إنَّ بي صداعاً شديداً.

(٢) أخوك ماذا به؟ .... (زُكَامٌ)

(٣) ماذا بكم؟ .... (مَغْصٌ)

(٤) أختُك، ماذا بها؟ .... (سُعَالٌ)

(٥) هؤلاء الطلاب، ماذا بهم؟ .... (إِسْهَالٌ)

(٦) هؤلاء الطالبات ماذا بهنّ؟ .... (صُدَاعٌ)

(٧) ماذا بك ياسُعَاد؟ .... (دُوَارٌ)

* (ذَهَابٌ) مصدر (ذَهَبَ)، وهو على وزن (فَعَال). هات المصدر من الأفعال الآتية على وزن فَعَالٍ: نَجَحَ. فَسَدَ. نَفِدَ. ضَلَّ.

* «طَريق» جمعه (طُرُق)، وجمع «طُرُق» «طُرُقات». ويُسَمَّى هذا «جمعَ الجمعِ». إليك أمثلة أخرى:

مَكان ← أَمْكِنَة ← أَمَاكِنُ .

سِوار ← أَسْوِرَة ← أَساوِرُ .

إِنــاء ← آنِيَة ← أَوانٍ .

يَــد ← أَيْــدٍ ← أَيَــادٍ .

* أَدخِل كلَّ كلمة مما يأتي في جملة مفيدة :

نَظَّفَ . أَحْضَرَ . جَوَّلَ . أَمْسَى . إِنَّما . أَرِ .

* تمرين شفـوي : يقول طالب : (سيرجع المدير غداً إن شاء الله) أو شيئاً مثله ،
ويقول له زميله (وما أدراك أنه يرجع غداً؟) ، فيقول : (سمعت المراقب يقول
ذلك) .

(١٩) الدرسُ التاسع عشرَ

المدرس : أين أحمد ياإخوان؟

علـــي : سَافَر إلى مكة لِعِيَادة أخيه المريض .

المدرس : عَافَاهُ الله . . . من أنت ياأخي؟ كَأَنَّكَ طالب جديد .

هـــو : نعم . وآسْمي مُجَاهِدٌ .

المدرس : كأنَّكَ من الهنـــد .

مجاهـــد : أَنَا أصلاً من الهند . إن أبي هَاجَرَ من الهند إلى أُسْتُرالِيَا وهو شابّ . وأنا ولدت هناك .

المدرس : أَلَك ذَوُو قُرْبَى في الهند؟

مجاهـــد : نعم . سافرت العام الماضي إلى قَرْيَتِنَا في الهند ، وَقَابَلْتُ أعمامي وأخوالي ، وأولادهم ، وهم كثير . أبي يزورهم كلَّ سنة ، ويُراسلُهم دائماً .

المدرس : أأعجبتْك الجامعةُ الإسلامية؟

مجاهـــد : نعم . أنا مسرور بآلتحِاقي بهذه الجامعة المُبَارَكَة التي في مَهْبِط الوَحْي ومُهاجَر النبيِّ ﷺ .

المدرس : لِمَ تَأَخَّرْت يامجاهد؟ جئت بعد مُضِيٍّ شهر مِنْ بَدْءِ الدراسة ، وقد فاتتك دروس .

مجاهـــد : حاولت كثيراً أن آتي عند بدء الدراسة ولكنْ لم أستطِع . أرجو

أن تُساعِدْني على فَهْم الدروس السابقة.

المدرس : سَأُسَاعِدكَ إن شاء الله.

(يدخلُ زُهَيْرُ)

يازهير، إنك غيرُ مُوَاظِبٍ. أريد أن أشكوك إلى المدير.

زهــير : سَامِحْني ياأستاذ. لن أغيب ولن أَتَأَخَّر في المستقبل إن شاء الله.

المدرس : لِنُرَاجِعْ الدرس. اقرأ الآية ياعليّ.

عــلي : (بعد الاستعاذة والبسملة) ﴿ياأيها ٱلذين آمنوا هَلْ أَدُلُّكُم على تِجارَةٍ تُنْجيكُم من عَذابٍ أَليم. تُؤْمِنُـون بِٱلله ورَسُولِـه، وتُجَاهِدُونَ في سَبِيلِ ٱلله بِأَمْوَالِكُمْ وأَنْفُسِكُمْ، ذلِكُمْ خيرٌ لَكُم إنْ كُنْتُمْ تَعْلَمُـونَ. يَغْفِـرْ لَكُمْ ذُنُـوبَكُم، وَيُدْخِلْكُمْ جَنَّاتٍ تَجْري مِنْ تَحْتِهَا ٱلأنهارُ، وَمَسَاكِنَ طَيِّبَةً في جَنَّاتِ عَدْنٍ، ذَلِكَ الفَوْزُ العَظِيمُ﴾ [الصف/ ١٠-١٢].

المدرس : إنّ الله لَغَفُورٌ رَحيم. . . ياأبابكر، ما التِّجَارَةُ التي دَلَّنا الله تَعالى عَليها؟

أبوبكـر : هي الإيمانُ بالله ورسولِهِ، والجهادُ في سبيلِ الله بالنَّفْسِ والمَالِ.

المدرس : اُذكُر آيةً أخْرى، تَحُثُّ المسلمينَ عَلَى الجهاد يازُهير.

زهـــير : قال تعالى في السورة نَفْسِهَا: ﴿إن ٱللهَ يُحِبُّ ٱلذين يُقَاتِلُون في سَبِيلِهِ صَفًّا كَأَنَّهُم بُنْيَانٌ مَرْصُوصٌ﴾.

المدرس : من الذين يُحِبُّهُم الله ياعليّ؟

علـــي : يُحِبُ المُجَاهِدِين المُقَاتِلين في سبيله.

المدرس : كيف يُقَاتِلُ هـــؤلاء؟

علـــي : يقَاتِلون في صُفُوفٍ، ويَثْبُتُون في أَمَاكِنِهِم عندَ مُلَاقَاةِ العدوّ.

المدرس : ماذا تَفِيدُ (كأنَّ) يازهـــير؟

زهـــير : تُفِيـدُ التَشْبِيـهَ، نحـو: كأَنَّ المسجـدَ مدرسةٌ، كأن الكتابَ مدرسٌ، وكذلك تفيد الظنَّ نحو: كأنني أعرفُكَ.

المدرس : أحسنت يازهير. مَالَك تَنْعَسُ ياعبدالله؟

عبدالله : لا تُؤاخِـذْني ياأستاذ، زرت البارحة جاراً لي وجلست عنده أُشاهِدُ مُباراةَ كُرَةِ القَدَمِ على شَاشَةِ التِّلْفَازِ إلى مُنْتَصَفِ الليل.

المدرس : ما ينبغي لطالب أن يُضَيِّعَ وقته في مُشَاهَدَةِ التلفاز.

عبدالله : أَرْجُو المُسَامَحَة.

(يُنَادِي المدرسُ المراقَب)

المراقب : (بعد التحيّة والمُصَافَحَةِ) أَنَادَيْتَنِي ياأستاذ؟

المدرس : نعم. متى يعود المدير؟

المراقب : قد يعود اليوم إن شاء الله.

١ - أجب عن الأسئلة الآتيــة :

(١) لم سافر أحمد إلى مكة؟

(٢) من أين مجاهد؟ متى هاجر أبوه من الهند؟

(٣) لماذا كان عبدالله نعسان؟

(٤) ما التجارة التي دلنا عليها الله تعالى في سورة الصف؟

٢ - من أبواب الفعل الثلاثيّ المزيد باب (فَاعَلَ) زِيْدَتْ فِيه أَلِفُ بعدَ الفاء نحو :
سَافَرَ. سَامَحَ. آخَـــذَ.

استخرج من الدرس الأفعال الواردة فيه من باب (فَاعَلَ).

٣ - تأمل المثالين، ثم هات المضارع والأمر والمصدر من الأفعال الآتية :

الماضي	المضارع	الأمــر	المصــدر
شَاهَدَ	يُشَاهِدُ	شَاهِدْ	مُشَاهَدَةٌ
قَابَــلَ	يُقَابِــلُ	قَابِــلْ	مُقَابَلَــةٌ
سَــامَحَ	....	....	....
سَاعَــدَ	....	....	....
رَاسَــلَ	....	....	....
رَاجَــعَ	....	....	....
حَــاوَلَ	....	....	....
آخَــذَ	....	....	....
لَاقَــى	....	مُلَاقَـاة	(أصله : مُلَاقَيَةٌ)
بَــارَى	....	....	(............

٤ ـ لباب (فَاعَلَ) مصدران : مُفَاعَلةٌ وفِعَالٌ. نحو: قَاتَلَ : مُقَاتَلةٌ/ قِتَالٌ.

هات المصدر على وزن فِعَالٍ من الأفعال الآتيـــة :

جَاهَــدَ	نَافَــقَ
عَالَـجَ	نَادَى نِـــدَاءٌ (أصله : نِدَايٌ)

٥ ـ هات أسماء الفاعلين من الأفعال الآتيـــة :

رَاسَلَ	يُرَاسِلُ	شَاهَدَ	يُشَاهِدُ
سَاعَدَ	يُسَاعِدُ	جَاهَدَ	يُجَاهِدُ
سَافَرَ	يُسَافِرُ	رَاقَبَ	يُرَاقِبُ

٦ ـ هات آسم الفاعل واسم المفعول من : خَاطَبَ.

الماضي	المضارع	اسم الفاعل	اسم المفعول
خَاطَبَ	يُخَاطِبُ	....	....

٧ ـ تأمل الأمثلة الآتية لبـاب (فَاعَلَ)، وعيِّن فيها الماضي والمضارع والأمر والمصدر واسم الفاعل واسم المفعول :

(١) هَاجَرَ النبيّ ﷺ من مكة المكرمة إلى المدينة المنورة عَامَ اثْنَيْنِ وعشرين وستِّمائَةٍ للميلاد (٦٢٢م).

(٢) سافر أبي إلى الرياض للعِلَاج.

(٣) ذهبت لمُقَابَلَة المُدير فَلَمْ أجده في مكتبه.

(٤) ما عندي وقت لمشاهدة بَرامجِ التِّلْفازِ.

(٥) نادِ المُراقِب ياعليّ.

(٦) أنا مُراسِلُ صَحيفةٍ.

(٧) في التنزيل: ﴿رَبَّنَا لا تُؤَاخِذْنَا إنْ نَسِينَا أو أَخْطَأْنا﴾ [البقرة/٢٨٦].

(٨) من أَدْعِيَةِ الاسْتِفْتَاح: «اللَّهم بَاعِـدْ بيني وبَيْنَ خَطاياي كما بَاعَدْتَ بين المشرق والمغرب. اللهم نَقِّني من الخَطَايا كما يُنَقَّى الثوبُ الأبيض من الدَّنس. اللهم ٱغْسِل خَطَايَاي بالماء والثَّلْج والبَرَد».

(٩) عن قَتادة قال: قلت لأنس: أكَانت المصافَحةُ في أصحاب النبي ﷺ قال: «نعم». (رواه البخاري).

(١٠) قال تعالى: ﴿إنَّا أَنْزلناه في لَيْلَةٍ مُباركةٍ، إنَّا كُنَّا مُنْذِرِين﴾ [الدخان/٣].

٨ ـ ﴿إن ٱللهَ لَغفُورٌ رحيم﴾. هذه لامُ الابتداء دخلت على خَبَرِ (إنّ) المكسورة وتُسَمَّى حِينَئِذٍ (اللامَ المُزَحْلَقَةَ). وهاءَ أمثلةً لِلّام المزحلقة:

(١) ﴿إنَّ إلٰهكُمْ لَوَاحِدٌ﴾ [الصافات/٤].

(٢) ﴿وإنَّ أَوْهَن ٱلبُيُوتِ لَبَيْتُ العَنْكَبُوتِ﴾ [العنكبوت/٤١].

(٣) ﴿إنَّ أنْكَرَ الأَصْواتِ لَصَوْتُ ٱلحَمِير﴾ [لقمان/١٩].

(٤) ﴿إنَّه لَقُرآنٌ كريم﴾ [الواقعة/٧٧].

(٥) ﴿إنَّ أوَلَ بَيْتٍ وُضِعَ لِلنَّاسِ لَلَّذي بِبَكَّةَ﴾ [آل عمران/٩٦].

٩ ـ (قَدْ فَاتَتْكَ دُرُوسٌ). إذا دخلت (قد) على الفعل الماضي أَفَادَت التَّأْكِيد، نحو: قَد وَصَلتْ الطائرة. قد فُتِحَ بابُ المكتبة.

وإذا دخلت على الفعل المضارع أفادت:

(أ) الشَّكَّ وٱلاحْتِمَالَ، نحو: قد يَعُودُ المدير غداً. قد يَنْزِلُ المَطرُ

اليوم . (قد يأتي المدير غداً . أي يُمْكِنُ أن يأتي غداً) .

(ب) **التَّقْلِيـلُ، نحو:** قد يَنْجَحُ الطالبُ الكسلانُ . (أي أحياناً ينجح الطالب الكسلان) .

١٠ ـ**(ذَوُو القربى) . (ذَوُو) جمع (ذُو) . يُعْرَبُ إِعرابَ الجَمْعِ المُذّكرِ السالمِ ، نحو:**

ذَوُو القُرْبَى أَحَقُّ بمُسَاعَدَتِكَ . (مرفوع بالواو) .

جَالِسْ ذَوِي العِلْــم . (منصوب بالياء) .

هذه مساكنُ الطُّلاَّبِ ذَوِي العَائِلَاتِ . (مجرور بالياء) .

ومثل ذوو (أُولُو) معنى وإعراباً . في سورة النمل : ﴿**قَالُوا نَحْنُ أُولُو قوةٍ وأُولُو بَأْسٍ شَدِيدٍ، والأَمْرُ إِلَيْكِ**﴾ .

١١ ـ**عرفت أن (لَكِنَّ) من أَخَـوات (إِنَّ) . تقـول حامـدٌ مُجْتَهِـدٌ لكنَّ صَدِيقَهُ كسلانُ .**

إذا خُفِّـفَـتْ (لَكِنَّ) أهملت، ودخلت على الجملتــين الاسميــةِ والفِعليةِ، نحو:

(١) جَاءَ المُدرِّس، لَكِنِ الطُّلابُ مَا جَاءوا .

وفي التنزيل : ﴿**لَكِنْ الظالمونَ اليومَ في ضَلالٍ مُبين**﴾ [مريم/٣٨] .

(٢) غابَ عليٌّ لكِنْ حَضَرَ أحمدُ .

وفي التزيل﴿**ولكِنْ لا يشْعُرُونَ**﴾ .

١٢ ـ ﴿ذلكُمْ خيرٌ لكم﴾. يجوز في كاف الخطاب في (ذلك وتلك) التَّصَرُّفُ، ومعنى التصرّفِ أن يُراعَى المُخَاطَبُ، نحو:

لِمَنْ ذلكم الدفترُ ياإخوان؟ أقرأتِ تِلْكِ المجلّة ياآمنة؟

١٣ ـ (يَغْفِرْ لكُم. . .) هنا (يغفر) مجزومٌ بالطَّلب، ذلك لأنّ (تُؤْمِنونَ. . .) في الآية السابقة بمعنى (آمِنُوا).

١٤ ـ (عيَادَةٌ) مصدر (عَادَ يعودُ) بمعنى (زار المريضَ)، وهو على وزن (فِعَالة).

هات المصدر من الأفعال الآتية على وزن (فِعالة).

دَرَسَ كَتَبَ زَارَ قَرَأَ وَلَدَ رَوَى

١٥ ـ «مُضِيّ» مصدر «مَضَى، يَمْضِي»، وهو علَى وزن «فُعُول». أصلُه «مُضُويٌ».

هات مصدر «هَوَى، يَهْوِى» على هذا الوزن.

١٦ ـ «بَرْنَامَجٌ» جمعه «بَرَامِجُ». إذا جُمِعَ الاسم الذي حُرُوفُهُ خمسةٌ أو أكثرُ على صيغة مُنْتَهى الجُمُوع حُذِفَ ما زَادَ علَى الأربعة، نحو: سَفَرْجَلٌ ← سَفَارِجُ؛ عَنْكَبُوتٌ ← عَنَاكِبُ؛ عَنْدَلِيبٌ ← عَنَادِلُ؛ مُسْتَشْفَى ← مَشَافٍ.

١٧ ـ تُجْمَعُ «خَطِيئَةٌ» على «خَطَايَا». اجمَعِ الأسماءَ الآتية هذا الجمع: هَدِيَّة، مطِيَّة، مَزِيَّة، سَرِيَّة، شَظِيَّة، بَرِيَّة، زَاوِيَة.

١٨ ـ هات الفعل الذي اشْتُقَّ منه اسمُ التفضيل «أوْهَن»، واذكر منه المضارع والمصدر.

اذكرْ أربع آيات ورد فيها هذا الفعلُ، أو مُشْتَقَّاتُه.

١٩ ـ هات المضارع من أنْذَرَ، ضَيَّعَ، حَثَّ.

(٢٠) الدرس العشرون

المدرس : تَأَخَّرْتَ ياأُسَامة. أين كنت؟

أسامــة : لا تُؤاخِذْني ياآستاذ. إنَّما ذهبت إلى المُتوَضَّأ لأتوضَّأ، فقد حَانَ وَقْتُ الصَّلاة.

المدرس : كَأَنَّكَ تريد أن تقول شيئاً ياموسى.

موســى : نعم. تَلَقَّيْتُ اليوم رسالة من والدي. إنه يسلِّم عليك.

المدرس : عليك وعليه السّلام. جزاه الله خيراً. إذا كتبت إليه فَبَلِّغْهُ تَحيَّاتي.

نقرأ الآن حديثاً. (يكتب على السبورة). اقرأه ياأسامة.

أسامــة : عن عُثْمانَ رضي الله عنه قال: قال رسول الله ﷺ: «خَيْرُكُم مَنْ تعلَّم القرآنَ وعَلَّمَهُ». (رواه البخاري).

المدرس : من عثمانُ رضي الله عنه ياعلي؟

علــي : هو صَحَابيٌّ جليلٌ، وَأَحَدُ الخُلَفاء الراشدين.

أسامــة : لماذا يُقَالُ لَهُ (ذُو النُّورَيْن) ياأستاذ؟

المدرس : لأنه تَزوَّجَ بِنْتَيْن من بَنَاتِ النبيّ ﷺ، هما: رُقَيَّةُ وأُمُّ كُلْثُومٍ رضي الله عنهما. تزوَّجَ أولاً رقيَّةَ رضي الله عنها، وبعد وَفاتِها تزوج الأخرى.

موســى : مَتَى تُوُفِّيَتْ رقيةُ رضي الله عنها؟

المدرس : تُوُفِّيت والـرسول عليه الصلاة والسلام بِبَدْرٍ. تَخَلَّفَ عثمانُ رضي الله عنه عن المَعْرَكَةِ بِسَبَب مَرَضِهَا بأمْرِ رسول الله ﷺ، وأقامَ بالمدينة المنورة يُمَرِّضُها. ولَمَّا رجع رسول الله ﷺ من بدر زَوَّجَهُ أختَها أُمَّ كُلْثُومٍ رضي الله عنها.

(يـرِنّ الجـــرس)

أسامــة : غداً نذهب نحنُ المُتَفوِّقِين إلى مكة إن شاء الله. أتريد شيئاً من هناك؟

المدرس : تَقَبَّلَ الله عُمْرَتُكم. أرجو أن لا تَنْسَوْني في دَعَواتكم.

أسامــة : إن شاء الله.

١ ـ أجب عن الأسئلة الآتيــة :

(١) لماذا تأخّر أسامة؟

(٢) من الذي تلقّى رسالة من والده؟

(٣) لماذا تخلّف عثمان رضي الله عنه عن معركة بدر؟

(٤) متى تزوّج عثمان رضي الله عنه أم كلثوم رضي الله عنها؟

٢ ـ من أبواب الفعل الثلاثي المزيد باب (تَفَعَّلَ=تَ+فَعَّلَ). زِيدَت فيـه تاء قبلَ الفاء، وَضُعِّفَتِ العَيْنُ، فَفِيهِ حرفانِ زائدانِ، نحو: تَعَلَّمَ، تَزَوَّج.

استخرج من الدرس الأفعال الواردة فيه من باب (تفعَّل).

٣ - تأمل المثال، ثم هات المضارع، والأمر، واسم الفاعل والمصدر من الأفعال الآتية:

الماضي	المضارع	الأمـر	اسم الفاعل	المصدر
تَعلَّمَ	يَتَعلَّمُ	تَعلَّمْ	مُتَعلِّمٌ	تَعلُّمٌ
تَحدَّثَ				
تَكَلَّمَ				
تَذَكَّرَ				
تَأَخَّرَ				

٤ - تأمل المثال، ثم هات المضارع والأمر والمصدر من الأفعال الآتية:

الماضي	المضارع	الأمـر	المصدر	أصلـه
تَغَدَّى	يَتَغَدَّى	تَغَدَّ	تَغَدٍّ/ التَّغَدِّي	تَغَدُّيٌ
تَعَشَّى				
تَلَقَّى				
تَمَنَّى				
تَأَنَّى				

٥ - (تُوُفِّيَ) بالبناء للمجهول = مَاتَ. وآسم المَفْعُول منه: مُتَوفًّى.

٦ - تأمل الأمثلة لباب (تَفَعَّل)، وعيِّن فيها الماضي والمضارع والأمر والمصدر واسم الفاعل واسم المفعول واسم المكان:

(١) أَنَـــا مُتزوِّجٌ .

(٢) أُرِيدُ أنْ أتحدَّثَ إليكَ في موضوعٍ مُهِمٍّ .

(٣) أَتَكَلَّمُ ثلاثَ لغـــات .

(٤) لم أَتَلقَّ رسالة من أهلي مُنْذُ شَهْر أو أكثر .

(٥) في التَّأَنِّي السلامة ، وفي العَجَلَة النَّدَامة .

(٦) الآن تذكَّرْتُ ٱسمَه .

(٧) حَاوَل اللِّصُّ دخول البيت بِتَسَلُّق الجِدَار .

(٨) تعالـــوا نَتَغَـــدَّ .

(٩) أتعشَّى بُعَيْدَ صلاةِ المغرب .

(١٠) نحن وَرَثَةُ المُتَوَفَّى .

(١١) أَمُتَوَضِّىء أنْت؟

(١٢) هذه الحديقَةُ مُتَنَفَّسُ أهلِ المدينة .

(١٣) أَخرِّيجُ الجامعةِ الإسلاميةِ أنت؟ ـ نعم . تَخَرَّجْتُ في كلية اللغة العربية عام ١٤٠٠هـ .

(١٤) قال تعالى : ﴿وتوكَّل عَلَى ٱلحَيِّ ٱلَّذِي لَا يَمُوتُ﴾ [الفرقان/٥٨] .

(١٥) وقال : ﴿فَتَلقَّى آدمُ مِنْ رَبِّهِ كَلِماتٍ﴾ [البقرة/٣٧] .

٧ ـ يجوز حَذْفُ إحدى التاءين من (تَتَفَعَّلُ) كما في المثالين الآتيين :

(١) ﴿تَنَزَّلُ الملائكةُ والرُّوحُ. . . ﴾ [القدر/٤]. (تَنَزَّلُ) أصله (تَتَنَزَّلُ).

(٢) ﴿ولا تَجَسَّسُوا. . . ﴾ [الحجرات/١٢]. (تَجَسَّسُوا) أصله (تَتَجَسَّسُوا).

٨ـ تأمل المثال، ثم أكمل الناقص :

(١) زَوَّجَنِي أبي بِنْتَ عَمِّي. تَزَوَّجْتُ بنتَ عمّي.

(٢) عَلَّمني زَمِيلي اللّغة اليابانية. ....

٩ـ (لما رجع رسول الله ﷺ من بدر زَوَّجَه أُخْتَها أُمَّ كُلْثُومٍ). هذه (لَمَّا الحِينِيَّةُ). وهي ظَرْفُ زمان. وَتَخْتَصُّ بالماضي ويكون جوابُها فِعْلاً ماضياً، نحو:

(١) لَمَّا سَمِعْتُ الأذانَ توضَّأْت وَتَوجَّهتُ إلى المسجدِ.

(٢) لما وَصَلْنا إلى مكةَ أَسْرَعْنَا إلى بيتِ الله الحرام.

وفي التنزيل في قصة إبراهيم عليه السلام : ﴿فلمّا رأى القَمَرَ بَازِغاً قالَ هذا ربِّي﴾[الأنعام/ ٧٧].

١٠ـ(غداً نَذهب نَحنُ المُتَفَوِّقِينَ). هنا (المتفوقين) منصوب على الاخْتِصَاص. وهو مفعول للفعل (أَخُصُّ)، وهذا الفعل واجب الحذْف.

ويأتي (المَخْصُوصُ) لبَيَان المقصودِ بالضمير، نحو:

(١) نحن المسلمين لا نخافُ إلاّ الله.

(٢) نحن طلابَ المعهدِ نسكن في المهجع الأول.

وفي الحديث الشريف : «إِنَّا مَعْشَرَ الأَنْبِيَاءِ لا نُورَثُ».

املأ الفراغ فيما يأتي بـ (مخصوص) مناسب :

(١) نحن .... المعهد ندرس صباحاً ومساءً.

(٢) نحن .... لا نُشْرِكُ بالله شيئاً.

تمرين شفوي : يأتي كل طالب بمثال لـ(الاختصاص) مستعملاً الاسم المنسوب إلى بلده، نحو: نحن الهنودَ/ نحن اليابانيين/ نحن الأفارقةَ

....

١١ ـ هات مضارع الأفعال الآتية :

بَلَّغَ .... تَوَجَّهَ .... تَجَسَّسَ .... أَسْرَعَ .... بَزَغَ ....

١٢ ـ هات مفرد: خُلَفَاء. وَرَثَة. مَعَاشِر.

١٣ ـ هات جمع : رسالة. حديقة. أهْل. وَفَاة.

(٢١) الدرس الحادى والعشرون

المدرس : عمَّ تَتساءلون ياإخوان؟

حامد : نَتساءل عن الامتحانِ كَيفَ يكون؟ أَسَهْلَةً تكون الأسئلةُ أم صعبةً؟ أنستطيع أن ننجح بتقدير مُمْتازٍ أم لا؟

المدرس : اِطْمَئِنُّوا ياإخوان. سيكون الامتحان سهلاً إن شاء الله. راجعوا الدروس، وتَعَاوَنُوا ولا تَتَكَاسَلُوا.

مسعود : نحن خائفون ياأستاذ. قَضَيْنا السَّنَة كُلَّها في اللَّهْو واللَّعِب. يَالَيْتَنا آجْتَهَدْنا طَوالَ العام كَما نجتهد الآنَ قُبَيْلَ الامتحان.

المدرس : كُونُوا مُتَفائِلِينَ، ولا تكونوا مُتَشائِمِين. لا دَاعِيَ لِلخَوف، فإنَّكم طُلَّاب مُجْتَهِدُون، والحمد لله. لابُدَّ من الثِّقَةِ بأنفسكم. . . مالك تَتَثَاءَبُ ياأبابكر؟

أبوبكر : تَنَاوَلت دواء بعد الفَطُور. يبدو أَنَّهُ مُنَوِّم.

المدرس : اذهب إلى غُرْفتك وآستَرِحْ.

(يخرج أبوبكر)

عمر : ياأستاذ، إن هَـٰذَيْنِ الطَّالِبَين يَتشَاجَرانِ دَائِماً. أرجو أن تَنْصَحَهُمَا.

المدرس : لِمَ التَّشَاجُر ياحامد؟

حامـد : إن عبَّاساً يقول لي دائماً : «ياأعْوَر».

عبـاس : هو يقول لي : «ياأَعْرَج».

المدرس : لا يجوز هذا ياأَخَوَيَّ. أمـا سمعتـما قولَـه تعـالى في سورة الحُجُرات : ﴿وَلَا تَنابَزُوا بِالأَلْقَاب﴾؟ والتَّنابُزُ هو أن يَدْعُوَ بَعْضُنَا بَعْضاً بِلَقَبِ السُّوء. لا يَنْبَغي للمسلمين أن يَتَنَابَزُوا، فقد نَهَانَا الله تَبَارَكَ وتعالى عنه وسَمَّاهُ (فُسُوقاً). فَتُوبا إلى الله وآسْتَغْفِرَاهُ.

حامد وعبَّاس : نَتُوبُ إلى الله ونستغفرُه.

المدرس : أَوَدُّ أن تَتَصَافَحا . . . (يَتَصافَحان).

علـــيّ : أرجو أن تَسْمَحَ لي بالانصراف فَإِنَّني أَشْعُر بِتَعَبٍ شَدِيد.

المدرس : إِيَّاك أن تَتَمارَضَ ياعليّ.

علـــي : أعوذُ بالله أن أَكُونَ من الكَاذِبِين.

المدرس : اذهب شَفَاكَ الله.

مسعـود : ياأستاذ، نُوشِكُ أن نَتَخَرَّجَ. نُرِيدُ أن نَتَعَلّم طريقة البَحْثِ عن الكلمة في المعجم.

المدرس : إن هذه لَفِكْرَةٌ جيِّدة. سَأَضَعُ في مَكْتَبِي مُعْجَماً، وسيكون في مُتَنَاوَلِ أَيْدِيكُم إن شاء الله.

١ ـ أجب عن الأسئلة الآتيـــة :

(١) عمَّ يتساءل الطـــلاب؟

(٢) لماذا تثاءب أبوبكر؟

(٣) ماذا يقول عباس لحامد، وماذا يقول حامد لعباس؟

(٤) ما التَّنَابُزُ؟ ماذا سماه الله؟ في أي آية نهانا الله عنه؟

(٥) ما فكرة مسعود؟ أقَبِلَ المدرس هذه الفكرة؟

٢ ـ من أبواب الفعل الثلاثي المزيد باب (تَفَاعَلَ=ت+فَاعَلَ) زِيدت فيه تاءٌ قبلَ الفاء وألفٌ بعدَها. نحو: تَعَاوَنَ، تَشَاجَرَ.

استخرج من الدرس الأفعال الواردة فيه من باب (تَفَاعَلَ) .

٣ ـ تأمل المثال، ثم هات المضارع والأمر والمصدر من الأفعال الآتية :

الماضي	المضارع	الأمـر	المصدر
تَناوَلَ	يَتَناوَلُ	تَناوَلْ	تَنـاوُلُ
تَعَاوَنَ	....	....	....
تَسَاءَلَ	....	....	....
تَشَاجَرَ	....	....	....
تَبَاكَى	....	....	تباكٍ (أصله: تَبَاكُيٌ)
تَعَامَى	....	....	....

٤ ـ هات أسماء الفاعلين من الأفعال الآتية :

تَفَاءَلَ/ يَتَفَاءَلُ .... تَشَاءَمَ/ يَتَشَاءَمُ .... تَعَاوَنَ/ يَتعَاوَنُ

٥ ـ **من معاني باب تَفَاعَلَ: المشاركة، نحو: تعاوَنَ الطلابُ، تَصَافَحَ النَّاسُ.**

ومنها: إظْهَارُ ما ليس في البَاطِنِ، نحو: تَمَارَضَ الطَّالبُ، أي أَظْهَرَ المَرضَ وَلَيْسَ بِهِ مَرَضٌ.

تأمل الأمثلة الآتية لباب (تَفَاعَلَ) وعَيِّنْ فيها الماضي والمضارع والأمر والمصدر، وآسم الفاعل وآسْمَي المكان والزمان:

(١) قال تَبارَكَ وتعالى: ﴿**عَمَّ يَتَسَاءَلُونَ؟ عن النَبَإِ العظيم**﴾ [النبأ/١-٢].

(٢) قال لي الطبيب: تَنَاوَلْ قُرْصَينِ مِنْ هَذَا الدَّواءِ بَعْدَ الغَدَاءِ.

(٣) قال الطبيب لأحمد: ما أَنْتَ مريضاً. إنَّما أنت مُتَمَارِضٌ.

(٤) لا يَجُوزُ التَّنَابُزُ بالألقاب.

(٥) أَتَبْكِي أَم تَتَبَاكَى ياوَلَد؟

(٦) ما يَنْبَغي تَنَاوُلُ الأدْوِيَةِ بغير مَشُورَةِ الطَّبِيبِ.

(٧) تَنَاوَمَ الجَاسُوسُ وَسَمِعَ كَلَامَ النَّاسِ.

(٨) تَشَاجَر هؤلاءِ وتَضَارَبُوا.

(٩) ذاك الرجل ليس بأَعْمَى. إنَّما يَتَعَامَى حتى يَتَصَدَّقَ عليه الناس.

(١٠) يَجِبُ أنْ لَا تُتْرَكُ الأدْوِيَةُ في مُتَنَاوَلِ أَيْدِي الأطفالِ.

٦ ـ **يجوز حَذْفُ إحدى التاءين من (تَتَفَاعَلُ) كما في الأمثلة الآتية:**

(١) ﴿ولا تَنَابَزُوا بالألقاب﴾ (تَنَابَزُوا) أصله: (تَتَنَابَزُوا).

(٢) ﴿تَعَاوَنُوا على البرِّ والتَّقوى، ولا تَعَاوَنُوا على الأثْمِ والعُدْوَان﴾. (ولا تَعَاوَنُوا) أصله: (لا تَتَعَاوَنُوا).

(٣) ﴿وجَعَلْنَاكم شُعُوباً وَقَبائلَ لِتَعَارفُوا﴾. (لتعارفوا) أصله: (لِتَتَعَارَفُوا).

٧ - (لَيْتَنَا آجْتَهَدْنَا. . .) (لَيْتَ) من أخوات (إِنَّ)، وتُفِيدُ التَّمنِي، وهو: طَلَبُ مَالَا طَمعَ فِيه، أَوْ ما فيه عُسْرٌ، نحو:

(١) ليتَ الشَّبَابَ يَعُودُ.

(٢) ليتَ أمِّي لم تَلِدْني.

(٣) لَيْتَني طَائِرٌ اَطِيرُ في الجّو.

(٤) ليت لي مَلْيُونَ دولارٍ.

(٥) سيقول الكافر يوم القيامة: ﴿يَالَيْتَنِي كُنْتُ تُرَاباً﴾.

أَدْخِلْ (لَيْتَ) على الجمل الآتيـة:

(١) حَامِـدٌ حيٌّ. ....

(٢) عُطْلَةُ الصيَّف لَا تَنْتَهِي. ....

(٣) نحن أطفـالٌ. ....

(٤) أنا شـابٌّ. ....

(٥) لي جَنَاحَانِ. ....

(٦) النَّجُومُ في مُتَنَاوِلِ أَيْدِينَا. ....

٨ - (لا داعيَ لِلخَوْفِ). هذه (لَا النافيةُ لِلجِنْسِ). يُبْنَى ٱسْمُها على ما يَنْصَبُ به (وذلك إذا كان مفرداً، أي غَيرَ مُضافٍ). نحو:

(أ) ﴿ذَلِكَ الكِتَابُ لَا رَيْبَ فيه﴾.

(ب) ﴿لا إِكْرَاهَ في الدِّين﴾.

(جـ) وفي الحديث «لَا صَلاةَ بعد الغَدَاةِ حَتَّى تَطْلُعَ الشَّمس. ولا صَلَاةَ بعد العصر حَتَّى تَغْرَبَ الشَّمس». (رواه أحمد).

كون جُمَلًا من الكلمات الآتية مستعملًا (لا النافية للجنس):

(١) هذا الدواءُ .... (ضَــرَرٌ) هذا الدواء لَا ضَرَرَ فيه.

(٢) هذه المَجلَّةُ .... (فَائِدةٌ)

(٣) هَذِه المَسأَلةُ .... (خِلَافٌ)

(٤) .... إلى الكراسي الآن. (حَاجَةٌ)

(٥) .... في هذا الطعام (ملحٌ)

(٦) .... لهذا الطالب في الجامعة (مَثِيلٌ)

٩ - تأمل المثال، ثم أكمل الناقص:

(١) إيَّاك والكَــذِبَ. إياك أن تَكْـذِبَ. (تحذف الـواوُ قبـل المصدر المؤول).

(٢) إياكم والزِّنَــا. ....

(٣) إياكِ والنومَ وقتَ الصلاة. ....

(٤) إياكنَّ والحَسَــدَ. ....

١٠ ـ «أعْـرَج» مؤنّثُه «عَرْجَاءُ»، وجَمْعُهما «عُرْجٌ». تقول: هذا الرجلُ أعْرَجُ. هذه المَرأةُ عَرْجَاءُ. هؤلاء الرِّجال عُرْجٌ. هؤلاء النِّساءُ عُرْجٌ.

أَنِّثْ واجْمَعْ الكلماتِ الآتيةَ على هذا الغرار:

أَبْكَم. أَخْـرَس. أَعْـوَر. أَعْمَى. أَحْـوَر. أَحْوَل. أَصَمُّ. أَحْمَر. أَصْفَر. أَسْوَد. أَبْيَض. أَعْيَنَ.

«أَبْيَض» جمعُهُ «بِيضٌ» بالكسر، وأصلُهُ «بُيْضٌ» بالضم.

١١ ـ «ثِقَـةٌ» مصـدر «وَثِقَ»، ولـه مصدر آخر بالواو «وُثُوقٌ». المِثالُ الـواوِيُّ له مصـدران: أحـدهمـا بالـوَاوِ، والآخر بِغَيْرِها. هات المصدرين من الأفعال الآتية:

وَصَفَ، وَصَلَ، وَعَظَ، وَعَدَ، وَهَبَ، وَسَمَ، وَزَنَ.

١٢ ـ تُجْمَعُ «حُجْرَة» على «حُجُرَات» بضمّ الجيم. اجْمَعِ الأسماءَ الآتية هذا الجمع:

غُرْفَة، شُرْفَة، خُطْوة.

١٣ ـ «أعوذُ بالله أنْ أكونَ من الكاذبين» أصله: «أعوذ بِالله مِنْ أنْ أكونَ مِنَ الكـاذبين» كما تقول: «أعوذ بالله مِنَ الكَذِبِ». يجوز حذفُ حرفِ الجرّ قبلَ المصدر المُؤَوَّلِ. تقول: «أَمَرَنا الله بِأَنْ نُصَلِّيَ» أو «أَمَرَنا الله أَنْ نُصَلِّيَ».

١٤ ـ(نتساءلُ عن الامتحان كيف يكونُ؟). هنا «كيفَ يكونُ» بَدَلٌ من «الامتحان». وفي التنزيل: ﴿يَسْأَلُونَكَ عَنِ السَّاعَةِ أَيَّانَ مُرْسَاهَا﴾.

البَدَلُ أربعةُ أنواع، وهي:

(١) بَدَلُ الكُلّ من الكُلّ، نحو: نَجَحَ أُخُوكَ محمدٌ.

(٢) بَدَلُ البَعْضِ من الكُلّ، نحو: أكلتُ الدَّجاجةَ نصفَها.

(٣) بَدَلُ الاشْتِمال، نحو: أعْجَبَني هذا الكتابُ أسْلُوبُه.

(٤) البَدَلُ المُبَايِنُ، نحو: أعطِني الكتابَ، الدَّفْتَرَ.

لا يُشْتَرَطُ في البدل أن يُطابقَ المُبْدَلَ منه في التعريف والتنكير.

يُبدَلُ الاسمُ من الاسم، والفعلُ من الفعل، والجملة من الجملة، والجملة من المفرد، نحو:

(أ) ﴿يَسْأَلُونَكَ عَنِ الشَّهْرِ الْحَرَامِ قِتَالٍ فِيهِ...﴾.

(ب) ﴿وَمَنْ يَفْعَلْ ذَلِكَ يَلْقَ أَثَاماً* يُضَاعَفْ لَهُ العَذَابُ...﴾.

(جـ) ﴿... أَمَدَّكُمْ بِمَا تَعْلَمُونَ* أَمَدَّكُمْ بِأَنْعَامٍ وَبَنِينَ...﴾.

(د) ﴿أَفَلَا يَنْظُرُونَ إِلَى الإِبِلِ كَيْفَ خُلِقَتْ﴾.

الأحرف المشَبَّهة بالفعـــل

هي ستة، وهـــي :

إِنَّ، وأَنَّ، وَكَأَنَّ، وَلِكنَّ، وَلَيْتَ، وَلَعـــلَّ

(إِنّ، وأَنَّ) : تُفِيدانِ التَوكِيدَ، نحو: ﴿إِنَّ الله شديدُ العِقَابِ﴾.

﴿وَٱعْلَمُوا أنَّ الله شديدُ العِقَابِ﴾.

(كَـــأَنَّ) : تُفِيدُ التَّشْبيه، نحو: كَأَنَّ العِلْمَ نُورٌ.

وقد تفيد الظَنَّ، نحو: كأنِّي أَعْرِفُـــكَ.

(لَكِـــنَّ) : تفيد الاسْتِدْرَاك، نحو: حامدٌ ذَكِيٌّ ولَكِنَّهُ كَسْلان.

(لَيْـــتَ) : تفيد التَمَنِّيَ، نحو: لَيْتَ الشَّباب يَعُودُ.

(لَعَـــلَّ) : تفيد التَرَجِّيَ والإِشْفَاقَ، نحو: لعلَّ الله يغفر لي. لعلَّ الجَرِيحَ يموت.

تدخل هذه الأحرف على المبتدأ والخبر، فَتَنْصِبُ الأوَّلَ، ويُسَمَّى ٱسْمَها، وتَرْفَعُ الآخر، ويُسَمَّى خبرَها، نحو :

اللّـــهُ	غفـــورٌ.	إنَّ اللهَ	غفـــورٌ.
المبتدأ	الخـــبر	اسمُ إنَّ	خبرُ إنَّ

من أحكام ٱسمِها وخبرِها :

- يجوز أن تكون ٱسْمُها نَكِرةً، نحو: كأنَّ شيئاً لم يَحْدُثْ.
- خَبَرُهَا كَخَبَرِ المبتدأ إما مفردٌ، وإما جملةٌ، وإما شِبْهُ جُملةٍ، نحو:

(١) ﴿إنَّ الله سَرِيعُ الحِسَاب﴾.

(٢) ﴿إنَّ الله يَغْفِرُ الذُّنُوبَ جَميعاً﴾. ﴿إنَّ الله عِنْدهُ عِلمُ السَّاعة﴾.

(٣) كأنك من اليَمن. لعلَّ المدرِّسَ عِنْدَ المُدِير.

ـ لا يجوز تَقَدُّمُ خبَرِهَا عليها، ولا على آسْمِهَا، فلا يجوز: غَفُورٌ إنَّ الله/ إنَّ غفُورٌ اللَّهَ.

ـ يَجُوز تَوَسُّطُ خَبَرِها بينَها وبين آسْمِها إذا كان الاسمُ معرفةً والخبرُ شِبْهَ جُملةٍ، نحو: ﴿إنَّ إلينَا إيَابَهُم ثمَّ إنَّ علَيْنا حِسَابَهُم﴾.

ـ ويجب ذلك إذا كانَ الاسمُ نَكِرَةً، نحو: ﴿إنَّ لَديْنَا أنْكَالاً﴾. ﴿إنَّ مَعَ العُسْرِ يُسْراً﴾.

ـ يجوز دخولُ نونِ الوقايةِ على «إنَّ، وأنَّ، وكَأنَّ، ولَكِنَّ»، فنقول: «إنَّني وإنّي؛ وأنَّني وأنّي؛ وكَأنَّني وكَأنّي؛ ولَكِنَّني ولكنّي».

أما «لَيْتَ» فَلا تُحْذَفُ منها إلا نُدُوراً، فنقول: «لَيْتَني».

وأما «لَعَلَّ» فلا تدخل عليها إلا قليلاً، فنقول: «لَعَلّي».

(٢٢) الدرس الثاني والعشرونَ

المدرس : هاتوا الدفاتر ياإخوان. (الطلاب يسلّمون الدفاتر)

الحسن : أنا لم أكتب الواجبات ياأستاذ.

المدرس : لِمَــــهْ؟

الحسن : انْكَسَرتْ نَظَّارتي، فلا أستطيع أن أقرأ أو أكتب.

المدرس : عُذْرك مقبول. . . وأين دفترك يامُعاوية؟

معاويـة : أنا أيضاً لم أكتب.

المدرس : أَنْكَسَرتْ نَظّارَتُكَ أيضاً؟

معاويـة : لا، انْقَطَعَتْ الكَهْرَباءُ في مهجعنا بُعَيْدَ صَلَاةِ المغرب واسْتَمرَّ الانْقِطَاعُ إلى مُنْتَصَفِ الليل.

(يَنْفَتِحُ البابُ ويَدخلُ عَدنان)

المدرس : لم تأخَّرت ياعدنان؟

عدنـان : اِنْقَلَبَتْ سيارة في الطريق، فتوقَّفَ المُرُور.

المدرس : أَنْقَلَبَتْ سيارة؟ ! أين؟

عدنـان : في المُنْعَطَف الذي بعد الجِسْر.

المدرس : أَسَلِمَ الركّــاب؟

عدنـان : نعم، سلموا، والحمد لله. لَولا فَضْلُ الله عليهم لَمَاتُوا. . .

كان الانْقِلَاب عَنِيفاً، فقد انخَلَعَتْ الأبواب، وتَكَسَّرَ الزُجاج.

المدرس : اقرأ الدرس ياطلحـــة.

طلحـــة : اِنْكَسَفَتِ الشمسُ يومَ ماتَ إبراهيمُ، فقال الناس: انكسفت لِموْتِ إبـراهيم. فقال رسول الله ﷺ: «إن الشمس والقمر آيتان من آيات الله، لا يَنْكَسِفَانِ لموت أَحَدٍ ولا لحَيَاتِه. فإذا رَأَيْـتُـمُـوهُـمَـا فَٱدْعـوا الله، وصـلّوا حتّى يَنْـجَـلِيَ». (رواه البخاري).

عدنـان : من إبراهيمُ هذا ياأستاذ؟

المدرس : هو ٱبن النبيِّ ﷺ من مارِيَةَ القِبْطيةِ رضي الله عنها.

معاويـة : الاسم (إبراهيم) أَغَيْرُ مُنْصَرِفٍ هو؟

المدرس : نعـــم.

معاويـة : لِمَـــهْ؟

المدرس : لأنه عَلَمٌ أَعْجَمِيٌّ، والعلمُ الأَعْجَمِيُّ لا يَنْصَرِف.

١ ـ أجب عن الأسئلة الآتيـــة :

(١) لم لم يكتب الحسن ومعاوية الواجبات؟

(٢) لم تأخر عدنـــان؟

(٣) أين انقلبت السيارة؟

(٤) متى انكسفت الشمس؟

(٥) ماذا قال الناس؟

(٦) بماذا أمرنا النبي ﷺ عند آنكساف الشمس والقمر؟

٢ ـ **من أبواب الفعل الثلاثي المزيد باب (اِنْفَعَلَ=اِنْ+فَعَلَ)، زِيْدَتْ فيه الهمزةُ والنونُ قبل الفَاءِ، نحو: اِنْفَتَحَ، اِنكَسَرَ، اِنْقَطَعَ.**

استخرج من الدرس الأفعال الواردة فيه من باب (انفعل).

٣ ـ تأمل المثال، ثم هات المضارع واسم الفاعل والمصدر من الأفعال الآتيـــة :

الماضي	المضارع	اسم الفاعل	المصدر
اِنْكَسَرَ	يَنْكَسِرُ	مُنْكَسِـــرٌ	اِنْكِسَارٌ
اِنْفَتَحَ	......	......	......
اِنْقَلَبَ	......	......	......
اِنْقَطَعَ	......	......	......
اِنْصَرَفَ	......	......	......
اِنْشَقَّ	......	مُنْشَقٌّ	......
اِنْجَلَىٰ	......	مُنْجَلٍ	اِنْجِلاءٌ (أصلهُ: اِنْجِ

٤ ـ **يفيد باب (انفعل) المُطاوَعَةَ، تقول: فتحتُ البابَ، فٱنْفَتَحَ.**

تأمل المثال، ثم أكمل الناقص :

المثال: فَتَحْتَ البابَ. انْفَتَحَ البــــابُ

(١) كسَرْتُ الكُـــوبَ. ....

(٢) قَطَعْتُ الحَبْـــلَ. ....

(٣) قَلَبْتُ الكِتَـــابَ. ....

(٤) هَزَمَ المسلمُونَ الكُفّارَ. ....

٥ ـ **مُطاوِعُ فَعَلَ اِنْفَعَلَ كما رأيت. أما فَعَّلَ، فَمُطَاوِعُهُ تَفَعَّلَ.**

تأمل المثال ثم أكمل الناقص :

المثال : كَسَّرْتُ الزّجاجَ. تَكَسَّرَ الزُّجَاجُ.

قَطَّعْتُ الحَبْلَ. ....

٦ ـ **أَاِنْكَسَرَ؟ ← أَنْكَسَرَ؟ (إذا دخلت همزة الاستفهـام على «اِنْفَعَلَ» حذفت همزة الوصل).**

أدخل همزة الاستفهام على الجمل الآتيـــة :

(١) اِنْقَلَبَت السيارةُ. .... ؟

(٢) اِنْفَتَحَ بابُ المطعمِ. .... ؟

(٣) اِنْهَزَمَ المُشْرِكُون. .... ؟

(٤) أَسْلَمَ أبـــوك. .... ؟

٧ - تأمل الأمثلة الآتية لباب (اِنْفَعَلَ) وعينّ فيها الماضي والمضارع واسم الفاعل والمصدر :

(١) وَقَعَ الكُوبُ على الأرض وانْكَسَرَ.

(٢) هذا الباب لا يَنْفَتِحُ. ادخل من الباب الآخر.

(٣) تَنْطَفِىءُ أنوارُ الشّوارع في السّاعة الخامسةِ صباحاً.

(٤) سَبَبُ ٱنْقِلابِ السَّيارة ٱنْفِجَارُ إِحْدَى عَجلاَتِها.

(٥) اِنْهَزَم المشركون في غَزْوَةِ بَدْرٍ.

(٦) تَخَرَّج في المعهد العامَ المُنْصَرِم بِضْعةٌ وثلاثونَ طالباً.

(٧) سافر الفَرِيق المُنْهَزِم.

٨ - (انكسفت الشمسُ يومَ ماتَ إبراهيمُ). هنا الجملة (مات إبراهيم) مُضافٌ إليها، وهي في محلّ جرٍّ، و(يومَ) مضافٌ.

هاء أمثلة أخرى :

(١) سافرت يومَ ظَهَرَتْ النتـــائجُ.

(٢) مَرِضْتُ يوم زار الوزير الجامعةَ.

(٣) وُلِدْتُ يوم مات جَـــدِّي.

وفي التنزيل : ﴿هذا يَوْمُ يَنْفَعُ الصَّادِقين صِدْقُهم﴾ [المائدة/١١٩].

(يومَ ماتَ إبراهيمُ) تقديره: يومَ مَوْتِ إبراهيمَ.

٩ - (لَوْلاَ فضلُ الله عليهم لَماتُوا). (لَوْلاَ) حرفُ ٱمْتِنَاعٍ لِوُجُودٍ، وتَدُلُّ

على آمْتِنَاع الجَوَابِ لوُجُودِ الشَّرْطِ، نحو: لولا الهواءُ لَهَلَكَ النَّاسُ، أي وُجِدَ الهواء فَلَم يَهْلِكِ النَّاسُ.

وتأتي (لوما) أيضاً بهذا المعْنَى.

الاسمُ الواقعُ بعدها مبتدأ حُذفَ خَبَرُهُ. فـ(لولا الهواءُ) تَقْدِيرهُ: لَوْلَا الهواءُ مَوجُودٌ.

وقد تأتي بعدها (أنَّ) وآسْمُهَا وخبرُها، نحو: لولا أَنني مريضٌ لسافرتُ معك.

وجوابُها المُثْبَتُ يقترن باللام، نحو: ﴿لولا أنْتُم لَكُنَّا مُؤْمِنِين﴾ [سبأ/٣١].

هاءَ أمثلةً أخرى لـ (لولا):

(١) لولا الاختبارُ ما حضرت اليَوم.

(٢) لولا الشمسُ لَهَلَكَتْ الأَرضُ.

(٣) لولا الحَيَاءُ لَبَكيْنا.

(٤) لولا أَنَّك مُسْتَعْجِلٌ لدَعوتك إلى البيت.

أكمل ما يلي:

(١) لولا العلمُ .... (٢) لولا الإسلامُ ....

(٣) لولا أنك مريض .... (٤) لولا أن البردَ شديدٌ ....

١٠ـ (مَنْ إبراهيم هذا؟) هنا (هذا) نَعْتٌ لـ(إبراهيم).

يكون اسمُ الإشارة نعتاً إذا وَقَعَ بعد العَلَم، أو المُعَرَّفِ بالإضافة، نحو:

(١) مَنْ حامدٌ هذا. (٢) أَرِني ساعتَك هذه.

(٣) لمن جوازُ السفرِ هذا؟ (٤) أمفتوحةٌ غرفةُ المدرسين تلك؟

وفي التنزيل: ﴿ٱذْهَبْ بِكِتَابِي هذا، فَأَلْقِهْ إليهِمْ ثم تولَّ عنهم﴾ [النمل/ ٢٨].

وفي الحديث، قال النبي ﷺ: «لَعَلِّي لَا أَحُجُّ بعد عامِي هَذا».

١١ ـ (لِمَهْ). هذه هاءُ السَّكْتِ، ويُؤْتى بها في الوقْف كما في قوله تعالى: ﴿وما أَدْراكَ مَاهِيَهْ﴾؟

١٢ ـ (إن الشّمس والقمر آيتانِ... لَا يَنْكَسِفَانِ). الضمير في (ينكسفان) يعود إلى الشمس والقمر، وهما مؤنثٌ ومذكرٌ، وجِيءَ بالفعل بصيغة المذكَّر تَغْلِيباً. يُغَلَّبُ المذكرُ على المؤنث نحو: أبنائي وبناتي يدرسون بالجامعة.

١٣ ـ «فإذا رأَيْتُموهما فادعوا الله...» هنا الحال محذوفة، إذ تقدير الكلام: «فإذا رأيتموهما مُنْكَسِفَيْن...».

١٤ ـ «وَصَلُّوا حتَّى يَنْجَلِي». فاعل «يَنْجَلِي» ضمير مستتر يعود على «الكُسُوف» المفهوم من السِّياق.

١٥ ـ أدخِل كلَّ كلمة مما يأتي في جملة مفيدة:

اِنْفتح، اِنْكَسَرَ، اِنقَلَبَ، تَكَسَّرَ، لَوْلا.

(٢٣) الدرسُ الثالث والعشرونَ

حامـــد : ياأستاذ، إنَّ لديَّ ٱقْتِرَاحاً.

المــدرس : اِنْتَظِرْ حَتَّى أطَّلع على هذا التعميم... (بعد قليل) نعم. ما ٱقْتِرَاحُك؟

حامـــد : إن فصلنا هذا أصبح مُزْدَحِماً جداً. ما رأيك أن نَنْتَقِلَ إلى الفصل الذي في الطابَق الثاني، فإنه خالٍ الآن.

المــدرس : إن هذا رأيٌ سديد. سأكلّم المدير فيه... اقرأ الدرس يامُصْطَفَى.

المصطفى : (بعد الاستعاذة والبسملة) ﴿ياأيها ٱلذين آمنوا ٱجْتَنِبُوا كَثيراً مِنَ ٱلظَّنِّ، إنَّ بَعْضَ ٱلظَّنِّ إثمٌ، وَلَا تَجَسَّسُوا وَلَا يَغْتَبْ بَعْضُكُم بَعْضاً، أَيُحِبُّ أحَدُكُم أنْ يَأْكُلَ لَحْمَ أَخِيهِ مَيْتاً فَكَرِهْتُمُوهُ، وٱتَّقُوا ٱللهَ، إنَّ ٱللهَ تَوّابٌ رَّحِيمٌ﴾ [الحجرات/١٢].

المــدرس : نكتفي بهذا الدرس. راجعوا الدروس السابقة وٱجْتَهِدُوا، فقد ٱقْتَرَبَ ٱلامْتِحان.

مُخْتَــارٌ : كنَّا نَظُنُّهُ بعيداً، فَإذَا هو قريبٌ.

حامـــد : مَتَى تَنْتَهِي الدِّراسة ياأستاذ؟

المــدرس : أظنُّهَا تَنْتَهي في مُنْتَصَفِ هذا الشهر.

مختـــار : ألنا مُمْتَحِنُون من خارج المعهد؟

المـــدرس : نعم، سَيَشْتَرِكُ في الاختبار الشَّفَوِيّ ممتحنون من خارج المعهد.

ولـــيم : أيَحِقُّ لي أن أدخل في الامتحان، فقد الْتَحَقْتُ متأخِّراً.

المـــدرس : نعم، مَنْ الْتَحَق قبلَ الامتحان بِشَهْرَينِ فَلَهُ حقُّ الدخول في الامتحان.

حامـــد : ياأستاذ، سَأَغِيبُ غَداً وبعدَ غدٍ فإنني مسافر إلى جدّة، فأرجو السَّماح.

المـــدرس : ألابدَّ من هذا السفر؟

حامـــد : نعم، والله إنِّي لَمُضْطَرٌّ إلى ذلك.

المـــدرس : لا بَأْسَ. إذا مررت بمكتبة هناك فٱشْتَرِ لي كتاباً ٱسمُه (المسلمون عَلَى مُفْتَرَقِ الطُّرُق).

١ ـ أجب عن الأسئلة الآتيـــة :

(١) ما ٱقتراح حامـــد؟

(٢) نهى الله تعالى في الآية الكريمة الواردة في الدرس عن ثلاثة أمور. ما هي؟

(٣) بماذا شبَّهَ الله تعالى الغِيْبَةَ؟

٢ ـ من أبواب الفعل الثلاثي المَزيد باب (اِفْتَعَل) زيدت فيه همزةٌ قَبْلَ الفاءِ، وتاء بعدها، نحو: اِرْتَفَع، اِشْتَرى، اِنْتَظَر.

استخرج من الدرس الأفعال الواردة فيه من باب (افتعل).

٣ ـ تأمل المثال، ثم هات المضارع والأمر واسم الفاعل والمصدر من الأفعال الآتية :

الماضي	المضارع	الأمر	اسم الفاعل	المصدر
انْتظر	يَنْتَظِرُ	اِنْتَظِرْ	مُنْتَظِرٌ	انْتِظارٌ
اشْتَرَكَ	....	....	....	....
امْتَحَنَ	....	....	....	....
اجْتَمَعَ	....	....	....	....
الْتقَى	....			اِلْتِقاءُ (أصله: الْتِقَايٌ)
اخْتَارَ	....		مُخْتَارٌ	اخْتِيَارٌ

٤ ـ تأمّل المثال، ثم انقُل الأفعالَ الآتيةَ إلى باب (افْتَعَلَ) :

زَحَمَ ازْدَحَم (إذا كانت فاء افْتَعَل دالاً، أو ذالاً، أو زاياً أبْدِلَتْ تاؤه دالاً).

زَانَ ....

ذَكَرَ ....

دَعَا ....

٥ - تأمل المثال، ثم انقل الأفعال الآتية إلى بابِ (افتعل) :

صَبَرَ اصْطَبَرَ (إذا كانت فاءُ افْتَعَلَ صاداً، أو طاءً، أو ظاءً أُبْدِلَتْ تاؤه طاءً).

صَفَا ....

ضَرَبَ ....

ظَلَمَ ....

طَلَعَ ....

٦ - تأمل المثال، ثم انقل الأفعال الآتية إلى باب (افْتَعَلَ) :

وَقَي اتَّقى (إذا كانت فاءُ افْتَعَلَ واواً أُبْدِلَتْ تاءً).

وَصَلَ ....

وَحَدَ ....

وَفِقَ ....

٧ - اذكر أصل كل مما يأتي، ثم بيّن بابه :

انْتَظَرَ أصله : نَظَرَ من باب : اِفْتَعَلَ. زيدت فيه الهمزة والتاء

اِنْكَسَرَ ....

اِنْفَتَحَ ....

اِنْتَقَلَ ....

اِنْتَشَرَ ....

اِنْقَطَعَ ....

اِنْتَصَرَ ....

٨ ـ من معاني باب (اَفْتَعَلَ) المُطَاوَعة، نحو: رَفَعْتُ الصوتَ، فاَرْتَفَعَ.

تأمل المثال، ثم أكمل الناقص:

رفعتُ الصوتَ. اِرْتَفَعَ الصوتُ.

مَلأْتُ الكُوبَ. ....

جَمَعْتُ الطُلَّابَ. ....

٩ ـ تأمل الأمثلة الآتية لباب (افتعل) وعيِّن فيها الماضي والمضارع والأمر والمُشْتَقَّاتِ المختلفةَ:

(١) في التنزيل: ﴿يَوْمَ نَقُولُ لِجَهنَّمَ هَلِ آمْتَلأْتِ، وَتَقُولُ: هَلْ مِنْ مَزِيدٍ﴾ [ق/٣٠].

(٢) قال تعالى: ﴿وَأْمُرْ أَهْلَكَ بالصَّلاةِ وَآصْطَبِرْ عَلَيْها﴾ [طه/١٣٢].

(٣) أَسْتَمِعُ إلى تلاوة القرآنِ الكريم من الإذاعةِ كلَّ صَبَاحٍ.

(٤) يقول المُذيعُ: أيُّها المُسْتَمِعُونَ الكِرَام، إلَيْكُم نَشْرَةَ الأخبار.

(٥) دعوت الله في المُلْتَزَم.

(٦) ابْتَسِمْ. لاَ تَكُنْ عَابِساً.

(٧) اتَّصَلْتُ بِأبِي هَاتِفِياً، وأخْبَرْتُه بِمَوْعِد سَفَري.

(٨) قال تعالى: ﴿وَمَنْ يتَّقِ آللهَ يَجْعَلْ لَهُ مَخْرَجا، وَيَرْزُقْهُ مِنْ حَيْثُ لاَ يَحْتَسِبُ﴾ [الطلاق/٢-٣].

(٩) يَتَّجِهُ المسلمونَ في صَلَواتِهم إلى الكعبةِ المشرَّفة.

(١٠) قال ﷺ: «وَمَنْ آدَّعَى ما ليس له فليس منَّا». (رواه مسلم).

(١١) قال تعالى في سورة الفرقان : ﴿يَوْمَ يَعَضُّ ٱلظَّالِمُ عَلَى يَدَيْهِ يقولُ يَالَيْتَنِي ٱتَّخَذْتُ مع ٱلرّسولِ سَبيلاً . يَاوَيْلَتَى لَيْتَنِي لَمْ ٱتَّخِذْ فُلَانًا خَلِيلًا﴾ [الفرقان/ ٢٧-٢٨] .

(اتَّخَذَ (افْتَعَلَ) مِنْ أَخَذَ . أَصْلُه : ائْتَخَذَ ، أُدْغِمت الهمزة في التاء) .

١٠ ـ أَ + ٱفْتَعَلَ = أَفْتَعَلَ؟ قال تعالى : ﴿أَصْطَفَى البناتِ على البَنِين﴾ [الصافات/ ١٥٣] .

١١ ـ (فَإِذَا هو قَرِيبٌ) . هذه (إذا الفُجَائِيَّةُ) ، وتُفِيدُ وقوعَ أمرٍ غير مُتَوَقَّع . تَدْخُل على الجملة الاسمية ، ويجوز الابتداءُ بالنّكرة بَعْدَها .

لا تأتي (إذا الفُجَائِيَّةُ) في أوّل الكلام .

هـاء أمثلة لـ (إذا الفُجَائِيَّةِ) :

(١) دخلت الفصل فإذا مديرُ الجامعة جالسٌ .

(٢) دخلت الغرفة فإذا حيّةٌ على السرير .

(٣) خرجت من البيت فإذا صديقٌ بالباب .

(٤) ظَنَنْتُكَ مُدَرِّساً فإذَا أنتَ طَالِب .

(٥) وفي التنزيل في قصة موسى عليه السلام : ﴿فَأَلْقَى عَصَاهُ فَإِذَا هِيَ ثُعْبَانٌ مُبِينٌ . وَنَزَعَ يَدَهُ ، فَإِذَا هِيَ بَيْضَاءُ لِلنَّاظِرِين﴾ [الأعراف/ ١٠٧-١٠٨] .

١٢ ـ(أَظُنُّها تنتهي. . .) تنصب (ظن) مفعولين أصلُهُما مبتدأٌ وخبرٌ، نحو:

الأمتحانُ قريبٌ.	أَظُنُّ الامتِحانَ قريباً.
المديرُ يَأْتي غداً.	أَظُنّ المديرَ يأتي غَداً.

وفي التنزيل: ﴿وَمَا أظنُّ السَّاعَةَ قائمةً﴾ [الكهف/ ٣٥].

أَدْخِلْ (ظَنَّ) على الجمل الآتيــة:

(١) حامدٌ مريضٌ.	ظَنَنْتُ ....
(٢) الاختبارُ سهلٌ.	أَتَظُنُّ .... ؟
(٣) الطائرةُ متأخرةٌ.	أَظُنُّ ....
(٤) أنتَ مريضٌ.	أَظُنُّ ....
(٥) المُدرِّسُ يَتَأَخَّر اليومَ.	ظَنَنْتُ ....
(٦) هُو مسْلمٌ.	أَتَظُنِّينَ .... ؟
(٧) هم رَاسِبُون.	نَظُنُّ ....
(٨) زَمِيلاَكَ نَاجِحَانِ.	أَظُنُّ ....
(٩) الطالِباتُ مُجْتَهِدَاتٌ.	أَظُنُّ ....
(١٠) أَنا ضَعِيفٌ.	أتظنُّ .... ؟

ويجوز أن تدخل (ظَنَّ) على (أَنَّ) و(أَنْ) المصْدَرِيَّتَيْنِ، فَيُنْصَبُ المصدر المؤول على المفْعُوليَّة، ويسُدُّ مَسدَّ المفعولَيْن، نحو:

(أ) آلامتحانُ سهلٌ. أَظُنُّ أَنَّ آلامتحانَ سَهلٌ.

وفي التنزيل : ﴿ولكن ظَنَنْتُمْ أنَّ ٱللهَ لَا يَعْلَمُ كَثِيراً مِمَّا تَعْمَلُون﴾ [فصلت/ ٢٢].

(ب) ما ظَنَنْتُ أنْ يرسبَ أحمدُ، أي: ما ظننت أحمدَ يرسبُ. ومنه قوله تعالى: ﴿تَظُنُّ أَنْ يُفْعَلَ بِهَا فَاقِرَةٌ﴾ [القيامة/ ٢٥].

أدخل (أنَّ) ثم (ظنَّ) على الجمل الواردة في التمرين السابق.

١٣ ـ هات جمع الأسماء الآتية : خَلِيل، سَبِيل، ثُعْبان.

١٤ ـ هات مضارعَ الأفعال الآتية : عَضَّ، اجْتَنَب، اغْتَابَ.

١٥ ـ(أيحُق لي أن أدخل في الامتحان). نقول: (دَخَلْتُهُ) بغير «في» إذا كانَ المدخولُ مكاناً، نحو: «دخلتُ البيتَ/ المسجدَ/ السُّوقَ/ الغرفةَ...» ففي التنزيل: ﴿وَدَخَلَ جَنَّتَهُ﴾ [الكهف/ ٣٥].

ونقول : «دخلتُ فيه» إذا لم يكن المدخولُ مكاناً، نحو: «دخلتُ في الإسلام/ في الامتحان...» ففي التنزيل : ﴿وَرَأَيْتَ النَّاسَ يَدْخُلُونَ فِي دِينِ الله أفْوَاجاً﴾ [النصر/٢].

وقد اجتمعَ الأمرانِ في قولِهِ تعالَى : ﴿فَادْخُلِي فِي عِبَادِي۝ وادْخُلِي جَنَّتِي﴾ [الفجر/ ٢٩-٣٠].

١٦ ـ«التَوَّابُ» أي الذي يَتُوبُ على عِباده كثيراً، وهو على وزْنِ «فَعَّال»، وهو من صِيَغِ مُبالَغَةِ اسمِ الفاعِل.

ومن صِيَغِها أيضاً :

فَعِيل، نحو: رَحِيم.

فَعُول، نحو: غَفُور.

فَعِل، نحو: حَذِر.

مِفْعَال، نحو: مِعْطَاء.

صُغْ صِيغَةَ «فَعَّال» من هذه الأفعال: رَزَقَ، وَهَبَ، عَلِمَ، سَمِعَ، أكَلَ، عَبَسَ.

صُغْ صِيغَةَ **«فَعِيل» من هذه الأفعال** : سَمِعَ، قَدَرَ، عَلِمَ، بَصُرَ.

صُغْ صِيغَةَ **«فَعُول» من هذه الأفعال**: غَفَرَ، شَكَرَ، صَبَرَ، عَبَسَ، أكَلَ.

(٢٤) الدرسُ الرابع والعِشْرونَ

المدرس : افتح النافذة ياعلي.

علـــي : إنها لا تَنْفَتِحُ، فَقَدْ ٱعْوَجَّ مِزْلاجُها.

المدرس : ألا يُمكِن تَقْوِيمُ ٱعْوِجاجِه؟

علـــي : حاوَلْنا، ولم نَتَمكَّن من ذلك.

المدرس : وَجْهُك مُحْمَرٌّ ياأحمد. كأنَّك غضْبانُ.

أحمـــد : نعم. لقد أغْضَبني جعفر بِسُخْرِيتِهِ منّي.

المدرس : قم وتَـوَضَّـأْ. . . ياجعفـر، ألم تسمـع قوله تعالى في سورة الحُجُرات : ﴿ياأيّها آلذين آمنوا، لا يَسْخَرْ قَوْمٌ مِنْ قَوْمٍ عَسَى أنْ يكونوا خيراً منهم، ولا نِسَاءٌ مِنْ نِساءٍ عَسَى أن يَكُنَّ خيراً منهن﴾؟

جعفــر : بلى. أستغفرُ الله وأَتُوبُ إليه.

المدرس : خذ دفـترك ياأيـوب. (يُسَلِّمُ له الـدفـتر). أراك ضَعيفاً في النحو. يجب عليك أن تجتهد.

أيــوب : إن شاء الله.

المدرس : اقرأ الآية ياحامـــد.

حامــد : (بعد الاستعاذة) ﴿يوم تَبْيَضُّ وُجوهٌ وتَسْوَدُّ وُجوهٌ، فَأَمَّا ٱلَّذِينَ ٱسْوَدَّتْ وُجوهُهُمْ أَكَفَرْتُم بَعْدَ إيمانِكُمْ فَذُوقُوا العَذابَ بِما كُنْتُمْ

تَكْفُرُونَ. وأَمَّا ٱلَّذِينَ ٱبْيَضَّتْ وُجُوهُهُمْ فَفِي رَحْمَةِ ٱللهِ، هُمْ فِيهَا خَالِدُونَ﴾ [آل عمران/ ١٠٦-١٠٧].

المدرس : اقرأ الحديث ياأيوب.

أيـوب : عَنْ أَنَس بْنِ مالكٍ رضي الله عنه عن النبي ﷺ : «أَنَّه نَهى عن بَيْعِ الثَّمَرَة حتى يَبْدُوَ صَلاحُها، وعن النَّخْلِ حتى يَزْهُوَ. قِيلَ: وما يَزْهُو؟ قال: يَحْمارُّ أو يَصْفَارُّ».

(يدخل المراقب)

المراقب : في مكتبي ساعةٌ وُجِدَت أَمْسِ في المُصَلَّى بعد ما ٱنْتَهَتْ صلاة الظّهر. فمن فُقِدَت ساعتُه فَلْيَتَّصِلْ بي بعدَ ما ينتهي الدرس.

١ ـ أجب عن الأسئلة الآتيـة :

(١) لم لا تنفتح نافذة الفصل؟

(٢) لم غَضِب أحمد على جعفر؟

(٣) ماذا يُقال للذين تَسْوَدُّ وجوهُهم يوم القيامة؟

(٤) أين وُجِدت الساعة؟ ومتى؟

٢ ـ من أبواب الفعل الثلاثي (اِفْعَلَّ). زِيْدَتْ فيه همزةٌ قبلَ الفاءِ وضُعِّفَتْ اللّامُ. يأتي هذا الباب في الأَلْوانِ والعُيُوب.

ومنها باب (اِفْعَالَّ)، زِيدَت فيه همزةٌ قبل الفاءِ، وألفٌ بعدَ العَيْنِ، وضُعِّفَتِ اللّامُ. ويأتي في الأَلْوان.

استخرج من الدرس الأفعال الواردة من هذين البابَيْنْ.

٣ ـ تأمل المثال، ثم هات المضارع، والمصدر، واسم الفاعل من الأفعال الآتيـــة :

الماضي	المضارع	المصدر	اسم الفا
اِحْمَرَّ	يَحْمَرُّ	اِحْمِرَارٌ	مُحْمَـرٌّ
اِصْفَرَّ	....	....	....
اِبْيَضَّ	....	....	....
اِسْوَدَّ	....	....	....
اِخْضَرَّ	....	....	....
اِعْوَجَّ	....	....	....

٤ ـ تأمل المثال، ثم هات المضارع، والمصدر، واسم الفاعل من الفعلين الآتيين :

اِصْفَارَّ	يَصْفَارُّ	اِصْفِيرارٌ	مُصْفَـارٌّ
اِحْمَـارَّ	....	....	....
اِدْهَـامَّ	....	....	....

٥ ـ اذكر باب كل فعل مما يأتي :

اِسْــوَدَّ	اِشْتَــدَّ	اِحْمَــارَّ
اِدْهَــامَّ	اِبْيَــضَّ	اِشْــتَقَّ
اِنْشَــقَّ	اِنْفَــضَّ	اِعْــوَجَّ

٦ - تأمل الأمثلة الآتية لباب (اِفْعَلَّ) :

(١) اِحْتَرَقَ الخَشَبُ واَسْوَدَّ.

(٢) غَسَلْتُ الثَّوبَ الوَسِخَ بالصابون فَاْبْيَضَّ.

(٣) قَدِ اَصْفَرَّتْ أَسْنانُك يابُنَيَّ، أَلَا تَسْتَاك.

(٤) تَخْضَرُّ الأشجارُ في الرَّبيع.

(٥) اِصْفَرَّ وجهُه من الخَـوفِ.

(٦) غَضِبَ المدرس فاحْمَرَّتْ وَجْنَتَاهُ.

(٧) اِقْلِ هذه السَّمَكَةَ حتَّى تَحْمَرَّ. أَخْرِجْها من المِقْلَاةِ فَوْرَ اَحْمِرَارِها.

(٨) المِنْجَلُ اَسْتِقامَتُه في اَعْوِجاجِه.

(٩) في الحديث: «إنّ أوّلَ وقتِ صلاةِ العصرِ حينَ يدخُل وقتُها، وإنّ آخِرَ وقتِها حينَ تَصْفَرُّ الشمس».

(١٠) عن عليّ رضي الله عنه: «كنّا إذا اَحْمَرَّ البَأْسُ اَتَّقَيْنا برسول الله ﷺ». (اِحْمَرَّ البَأْسُ: أَيْ اَشْتَدَّتِ الحَرْبُ).

٧ - (أراك ضعيفاً): (رَأَى) هذه بمعنى (عَلِمَ)، وتسمى (رَأَى القَلْبِيَّةَ). تنصِب رَأَى القَلْبِيَّةُ مفعولَيْن أَصْلُهما مبتدأٌ وخبرٌ (مثل ظَنَّ). نحو:

أنتَ ضعيفٌ.　　　　أراكَ ضعيفاً.

وفي التنزيل: ﴿إنهم يَرَوْنَه بعيداً ونَراه قَريباً﴾ [المعارج/ ٦-٧].

أمّا (رَأى البَصرِيَّةُ) فتنصِب مفعولاً واحداً، نحو: أرأيت المدرّسَ؟

أدخل (رأى القلبيّة) على الجمل الآتيــة :

أَنْتَ مُسْتَعْجِلٌ.	أراك ....
هو حَــزِينٌ.	رأيت ....
الطلاب مجتهدون.	أترى .... ؟

٨ - (عَسَى أَنْ يكونوا خيراً منهم): (عَسَى) من أَفْعالِ الرَّجاءِ، وتُفِيد التَّرَجِّيَ أو الإِشْفَاقَ، نحو:

(أ) ﴿عَسَى الله أنْ يتـوبَ عليهم﴾ [التوبة/١٠٢]. **أي: يُرْجَى أن يتوبَ الله عليهم.**

(ب) ﴿وعسى أَنْ تَكْرَهوا شيئاً وهو خير لكم﴾ [البقرة/٢١٦]. **أي: يُخْشَى أَنْ تَكْرَهوا..**

تعمل (عَسَى) عَمَلَ (كانَ). ويكون خبرُها فعلاً مضارِعاً مُقْتَرِناً بـ(أَنْ)، نحو: عَسَى الله أَنْ ينفعَنا بك. هنا لَفْظُ الجَلالَةِ اسمُها، والمصدر المؤوَّل (أَنْ يَنْفَعَ) خبرُها.

وفي (عَسَيْتَ أَنْ تُفْسِدَ في الأرض)، التاءُ اسمُها، والمصدر المؤوَّل (أَنْ تُفْسِدَ) خبرُها.

وتأتي (عَسَى) تامَّةً، أي تَكْتَفِي بمرفوعِها، فلا تحتاجُ إلى الخبر، وذلك إذا وَلِيَها (أَنْ وَالفِعْلُ)، نحو: ﴿عَسَى أَنْ يَهْدِيَنِ رَبِّي﴾

[الكهف/ ٢٤] . **هنا المصدرُ المُؤَوَّلُ فاعلُ عَسَى.**

وفي «كيفَ محمدٌ الآنَ؟ عَسَى أنْ يكونَ أحْسَنَ» يجوز أن يكونَ «عسى» ناقصةً، وذلك إذا قَدَّرْتَ فيها ضميراً مستتراً. وإذا لم تقدِرّ فهي تامَّة.

*** عَسَى الناقصة : عَسَى الله أنْ يَهْدِيَهُ. عَسَيْتُ أنْ أنجح.**

*** عَسَى التَّامَّـــة: عَسَى أنْ يَهْدِيَهُ الله. عَسَى أنْ أنجح.**

حَوِّلْ «عَسَى» الناقصةَ إلى تامَّة فيما يأتي :

(١) عَسَيْتَ أنْ تعودَ غداً.

(٢) عَسَى الله أنْ يغْفِرَ لي.

(٣) أين زملاؤنا؟ عَسَوا أنْ يحضُرُوا الدَّرس.

(٤) كيف الطالباتُ الجُدُدُ؟ عَسَيْنَ أنْ يفهمْنَ الدروسَ.

حَوِّلْ «عَسَى» التامَّة إلى ناقصة فيما يأتي :

(١) عَسَى أنْ نُقْبَلَ في الدِّراسات العُلْيا.

(٢) عَسَى أن تُسافِري غداً.

(٣) عَسَى أنْ يسْمَحَ لنا المديرُ بِالانصراف.

(٤) عَسَى أنْ يَتَّحِدَ المسلمون.

أدْخِلْ «عَسَى» في جملتين من إنشائك على أن تكون ناقصةً في الأولَى، وتامَّة في الأخرى.

٩ ـ ﴿فَذُوقوا العذابَ بما كنتم تكفُرونَ﴾. هذه (مَا المصدريّةُ) (بِمَا كنتم تكفُرون) أي بكَوْنكم تكفرون. (بعد ماانتهت الصلاة) أيْ بعدَ ٱنْتِهاءِ الصلاةِ.

قال تعالى: ﴿لهم عَذابٌ شديدٌ بما نَسُوا يومَ الحِسَابِ﴾ [ص/٢٦].

أَيْ بِنَسْيَانِهم يومَ الحسابِ.

١٠ ـ ﴿فأَمّا ٱلذين ٱسْوَدَّتْ وجُوهُهم أَكَفَرْتم...﴾ هنا جوابُ (أمّا) محذوفٌ، وتَقْديرُه: فَيُقالُ لهم.

١١ ـ هات مضارع: فَقَدَ. اِسْتَاكَ.

١٢ ـ ما معنى (الوَجْنَة)؟ وما جمعُها.

(٢٥) الدرسُ الخامس والعِشرونَ

المــدرس : ادخل يازكريا. تأخّرت كثيراً. ما الذي أخّرك؟

زكــريا : كنتُ مُتْعَباً، فٱستلْقَيتُ على قَفَايَ بعد الصلاة لكَيْ أَستريحَ قليـلاً، فغلبَني النومُ. وما ٱستَيْقَظْتُ إلا الساعةَ التاسعةَ. فتوضأتُ، وتوجَّهتُ بسرعةٍ إلى هنا. لا ٱستحمَمْتُ ولا أفْطرتُ.

المــدرس : ألم يُوقِظْكَ زمــلاؤُكَ؟

زكــريا : إنَّ زمـلائي الـذين يسكنـون معي ذهبوا كلُّهم إلى المطار لاسْتِقْبالِ رئيسِهم.

المــدرس : لا بأسَ. اقرأ الحديث يامَرْوانُ.

مــروان : عن أبي ذرٍّ عن النبيّ ﷺ فيما روىٰ عن الله تبارك وتعالى أنَّه قال: «ياعِبَادِي إنِّي حرّمْتُ الظُّلمَ على نَفسي، وجعلته بينكم مُحرَّما، فلا تَظَالَموا.

ياعبادي كُلكم ضالٌّ إلاّ مَنْ هَدَيْتُه، فٱستَهْدُوْني، أَهْدِكُم.

ياعبادي، كلُّكم جائع إلا من أطعمْته، فٱسْتَطْعِمُوني أُطْعِمَكم.

ياعبادي، كلكم عارٍ إلا من كَسَوتُه، فٱستكْسُوْني، أكْسُكُم.

ياعبادي، إنكم تُخطِئون بالليل والنَّهار، وأنا أَغْفِر لكُم الذُنوبَ جميعاً. فآستغْفِروني أغفرْ لكم...» (رواه مسلم).

(يدخل عبد المَلِك)

المدرس : الآن تَأْتى وقد انتهىٰ الدرس أوْ كاد؟

عَبْدالملك : ذهبتُ إلى مُسْتَوْصَف الجامعة، فحوَّلني الطبيبُ إلى المسْتَشْفىٰ العامّ.

المدرس : لا بأسَ عليك، طَهُورٌ إن شاء الله. أسْتأْذَنتَ المديرَ؟

عبدالملك : نعم، اسْتَأْذَنْتُه قبل الذَّهاب، فأَذِنَ لي.

(يرنُّ الجرُس، فيَخْرجُ المدرّس، ويَتْبعه حامدٌ، ويُسِرُّ إليهِ حَدِيثاً)

حامدٌ : يافضيلةَ الشيخ، أُريدُ أَنْ أتحدَّثَ إليك في موضوعٍ، ولكنَّني أسْتَحْيِي.

المدرس : قُلْ ولا تَسْتَحْيِ.

حامد : احْتاجُ إلى مَبْلَغٍ من المال. اسْتَقْرَضْتُ من زملاءَ لي، فلمْ يُقرضُوني. فهل يمُكِنُني أن أَقْتَرِضَ منك؟

المدرس : نعم، إن شاء الله.

حامد : جزاكَ الله خيراً. سآتيكَ بعدَ صلاةِ العصر إنْ شاءَ الله.

المدرس : إذَنْ أنتظرُكَ.

حامد : أنت الآن في بيتك الجديد. أليس كذلك؟

المــدرس : بلـــى .

حامـــد : عسى أن تكون مُسْتَرِيحاً فيه .

المــدرس : نعم . الحمــد لله .

١ ـ أجب عن الأسئلة الآتيــة :

(١) متى استيقظ زكريا من النوم ؟

(٢) لم تأخر عبد الملك ؟

(٣) ماذا طلب حامد من المدرس ؟

٢ ـ من أبواب الفعل الثلاثي المزيد باب (اِسْتَفْعَلَ) زِيدَت في أوله همزةٌ وسينٌ وتاءٌ نحو: اِسْتَقْبَلَ، اِسْتَغْفَرَ، اِسْتَمَرَّ.

استخرج من الدرس الأفعال الواردة فيه من هذا الباب .

٣ ـ تأمل المثال، ثم هات المضارع، والأمر، والمصدر من الأفعال الآتيــة :

المصـدر	الأمــر	المضــارع	الماضــي
اِسْتِقْبَالٌ	اِسْتَقْبِلْ	يَسْتَقْبِلُ	اِسْتَقْبَلَ
....	....	....	اِسْتَغْفَرَ
....	....	....	اِسْتَعَدَّ
....	....	....	اِسْتَلْقَى
اِسْتِرَاحَةٌ		....	اِسْتَرَاحَ
....	....	....	اِسْتَقَالَ
....	....	....	اِسْتَفَادَ

٤ - عَيِّنْ في الأمثلة الآتية باب (اِسْتَفْعَل) بِمُشْتَقَّاتِه :

(١) أَسْتَحِمُّ كلّ صباح.

(٢) اِسْتَأْجَرْت هذه الشَّقَّة بـ١٥ ألفَ ريالٍ.

(٣) يَسْتَمِرُّ الامتحانُ يومين.

(٤) اِسْتَعِدّوا للامتحان فإنه قريب جداً.

(٥) اِسْتَسْلَمَ المُجْرِمُ للشُّرْطَة.

(٦) يُسْتَحَبُّ الغُسْل للإِحْرام.

(٧) لا يجوز الاسْتِعَانَةُ بِغَير الله.

(٨) أنا مُسْتَعِدٌّ للسفر.

(٩) أرجو لك مُسْتَقْبَلًا زاهِراً.

(١٠) وفي التنزيل : ﴿وَإِذْ قُلْنَا لِلْمَلَائِكَةِ: ٱسْجُدُوا لآدَمَ، فَسَجَدُوا إِلَّا إِبْلِيسَ، أَبَى وَٱسْتَكْبَرَ، وَكَانَ مِنَ ٱلْكَافِرِينَ﴾ [البقرة/٣٤].

٥ - (اِسْتَلْقَيْتُ على قَفَايَ لِكَيْ أَسْتَرِيحَ). (كَيْ) من نَواصِب المضارع ويُسَمَّى (حرف مَصْدَرِيَّةٍ وَنَصْبٍ وٱسْتِقْبالٍ) لأنها تجعل ما بعدها في تَأْويل مَصْدَرٍ، فتأويلُ المثالِ السابق: اِسْتَلْقَيْتُ عَلَى قَفَايَ لِلاسْتِراحَة.

والغالبُ أن تَسْبِقَها لامُ الجرِّ التي تُفيد التَعْليل، فإن لم تَسْبِقْها فهي مُقَدَّرَةٌ. إذا دخلتْ لا النافيةُ على الفعل كُتِبَتْ مُتَصِّلَةً بـ(كَيْ): لِكَيْلَا، نحو: أَسْرِعْ لِكَيْلَا تتأَخَّرَ عن الدرس.

تأمل الأمثلة الآتية لـ(لِكَيْ) :

(أ) الْتَحَقْت بالجامعة الإسلامية لكي أتعلّمَ اللغة العربية وعلوم الدين.

(ب) اِجتهدْ كي تَنجح.

(جـ) قال أحمد لأخته : اِبْحَثي عن هذا الكتاب في مكتبة كُلِّيَّتِك. اكتبي ٱسْمَه لكيلا تَنْسَيْ.

(د) ذهب زملائي إلى السوق لكي يَشْتَرُوا الحَوائج.

(هـ) أسْرِعوا لكيلا تَفُوتَنا الطائرةُ.

ضع في الفراغ فيما يأتي (لِكَيْ/ لِكَيْلَا)، ثم عَدِّل الفعل الذي يليها :

(١) اتَّصل كثير من الشَباب بالجامعة .... يَسْتَفْسِرُونَ عن شُروطِ القَبُول

(٢) كان مَوعِد الرحلة الساعة الثالثة صباحاً. فجلسنا نتحدّثُ .... ننامُ

(٣) سألتك أسئلة كثيرة .... أفهمُ المَسْألة جيِّداً

(٤) ياجُرْجُ، غيِّرْ ٱسْمَك .... يَظُنُّ الناسُ أنك نَصرَانيٌّ

(٥) يازينب، اسْتَيْقِظي مبكِّرةً .... تَتَأَخَّرين عن الدرس

٦ - (إِذَنْ أَنْتَظِرَكَ). (إِذَنْ) من نواصِب المضارع. وتُسَمَّى (حَرْفَ جوابٍ وجزاءٍ ونصبٍ واسْتِقْبال).

تأمَّلِ الأمثلة الآتية تفهمْ معناها :

حامـد : سأَزُورُكَ اليومَ بعد صلاة المغرب إن شاء الله.

خالـد : إذن انتظرَك.

ـ المدرس : هذا أحسنُ مُعْجَمٍ مدرسِيّ.
الطـلاب : إذَنْ نَشْتَرِيَهُ.
ـ علـــي : يصل أستاذنا غداً إلى المدينة المنورة إن شاء الله.
زمـــلاؤه : إذَنْ نستقبلَه في المطار.
ـ المدرس : أخشى أن يُطْوَى قَيْدُك، فإن غيابَك كثيرٌ.
حامـــد : إذن لا أغيبَ في المستقبَل إن شاء الله.

تَنْصِب (إذَنْ) الفعل المضارع بالشُروط الآتيـــة :
(أ) أن تكون مُتَصَدِّرَةً.
(ب) أن تكون غيرَ مفصولةٍ عن الفعل بِغَيْرِ القَسَمِ، ولا النافيةِ.
(جـ) أن يكون زَمَنُ الفعلِ مُسْتَقْبَلاً.

(١) هات ثلاثة أمثلة لـ(إذن).

(٢) يقول طالب شيئاً، ويَرُدُّ عليه زميله مستعملاً (إذن).

٧ ـ (لا ٱسْتَحْمَمْتُ ولا أَفْطَرْتُ). إذا نُفِيَ الماضي بِـ(لَا) وَجَبَ تَكْرارُها.
وفي التنزيل : ﴿فَلَا صَدَّقَ وَلَا صَلَّىٰ﴾ [القيامة/٣١].

اِنْفِ الفعلين في كل جملة مما يأتي بـ (لا).

(١) قرأتَ الدرسَ وكتبتَه . ...

(٢) رأيته وكَلَّمْتُه . ...

(٣) ضَرَبَني وضَرَبْتُه . ...

(٤) أكلْنا وشربْنا . ...

٨ - (الآن تأتي وقد آنتهى الدرسُ؟) . إذا دخلت (واوُ الحالِ) على جملة فعلية فعلها ماضٍ مُثْبَتٌ دخلت معها (قَدْ) .

تأمل المثال، ثم أكمل الناقص :

دخلت المسجد والإمام يُسَلِّمُ .	**دخلت المسجد وقد سَلَّمَ الإمامُ .**
وجملة اسمية	**جملة فعلية فعلها ماض مثبت**

(١) دخلت المسجد والإمامُ يُكَبِّر. ....

(٢) دخلنا المسجد والمُؤَذِّن يُقِيمُ . ...

(٣) وصلنا المدينةَ المنورة والشمس تغرُبُ . ...

(٤) وصلت المطار والطائرة تَهْبِطُ . ...

(٥) دخلت الفصل والمدرس يَشْرَحُ الدرسَ . ...

واو الحال + الجملة الاسمية

واو الحال + قَدْ + الجملة الفعلية فعلها ماضٍ مُثْبَتٌ

٩ - (وجَعَلْتُه بينكم مُحَرَّماً) . (جَعَلَ) هنا من أفعال التَحْوِيلِ ، وهي بمعنى (صَيَّر) . تنصِب مفعولين أصلُهما مبتدأٌ وخبر، نحو :

الخَمْرُ حــــرامٌ . جَعَلَ الله الخمرَ حراماً .

وفي التنزيل :

(١) ﴿أَلَمْ تَرَوْا كَيْفَ خَلَقَ اللهُ سَبْعَ سَمٰوَاتٍ طِبَاقاً وَجَعَلَ ٱلْقَمَرَ فِيهِنَّ نُوراً، وَجَعَلَ ٱلشَّمْسَ سِرَاجاً﴾ [نوح/١٥-١٦] .

(٢) ﴿وَٱللهُ جَعَلَ لَكُمُ ٱلْأَرْضَ بِسَاطاً﴾ [نوح/١٩] .

(٣) ﴿وَلَوْ شَاءَ اللهُ لَجَعَلَ ٱلنَّاسَ أُمَّةً وَاحِدَةً﴾ [يونس/١١٨] .

وتأتي (جَعَلَ) بمعنى (ظَنَّ) وهي من أفعال الرُّجْحانِ، نحو: ﴿وَجَعَلُوا ٱلْمَلَائِكَةَ ٱلَّذِينَ هُمْ عِبَادُ ٱلرَّحْمٰنِ إِنَاثاً﴾ [الزخرف/١٩] .

(جَعَلَ) بهذين المَعْنَيَيْنِ من أخوات (ظَنَّ) .

وتكون أيضاً من أفعال الشُّروعِ، وتعمل حِينَئِذٍ عَمَلَ (كَانَ)، نحو: جَعَلَ حامدٌ يضربني . (وقد مرّت بك في درس سابق) .

وتأتي بمعنى (أَوْجَدَ) وهي فِعْلٌ تامٌّ، وتنصِب مفعولاً واحداً، كما في قوله تعالى : ﴿ٱلْحَمْدُ للهِ ٱلَّذِي خَلَقَ ٱلسَّمٰوَاتِ وَٱلْأَرْضَ، وَجَعَلَ ٱلظُّلُمَاتِ وَٱلنُّورَ﴾ .

عَيِّنْ مَعْنى (جَعَلَ) فيما يأتي :

(١) جعل المدرِّسُ يشرح الدرس .

(٢) ﴿وَجَعَلْنَاكُم شُعُوباً وَقَبَائِلَ﴾ [الحجرات/١٣] .

(٣) جعل الله الهواءَ والماءَ .

(٤) قال المدرِّس للطالب: أَجَعَلْتَني مُديراً؟

١٠ ـ(قَفَايَ) . ياءُ المتكلِّم مفتوحةٌ مَعَ اسمٍ آخرُه ألفٌ أو ياءٌ ساكنتان، نحو: عَصايَ . فَتَايَ . دُنْيَايَ . يَدَايَ . غسلت يَدَيَّ .

١١ ـ تمرين شفوي : يسأل كلّ طالب زميلَه : متى آسْتَيْقَظْتَ؟ ومن أَيْقَظَكَ؟

١٢ ـ هات مضارع الأفعال الآتية : غَلَبَ. هَبَطَ. كَسَا. أَفْطَرَ. أَسَرَّ. أَقْرَضَ. اِقْتَرَضَ.

١٣ ـ اذكر أبواب الأفعال الواردة في حديث أبي ذَرٍّ.

١٤ ـ هات مفرد : (الحَوائج) و(الشُّرْطَة)، وجمع (القَفَا).

١٥ ـ ما أَصْلُ (تَظَالَموا) في قوله عليه الصلاة والسلام: «فلا تَظَالَموا»؟

١٦ ـ يُجْمَعُ (عَارٍ) على (عُرَاةٍ) على وزن (فُعَلَةٍ). اجْمَعِ الأسماءَ الآتيةَ هذا الجمعَ : مَاشٍ. قَاضٍ. هَادٍ. رَامٍ. وَالٍ. غَازٍ، حَافٍ.

نواصب الفعل المضارع أربعة أحرف هي :

(١) أَنْ، وهي حَرْفُ مَصْدَرِيَّةٍ ونَصْبٍ واسْتِقْبالٍ، نحو:

﴿والله يُرِيدُ أَنْ يَتوبَ عليكم﴾ [النساء/ ٢٧].

(٢) لَنْ، وهي حَرْفُ نَفْيٍ ونَصْبٍ واستِقْبالٍ، نحو:

﴿قالَ: إنَّكَ لَنْ تَسْتَطِيعَ مَعِيَ صَبْراً﴾ [الكهف/ ٦٧].

(٣) كَيْ، وهي حرفُ مصدريّةٍ ونصبٍ واستِقْبالٍ، نحو:

﴿كَيْ نُسَبِّحَكَ كثيراً﴾ [طه/ ٣٣].

(٤) إِذَنْ، وهي حرفُ جَوابٍ وجَزاءٍ ونصبٍ واستقبالٍ، نحو:

حامد : سأزوك غداً إن شاء الله.

خالد : إِذَنْ أَنتظـرَكَ.

(٢٦) الدرسُ السَّادس والعِشرون

المدرس : ياعمّار، هذا هو الكُتَيِّبُ الذي أريد تَرْجَمَته إلى اللغة الفرنسية. أتستطيع أن تُتَرْجِمَه؟

عمـار : أستطيع بعَوْن الله. فقد ترْجَمْتُ قبل هذا عِدَّة كتب إسلامية.

المدرس : أريد أن أُوَزِّع الكتيّب المُتَرْجَم على إخوانٍ حَدِيثِي العَهْدِ بالإسلام.

عمـار : إذَنْ أُتَرْجِمه في أقرب وقت ممكن إن شاء الله.

المدرس : ياعمار، إنك تُجيد اللغة الفرنسية وتتكلّمها كما يتكلّم أهلُ فرنسا. أفَعِشت في فرنسا؟

عمـار : نعم، إنني ولدت ونَشَأْت وتَرَعْرَعْتُ في باريس لأنَّ أبي كان يعمل هناك. إنه بقي في فرنسا خَمْسَ عَشْرَةَ سنة.

المدرس : هذا هو السبب... اقرأ الآيات ياأحمد.

أحمـد : (بعد ما يَسْتَعِيذ) ﴿وإذْ قَالَ إبْرَاهِيمُ: رَبِّ أَرِنِي كَيْفَ تُحْيِي ٱلْمَوْتَى قال: أَوَلَمْ تُؤْمِنْ؟ قَالَ: بَلَى، وَلٰكِنْ لِيَطْمَئِنَّ قَلْبِي﴾[البقرة/ ٢٦٠].

﴿الله نَزَّلَ أَحْسَنَ ٱلْحَدِيثِ كِتَاباً مُتَشَابِهاً مَثَانِيَ تَقْشَعِرُّ مِنْهُ جُلُودُ ٱلَّذِينَ يَخْشَوْنَ رَبَّهُمْ. ثُمَّ تَلِينُ جُلُودُهُمْ وقُلُوبُهُمْ إِلَى ذِكْرِ ٱللهِ.

ذٰلكَ هُدَى ٱللهِ، يَهْدِي بِهِ مَنْ يَشَاءُ، وَمَنْ يُضْلِلِ ٱللهُ فَمَا لَهُ مِنْ هَادٍ﴾ [الزمر/٢٣].

﴿وَإِذَا ذُكِرَ ٱللهُ وَحْدَهُ ٱشْمَأَزَّتْ قُلُوبُ ٱلَّذِينَ لَا يُؤْمِنُونَ بِٱلْآخِرَةِ، وَإِذَا ذُكِرَ ٱلَّذِينَ مِنْ دُونِهِ إِذَا هُمْ يَسْتَبْشِرُونَ﴾ [الزمر/٤٥].

(يدخل رجلٌ ويسلِّم)

المدرس : (بعد ما يَرُدُّ التحيّة) ياإخوان، هذا هو المراقبُ الجديد. من كان لديه سؤالٌ فليسأله.

حامد : ياشيخ، مِنّا من يريد أن يشترك في مُعَسْكَر الجامعة. أفيسجّلُ اسمَه لديك الآن؟

المراقب : نعم. هذا، وأريد أن أَدُلّكم على أمر فيه أجرٌ إن شاء الله. مِنْ طلاب المعهد مَنْ هم بحاجة إلى مُساعَدة. فسَاعِدوهم مِمّا آتاكم الله. من أراد أن يساعدهم فليتّصل بأَمِين صُنْدوق البرِّ.

١ ـ أجب عن الأسئلة الآتيــة :

(١) لماذا يريد المدرس ترجمة الكتيّب؟

(٢) أين وُلِدَ عمّار؟ وأين ترعرع؟

(٣) كم سنة بقي أبوه في فرنســا؟

٢ ـ الفعل إما ثُلاَثِيٌّ وإما رُبَاعِيٌّ.

فالثُّلاثِيُّ ما فيه ثلاثةُ أَحْرُفٍ أَصْلِيّةٍ، نحو: كَتَبَ، سَلَّمَ، اِنْكسَرَ. وقد درسته.

أما الرُّباعِيُّ فما كان فيه أربعةُ أحرفٍ أصليّة، وهو إما مجَرَّدٌ، وإما مَزِيدٌ.

فالمجرّد له باب واحد، وزنه فَعْلَلَ، نحو: تَرْجَمَ. بَعْثَرَ. هَرْوَلَ. دَحْرَجَ. فَرْقَعَ. زَلْزَلَ. وَسْوَسَ. قَهْقَهَ.

والمزيد له ثلاثة أبواب، وهي :

(١) تَفَعْلَلَ، نحو: تَرَعْرَعَ، تَمَضْمَضَ، تَدَحْرَجَ.

(٢) اِفْعَلَلَّ، نحو: اِطْمَأَنَّ. اِشْمَأَزَّ. اِقْشَعَرَّ.

(٣) اِفْعَنْلَلَ، نحو: نحو : اِحْرَنْجَمَ. اِفْرَنْقَعَ.

استخرج من الدرس الأفعال الرباعية، ومشتقاتها، واذكر باب كل واحد منها.

٣ - تأمل الأمثلة، ثم أكمل الناقص :

الماضي	المضارع	المصدر
تَرْجَمَ	يُتَرْجِمُ	تَرْجَمَةٌ
بَعْثَرَ	....	....
هَرْوَلَ	....	....
زَلْزَلَ	....	....
تَرَعْرَعَ	يَتَرَعْرَعُ	تَرَعْرُعٌ
تَمَضْمَضَ	....	....
اِطْمَأَنَّ	يَطْمَئِنُّ	اِطْمِئْنَانٌ
اِشْمَأَزَّ	....	....
اِقْشَعَرَّ	....	....
اِحْرَنْجَمُ	يَحْرَنْجِمُ	اِحْرِنْجَام
اِفْرَنْقَعَ	....	....

٤ - عيِّن الأفعال الرباعية فيما يأتي، واذكر باب كلٍّ واحد منها :

(١) دخل الطفل مكتَبي وبَعْثَرَ الكتب والأوراق.

(٢) دَغْدَغْتُ الطفل فضَحِك.

(٣) أعطاني الطبيب دواءً للغَرْغَرَة.

(٤) قال تعالى : ﴿أَلَا بِذِكْرِ ٱللَّهِ تَطْمَئِنُّ ٱلْقُلُوبُ﴾ [الرعد/٢٨].

(٥) وقال تعالى : ﴿فَمَن زُحْزِحَ عَنِ ٱلنَّارِ وَأُدْخِلَ ٱلْجَنَّةَ فَقَدْ فَازَ﴾ [آل عمران/١٨٥].

(٦) في حديثٍ قُدْسِيٍّ : قال النبيُّ ﷺ : «قال الله تعالى: ياآبْنَ آدمَ، قُمْ إليَّ أمْشِ إليك، وآمْشِ إليَّ أُهَرْوِلْ إليك». (رواه الإمام أحمد).

(٧) عن أبي عبدالله الصُّنابِحِيّ عن النبي ﷺ قال: «مَنْ تمَضْمَضَ واسْتَنْثَرَ خرجت خطاياه من أنفه وفمه». (رواه الإمام أحمد).

(٨) عن آبْنِ عُمَرَ عن النبي ﷺ قال: «إن الله يَقْبَلُ تَوْبَةَ آلعَبْدِ ما لم يُغَرْغِرْ». (رواه الترمذي وابن ماجة وأحمد).

(٩) لا بَأْسَ بالمَضْمَضَةِ والتَّبَرُّدِ للصّائم.

(١٠) كان النَّحْويُّ عيسى بْنُ عُمَرَ الثَّقفِيُّ يَتَقَعَّرُ في كلامه. سَقَط يوماً عن حماره فاجتمع عليه الناس. فقال: مالكم تَكَأْكَأْتم عليَّ كَتَكَأْكُئِكُم على ذِي جِنَّة. اِفْرَنْقِعُوا عنِّي. فقال الناس: دَعُوه فإن شيطانَه يتكّلم بالهِنْدِيَّة.

٥ ـ (هـذا هو المـراقبُ الجديدُ). هنا (هو) ضميرُ فَصْلٍ. وضمير الفصل ضميرُ رفعٍ يُؤْتَى به للفَصْل بين ما هو خبرٌ وما هو تابعٌ. ولا مَحَلَّ له من الإعراب.

ففي قولنا (هذا هو المراقبُ الجديدُ) (المراقب) خبر. وإذا حذفنا ضمير الفصل وقلنا (هـذا المـراقبُ الجـديـدُ) يجوز أن يكون (المراقب) بَدَلاً من (هذا) كأننا نريد أن نقول (هذا المراقب الجديد نَشِيط). وكذلك في قولنا (حامدٌ هو الناجحُ) (الناجح) خبر. وإذا حذفنا ضمير الفصل وقلنا (حـامـدٌ النَّاجِحُ) يجوز أن يكون (الناجح) نَعْتاً لـ (حامد).

إليك أمثلة أخرى لضمير الفصل :

(أ) ﴿وأولئك هم المُفْلِحُون . . . ﴾ .

(ب) ﴿إنّ شانِئَك هو ٱلأبْتَرُ﴾ .

(جـ) هذه هي السّيــــارةُ .

(١) استخرج ما ورد في الدرس من ضمائر الفصل .

(٢) أدخــل (ال) على الخــبر في كل جملة ممايأتي ، وَأْتِ بضــمــيرفَصْــلٍ مناسب :

(أ) هـــذا بيت . (ب) هؤلاء ناجحــون . (جـ) هذه مجلــة .

(د) أولئك راسبـــات .

٦ - (مِنّا مَنْ يريد . . .) هذه (من التَّبْعِيضِيَّةُ) . فمعنى (منّا) بعضُنا .

إليك أمثلة أخرى :

(١) كُلْ مِنْ هـــــذا .

(٢) مِنَ الطلاب مَنْ يعرف الإنكليزية ، ومنهم مَنْ يعرف الفرنسية .

(٣) قال تعالى : ﴿وَمِنَ ٱلنَّاسِ مَنْ يَقُولُ آمنّا بِٱلله وَبِٱلْيَوْمِ ٱلآخِرِ وَمَا هُمْ بِمُؤْمِنِينَ﴾ [البقرة/ ٨] .

(٤) وقوله تعالى : ﴿ . . . وَمِمّا رَزَقْنَاهُمْ يُنْفِقُونَ﴾ [البقرة/ ٣] .

(٥) أنت مِنْ أحسن الطلاب .

٧ ـ (أَفَعِشْتَ في فرنسا؟). همزةُ الاستفهام تَتَقَدَّم على حروف العطف، نحو:

(١) ﴿أَوَلَمْ يَنْظُروا﴾ [الأعراف/ ٤٨].

(٢) ﴿أَفَلَمْ يَسِيرُوا﴾ [يوسف/ ١٠٩].

(٣) ﴿أَثُمَّ إذا ما وَقَعَ آمنتم به﴾ [يونس/ ٥١].

وأَخَواتُها تتأخَّر عن حروف العطف، نحو: ﴿فَهَلْ يُهْلَكُ إلا القومُ الفاسِقُون﴾ [الأحقاف/ ٣٥].

أَدْخِلْ واوَ العَطْفِ على هاتين الجملتين:

(١) أَجاءَ مدرّسون جددٌ؟ (٢) هل هذا جائِزٌ؟

٨ ـ ﴿وإذْ قال إبراهيم﴾. هنا (إذْ) مفعولٌ به لفعلٍ مَحْذوفٍ تقديره: اُذْكُروا.

٩ ـ (مَوْتَى) جمعُ مَيِّت. وهو على وزن (فَعْلَى) (غير مُنَوَّنٍ لأنه ممنوع من الصرف).

هات جمع الأسماء الآتيــة على وزن (فَعْلَى):

مَرِيض .... قَتِيل .... جَرِيح .... أَسِـير .... صَرِيع ....

أَحْمَق ....

١٠ ـ (رَبِّ أَرِني). هنا (رَبِّ) أصله (يارَبِّي) حُذِفَ منه حرفُ النِّداءِ، وياء المتكلّم. هذا مثال للمُنادَى المُضافِ إلى ياء المتكلم.

يجوز في يائِه خمسةُ أوجُهٍ، وهي :

(١) حَذْفُها مع بَقاءِ الكسرة، نحو: ياربِّ. وهذا هو الأكثر.

(٢) إثباتُ الياءِ ساكنةً، نحو: ياربّي. هذا دونَ الأول في الكثرة.

(٣) إثباتُ الياءِ مفتوحةً، نحو: ياربّيَ.

(٤) قَلْبُ الياءِ ألِفاً، نحو: ياربَّا. وقد تلحَقُها هاءُ السكتِ عند الوقف، نحو: ياربَّاهْ.

(٥) قلبُ الياءِ الِفاً، وحذفُها، والاسْتغْناءُ عنها بالفتحة، نحو: ياربَّ.

يجمعُ هذه الأوجُهَ قولُنا : «رَبِّ، رَبيَّ، رَبَّ، ربَّا، ربّي».

١١ ـ ﴿إِذَا هُمْ يَسْتَبْشِرُونَ﴾. إذا كان جوابُ الشَّرْطِ جملةً اسميّةً وَجَبَ آقْترانُه بالفاء كما علمت. ويجوزُ إِقَامَةُ (إذا الفُجَائِيَّةِ) مقامَ الفاءِ.

١٢ ـ ﴿وَمَنْ يُضْلِلِ ٱللهُ. . .﴾. المضارع المجزوم بالسكون والأمر المبني عليه من الفعلِ المُضَعَّف يجوزُ فيهما الإدْغامُ والفَكُّ، نحو:

لَمْ يَشُدَّ / لم يَشْدُدْ.   شُدَّ / آشْدُدْ.

وفي التنزيل : ﴿وَٱحْلُلْ عُقْدَةً مِنْ لِسَانِي. . .﴾ [طه/ ٢٧].

١٣ ـ ما نَوْعُ (مـا) في (كما يتكلّم أهل فرنسا)؟

١٤ ـ ما مفرد (الجُلُـود)؟

١٥ ـ اذكر باب كل فعل مما يأتي : استَنْثَرَ، تقعَّرَ، اسْتَبْشَرَ، لاَنَ.

١٦ ـ (ما لَمْ يُغَرْغِرْ) أي مُدَّةَ عَدَمِ الغرغرةِ. هذه «ما» المصدريَّةُ الظرفيَّةُ.

هاكَ أمثلة أخرى.

(أ) «سَيبقَى الإسلامُ ما بَقِيَ العالَمُ» أي مُدَّة بقاءِ العالم.

(ب) «أطِيعُوني ما أطَعْتُ الله ورسولَه» أي مُدَّةَ إطاعتي الله ورسولَه.

(جـ) «اجلسْ في هذا الكرسيّ ما لم يأتِ صاحبُه» أي مُدَّةَ عَدَمِ إتْيانِ صاحبِهِ.

الفعل

- **الثلاثي**
  - **المجرد** له ستة أبواب
    1. فَعَلَ يَفْعُلُ : كَتَبَ يَكْتُبُ
    2. فَعَلَ يَفْعِلُ : جَلَسَ يَجْلِسُ
    3. فَعَلَ يَفْعَلُ : ذَهَبَ يَذْهَبُ
    4. فَعِلَ يَفْعَلُ : سَمِعَ يَسْمَعُ
    5. فَعُلَ يَفْعُلُ : كَثُرَ يَكْثُرُ
    6. فَعِلَ يَفْعِلُ : وَرِثَ يَرِثُ
  - **المزيد** له اثنا عشر بابا:
    - مازيد فيه حرف واحد:
      1. فَعَّلَ : سَلَّمَ
      2. أَفْعَلَ : أَسْلَمَ
      3. فَاعَلَ : جَاهَدَ
    - مازيد فيه حرفان:
      4. تَفَعَّلَ : تَعَلَّمَ
      5. تَفَاعَلَ : تَنَاوَلَ
      6. إِنْفَعَلَ : إِنْكَسَرَ
      7. إِفْتَعَلَ : إِسْتَمَعَ
      8. إِفْعَلَّ : إِحْمَرَّ
    - مازيد فيه ثلاثة أحرف:
      9. إِسْتَفْعَلَ : إِسْتَقْبَلَ
      10. إِفْعَالَّ : إِحْمَارَّ
      11. إِفْعَوْعَلَ : إِعْشَوْشَبَ
      12. إِفْعَوَّلَ إِجْلَوَّذَ
- **الرباعي**
  - **المجرد** له باب واحد:
    1. فَعْلَلَ ، تَرْجَمَ
  - **المزيد** له ثلاثة أبواب:
    - مازيد فيه حرف واحد
      1. تَفَعْلَلَ ، تَمَضْمَضَ
    - مازيد فيه حرفان
      1. إِفْعَلَلَّ : إِطْمَأَنَّ
      2. إِفْعَنْلَلَ : إِحْرَنْجَمَ

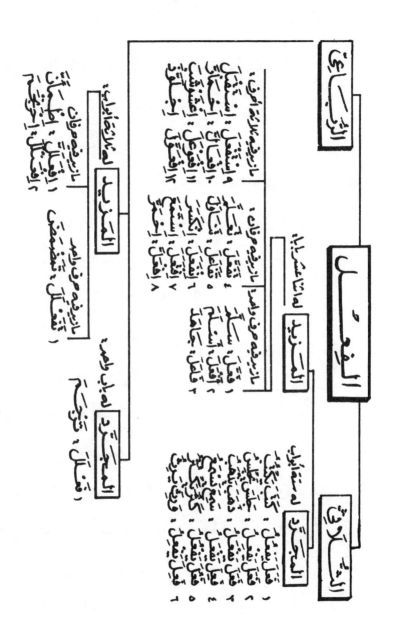

(٢٧) الدرسُ السابع والعِشرونَ

المدرس : ياأسامة، المراقب يطلُبك في مكتبه.

أسامـة : أريد أن آخـذ معي زميليَّ هذين.

المدرس : لم يطلب المراقب إلّا إيَّـاكَ.

أسامـة : أخشى أنه نَسِيَ. إنّي وإيّاهما مشتركون في مسابقة السِّباحة.

المدرس : خذهما إذاً... أين كتاب المدير ياإبراهيم؟

إبراهيم : أَعْطَيْتُه إيّـاهُ.

المدرس : وأين دفاتر الطـلاب؟

إبراهيم : أعطيتُهم إيّاهـا.

المدرس : وأين مجـلّتي؟

إبراهيم : أعطيتُكَهَـا.

المدرس : متى أعطيتَنِيها؟

إبراهيم : أعطيتُكها أمس في مكتبك. أخذتَها ووضعتها في الدُّرْج.

المدرس : نعم، الآن تذكّرت... ما اسمك ياأخي؟

هـو : أَإِيّايَ تسأل ياأستاذ؟

المدرس : نعم، إيّـاك أسأل.

هـو : اسمي عُكَاشَـةُ، التحقت بالمعهد اليوم. وَٱلْتَحَقَ معي ثلاثة

طلاب من بلدي. هم في فصل آخر. ياأستاذ، أرجو أن تساعدني فقد فاتتني دروس كثيرة.

المدرس : سأساعدك وإيّاهم إن شاء الله.

عكاشة : لن ننسى مُساعَدَتَك إيّانا أبدا إن شاء الله.

المدرس : أراك تُجيد اللغة العربية. من عَلَّمَك إيّاها؟

عكاشة : علّمني إيّاها أبي.

المدرس : اقرأ الآيات ياحامد.

حامد : (يستعيذ ويُبَسْمِلُ ثم يقرأ): ﴿إيّاك نَعْبُدُ وإيّاك نَسْتَعِينُ﴾ [الفاتحة/ ٤]

﴿وَقَضَى رَبُّكَ أَلَّا تَعْبُدُوا إِلَّا إِيَّاهُ وَبِالْوَالِدَيْنِ إِحْسَاناً...﴾ [الإسراء/ ٢٣].

﴿يُخْرِجُونَ الرَّسُولَ وإِيَّاكُمْ...﴾ [الممتحنة/ ١].

﴿وإِنَّا أَوْ إِيَّاكم لَعَلَى هُدىً أَوْ في ضَلَالٍ مُبِينٍ﴾ [سبأ/ ٢٤].

(يُسمع رَنِينُ الجَرَسِ)

حامد : هذا يومُ زيارةِ المدرسينَ إِيّانا في المهجع. ننتظر المديرَ وإيّاك بعد صلاة العصر.

المدرس : سنزوركم إن شاء الله.

١ - أجب عن الأسئلة الآتيـــة :

(١) ما اسم الطالب الجديد؟

(٢) من علمه اللغة العربية؟

(٣) في أي مسابقة يشترك أسامة وزميلاه؟

٢ - الضمير إمّا مُتَّصِلٌ وإمّا مُنْفَصِلٌ.

فالضمير المنفصل : ما يُبْدَأُ به في النُّطْقِ، وَيَقَعُ بعد (إلّا)، نحو:

(١) أنا مسـلم. (٢) ما فَهِمَ الدَّرْسَ إلّا أنتَ.

(٣) إيّاك رأيتُ. (٤) ما رأيتُ إلا إيّاكَ.

والضمـير المُتَّصِلُ : مالا يُبْدَأُ به في النُّطْق، ولا يَقَعُ بعد (إلّا)، كالتاء والهاء في : رأيتُهُ.

ضمائرُ الرفع المُنْفَصِلَـةُ :

هُوَ. هُما. هُمْ/ هِيَ. هُمَا. هُنَّ/ أَنْتَ. أَنْتُما. أَنْتُمْ/ أَنْتِ. أَنْتُما. أَنْتُنَّ/ أَنَا. نَحْـنُ.

ضمائر الرفع المتصلـة :

(١) تاءُ الفاعلِ المُتَحَرِّكَةُ، كما في: ذهبتُ، ذهبتُما، ذهبتُمْ، ذهبتُنَّ.

(٢) أَلِفُ الاثْنَينِ، كما في: ذَهَبَا، ذَهَبَتَا. يَذْهَبان، تَذْهَبان، اِذْهَبا.

(٣) واو الجماعة، كما في: ذَهَبُوا. يَذْهَبُون. اِذْهَبُوا.

(٤) ياء المخاطبة، كما في: تذْهَبِينَ. اِذْهَبِي.

(٥) نونُ النِّسْوَةِ، كما في: ذَهَبْنَ، يَذْهَبْنَ، اِذْهَبْنَ.

(٦) نـا، كما في: ذَهَبنَـا.

ضمائر النصب المنفصلـة:

إيّاه. إيّاهما. إيّاهم/ إيّاها، إيّاهما، إيّاهن/ إيّاكَ، إيّاكُما، إيّاكم/ إيّاكِ. إيّاكُما، إيّاكُنَّ/ إيّايَ. إيّانا.

ضمائر النصب المتّصلـة:

سَأَلَـهُ. سَأَلَهُمَـا. سَأَلَهُمْ/ سَأَلَها. سَأَلَهُمَـا. سَأَلَهُنَّ. سَأَلَكَ. سَأَلَـكُما. سَأَلَـكُمْ/ سَأَلَكِ. سَأَلَـكُما. سَأَلَـكُنَّ/ سَأَلَني. سَأَلَنا.

(ضمير النصب المتّصل للمتكلّم (الياء) فقط. أما النُّونُ فَيُؤْتَي بها لِوِقَايَةِ ما قبلها من الكَسْر، وتُسَمَّى (نونَ الوِقَايَة).

ضمائر الجَـرِّ: لا تأتي إلا مُتَّصِلَةً، كالكاف في (كتابكِ)، والهاء في (لهُ).

استخرج الضمائر الواردة في الدرس. واذكر نوع كل واحد منها.

٣ - يُؤتى بضمير النَّصب مُنْفَصِلاً:

(١) إذا كان مفعولاً بِهِ، وتقدَّمَ على فِعْلِهِ، نحو: ﴿إِيَّاكَ نَعْبُدُ﴾، إذ أصله «نَعْبُدُكَ».

(٢) إذا وَقَعَ مفعولاً لِمَصْدَرٍ مُضافٍ إلى فاعِلِهِ، نحو: زِيارةُ المديرِ إيَّانا اليومَ. ضَرْبُكَ إيَّاي أشَدُّ من ضَرْبِي إيَّاكَ.

(٣) إذا وَقَعَ بعدَ حرفِ العطف، نحو: رأيتُك وإيَّاهُ. إنّي وإيَّاكَ ناجِحانِ.

(٤) إذا وَقَعَ بعد «إلا» نحو: ما سألتُ إلا إياكَ. لا نعبد إلا إيَّاهُ.

(٥) إذا وَقَعَ بعد ضميرِ نصبٍ مُتَّصِل، نحو: أين مَجَلَّةُ المديرِ؟ أعْطَيْتُهُ إيَّاها.

إذا كان الضميران من رُتبةٍ واحدةٍ وَجَبَ الفصْلُ كما في المثال السَّابق. وإذا اخْتَلَفَا في الرُّتبة جازَ الوصْلُ والفَصْلُ، نحو: أين كتابي؟ أعْطَيْتُكَهُ/ أعْطَيْتُكَ إيَّاهُ.

الضمائرُ ثلاثُ رُتَبٍ، وهي:

(أ) رُتْبَةُ الغائب، وضمائرها: هُوَ، هُما، هُم، هِيَ، هُمَا هُنَّ.

(ب) رُتْبَةُ المُخاطَبِ، وضمائرُها: أنتَ، أنتُما، أنتُمْ، أنتِ، أنتُما، أنتُنَّ.

(جـ) رُتْبَةُ المتَكَلِّمِ، وضمائرُها: أنا، نَحْنُ.

استخرج من الدرس ضمائر النصب المنفصلة، واذكر سببَ الإِتْيانِ بكلّ واحدٍ منها منفصلاً.

٤ - قَدِّم المفعول به على الفعل في كل جملة مما يأتي:

(١) نعبـــدك. إياك نعبـد.

(٢) نَسْـــتَعِينُك. ....

(٣) نَسْـــتَغْفِرُكَ. ....

(٤) رأيتُـــه. ....

(٥) أنادَيْتَني ياأستاذ. ....

(٦) تَطْلُبُها المديرةُ. ....

(٧) سَأَلَهم المديرُ. ....

٥ ـ **تأمل المثال، ثم حَوِّل الجمل الآتية على غِرارها مستعملاً (إلا) :**

(١) رأيتــه. **ما رأيت إلا إياه.**

(٢) نعبـــده. ....

(٣) يُحِبُّني المدرس. ....

(٤) دعانا المدير. ....

(٥) عاقَبَهم المدرس. ....

٦ ـ **ضَعْ في الفراغ فيما يأتي ضميرَ نصب منفصلاً. استعمل النوع المذكور بين القوسين :**

(١) طلب المديرُ أحمدَ و .... (ضمير المتكلم)

(٢) سأل المدرسُ إبراهيمَ و .... أسئلة صعبة. (ضمير المخاطَب)

(٣) إن حامداً و .... ناجحان بتقدير ممتاز. (ضمير المتكلم)

(٤) سأدعو المدرسين و .... إلى مَأْدُبَةٍ إن شاء الله. (ضمير المخاطبين)

(٥) أعرِف أنك و .... مُجْتَهِدان. (ضمير الغائب)

٧ ـ **حول الجملة الآتية على غرار المثال مستعملاً المصدر :**

(١) ننتظر أن يَزُورَنا المدير. ننتظر زِيارَةَ المديرِ إيّانا.

(٢) نريد أن يُخْرِجَه المدرسُ من الفصل. ....

(٣) أُحِبُّكَ أكثرَ مِمَّا تُحِبُّني. ....

٨ - **أجب عن الأسئلة الآتية على غرار المثال :**

(١) أين كتاب المدير؟ أعطيتُه إيّـــاه .

(٢) أين مجلّة المدرس؟ ....

(٣) أين قلم الأخت؟ ....

(٤) أين دفاتر الطلاب؟ ....

(٥) أين دفاتر الأخـوات؟ ....

(٦) أين حقيبة أمي؟ ....

(٧) أين بَرْقِيَّتا حامد؟ ....

(٨) أين رَسائِل المدرسين؟ ....

٩ - **أجب عن الأسئلة الآتية على غرار المثال :**

(١) من علَّمَكَ قِيادَة السيارةِ؟ عَلَّمَنيهَا أخي . علّمني إياها أخي

(٢) من أعطاك هذا الخاتَم؟ ....

(٣) متى تُعْطِيني هذا الكتاب؟ ....

(٤) متى تُرِيني بيتك؟ ....

١٠ - **تمرين شفوي: يقول طالب لآخر: يريد فلان كتابَك/ دفترك/ قلمَك أَفَأُعْطِيه إياه؟ ويجيب الطالب المسؤول: نعم أَعْطِه إياه. أو: لا ، لا تُعْطِه إياه.**

١١ - **(يُسْمَع رَنِينُ الجرسِ). (رَنِينٌ) مصدر (رَنَّ يَرِنُّ) وهو على وزن (فَعِيل).**

هات مصادر الأفعال الآتية على وزن (فَعِيل) :

صَفَرَ يَصْفِرُ .... شَخَرَ يَشْخِرُ .... صَهَلَ يَصْهِلُ ....

١٢ ـ هات جمع : الدُّرْج، والخاتَم.

١٣ ـ هات المضارع والأمر من الأفعال الآتيــة :

تَذَكَّرَ. قَضى . بَسْمَلَ.

(٢٨) الدرسُ الثامن والعَشرونَ

حامــد : قُدوماً مُبَاركاً ياأستاذ. متى قدِمت من السفر؟

المدرس : بارك الله فيك. قدمت البارحة... ياحمزة أَغْلِقْ الباب إغلاقاً وخَفِّفْ سُرعة المِرْوَحَة.

حمــزة : أتكفى هذه السرعة؟

المدرس : لا، لقــد خَفَّفْتَهـا كلَّ التَّخْفيف. أردتُّ أن تخفِّفهـا بعضَ التَّخْفيف. زِدْها زيادةً طَفِيفةً... لقد قرأت الدرس الجديد قِراءَتَيْنِ يوم الأرْبعَاءِ. اِهْتَمَمْت في القِراءة الأولى بالإعراب، وفي أثْناء القراءة الثانية شرحت لكم المُفْرَدات الجديدة شَرْحاً وَجِيزاً. وقبل أن أشرح لكم الدرس شَرْحاً مُفَصَّلاً أريد أن أسمع منكم الآيات الواردة في هذا الدرس، فهاتوها.

حامــد : ﴿وَكَلَّمَ ٱللهُ موسَى تَكْلِيماً﴾[النساء/ ١٦٤].

حمــزة : ﴿وَرَتِّلِ ٱلقُرْآنَ تَرْتِيلاً﴾ [المزمل/ ٤].

علــي : ﴿إنَّ ٱللهَ وَمَلائِكَتَهُ يُصَلُّونَ عَلَى ٱلنَّبِيِّ، يَاأَيُّها ٱلَّذِينَ آمَنُوا صَلُّوا عَلَيْهِ وَسَلِّمُوا تَسْلَيماً﴾ [الأحزاب/ ٥٦].

أسامــة : ﴿فَلْيَنْظُرِ ٱلإِنْسَانُ إلَى طَعامِهِ. أَنَّا صَبَبْنا ٱلْماءَ صَبًّا. ثُمَّ شَقَقْنَا ٱلأَرْضَ شَقّا﴾ [عبس/ ٢٤-٢٦].

الحـارث : ﴿يَـاأَيُّهَا ٱلَّذِين آمَنُوا ٱتَّقُوا ٱلله وَقُولُوا قَوْلاً سَديداً. يُصْلِحْ لَكُمْ أَعْمَالَكُمْ وَيَغْفِرْ لَكُمْ ذُنُوبَكُمْ، وَمَنْ يُطِعْ ٱلله وَرَسُولَهُ فَقَدْ فَازَ فَوْزاً عَظِيماً﴾ [الأحزاب/ ٧٠-٧١].

حامـد : ﴿ٱلـزَّانِيَـةُ وٱلـزَّانِي فَٱجْلِدُوا كُلَّ وَاحِـدٍ مِنْهُمَا مِائَـةَ جَلْدَةٍ﴾ [النور/ ٣].

أسامـة : ﴿وَلَا تَبَرَّجْنَ تَبَرُّجَ ٱلْجَاهِلِيَّةِ الأولَى...﴾ [الأحزاب/ ٣٣].

المدرس : ياأحمد.

أحمـد : لَبَّيْكَ ياأستاذ.

المدرس : أتجلس في الفصل هذا الجلوسَ؟ اِجْلِسْ جِلْسَةَ طالبِ عِلمٍ.

أحمـد : سَمْعاً وطاعَـة.

المدرس : الآن أُمْلِي عليكم كلماتٍ من الدرس إمْلاءً. فاكتبوا.

أسامـة : مَهْلاً ياأستاذ. لَمّا نَسْتَعِدَّ.

١ ـ **أجب عن الأسئلة الآتيـــة :**

(١) متى قدم المدرس من السفر؟

(٢) كم قراءة قرأ المدرس الدرس؟

(٣) من الذي نَبَّهَهُ المدرس للجلوس مناسِباً؟

٢ ـ ورد في هذا الدرس أمثلة للمَفْعُول ٱلْمُطْلَق.

المَفْعُول المُطْلَقُ: مَصْدَرٌ يُذْكَرُ بعد فِعْلٍ مِنْ لَفْظِه تَأْكيداً لِمَعْنَاهُ، أو بَيَاناً لِعَدَدِه، أو بياناً لِنَوْعِه، وقد يكون نائباً عن فِعله.

فالأول، نحو: ﴿وكلَّمَ ٱللهُ موسَى تكليماً﴾.

والثاني، نحو: ضربَني الولدُ ضَرَباتٍ. طُبِعَ الكتابُ طَبْعَتَيْنِ.

والثالث، نحو: حفظت القرآن حِفْظاً جيِّداً. قرأ أحمد الدرس قراءةَ فاهِمٍ.

والرابع، نحو: مَهْلاً. (يقال له: المصدَرُ النائِبُ عن فِعْله).

(فمَهْلاً) ناب عن فعله: (اِمْهَلْ).

قد ينوب عن المصدر ما يَدُلُّ عليه، فَيُعْطَى حُكْمَه في كَوْنِه منصوباً على أنه مفعولٌ مطلقٌ، منها:

(١) كُلُّ وَبَعْض وأيّ مُضَافَةً إلى المصدر نحو:

ــ آخذَني المديرُ بعضَ المُؤاخَذَةِ. ــ أَعْرِفُهُ كلَّ المَعْرِفَـــةِ.

ــ ﴿ وسَيَعْلَمُ الَّذِينَ ظَلَمُوا أيَّ مُنْقَلَبٍ يَنْقَلِبُونَ ﴾. أيَّ نَوْمٍ تَنَام؟

(٢) عَدَدُه، نحو: زرته ثلاثَ زياراتٍ. ضربته عشرين ضَرْبَةً.

(٣) صِفَتُه، نحو: فَهِمْتُ الدَّرسَ جيّداً. (أي: فَهْماً جيّداً»).

(٤) اِسْمُ المصدرِ، نحو: كَلَّمْتُ كَلاَماً. (اسم المصدر اسمٌ يَدُلُّ على ما يدلُّ عليه المصدر، ولكن حروفه أقلُّ منه، فالتَّوَضُّؤُ مصدر والوُضُوء اسمُ مصدر، والتَّقْبيلُ مصدرٌ، والقُبْلَةُ اسمُ مصدرٍ).

(٥) مصدرٌ يُلاقِيه في الاشْتِقاق، نحو: ﴿وَتبَتَّلْ إِلَيْهِ تَبْتِيلاً﴾ [المزمل/٨].

(٦) اسم الإشارة، نحو: أَتَسْتَقْبِلُنِي هذا الاسْتِقْبالَ؟

(٧) ضَميرُه العائِدُ إليه، نحو: اجتهدتُ اجْتِهاداً لم يَجْتَهِدْه غَيْرِي.

(٨) مُرَادِفُه: عِشْتُ حياةً سعيدةً.

يجوزُ حذفُ عامِلِ المفعولِ المطلق الدالِّ على النَّوْعِ والعَدَدِ، نحو: قُدوماً مُبارَكاً أي: قَدِمْتَ قُدوماً مُبارَكاً.

٣ ـ **استخرج من الدرس أمثلة المفعول المطلق، وما ناب عن المصدر، واذكر نوعَه في كل منها.**

٤ ـ **عين المفعول المطلق فيما يأتي، واذكر نوعه:**

(١) **﴿ياأَيُّهَا الَّذِينَ آمَنُوا آذْكُرُوا الله ذِكْراً كثيرا﴾** (الأحزاب ٤١).

(٢) سألني الطالب سُؤَالَ النَّحوِيِّين، فأَجَبْته إِجابَةَ المُفَسِّرين.

(٣) **﴿والله أَنبَتَكُمْ مِنَ الأَرْضِ نَبَاتاً. ثُمَّ يُعِيدُكُمْ فِيهَا وَيُخْرِجُكُمْ إِخْرَاجاً﴾** (نوح ١٧).

(٤) ﴿وَتَأْكُلُونَ التُّرَاثَ أَكْلاً لَمًّا. وَتُحِبُّونَ الْمَالَ حُبًّا جَمًّا﴾ (الفجر ١٩-٢٠).

(٥) سَجَدت سَجْدَتَيْن.

(٦) ﴿ثُمَّ إِنِّي أَعْلَنْتُ لَهُمْ، وَأَسْرَرْتُ لَهُمْ إِسْرَاراً﴾ (نوح ٩).

(٧) قال الشاعر:

فَصَبْراً في مَجَالِ المَوْتِ صبراً فما نَيْلُ الخُلودِ بِمُسْتَطَاعٍ

(٨) حَجًّا مَبْرُوراً.

(٩) تَلَا الإمامُ تلاوةً جميلةً.

٥ - عَيِّن النائبَ عن المصدر فيما يأتي:

(١) في الحديث: «إذا قُمْتَ في صلاتك فَصَلِّ صلاة مُوَدِّعٍ». (رواه أحمد وابن ماجه).

(٢) ﴿فَلَا تَمِيلُوا كُلَّ الْمَيْلِ ...﴾ [النساء/١٢٩].

(٣) يتلو هذا القارىءُ تلاوةً لا يَتْلُوها غيرُه.

(٤) أيَّ كتابةٍ تكتبُ؟

(٥) ﴿نَحْنُ نَقُصُّ عَلَيْكَ أَحْسَنَ الْقَصَصِ...﴾ [يوسف/٣].

(٦) ﴿وَاذْكُرِ اسْمَ رَبِّكَ وَتَبَتَّلْ إِلَيْهِ تَبْتِيلاً﴾ [المزمل/٨].

(٧) حَجَجْتُ عشرين حَجَّةً.

(٨) أَتُعامِلُ أخاك هذه المُعامَلَةَ؟

(٩) قال الشاعر:

وقد يَجْمَعُ الله الشَّتِيتَيْنِ بعدَ ما يَظُنَّانِ كلَّ الظَّنِّ أَنْ لا تَلَاقِيَا

٦ ـ أكمل هذه الجملة (سَجَدتُ ....) بمفعول مطلق يدلّ على العدد/ النوع/ التأكيد.

٧ ـ هات مثالاً لِكلّ ما ينوب عن المصدر الواقع مفعولاً مطلقاً.

٨ ـ هات ثلاثة أمثلة للمصدر النائب عن فعله.

٩ ـ (ضربته ضَرْبَةً). (ضَرْبَةٌ) مثال لِـ(مصدر المَرَّةِ). ومصدرُ المَرَّةِ: هو ما يُذْكَرُ لِبَيَانِ عَدَدِ الفِعْلِ. ويُبْنَى من الفعل الثُّلاثِيِّ المجرّد على وزن (فَعْلَة) بفتح الفاء وسكون العين، نحو: ضربته ضَرْبَةً، وضَرْبَتَيْنِ، وضَرَبَاتٍ وتُلْحَقُ التاءُ بمصدر الفعل غيرِ الثلاثيِّ المجرَّد، نحو: كبّر تكبيرةً، نكبّر أربعَ تكبيرات في الصلاة على الميّت.

وإذا كان بناءُ المصدرِ الأصليِّ بالتاء ذُكِرَ بعده ما يدل على العدد، نحو: رَحِمْتُه رحمةً واحدةً. أَقَمْتُ إقامةً واحدةً. ترجمت الكتاب تَرْجَمَةً واحدةً.

صُغْ مصدر المرّة من الأفعال الآتية :

وقف. أكل. جلس. سَلَّمَ.

١٠ ـ(اجلس جِلْسَةَ طالب علمٍ). (جِلْسَة) مثال لِـ(مصدر الهَيْئَةِ). مصدرُ الهَيْئَةِ : ما يُذْكَرُ للدلالة على هَيْئَة الفعل وصِفَتِه، ويُصَاغُ على وزن (فِعْلَةٍ) بكسرٍ فَسكونٍ، نحو: جِلْسَة من جَلَسَ.

في التنزيل : ﴿فَأَمَّا مَنْ ثَقُلَتْ مَوَازِينُهُ ، فَهُوَ فِي عِيشَةٍ رَاضِيَةٍ﴾ [القارعة/ ٦-٧] .

وفي الحديث : «فإذا قَتَلْتم فأَحْسِنوا القِتْلَةَ» .

ومن الأمثال: أَحَشَفاً وَسُوءَ كِيلَةٍ؟ (الحَشَفُ : أَرْدَأُ التَّمرِ. يُضْرَبُ هذا المَثَلُ لمن يَجْمَعُ خَصْلَتَيْنِ مكروهتين. تقدير الكلام: أتبيعُ حَشَفاً، وتكيلُ سُوءَ كِيلَةٍ؟) .

وقال الشاعر :

مَشَيْنـا مِشْيَـةَ اللَّيْثِ غَـدَا، واللَّيْثُ غَضْبَـانُ

(الّليْثُ: الأَسَدُ. ج لُيُوثٌ) .

صغ مصدر الهيئة من الأفعال الآتيـة :

عاش. مـات. جلس. قتـل.

(لا يُبْنَى مصدر الهيئة من غير الثلاثي المجرد) .

١١ -﴿أَيَّ مُنْقَلَبٍ يَنْقَلِبُونَ﴾ . (مُنْقَلَبٌ) مثال (للمصدر المِيْمِيِّ) وهو ما كان في أوله ميمٌ زائدة، نحو: مَضْرَب، ومَمَات، ومَعْرِفَة، ومَقْدِرَة، ومَوْعِد.

ومن غير الثلاثي المجرّد يأتي على زِنَةِ آسْمِ المفعول، نحو: مُنْقَلَب، مُقَام، مُدخَل، مُخْرَج.

في التنزيل : (١) ﴿وَقَالَ ٱلَّذِينَ كَفَرُوا هَلْ نَدُلُّكُمْ عَلَى رَجُلٍ

يُنَبِّئُكُمْ إذَا مُزِّقْتُمْ كُلَّ مُمَزَّقٍ إِنَّكُمْ لَفِي خَلْقٍ جَدِيدٍ﴾[سبأ/ ٧].

(٢) ﴿فَجَعَلْنَاهُمْ أَحَادِيثَ وَمَزَّقْنَاهُمْ كُلَّ مُمَزَّقٍ. . . ﴾ [سبأ/ ١٩].

١٢ ـ «المصدر الذي يُلاقي في الاشتقاق المصدرَ الواقعَ مفعولاً مطلقاً» شيئان:

(أ) مصدر من باب مختلف، نحو: ﴿وَتَبَتَّلْ إِلَيْهِ تَبْتِيلاً﴾ [المُزَّمل/ ٨].

فـ(تَبْتِيل) من باب «فَعَّلَ»، ناب عن (تَبَتُّل) من باب «تَفَعَّلَ».

إليك مثالين آخرين: ﴿وَلَوْ يُعَجِّلُ ٱللهُ للنَّاسِ ٱلشَّرَّ ٱسْتِعْجَالَهُمْ بِالْخَيْرِ لَقُضِيَ إِلَيْهِمْ أَجَلُهُمْ﴾ [يونس/ ١١]. تَبَسَّمْتُ ابْتِسَاماً.

(ب) مصدر من الفعل المجرد ينوب عن المصدر من المزيد، نحو: ﴿سُبْحَـانَهُ وَتَعَالَى عَمَّا يَقُولُونَ عُلُوّاً كَبِيراً﴾ [الإسراء/ ٤٣]. فـ(عُلُوّ) ينوب عن «تَعَالٍ».

إليك أمثلة أخرى:

أحب الله حباً جماً. اشتريت الساعة شِراءً. تُوُفِّيَ فلانٌ وَفَاةً طَبِيعيَّةً.

(٢٩) الدرسُ التاسع والعِشرون

المدرس : لِمَ تَنظر في الساعة الفَيْنَةَ بعد الفَيْنَة ياعدنان؟

عدنـان : إنَّما أفعل ذلك خوفاً من فَوَات الموعد. فإنّ لي موعداً مُهِمّاً مع الطبيب بعد قليل.

المدرس : هلاّ غِبت عن هذه الحصة.

عدنـان : كان بإمكاني أن أستأذن المدير في الغياب عن هذه الحصة، ولكنني حضرت حُبّاً لِلنَّحو.

المدرس : زادك الله علماً. هكذا يكون الطالبُ المِثَاليُّ: إنما يدرس رَغْبَةً في العلم، لا رَهْبَةً من الامتحان... اقرأ الآيات ياإبراهيم.

إبراهيم : (بعد الاستعاذة) ﴿وَلَا تَقْتُلُوا أَوْلَادَكُمْ خَشْيَةَ إِمْلَاقٍ، نَحْنُ نَرْزُقُهُمْ وإيَّاكُمْ، إنَّ قَتْلَهُمْ كَانَ خِطْأً كَبِيراً﴾ [الإسراء/ ٣١].

﴿يَجْعَلُونَ أَصَابِعَهُمْ فِي آذَانِهِمْ مِنَ ٱلصَّوَاعِقِ حَذَرَ ٱلْمَوتِ﴾[البقرة/ ١٩].

﴿تَتَجَافَى جُنُوبُهُمْ عَنِ ٱلْمَضَاجِعِ، يَدْعُونَ رَبَّهُمْ خَوْفاً وَطَمَعاً وَمِمَّا رَزَقْنَاهُمْ يُنْفِقُونَ﴾ [السجدة/ ١٦].

﴿يَاأَيُّهَا ٱلَّذِينَ آمَنُوا لَا تُبْطِلُوا صَدَقاتِكُمْ بِٱلْمَنِّ وَٱلْأَذى كَٱلَّذِي يُنْفِقُ مَالَهُ رِئَاءَ ٱلنَّاسِ وَلَا يُؤْمِنُ بِٱللهِ وَٱلْيَوْمِ ٱلآخِرِ. . .﴾

[البقرة/ ٢٦٤].

(يدخل المراقب ومعه زهير)

المراقب : (بعد التحيّة) يقول زهير: إنك مَنَعْتَه من الدخول؟

المدرس : إنما مَنَعْتُه تَأْدِيباً فقد أصبح التأخر دَأْبَه ودَيْدَنَه.

المراقب : هَلاّ تَشْكُوه إلى المدير.

المدرس : إنما أصبِر عليه قَصْدَ الإِصْلاحِ . عسى الله أنْ يُصْلِحَه.

١ - أجب عن الأسئلة الآتيــة :

(١) لِمَ ينظر عدنان في الساعة مِراراً؟

(٢) لِمَ حضر الدرس مع أنه مريض؟

(٣) لم منع المدرس زهيراً من الدخول؟

٢ - (حضرت حُبّاً لِلنَّحْوِ). هنا (حُبًّا) مفعول لَهُ.

المفعولُ لَهُ (أو: المفعول لأَجْلِهِ) مصدرٌ يُذْكَرُ لِبَيَان سَبَبِ الفعلِ ، نحو: ﴿ولا تقتلوا أولادكم خَشْيَةَ إِمْلاقٍ﴾.

٣ - استخرج من الدرس أمثلة المفعول له.

٤ ـ عيِّن المفعول له في كل مثال مما يأتي :

(١) قال تعالى : ﴿وَمِنَ ٱلنَّاسِ مَن يَشْرِى نَفْسَهُ ٱبْتِغَآءَ مَرْضَاتِ ٱللَّهِ﴾ [البقرة/٢٠٧].

(٢) أُصَادِقُ زميلي هذا دَفْعاً لِضَرَرِه.

(٣) أتَغَاضَى عن هَفَواتِ أَصْدقائي آسْتِبْقاءً لِمَوَدَّتِهِم.

(٤) نَهى النبي ﷺ أن يُسَافَرَ بالقرآن إلى أرض العَدُوِّ مَخافَةَ أن يَنالَه العدوُّ.

٥ ـ أمام كل جملة مما يأتي آسم. اجعله مفعولاً له، وأكمل به الجملة، واضْبِطْه بالشكل :

(١) لم أخرجْ من البيت اليوم .... من الحرّ. (خَوفٌ)

(٢) التحقت بالجامعة الإسلامية .... في علوم الدين. (رَغْبَة)

(٣) لم أَقْرَع الجرس .... أن يستيقظَ المريض. (مَخافة)

(٤) قمت .... للمدرس. (إجلال)

(٥) أَقرأ الصحف .... الاطّلاع على أحوال المسلمين في العالم. (بُغْيَةٌ)

(٦) لا أزال أَلبس ملابسَ الصُّوفِ .... أن يُصِيبَني بردٌ. (خَشْيَة)

٦ ـ (هَلّا غبت عن هذه الحِصَّة/ هلاّ تَشْكُوه إلى المدير). (هَلّا) حرف التَّحْضِيض والتَّنْدِيم.

إذا دخلتْ على المضارع فهي لِلْحَضِّ على العمل، نحو: هلاّ تزورني.

وإذا دخلتْ على الماضي كانت لجَعْلِ الفاعل يَنْدَمُ على فَواتِ الأمر، نحو: هلاّ ٱجتهدتَ.

هناك أحرف أخرى للتحضيض والتنديم، وهي: ألّا، ألا، لَوْما، لَوْلا.

نحو: ألا تتوب من ذنبك.

٧ ـ هات مفرد الأسماء الآتية:

أَصَابِع. صَواعِق. جُنُوب. مَضَاجِع. صَدَقات.

٨ ـ يدخل كل طالب (دَأْبِي وَدَيْدَني) في جملة.

٩ ـ يدخل كلّ طالب (هَلّا) في جملتين، تكون في الأولى للتحضيض وفي الأخرى للتنديم.

١٠ ـ (رغبةً في العلم، لا رهبةً من الامتحان). هذه «لا» العَاطِفَةُ، ويُعْطَفُ بها لإخراج الثاني مما دَخَلَ فيه الأوَّلُ. وشرطُ معطوفِها أن يكون مفرداً (أي غير جملة)، ويكون بعد الإيجاب أو الأمر، نحو:
(أ) سافَرَ بلالٌ، لا محمدٌ. اشتريت الدَّجاجة مذبوحةً، لا حيَّةً.
(ب) اسألِ المديرَ، لا المدرسَ. كُل التفَّاحَ، لا الموزَ.

(٣٠) الدرسُ الثلاثـــون

المدرس : أَشْتريتَ الأشياء المطلوبةَ لِصُنْع اللّوْحات النَّحْوية ياأحمد؟

أحمـــد : نعم. اشتريت مِتْرَيْنِ وَرَقاً، وخمسةَ عشرَ قلماً بأَحْجامٍ وألوان مختلفة.

المدرس : تعال ياعلي، واكتب هذه الآيات على السبورة.

علـــي : ليكتبها أحمد فإنه أحسنُ منّي خَطًّا.

(يكتبها أحمـــد)

المدرس : اقرأ هذه الآيات يازهـــير.

زهـــير : ليقرأها حامد فإنه أحسنُنا تِلاوةً وأجملُنا صوتاً.

حامـــد : (بعد الاستعاذة والبسملة) ﴿وَمَنْ أَحْسَنُ قَوْلاً مِّمَّنْ دَعَا إِلَى ٱللهِ وَعَمِلَ صَالِحاً، وَقَالَ إِنَّنِي مِنَ ٱلْمُسْلِمِينَ﴾ [فصلت/ ٣٣].

﴿فَمَنْ يَعْمَلْ مِثْقَالَ ذَرَّةٍ خَيْراً يَرَهُ. وَمَنْ يَعْمَلْ مِثْقَالَ ذَرَّةٍ شَرّاً يَرَهُ﴾ [الزلزال/ ٧-٨].

المدرس : ما شاء الله! أَحْسِنْ بِكَ قارِئاً! مَلأَ الله قُلْبَك سُروراً كما ملأت قلوبنا بَهْجَةً وسروراً... اقرأ الحديث ياعليّ.

علـــي : عن نافعٍ عن عبدالله قال: «أمر النبيّ ﷺ بِزكاة الفِطْرِ صَاعاً من تَمْرٍ أو صاعاً مِنْ شَعِيرٍ». (رواه الشيخان وغيرهما).

١ - أجب عن الأسئلة الآتيــة :

(١) ما الأشياء التي اشتراها أحمد لصنع اللوحات النحوية؟

(٢) من الذي كتب الآيات على السبّورة؟

(٣) من الذي قرأهــــا؟

٢ - (اشتريتُ مِتْرَيْنِ وَرَقاً) هنا (وَرَقاً) تَمْييزٌ.

التَّمْييزُ : اسمٌ نَكِرَةٌ مُتَضَمِّنٌ معنى (مِنْ) لِبيان ما قبله من إجْمالٍ ، نحو:

(١) عندي مِتْرٌ حَريراً.

(٢) حَسُنَ حامدٌ خُلُقاً.

فتقدير الجملتين:

(١) عندي مترٌ مِنْ حريرٍ.

(٢) حَسُنَ حامدٌ مِنْ جِهَةِ خُلُقِه.

التمييز نوعــان :

(١) تَمْييزُ الذَّاتِ.

(٢) وتمييز النِّسْبَةِ.

تمييز الـذات :

هو الواقعُ بعدَ المَقَادِيرِ، والمقاديرُ أربعةُ أنواعٍ :

(١) العَدَدُ، نحو: ﴿ياأَبَتِ إنّي رأيْتُ أَحَدَ عَشَرَ كَوْكَباً﴾ كم كتاباً قرأت؟

(٢) المَمْسُوحات، نحو: عندي ذِرَاعُ أرْضاً.

(٣) المكِيلات، نحو: أعطيته صاعاً تَمْراً.

(٤) المَوْزونات، نحو: أعندك رِطْلُ سَمْناً؟

ويُلْحَقُ به الدالُّ على ما يُشْبِهُ المِقْدارَ، نحو:

(١) ما في السماء قَدْرُ رَاحَةٍ سَحاباً.

(٢) عندي جَرَّةٌ ماءً. أريد كِيساً دَقِيقاً.

(٣) ﴿فَمَنْ يَعْمَلُ مِثْقَالَ ذَرَّةٍ خَيْراً يَرَهُ﴾.

حكمـــه :

يجوزُ نَصْبُه نحو: عندي مترٌ حريراً.

ويجوز جرّه بـ (مِنْ)، نحو: عندي مترٌ مِنْ حريرٍ.

كما يجوز جرّه بالإضافة، نحو: عندي مِتْرُ حَرِيرٍ.

وقد يضاف الدّالُّ على المِقْدار إلى غير التمييز، نحو: ما في السَّماء قَدْرُ راحةٍ سحاباً. ﴿فَلَنْ يُقْبَلَ مِنْ أَحَدِهم مِلْءُ الأرضِ ذَهَباً﴾ [آل‌عمران/ ٩١]. «مِلء كَفٍّ مِنْ دَمٍ». (البخاري، الأحكام ٩).

تمييز النسبـــة :

هو ما فَسَّرَ جملةً مُبْهَمَةَ النِّسْبَةِ، نحو: حَسُنَ هذا الطالبُ خُلُقاً.

فإن نَسْبَةَ الحُسْنِ إلى الطالب مُبْهَمَةٌ تَحْتَمِلُ أُموراً كثيرةً، فجاء التمييز (خُلُقاً) لإزالَة هذا الإبْهام.

من تمييز النسبة ما كان أصلُه فاعلاً، نحو: حَسُنَ الطالبُ خُلُقاً،

تقديره: حَسُنَ خلَقُ الطالب.

ومنه ما كان أصله مفعولاً، نحو: وفَجَّرْنا الأرضَ عُيوناً. تقديره. فَجَّرْنا عُيُونَ الأرضِ.

حكمه أنه منصوب، ولا يجوز جرّه.

(فيه تَفْصِيلٌ ستدرسه فيما بعد إن شاء الله).

٣ - استخرج ما في الدرس من أمثلة التمييز، واذكر نوع كل واحد منها.

٤ - عين التمييز فيما يلي، واذكر نوعه:

(١) أنا أكبرُ منك سِنّاً.

(٢) اِشْتَرِ كيلو غراماً سُكَّراً، ولِتْرَينِ لَبَناً.

(٣) قرأت عشرين صفحةً.

(٤) طابَ المدرِّسُ نَفْساً.

(٥) غَرَسَتْ البَلَدِيَّةُ الشَّوارعَ شَجَراً.

(٦) ﴿ومَنْ أحْسَنُ مِنَ اللهِ حُكْماً﴾ [المائدة/٥٠].

(٧) ﴿كالَّذِينَ مِنْ قَبْلِكُمْ كَانُوا أَشَدَّ مِنْكُمْ قُوَّةً وأَكْثَرَ أموالاً وأوْلاداً﴾ [التوبة/٦٩].

(٨) ﴿وحَسُنَ أولئِكَ رَفِيقاً﴾ [النساء/٦٩].

٥ - أكمل كل جملة مما يأتي بـ(تمييز) مناسب:

(اشتريت (مِتْراً) ....

(٢) اِمْلأ الكوب ....

(٣) حامد أكثرُ الطلابِ ....

(٤) مَنْ أَحْسَنُكم .... ؟

(٥) أريد غِـــراماً ....

٦ - (عندي صاعٌ بُراً). اجعل التمييز في هذه الجملة مجروراً بـ(من) مرة، وبالإضافة مرة أخرى.

٧ - (صُنْعٌ) مصدر (صَنَعَ يَصْنَعُ) وهو على وزن (فُعْل). هات مصادر الأفعال الآتية على وزن (فُعْل):

شَـرِبَ. شَكَرَ. وَدَّ. زَهِـدَ. سَكِــرَ.

٨ - تمرين شفوي: يقول كل طالب: أنا أحسنُ الطلابِ .... مستعملاً تمييزاً مناسباً.

٩ - لِلتَّعَجُّب صِيغتـان: (مـا أَفْعَلَهُ!) و(أَفْعِـلْ بِهِ!). نحو: ما أَجْمَلَ السيارةَ! أَجْمِلْ بالسيَّارةِ!

في التنزيل: ﴿أَبْصِرْ بِهِ وأَسْمِعْ﴾ [الكهف/ ٢٦].

﴿أَسْمِعْ بِهِمْ وأَبْصِرْ يومَ يأتُونَنَا﴾ [مريم/ ٣٨].

﴿فَمَا أَصْبَرَهُمْ عَلَى النَّارِ﴾ [البقرة/ ١٧٥].

تَعجَّبْ مما يأتي مستعملاً فِعْلَي التَّعَجُّب:

(١) كَثْرَة النُّجوم. (٢) سُهُولَة اللغة العربيَّة.

(٣) بُعْد السَّمـــاء. (٤) حُسْن اللَّبَن.

(٥) قُرْب الامتحان.

١٠ - تأمَّل المثال، ثم أدخل «مِلْء» في خمس جمل على غِراره:

أرِيد مِلْء كفٍّ سُكَّراً.

(٣١) الدرس الحادى والثلاثـــون

المدرس : مالَك مُتْعَباً ياأحمـــد؟

أحمــــد : سمعت رَنِين الجرس وأنا في غرفتي، فجئت مُسْرِعاً، فَتَعِبت.

المدرس : أين سمـــير؟

علـــي : ضاعت ساعته، فخرج يَبْحَثُ عنها.

المدرس : وأين زهير وصديقاه؟

أحمــــد : رأيتهم خارجين من المطعم.

المدرس : اقرأ الآيات ياأحمد. (يقف أحمد) اقرأ جالساً.

أحمــــد : أحبّ أن اقرأ واقفاً. (يستعيذ ويبسمل) :

﴿رَبِّ ٱغْفِرْ لِي وَلِوالِدَيَّ وَلِمَنْ دَخَلَ بَيْتِيَ مُؤْمِناً﴾ . [نوح/٢٨].

﴿وَجَاءُوا أَبَاهُمْ عِشَاءً يَبْكُونَ﴾ [يوسف/١٦].

﴿أَلَمْ تَرَ إِلَى ٱلَّـذِيـنَ خَرَجُـوا مِنْ دِيـارِهِـمْ وَهُـمْ أُلُـــوفٌ﴾ . [البقرة/٢٤٣].

﴿أَيُحِبُّ أَحَدُكُمْ أَنْ يَأْكُلَ لَحْمَ أَخِيهِ مَيْتاً﴾ [الحجرات/١٢].

المدرس : اقرأ الحديث ياعلي .

علـــي : عن أبي موسى الأشعري قال: قال رسـول الله ﷺ : «إذا

مَرِضَ العَبْدُ أو سافر كُتِبَ له مِثْلُ ما كان يعمل مُقِيماً صَحِيحاً». (رواه البخاري).

المدرس : اقرأ البَيْتَ ياأبابكر.

أبوبكر : حَتَّى مَتَى أنتَ في لَهْوٍ وفي لَعِبٍ؟

والموتُ نَحْوَكَ يَهْوِي فاتِحاً فاهُ

(يرن الجرس ويخرج المدرس قائلاً: وَفَّقَكم الله والسلام عليكم ورحمة الله وبركاته).

١ ـ أجب عن الأسئلة الآتية :

(١) لماذا كان أحمد مُتْعَباً؟

(٢) لم خرج سمير؟

(٣) من الذي قرأ البيت؟

٢ ـ (جئتُ مُسْرِعاً) هنا (مسرعاً) حَال.

الحَالُ : وَصْفٌ فَضْلَةٌ يُذْكَرُ لِبَيَانِ هَيْئَةِ صاحِبه، نحو: جاء حامدٌ راكباً درّاجتَه. اشتريت الدجاجةَ مَذْبوحةً. هذا أستاذُنا داخلاً الفصل.

وصاحب الحال :

إما فاعل، نحو: خرج الطلابُ من قاعة الامتحان مسرورينَ.

وإما نائب فاعل : نحو: يُؤكَل اللحمُ مطبوخاً.

وإما مفعول به، نحو: اشتريت الكتابَ مُجَلَّداً.

وإما خبر، نحو: هذا الهلالُ طالعاً.

وإما مبتدأ، نحو: دخلت على المدير، وعنده مدرسُنا جالساً.

الأصلُ في صاحبِ الحالِ أن يكون معرفةً، وقد يكون نَكِرَةً عند وجود مُسَوِّغٍ، وهو أحد أمور أربعة:

(١) أن تَتَقَدَّمَ عليه الحالُ، نحو: جاءني سائلاً طالبٌ.

(٢) أن يُخَصَّصَ بِوَصْفٍ أو إِضافَةٍ، نحو: جاءني طالبٌ مُواظِبٌ مُسْتَأذِناً في الخروج. جاءني طبيبُ أسنانٍ مُسْتَفْتياً.

(٣) أن يَسْبِقَه نَفْيٌ أو نَهْيٌ أو ٱسْتِفْهامٌ، نحو: ما جاء اليوم أحدٌ متأخراً. لا يدخلْ أحدٌ قاعةَ الامتحانِ حاملاً حقيبتَه. أجاء اليومَ أحدٌ متأخراً؟

(٤) أن تكون الحال بعده جملةً مقرونةً بالواو، نحو: ﴿أَوْ كَالَّذِي مَرَّ عَلَى قَرْيَةٍ وَهِيَ خَاوِيَةٌ عَلَى عُرُوشِهَا﴾. [البقرة/ ٢٥٩].

وقد تَجيءُ الحالُ من النكرة بلا مُسَوِّغٍ كما في هذا الحديث:

«صلّى رسول الله ﷺ قاعداً، وصلّى وراءه رجالٌ قِياماً».

الحال الجملة:

قد تكون الحال جملةً ٱسميةً أو فعليّةً، نحو:

(١) جلست أَسْتَمِعُ إلى تلاوة القرآن الكريم من الإذاعة.

(٢) التحقت بالجامعة وقد تَخَرَّجَ أخي.

(٣) حفظت القرآن وأنا صغير. جاء الجريح دَمُه يَتَدَفَّقُ.

تشتمل الحال الجملة على رابطٍ يَرْبِطُها بصاحبِها. والرابط:

(أ) إمّا الضمير وحده، نحو: ﴿جاءوا أباهم عِشاءً يبكون﴾.

(ب) وإما الواو وحدها، نحو: وصلت إلى مكة والشمسُ تَغْرُبُ.

(جـ) وإما الواو والضمير معاً، نحو: ﴿خَرَجُوا مِنْ دِيَارِهِمْ وَهُمْ أُلوفٌ﴾.

٣ ـ استخرج من الدرس ما ورد فيه من أمثلة الحال.

٤ ـ عين الحال وصاحبها فيما يلي:

(١) دخلت المستشفى مريضاً، وخرجت منه مُعَافيً، والحمد لله.

(٢) أحبّ اللحمَ مَشْوِيّاً، والسَّمَكَ مَقْلِيّاً، والبَيْضَ مَسْلوقاً.

(٣) ماذا قال لك المدرس مُشِيراً بيده إليّ؟

(٤) مالَكَ حزيناً؟

(٥) جاءتني الطفلة باكيةً، ورجعت ضاحكةً.

(٦) قابلتُ أخواتي راجعاتٍ من المدرسة.

(٧) كلَّمِني المدرسُ ماشِيَيْنِ.

(٨) أمَوْزوناً يُباعُ التمرُ أم مَكِيلاً؟

(٩) لم صلّيت قاعداً؟

(١٠) هؤلاء أبنائي خارجين من البيت.

(١١) حامدٌ مُفْرَداً أقْوىَ من أعدائِه مُجْتَمِعِينَ.

(١٢) أراكبين جئتم أمْ ماشِينْ؟

(١٣) قال تعالى: ﴿وَمَا خَلَقْنَا ٱلسَّمَآءَ وَٱلْأَرْضَ وَمَا بَيْنَهُمَا لَٰعِبِينَ﴾ [الأنبياء/١٦].

٥ - أكمل الجمل الآتية بوضع الحال الواردة في المثال في الأماكن الخالية بعد تغييرها لتناسب صاحبها، عِلْماً بِأنَّ الحالَ تُطابِقُ صاحبَها في الإفراد والتثنية والجمع؛ وفي التذكير والتأنيث:

(١) دخل الطالب قاعةَ الامتحانِ خائفاً.

(٢) دخل الطلاب قاعة الامتحان ....

(٣) دخلتِ الطالبة قاعة الامتحان ....

(٤) دخلتِ الطالبات قاعة الامتحان ....

٦ - عين الجملة الحالية فيما يأتي، واذكر الرابط في كل واحدة منها:

(١) حججت وأنا صغير.

(٢) ﴿لا تَقْرَبُوا الصلاة وأنتم سُكَارَى﴾.

(٣) خرجنا نَتَنَزَّهُ.

(٤) وصل الطبيب وقد مات الجريح.

(٥) جلست الطالبات يَكْتُبْنَ الواجبات.

(٦) قال النبي ﷺ: «ياأيها الناس، أَفْشُوا السَّلام، وأَطْعِمُوا الطعام، وصِلُوا

الأرْحام، وصَلُّوا بالليل والناسُ نِيَامٌ». (رواه الترمذي وابن ماجه وأحمد والدارمي).

٧ - يقول كل طالب: جلست اقرأ/ أكتب/ ألعب

٨ - (فاتحاً فَاهُ). (فُو) من الأسماء الخمسة. تقول: فُوهُ صغيرٌ. افتح فاكَ. يقول بِفِيْهِ ماليس في قلبه.

٩ - (لَعِبٌ) مصدر (لَعِبَ يَلْعَبُ)، وهو على وزن (فَعِل).

هات المصدر من «كَذَبَ، وضَحِكَ» على وزن «فَعِل».

١٠ - هات مضارع: (هَوَى) و(أَفْشَى).

١١ - هات جمع (بيت) بمعنى بَيْتِ شِعْرٍ، وجمعَ «فمٍ».

١٢ - هات مفرد: أرْحام، وسُكارَى.

١٣ - «نِيَامٌ» جمعُ «نَائِمٍ، ونائِمةٍ» مثل «قِيَام» جمع «قائِمٍ، وقائِمةٍ».

قال تعالى: ﴿ٱلَّذِينَ يَذْكُرُونَ ٱللهَ قِيَامًا وَقُعُودًا وَعَلَى جُنُوبِهِم...﴾. و«قُعُود» جمع «قاعد، وقاعدة». في الحديث: «خرج رسولُ الله ﷺ فَإذا نِسْوةٌ جُلُوسٌ». (رواه ابن ماجه في الجنائز ٥٠).

(٣٢) الدرس الثَّاني والثلاثــــون

علـــــي : ما نَتِيجة الاختبار الشهريّ ياأستاذ؟

المدرس : نجح الطلابُ كلُّهم إلّا واحداً مِنْهُم .

إبراهيم : أخشَى أن أكون إيّـــــاه .

المدرس : نعم ، أنت ذاك .

إبراهيم : كيف رسبت وقد أجبت عن الأسئلة كلِّها إلّا الأوّلَ .

المدرس : الأول هو المُهِمُّ ، ولـه ثلاثـون دَرَجَـةً . ياإخـوان ٱجتهدوا ٱجتهاداً فقد ٱقترب الامتحان النهائيّ ، ولم يبقَ إلّا شهرٌ واحدٌ أو أقلُّ .

زهـــير : كم درساً ندرس للامتحـــــان؟

المدرس : ندرس الكتابَ كلَّه إلّا الدرسَينِ الأخيرَيْن إن شاء الله .
(يسجِّل الغِياب) مَنْ غائبٌ اليوم؟

علـــــي : ما غاب اليوم إلّا حامـــدٌ .

زهـــير : أين دفتري ياأستاذ؟

المدرس : هو معي . سَأُعْطِيكَهُ غداً إن شاء الله . لقد صحَّحْت الدفاترَ كلَّها إلّا إياه . . . في الحِصّة السابقة شرحت لكم الدرس إلا جُمَلًا منه . إذا أردتم أُعِيدُ شَرْحَه قبل أن أشرح الجمل التي لم تُشْرَح بَعْدُ .

إبراهيم : لا حاجَةَ إلى إعادة شرحه ياأستاذ، فقد فهمناه.

علـــي : أرجو أن تعيد شرحه ياأستاذ، فلم يفهمه أحدٌ إلا إبراهيمَ.

المدرس : إذن نُعِيدَ قراءة الأمثلة الواردة في الدرس. اقرأ الآيات يازهير.

زهـــير : (بعد الاستعاذة) ﴿وَإِذْ قُلْنَا لِلْمَلائِكَةِ: ٱسْجُدُوا لآدَمَ فَسَجَدُوا إِلَّا إِبْلِيسَ، أَبَى وَٱسْتَكْبَرَ وكَانَ مِنَ ٱلكَافِرِينَ﴾ [البقرة/ ٣٤].

﴿فشَرِبُوا مِنْهُ إِلَّا قَلِيلاً مِنْهُمْ﴾ [البقرة/ ٢٤٩].

﴿مَا فَعَلُوهُ إِلَّا قَلِيلٌ مِنْهُمْ﴾ [النساء/ ٦٦].

﴿فَهَلْ يُهْلَكُ إِلَّا القَوْمُ ٱلفَاسِقُونَ﴾ [الأحقاف/ ٣٥].

المدرس : اقرأ الحديث ياعلي.

علـــي : عن عَمْرِو بْنِ ٱلْحارِث قال: «ما تَرَكَ رسولُ الله ﷺ دِيناراً ولا دِرْهَماً ولا عَبْداً ولا أَمَةً إلّا بَغْلَتَه البَيْضاءَ التي كان يَرْكَبُها، وسِلاحَه، وأرضاً جعلها لِابْنِ السَّبيلِ صَدَقَةً». (رواه البخاري).

المدرس : اقرأ البيت ياإبراهيم.

إبراهيم : أَلَا كُلُّ شيءٍ ما خَلا الله باطِلُ   وكلُّ نَعِيمٍ لا مَحالَةَ زائِلُ

(يدخل المراقب)

المراقب : يَنْصَرِفُ جميعُ الطلابِ الآن مَاعَدا الطلابَ الأوربيّين، فلهم اجتماع مع المدير.

المدرس : كيف كان حفلُ الشّايِ أمس. أنا لم أَتَمَكَّنْ من الحضور.

المراقب : كان مُمْتِعاً. قد حضر الطلابُ كلُّهم إلّا المدرسينَ.

١ - أجب عن الأسئلة الآتيـــة :

(١) من الذي رسب في الاختبار الشهري؟ وله؟

(٢) كم درساً يدرس الطلاب للامتحان؟

(٣) من الذي غـــاب؟

٢ - (نجح الطلاب كلُّهم إلّا واحداً) هنا (واحداً) مُسْتَثْنىً.

الاِسْتِثْنَاءُ : إخْراجُ ما بَعْدَ أداةِ الاستثناءِ مِنْ حُكْمِ ما قَبْلَها، فإذا قلنا: (نجح الطلابُ إلّا حامداً)، أَثْبَتْنا النَّجاحَ للطلّاب ونَفَيْنَاهُ عن حامدٍ.

وله ثلاثة أركانٍ :

(١) المُسْتَثْنَى. (٢) المُسْتَثْنَى مِنه. (٣) أَدَاةُ الاسْتِثْنَاءِ.

نجح الطلابُ	إلّا	حامـــداً.
المستثنى منه	أداة الاستثناء	المستثنى

أَدواتُ الاستثناءِ كثيرةٌ، أهمُّهـــا :

(أ) إلّا، وهي حَــرْفٌ.

(ب) غَير وسِوَى، وهما اَسْمانِ.

(جـ) مَا خَلا ومَاعَدا، وهما فِعْــــلانِ.

أقسام الاستثناء :

* الاستثناء إمّا مُتَّصِلٌ، وإمّا مُنْقَطِعٌ.

فالمتّصِـلُ : أن يكـون المُسْتَثْنَى بَعْضاً ممّا قبلَه، نحو: نجح الطلاب إلّا حامداً، فـ(حامد) أحد الطلاب وهو من جِنْسِهم.

والمنقطع أن لا يكون المستثنى بعضاً ممّا قبله، نحو: لِكُلِّ دَاءٍ دَواءٌ إلّا المَوْتَ، فـ(الموتُ) ليس من جِنْسِ الدَّاءِ.

* وكذلك الاستثناءُ إمّا تامٌ، وإما مُفَرَّغٌ.

فالتامّ : ما ذُكِرَ فيه المُسْتَثْنَى منه، نحو: حفظت القُرآنَ إلّا سورةَ البَقَرةِ.

والمُفَرَّغُ : ما لم يُذْكَرْ فيه المستثنى منه، نحو: ما جاءَ إلّا حامدٌ.

* وكذلك الاستثناءُ إمّا مُوجَبٌ، وإمّا غيرُ مُوجَبٍ.

فالموجَبُ ما خَلا مِن النَّفْيِ، والنَّهْيِ والاسْتِفْهَامِ.

وغيرُ الموجَبِ ما تَضَمَّنَ النفْيَ أو النهْيَ أو الاستفهامَ.

أحْكامُ المستثنى بـ (إلا).

ـ حكم المستثنى في الاستثناء المتصل.

(١) وجوب النصب : يَجِبُ نصبُه إذا كان الاستثناءُ تامّاً موجَباً، نحو:

(أ) حضر الطلابُ إلا حامداً.

(ب) رأيت الطلابَ إلا حامداً.

(جـ) اتّصلت بالطلابِ إلا حامداً.

(٢) جوازُ النصبِ والاتْباع : يجوزُ نصبُه وإتْباعُه لِمَا قَبْلَه في الإعراب إذا كان الاستثناء تامّاً غيرَ موجَبٍ، نحو:

(أ) ما حضر الطلابُ إلا حامداً/ حامدٌ.

(ب) ما سألت الطلابَ إلا حامداً/ حامداً.

(جـ) ما اتصلت بالطلابِ إلا حامداً/ حامدٍ.

(أ) لا يخرجْ أحدٌ إلا حامداً/ حامدٌ.

(ب) لا تسألْ أحداً إلا حامداً/ حامداً.

(جـ) لا تَتَّصِلْ بأحدٍ إلا حامداً/ حامدٍ.

(أ) هل غاب أحدٌ إلا حامداً/ حامدٌ؟

(ب) هل رأيت أحداً إلا حامداً/ حامداً؟

(جـ) هل اتصلتَ بأحدٍ إلا حامداً/ حامدٍ؟

(٣) إعـرابُه بِحَسَبِ ما يَقْتَضِيه العاملُ: يُعْرَبُ بحسب ما يَقْتَضِيه العاملُ - كما لو كانت (إلّا) غيرَ موجودةٍ - إذا كان الاستثناءُ مفرَّغاً نحو :

(أ) ما جاءَ إلّا حامدٌ. (ما جاءَ حامدٌ)

(ب) ما سألتُ إلّا حامداً. (ما سألتُ حامداً)

(جـ) ما اتصلتُ إلّا بحامدٍ. (ما اتصلتُ بحامدٍ).

(أ) لا يخرجْ إلا حامدٌ.

(ب) لا تسألْ إلا حامداً.

(أ) هل جاءَ إلا حامدٌ؟

(ب) هل رأيتَ إلا حامداً؟

ـ حكم المستثنى في الاستثناء المُنْقَطِع :

يجب نصبُه في جميع الأحوالِ، نحـو :

(أ) حضر الطلابُ إلا المدرسَ.

(ب) ما حضر الطلابُ إلا المدرسَ.

ـ حكم المستثنى بـ (غير وسـوى)

حكمُـه الجرُّ بالإضـافـة. وتُعْرَبُ (غير) بما كان يُعْرَبُ به المستثنى مع (إلا) :

(١) جاء الطلاب غيرُ حامدٍ (جاء الطلاب إلا حامداً).

(٢) ماجاء الطلابُ غيرُحامدٍ. (ماجاء الطلابُ إلا حامداً/ حامدٌ).

(٣) ماجاء غيرُحامدٍ. (ماجاءَ إلا حامدٌ).

(٤) ماسألت غيرَحامدٍ. (ماسألت إلا حامداً).

ـ حكم المستثنى بـ (مَا خَلَا، ومَا عَدَا):

حكمه النصبُ، نحو: جاء الطلاب ما خلا حامداً/ ما عدا حامداً.

٣ ـ استخرج من الدرس ما ورد فيه من أمثلة الاستثناء، واذكر نوع كل واحد منها، وإعرابه.

٤ ـ عين المستثنى والمستثنى منه فيما يأتي، واذكر نوع الاستثناء في كل مثال:

(١) ﴿وَلَا تَقُولُوا عَلَى ٱللَّهِ إِلَّا ٱلْحَقَّ﴾ [النساء/١٧].

(٢) ﴿وَلَا يَلْتَفِتْ مِنكُمْ أَحَدٌ إِلَّا ٱمْرَأَتَكَ﴾ [هود/٨١].

(٣) ﴿وَمَن يَغْفِرُ ٱلذُّنُوبَ إِلَّا ٱللَّهُ﴾ [آل عمران/١٣].

(٤) ﴿وَقَضَىٰ رَبُّكَ أَلَّا تَعْبُدُوا إِلَّا إِيَّاهُ﴾ [الإسراء/٢٣].

(٥) ﴿وَمَا يُهْلِكُنَا إِلَّا ٱلدَّهْرُ﴾ [الجاثية/٢٤].

(٦) ﴿فَإِنَّهُمْ عَدُوٌّ لِّي إِلَّا رَبَّ ٱلْعَالَمِينَ﴾ [الشعراء/٧٧].

٥ ـ أمام كل جملة مما يأتي اسم. اجعله مستثنى بـ (إلا) وأكمل به الجملة:

(١) يغفر الله الذنوبَ كلَّها إلا .... (الشِّرْكُ)

(٢) زارني جميعُ زُملائي إلا .... (ٱثْنَانِ)

(٣) نجح الطلاب كلُّهم إلا .... (المتأخِّرون)

(٤) حفظت القرآن إلا .... (سُورتـان)

(٥) زرت البلاد الإسلامية كلها إلا .... (باكِستانُ)

(٦) ساعدني جميع زملائي إلا .... (أنـت)

(٧) فهمت المسائِلَ النَّحْوِية كلَّها إلا .... (الاسْتِثْنَاء)

(٨) قرأت الكتاب كله إلا .... منه (صَفَحاتٌ)

٦ - **أمام كل جملة مما يأتي اسم. اجعله مستثنى بـ(إلا) وأكمل به الجملة :**

(١) ما رَسَبَ أحدٌ إلا .... (خالـدٌ)

(٢) ما أكلت شيْئاً إلا .... (تَمْرَتانِ)

(٣) لم يسافِرْ الطلابُ في عطلة الربيع إلا .... (بَعْضُهم)

(٤) لا تَتَّصِلْ بِأَحَدٍ إلا .... (المديرُ)

(٥) هل يَغْفِرُ الذنوبَ أحدٌ إلا .... (الله)

(٦) ما سألت أحداً إلا .... (هـو)

٧ - **أمام كل جملة مما يأتي اسم. اجعله مستثنى بـ(إلا) وأكمل به الجملة :**

(١) ما فهم الدرسَ إلا .... (إبراهيمُ)

(٢) ما مات في الحادث إلا .... (السائقُ)

(٣) ما يحبّ المدرِّسُ إلا .... (المجتهـدُ)

(٤) هل يرسُب إلا .... (الكَسْلان)

(٥) ما أكلت إلا .... (بُرْتُقالَتانِ)

(٦) ما سأل المدرسُ إلا .... (أنـا)

(٧) ما كنت إلا .... (مـــدرس)

٨ ـ **أمام كل جملة فيها يأتي اسم . اجعله مستثنى بـ(إلا) وأكمل به الجملة :**

(١) كتبت الرسالة إلا .... (العُنْوان)

(٢) ما يتناول المريض الطعام إلا .... (الـدَّواء)

(٣) غَادَرَ الحجّاج مِنىً إلا .... (الشُّرْطة)

(٤) ما أحضـرت الكتب إلا .... (الدفـاتر)

(٥) ما مات الركّاب في الحادث إلا .... (المُشَـاة)

٩ ـ **أكمل كل جملة مما يأتي بمستثنى مناسب :**

(١) ما ظَنَنْتُك إلا ....

(٢) أحبّ الفَوَاكِهَ كلّها إلا ....

(٣) ما رسب الطلاب إلا ....

(٤) ما غاب اليوم إلا ....

(٥) ما أرغَب في شيء إلا ....

(٦) ما كتبت شيئاً إلا ....

١٠ ـ **(أَلَا كلُّ شيْءٍ . . .) . (أَلَا) حرفُ ٱسْتِفْتَاحٍ وَتَنْبِيهٍ ، نحو: ﴿أَلَآ إِنَّهُمْ هُمُ ٱلسُّفَهَاءُ﴾** [البقرة/١٣] . **﴿أَلَآ إِنَّ أَوْلِيَاءَ ٱللهِ لَا خَوْفٌ عَلَيْهِمْ وَلَا هُمْ يَحْزَنُونَ﴾** [يونس/٦٢] .

١١ ـ **هات جمع الأسماء الآتيــة :**

دِينـار. دِرْهــم. عَبْــد. أَمَــةٌ. سِــلاحٌ.

١٢ ـ(شَرْحٌ) مصدر (شَرَحَ يَشْرَحُ)، وهو على وزن (فَعْل).

هات مصادر الأفعال الآتية على وزن (فَعْل) :

ضَرب، قَتَلَ، فَتَحَ، شَقَّ.

١٣ ـ ما معنى «الأمَة » وما جمْعُها؟

١٤ ـ«دِينار» جمعه «دَنَانِير» على غير قياس، إذ القياسُ أن يكون «دَيَانِير».

اجمع الأسماء الآتية هذا الجمع :

دِيوان، قِيراط، دِيماس.

١٥ ـ(أخْشَى أن أكونَ إيَّاهُ). إذا كان خبرُ «كَانَ» ضميراً يجوز فيه الاتِّصالُ والانفصالُ، فيجوز أن نقول: «أخشى أن أكونَهُ».

هاءَ مثالين آخرين :

(أ) أكُنْتَ إمامَ هذا المسجد؟ نعم، كُنْتُ إيَّاه/ كُنْتُهُ.

(ب) أتُريد أن تكون مدرساً؟ لا، ما أريدُ أن أكونَ إيَّاه/ أكْونَهُ.

(٣٣) الدرس الثالث والثلاثـــون

المدرس : ياأحمـد، هل تَفْتَحَنَّ النوافذ والبرد شديد؟ . لا تفتحنّها إلا النافذة الصغيرة. . . هلا تُنَظِّفُنَّ السبّورة ياإخوان. أريد أن أقول لكم شيئاً مهمّاً فاسْتَمِعُنَّ إليّ. إنّ مِنْ أَهَمِّ واجبات المسلم الـدَّعْـوَةَ إلى الله. قال عز وجـل: ﴿كُنْتُمْ خَيْرَ أُمَّةٍ أُخْرِجَتْ لِلنَّاس تَأْمُرُونَ بِٱلْمَعْرُوفِ وَتَنْهَوْنَ عَنْ الْمُنْكَرِ وَتُؤْمِنُونَ بِٱللهِ﴾ [آل عمران/ ١١٠]. وقال عزَّ مِنْ قائل: ﴿وَمَنْ أَحْسَنُ قَولاً مِمَّنْ دَعَا إلى ٱللهِ وَعَمِـلَ صَالِحـاً وقَالَ إنَّنِي مِنَ ٱلْمُسْلِمِينَ﴾[فصلت/ ٣٣]. فعلينا أن ندعو الناس إلى دين الله.

أحمـــد : وَالله لَأَدْعُوَنَّ الناسَ إلى دين الله في بلدي.

علـــي : والله لَأنشُرَنَّ الإسلامَ في بلدي.

حامـد : وَالله لَنُحَارِبَنَّ الشِّرْكَ والبِدْعَةَ في بلدنا.

زهـير : وَالله لا نتركُ الكفّارَ ينشرون دينهم في بلاد المسلمين.

وِلْـيَمُ : وَالله لَسَوْفَ أُؤَلِّفُ كتباً باللغة الإنكليزية لِشَرْحِ تعالِيم الإسلام.

المدرس : بارك الله فيكم وَوَفَّقَكُمْ لما فيـه خَيْرُ الإسـلام والمسلمـين. واعلمـوا أن الله سُبْحَـانَـهُ وتَعَـالَى عَلَّمَنا الطريقَة الصحيحة للدعـوة إذْ قال: ﴿ٱدْعُ إلى سَبِيـلِ رَبِّـك بِٱلحِكْمَةِ وٱلمَوْعِظَة

ٱلحَسَنـةِ، وجَادِلْهم بٱلّتِي هي أَحْسَنُ﴾[النحل/ ١٢٥]. فعلينا أن نتَّبع هذه الطريقة.

علـــي : والله لَنُحِبُّك ياأستاذ فإنّك لَمُرَبٍّ عظيم. جزاك الله عَنّا أحسن الجزاء.

المدرس : اقرأ الآيات ياعبد الله.

عبـدالله : (بعـد الاستعـاذة والبسملة) ﴿ولا تَحْسَبَنَّ ٱلَّـذِينَ قُتِلُوا في سَبِيلِ ٱللهِ أَمْوَاتاً. بَلْ أَحْيَاءٌ عِنْدَ رَبِّهِمْ يُرْزَقُونَ﴾ [آل عمران/ ١٦٩].

﴿وَلَيَنْصُرَنَّ ٱللهُ مَنْ يَنْصُرُهُ﴾ [الحج/ ٤٠].

﴿إمَّا يَبْلَغَنَّ عِنْدَكَ الكِبَرَ أَحَدُهُمَا أَوْ كِلاَهُمَا فَلاَ تَقُلْ لَهُمَا أُفٍّ وَلاَ تَنْهَرْهُمَا وَقُلْ لَهُمَا قَوْلاً كَرِيماً﴾ [الإسراء/ ٢٣].

المدرس : اقرأ الحديث ياهِشَـــام.

هشـــام : عن البَراء بن العَازِب قال: رأيت النبي ﷺ يوم الخَنْدَق ينقل التراب وهو يقول:

والله لولا الله ما ٱهْتَـدَيْنَـا   ولا صُمنـا ولا صَلَّيْنـا
فَأَنْـزِلَـنْ سَكِينَـةً علينـا   وثَبِّتْ الأَقْـدامَ إنْ لاَقَيْنـا
والمشركـون قد بَغَـوْا علينـا   إذا أرادوا فِتْـنَـةً أَبَيْنـا

(البخاري)

المدرس : اقرأ البيت ياوِلْيَم .

وِلْيَمُ : إذا رأيتَ نُيُوبَ اللَّيْثِ بارِزَةً فلا تَظُنَّنَّ أنَّ اللَّيْثَ يَبْتَسِمُ

١ - (لا تَحْسَبَنَّ) هذه نونُ التوكيدِ الثَّقِيلةُ .

وللتوكيد نونٌ أخرى، هي نونُ التوكيدِ الخفيفةُ، نحو: فَأَنْزِلَنْ سكينةً علينا .

لا يؤكد الفعل الماضي، ويؤكد المضارع والأمر .

أحكام آخِر الفعل المؤكَّد بالنــون :

(أ)

اِذْهَبْ	: اِذْهَبَنَّ	يُبْنَى آخِرُهُ على الفتح .
لا تَذْهَبْ	: لا تَذْهَبَنَّ .	
تَذْهَبُ	: تَذْهَبَنَّ	

(ب)

اِذْهَبُوا	: اِذْهَبُنَّ	تُحْذَفُ واو الجماعة لالْتِقاء السَّاكِنَيْنِ .
لا تَذْهَبُوا	: لا تَذْهَبُنَّ	فأَصْلُ اِذْهَبُنَّ (اِذْهَبُونَّ)
تَذْهَبُونَ	: تَذْهَبُنَّ	تُحْذَفُ نونُ الرفع لِتوَالي الأَمْثَالِ .

(جـ)

اِذْهَبِي	: اِذْهَبِنَّ	تُحْذَفُ ياءُ المُخاطَبَةِ لالتقاء الساكِنَيْنِ .
لا تَذْهَبِي	: لاتَذْهَبِنَّ	فأصل اِذْهَبِنَّ (اِذْهَبِيْنَّ) .

تَذْهَبِينَ : تَذْهَبِنَّ تُحذَفُ نونُ الرفعِ لِتَوالي الأمثالِ .

(د)

اِذْهَبَا : اِذْهَبَانِّ لا تُحْذَفُ أَلِفُ الاثنينِ لالتقاء الساكنين ، وتُكْسَرُ نون التوكيد

لا تَذْهَبَا : لا تَذْهَبَانِّ

تَذْهَبانِ : تَذْهَبَانِّ تحذف نونُ الرفعِ لتوال الأمثال .

(هـ)

اِذْهَبْنَ : اِذْهَبْنَانِّ تُزَادُ أَلِفُ بين نونِ النسوة ونونِ التوكيدِ ،

لا تَذْهَبْنَ : لا تَذْهَبْنَانِّ وتُكْسَرُ نونُ التوكيدِ

تَذْهَبْنَ : تَذْهَبْنَانِّ لا تُحْذَفُ نونُ النسوةِ لأنها الفاعلُ .

(و)

اِمْشِ : اِمْشِيَنَّ تُرَدُّ لامُ الفعلِ الناقصِ عندَ لحوق نونِ التوكيدِ .

لا تَنْسَ : لا تَنْسَيَنَّ

آدْعُ : آدْعُوَنَّ

أكّد الأفعال الآتية بنون التوكيد الثقيلة :

اُخْـرُجْ . اُدْخُلُوا . اِجْلِسِي . اِشْرَبـا . اُكْتُبْنَ . اِجْـرِ . لا تَبْكِ . لا تَشْكُ . تَفْتَحُونَ . أَحْفَظُ . تُسافِرانِ . تَشْرَبِينَ . تَضْرِبْنَ . لا تَخْرُجُوا .

٢ ـ مواضِعُ توكيد الفعل بالنـــــون :

فعل الأمر : يجوز توكيده مُطْلَقاً ، نحو: اُخْرُجَنَّ .

الفعل المضارع :

(١) يجوز توكيده إذا كان طَلَبِيّاً، نحو :

(أ) ﴿لَا تَحْسَبَنَّ ٱللهَ غَافِلاً عَمّا يَعْمَلُ ٱلظَّالِمونَ﴾[إبراهيم/٤٢].

(ب) لِيَجْلِسَنَّ كلُّ واحدٍ في مَكانِه.

(جـ) أتُسافِرَنَّ وأنت مريض؟

(د) هَلاّ تَجْتَهِدَنَّ فقد ٱقترب الامتحان.

(٢) توكيده قريبٌ من الواجب إذا وقع بعد (إمَّا) الشَّرْطِيَّةِ (وهي «إنْ» أُكِّدَتْ بـ«ما» الزائدة)، نحو: ﴿إمَّا يَبْلُغَنَّ عندَك الكِبَرَ أحدُهما أو كلاهما فلا تَقُلْ لهما أُفٍ﴾...

(٣) يَجِب توكيده إذا وقع جواباً للقَسَمِ، وذلك بثلاثة شروط :

(أ) أن يكون مُثْبَتاً.

(ب) مُسْتَقْبَلاً.

(جـ) غيرَ مفصول من لام الجوابِ بفاصلٍ، نحو:

﴿وَتَٱللهِ لَأَكِيْدَنَّ أَصْنَامَكُمْ﴾[الأنبياء/٥٧].

ولا يجوز توكيده إذا فُقِدَ أحدُ هذه الشروط، نحو:

(أ) واللهِ لا أخرجُ. لكونه مَنْفِيّاً.

(ب) واللهِ لَأُحِبُّك. لكونه للحال.

(جـ) واللهِ لإلَى المديرِ أَشْكوك. لكونه مفصولاً من لام الجواب.

٣ ـ استخرج من الدرس ما ورد فيه من أمثلة توكيد الفعل بالنون. واذكر ما وجب فيه التوكيد وما جاز.

٤ - تمرين شفوي :

(أ) يقول طالبٌ لآخر: لاتفعلْ كذا، فيردّ عليه قائلا: والله لأفعلنَّ كذا.

(ب) ثم يقول: اِفْعَلْ كذا. ويرد عليه قائلا: والله لا أفعل كذا.

(مثال: لا تَجْلِسْ هنا/ والله لأجلسنَّ هنا اِجْلِسْ هنا/ والله لا أَجْلِسُ هنا).

٥ - اجعل الفعل في كل جملة مما يأتي جوابا للقسم، وغيِّر ما يلزم :

(١) أجتهد من الأسبوع القادم.

(٢) لا أدخّـــن .

(٣) نزورك غـــدا.

(٤) أَكْرَهُ التَّنَابُزَ بالألقـاب.

(٥) أُعَلِّمُ أهلَ بلدي اللغةَ العربية بعد التَّخَرُّجِ.

(٦) سوف أعطيك كتابا مفيدا.

(٧) أظنّـــه صوابـــاً.

(٨) لا يغفــر الله الشِّرْكَ.

٦ - (أُفٍّ) اسمُ فعلٍ مضارعٌ بمعنى (أَتَضَجَّرُ).

٧ - هات المضارع والأمر من الأفعــال الآتيــة :

نَشَرَ. حَارَبَ. جَادَلَ. بَغَى. نَهَرَ.

٨ - ﴿بَلْ أَحْيَاءٌ﴾ أي «بَلْ هُمْ أَحْيَاءٌ». إذا جاءت «بَلْ» قبل الجملة فهي حرفُ ابْتِدَاءٍ، وتفيد الإضرابَ. والإضرابُ إمَّا إبْطاليّ كما في هذه الآية؛ وإمَّا انْتِقاليّ كما في ﴿بَلْ تُؤْثِرُونَ الحَيَاةَ الدُّنْيَا﴾.

(٣٤) الدَّرس الرابع والثَّلاثون

المدرس : أين وِلْيَمُ ؟

بـــلالٌ : سافر إلى مكَّةَ مَعَ أقرِبائِهِ الذين جاءوا من لَنْدَنَ .

المدرس : كيف حالُ جُرْجٍ اليومَ؟ كانتْ بِهِ حُمَّى .

بـــلالٌ : هو اليومَ أحسَنُ والحمد لله .

المدرس : هذه دفاتِرُ طَلْحَةَ ويزيدَ وعُمَرَ ومَعْدِيكَرِبَ . أين هم؟

يزيـــدُ : ها نحنُ أولاءِ يا أستاذ .

المدرس : تكتبون في دفاترِكم أشْيَاءَ لا صِلَةَ لها بالدَّرس .

معديكربُ : نسمعُ من عُلَماءَ مسائِلَ شرعيةً أو نحويةً فنكتبها في هذه الدفاتِرِ .

المدرس : الأحسنُ أن تُخَصِّصُوا لهذه المسائلِ دفاتِرَ مُسْتَقِلَّةً . . . اقرأ الدَّرس يامروان .

مـــروانُ : قال تعالى : أعوذ بالله من الشيطان الرجيم .

﴿وإذا قُلْتُمْ فَاعْدِلُوا وَلَوْ كَانَ ذَا قُرْبَى﴾ [الأنعام/ ١٥٢] .

﴿فَرَجَعَ مُوسَى إلَى قَوْمِهِ غَضْبَانَ أَسِفاً﴾ [طه/ ٨٦] .

﴿وَإنْ خِفْتُمْ ألَّا تُقْسِطُوا في اليَتَامَى فَانْكِحُوا مَا طَابَ لَكُمْ مِنَ النِّسَاءِ مَثْنَى وَثُلَاثَ وَرُبَاعَ . . .﴾ [النساء/ ٣] .

عُمَـــرُ : يا أستاذ، كم معنىً لِـ«إنْ» ؟

المدرس : تأتي «إنْ» لِمَعَانٍ، منها الشَّرطُ كما في قولِهِ تعالَى: ﴿وإنْ خِفتُمْ. . .﴾.

ومنهـا النَّفْيُ كما في التنـزيـل: ﴿إنْ هذا إلا قَوْلُ البَشَرِ﴾ [المدّثر/ ٢٥]. وتأتي مُخَفَّفَةً من «إنَّ» كما في قوله تعالى: ﴿وإنْ كُنْتَ مِنْ قَبْلِهِ لَمِنَ الغَافِلِينَ﴾ [يوسف/٣] أيْ «وإنَّكَ كنتَ. . .».

طلحَـــةُ : ما معنى «قَوْسِ قُزَحَ» يا أستاذ؟

المدرس : هُوَ قَوسٌ من نورٍ يظهرُ في السَّماء ترَى فيه ألوانَ الطَّيْفِ مُتَتَابِعَةً.

نُـــوحُ : وما معنى «زُحَلَ» يا أستاذ؟

المدرس : هو أحَـدُ الكواكبِ.

(يدخل شابٌّ)

هـــو : السـلام عليكم ورحمـة الله وبـركـاتـه. أنا طالب جديد من أفغانِسْتانَ، واسْمي «شَاهٌ».

المدرس : أهلاً وسهلاً. من أيّ مدينة من مُدُنِ أفغانستانَ أنت؟

شـــاهٌ : من بَلْــخَ.

(يدخل المراقب)

المراقب : أفي الفصل كَراسِيُّ ومَكاتِبُ كافِيَةٌ؟

المدرس : لا ، نحتاج إلى ثلاثةِ مَكاتِبَ أُخَرَ.

المراقب : (مُسارّاً) يسأل المدير عن وِلْيَمَ؟

المدرس : قُلْ لَهُ إنهَّ من أحسن طلابِ الفصل. (يُسْمَعُ رنِينُ الجَرَسِ)
نَذْهَبُ الآنَ إلى مَعْمَلِ اللُّغة. اُخْرُجوا بِهُدُوءٍ، وامْشُوا مَثْنَى مَثْنَى.

***

ورد في هذا الـدَّرس أمثلة لِـ«الممنوع من الصَّرف»، وهو الاسمُ المُعْرَبُ الذي لا يلْحَقُه التَّنوين.

وهو على نوعَيْنِ : نوعٍ يُمْنَعُ مِنَ الصَّرف لِعِلَّةٍ واحِدةٍ، ونوعٍ يُمْنَعُ لِعِلَّتَيْنِ.

المنوع من الصَّرف لِعِلَّة واحدة، هو :

(١) ما كان مختـومـاً بألِفِ التَّـأنيثِ المقصـورة أو الممدودة، ومن أمثلته : مَرْضَى، ودُنْيا، وحُبْلَى، وفَتَاوَى، وهَدَايَا؛ وصَحْراءُ، وحَمْراءُ، وفُقَراءُ، وأصْدِقَاءُ.

(٢) ما كانَ على وزْنِ مُنْتَهَى الجُمُـوع ـ وهـو ما كانَ علَى وَزْنَيْ «مَفَـاعِل» و«مَفَاعِيل» وأشْباهِهِما ـ، ومن أمثلته : مَسَاجِدُ، ومَفَاتِيحُ؛ وفَنَادِقُ، وشَوارِعُ، ورَسَائِلُ، وفَناجِينُ، وأسابيعُ، وثَعَابِينُ.

وكذلك يُمْنَعُ من الصرف المفردُ الذي على وزن مُنْتَهى الجُمُوع، ومن أمثلته : طَماطِمُ، وبَطاطِسُ ؛ وطَبَاشِيرُ، وسَرَاوِيلُ.

المنوع من الصَّرف لِعِلَّتَيْنِ، وهو إمَّا عَلَمٌ، وإمَّا صِفَةٌ.

العَلَمُ الممنوع من الصَّرف :

يُمْنَعُ العَلَمُ من الصَّرف إذا كان :

(١) مؤنَّثاً، ومن أمثلته : آمنةُ، وزَيْنبُ، وحمزَةُ[1]. إذا كان العَلَمُ المُؤَنَّثُ ثُلاثِيّاً سَاكِنَ الوَسَطِ كـ«هِنْد، ودَعْد، ورِيم» جازَ صَرْفُهُ ومَنْعُهُ، وصرفُهُ أوْلَى.

(٢) أعْجَمِيّاً، ومن أمثلته : إبراهيمُ، وباكستانُ، ولَنْدنُ.

إذا كانَ العَلَمُ الأعْجَمِيُّ ثُلاثِيّاً ساكِنَ الوَسَطِ مُذَكَّراً انْصَرَفَ، ومن أمثلته : نوحٌ، وشِيثٌ، ولُوطٌ، وجُرْجٌ، وخانٌ، وشَاهٌ.

أما الثُّلاثيُّ السَّاكنُ الوسَطِ المُؤنَّثُ فيُمْنَعُ، ومن أمثلته : بَلْخُ، وحِمْصُ، ونِيسُ، (مدينةٌ في فَرَنْسَةَ)، ومُوشُ (مدينة في تُرْكِيةَ).

(٣) مَعْدُولاً ـ أي كانَ على وزْنِ «فُعَل» ـ، ومن أمثلته : عُمَرُ، وزُفَرُ، وزُحَلُ، وهُبَلُ، وقُزَحُ.

(١) «آمنة» لفظُها ومسمَّاها كلاهما مؤنث ؛ «زينب» لفظها مذكَّر، ومسمَّاها مؤنث ؛ «حمزة» لفظها مؤنث ومسمَّاها مذكَّر.

(٤) مختوماً بألفٍ ونونٍ زائدتين، ومن أمثلته: مَرْوانُ، ورَمَضانُ، وشَعْبانُ، وعُثْمانُ.

(٥) على وزْنُ فِعْلٍ، ومن أمثلته: أحمدُ، ويَزِيدُ.

(٦) مُركَّباً تركيباً مزجياً، ومن أمثلته: مَعْدِيكَرِبُ، وحَضرْمَوتُ.

الصِّفَةُ الممنوعةُ من الصَّرف:

تُمْنَعُ الصفة من الصَّرف إذا كانتْ:

(١) على وزنِ «أفْعَل» ومن أمثلته: أكبرُ، وأحسنُ، وأحْمَرُ.

ويُشْتَرَطُ فيها ألا تُؤَنَّثَ بالتَّاء. فإذا أنّثَ بالتَّاء آنْصَرَفَ، نحو: أرْمَلٍ، فإنَّ مؤنَّثَهُ أرْمَلَةٌ.

(٢) على وزنِ «فَعْلان»، ومن أمثلته: جَوعانُ، وشَبْعَانُ، وعَطْشَانُ، وملآنُ.

(٣) معْدولةً. والصّفةُ المعدولةُ شيئان:

(أ) العدد الذي على وزنَيْ «فُعَال» و«مَفْعَل»، ومن أمثلته: ثُلاثُ، ورُبَاعُ؛ ومَثْنَى، ومَثْلَثُ،. فـ«ثُلاثُ» معدولةٌ عن «ثلاثة ثلاثة».

(ب) كلمة «أُخَــرَ»[1].

(١) معنى العدل في هذه الكلمة أنها جمع «أخرَى» وهي تأنيث «آخَر» و«آخَر» على وزن «أفعل» التفضيل الذي لا يُجْمَعُ ولا يُؤَنَثُ مادام نكرةً. وليس كذلك «آخَر» فإنَّه يجمع ويؤنث، ولا يذكر بعده «مِنْ». و«أُخَرُ» من هذه الناحية معدولة عن اسم التفضيل، فمنعت من الصرف.

أحكامُ الممنوع من الصَّرف :

(١) الممنوع من الصَّرف لا يُنَوَّن .

(٢) ويُجَرُّ بالفتحةِ ما لم يكنْ مُضافاً ، أو مُحلّى بـِ«ال» . فإذا أُضِيفَ أو حُلِّيَ بـِ«ال» جُرَّ بالكسرة ، نحو : درَّستُ في مَدَارِسَ كثيرةٍ ؛ درَّسْتُ في مَدَارسِ المملكة ؛ درَّسْتُ في كثير من المَدَارسِ .

(٣) المنقوص من الجمع المُتَنَاهِي يُعَامَلُ معاملةَ المنقوص من المنصرف ، فتُحْذَفُ ياؤُهُ رفعاً وجراً ، ويُنَوَّنُ ، نحو :

المرفوع : هذه الكلمة لها مَعَانٍ كثيرةٌ .

المنصوب : أعرفُ مَعَانيَ كثيرةً لهذه الكلمة .

المجرور : تُسْتَعْمَلُ هذه الكلمة بِمَعَانٍ كثيرةٍ .

تمـــــارين

١ - استخرج من الدرس الأسماء الممنوعة من الصرف، واذكر سبب منع كلّ واحدٍ منها من الصرف.

٢ - استخرج من الدرس ما جُرَّ من الأسماء الممنوعة من الصرف بالكسرة، واذكر السبب.

٣ - عَيِّن الممنوع من الصَّرف فيما يأتي، واذكر سبب منعه. وإذا جُرَّ بالكسرة فاذكر سبب ذلك:

(١) ﴿أَلَيْسَ ٱللهُ بِأَحْكَمِ ٱلحاكِمِينَ﴾ [التين/٨].

(٢) ﴿وحُلُّوا أَسَاوِرَ مِنْ فِضَّةٍ...﴾ [الإنسان/٢١].

(٣) ﴿فَلا أُقْسِمُ بِرَبِّ ٱلْمَشَارِقِ وٱلْمَغَارِبِ...﴾ [المعارج/٤٠].

(٤) ﴿لا تَقْرَبُوا ٱلصَّلاةَ وأَنْتُمْ سُكَارَى...﴾ [النساء/٤٣].

(٥) ﴿أَمْ كُنْتُمْ شُهَدَاءَ إِذْ حَضَرَ يَعْقُوبَ الْمَوْتُ...﴾ [البقرة/١٣٣].

٤ - جُرَّ الممنوع من الصرف فيما يأتي بالكسرة: «نزلْنا في فَنادقَ».

٥ - أدخِلْ كلمة «جَوَارٍ» في ثلاث جمل على أن تكون مرفوعةً في الأولى، ومنصوبةً في الثانية، ومجرورةً في الثالثة.

٦ - في «عائشَةُ عائشَةٌ» مُنعت الكلمة الأولى من الصرف، ولم تُمْنَع الثانيةُ. لمَهْ؟

٧ - لم يمْنَعْ «أرْنبٌ» من الصرف مع أنَّهُ على وزن فِعْلٍ. لمَهْ؟

٨ ـ مَثّل لجَرِّ الممنوع من الصرف بالكسرة بسبب الإضافة.

٩ ـ مَثّل لجَرِّ الممنوع من الصرف بالكسرة بسبب تَحَلّيه بـ «ال».

١٠ ـ مَثّلْ لكلّ مما يأتي :

(١) الصّفة المعدولة.

(٢) العَلَم الأعجميّ.

(٣) الصفة التي على وزن «فَعْلان».

(٤) العَلَم المؤنَّث.

(٥) العَلَم المعدول.

(٦) الصفة التي على وزن «أفْعَل».

(٧) العَلَم المختوم بألف ونون زائدتَيْن.

(٨) العلم المركَّب.

(٩) الجمع المتناهي.

(١٠) الاسم المختوم بِألِف التَّأنيث الممدودة.

(١١) الاسم المختوم بألِف التَّأنيث المقصورة.

(١٢) المنقوص من الجمع المتناهي.

(١٣) العلم المؤنَّث المنصرف.

(١٤) العلم الأعجميُّ المنصرف.

١١ ـ «إبراهيمُ» و«لُوطٌ» كلاهما أعجميّ. فلم منعَ الأولُ من الصرف، ولم يمنع الآخر؟

١٢ ـ «جُرْجٌ» و«بَلْخُ» كلاهما أعجَمِيٌّ، وثُلاثِيٌّ ساكنُ الوَسَط. فلم آنْصرَفَ الأولُ، ولم يَنْصَرِفِ الآخر؟

١٣ ـ أيُّ علمٍ يجوز صرفُهُ ومَنْعُــــهُ؟

ملحوظة: مُنِعَ «أشياءُ» من الصرف لأنَّ أصلَه «أَشْيآءُ» على وزن «أَفْعِلاء».

مِنْ أَبْنِيَةِ مَصَادِرِ الفِعْلِ الثُّلَاثِيِّ المُجَرَّدِ *

(١) فَعْلٌ: ضَرَبَ يَضْرِبُ: ضَرْبٌ. فَهِمَ يَفْهَمُ: فَهْمٌ. قَالَ يَقُولُ:
قَوْلٌ. غَزَا يَغْزُو: غَزْوٌ. نَهَى يَنْهَى: نَهْيٌ.

(٢) فَعَلٌ: طَلَبَ يَطْلُبُ: طَلَبٌ. نَظَرَ يَنْظُرُ: نَظَرٌ. عَمِلَ يَعْمَلُ: عَمَلٌ.
تَعِبَ يَتْعَبُ: تَعَبٌ. فَرِحَ يَفْرَحُ: فَرَحٌ.

(٣) فِعْلٌ: كَذَبَ يَكْذِبُ: كَذِبٌ. لَعِبَ يَلْعَبُ: لَعِبٌ. حَلَفَ يَحْلِفُ:
حَلِفٌ.

(٤) فِعَلٌ: حَفِظَ يَحْفَظُ: حِفْظٌ. عَلِمَ يَعْلَمُ: عِلْمٌ. ذَكَرَ يَذْكُرُ: ذِكْرٌ.

(٥) فِعَلٌ: كَبُرَ يَكْبُرُ: كِبَرٌ. عَظُمَ يَعْظُمُ: عِظَمٌ. صَغُرَ يَصْغُرُ: صِغَرٌ.
رَضِيَ يَرْضَى: رِضىً.

(٦) فُعْلٌ: شَكَرَ يَشْكُرُ: شُكْرٌ. شَرِبَ يَشْرَبُ: شُرْبٌ. وَدَّ يَوَدُّ: وُدٌّ.
سَخِطَ يَسْخَطُ: سُخْطٌ.

(٧) فُعَلٌ: هَدَى يَهْدِي: هُدىً. سَرَى يَسْرِي: سُرىً.

(٨) فَعْلَةٌ: رَحِمَ يَرْحَمُ: رَحْمَةٌ. كَثُرَ يَكْثُرُ: كَثْرَةٌ. حَارَ يَحَارُ: حَيْرَةٌ.

(٩) فَعَلَةٌ: غَلَبَ يَغْلِبُ: غَلَبَةٌ. شَكَا يَشْكُو: شَكَاةٌ (أصله: شَكَوَةٌ).

(*) معظم هذه الأبنية سَمَاعِيَّةٌ. أما أَبْنِيَةُ مَصَادِرِ الفعلِ الثُّلَاثِيِّ المزيدِ والفعلِ الرباعيِّ المجرَّدِ والمزيدِ فقياسِيَّةٌ.

(١٠) فَعِلَةٌ : سَرَقَ يَسْرِقُ : سَرِقَةٌ .

(١١) فِعْلَةٌ : حَمَى يَحْمِي : حِمْيَةٌ . عَصَمَ يَعْصِمُ : عِصْمَةٌ .

(١٢) فَعْلَى : دَعَا يَدْعُو: دَعْوَى. شَكَا يَشْكُو: شَكْوَى .

(١٣) فِعْلَى : ذَكَرَ يَذْكُرُ: ذِكْرَى .

(١٤) فُعْلَى : رَجَعَ يَرْجِعُ : رُجْعَى .

(١٥) فَعَلَانٌ: جَالَ يَجُولُ: جَوَلَانٌ. دَارَ يَدُورُ: دَوَرَانٌ. خَفَقَ يَخْفِقُ : خَفَقَانٌ. هَاجَ يَهِيجُ : هَيَجَانٌ. شَنَأَ يَشْنَأُ : شَنَآنٌ .

(١٦) فِعْلَانٌ :نَسِيَ يَنْسَى : نِسْيَانٌ. حَرَمَ يَحْرِمُ: حِرْمَانٌ. رَضِيَ يَرْضَى : رِضْوَانٌ .

(١٧) فُعْلَانٌ :رَجَحَ يَرْجُحُ: رُجْحَانٌ. غَفَرَ يَغْفِرُ: غُفْرَانٌ. كَفَرَ يَكْفُرُ: كُفْرَانٌ .

(١٨) فَعَالٌ :ذَهَبَ يَذْهَبُ: ذَهَابٌ. نَجَحَ يَنْجَحُ : نَجَاحٌ. فَسَدَ يَفْسُدُ : فَسَادٌ. صَلَحَ يَصْلُحُ : صَلَاحٌ. نَفِدَ يَنْفَدُ: نَفَادٌ .

(١٩) فِعَالٌ :نَكَحَ يَنْكَحُ : نِكَاحٌ. قَامَ يَقُومُ: قِيَامٌ. صَامَ يَصُومُ: صِيَامٌ. آبَ يَؤُوبُ : إِيَابٌ .

(٢٠) فُعَالٌ :سَأَلَ يَسْأَلُ: سُؤَالٌ. دَعَا يَدْعُو: دُعَاءٌ. مَزَحَ يَمْزَحُ : مُزَاحٌ. سَعَلَ يَسْعُلُ : سُعَالٌ. زُكِمَ يُزْكَمُ : زُكَامٌ.

(٢١) فَعَالَةٌ: نَظُفَ يَنْظُفُ: نَظَافَةٌ. فَصُحَ يَفْصُحُ: فَصَاحَةٌ. ضَخُمَ يَضْخُمُ: ضَخَامَةٌ. ظَرُفَ يَظْرُفُ: ظَرَافَةٌ.

(٢٢) فِعَالَةٌ: كَتَبَ يَكْتُبُ: كِتَابَةٌ. قَرَأَ يَقْرَأُ: قِرَاءَةٌ. عَبَدَ يَعْبُدُ: عِبَادَةٌ. صَانَ يَصُونُ: صِيَانَةٌ. تَلَا يَتْلُو: تِلَاوَةٌ. زَارَ يَزُورُ: زِيَارَةٌ.

(٢٣) فَعَالِيَةٌ: كَرِهَ يَكْرَهُ: كَرَاهِيَةٌ. عَلِنَ يَعْلَنُ: عَلَانِيَةٌ.

(٢٤) فَعُولٌ: قَبِلَ يَقْبَلُ: قَبُولٌ. وَلِعَ يَوْلَعُ: وَلُوعٌ.

(٢٥) فُعُولٌ: خَرَجَ يَخْرُجُ: خُرُوجٌ. رَكَعَ يَرْكَعُ: رُكُوعٌ. لَزِمَ يَلْزَمُ: لُزُومٌ. غَدَا يَغْدُو: غُدُوٌّ.

(٢٦) فُعُولَةٌ: سَهُلَ يَسْهُلُ: سُهُولَةٌ. صَعُبَ يَصْعُبُ: صُعُوبَةٌ. عَذُبَ يَعْذُبُ: عُذُوبَةٌ.

(٢٧) فَعِيلٌ: رَنَّ يَرِنُّ: رَنِينٌ. أَنَّ يَئِنُّ: أَنِينٌ. شَخَرَ يَشْخِرُ: شَخِيرٌ. رَحَلَ يَرْحَلُ: رَحِيلٌ.

لِكَثِيرٍ مِنَ الأَفْعَالِ أَكْثَرُ مِنْ مَصْدَرٍ.

يُذْكَرُ المَصْدَرُ بَعْدَ الفِعْلِ مَنْصُوباً عَلَى أَنَّهُ مَفْعُولٌ مُطْلَقٌ، نَحْوُ:
رَضِيَ يَرْضَى رِضاً، وَرَضَاءً، وَرِضْوَاناً، وَمَرْضَاةً.
سَمِعَ يَسْمَعُ سَمْعاً، وَسَمَاعاً.

أوزانُ جَمْعِ التَّكْسِيرِ

جمع التكسير على قِسْمَيْنِ : جمعُ قِلَّةٍ وجمعُ كَثْرَةٍ.

فجمع القلّة يدلّ على ثلاثةٍ فما فوقَها إلى العَشَرَةِ.

وجمع الكثرة يدلّ على ما فوقَ العشرةِ إلى غير نِهَايَةٍ.

ويُسْتَعْمَلُ كُلٌّ منهما في مَوْضِعِ الآخَرِ مَجازاً.

أبْنِيَةُ جُموعِ القِلَّةِ :

(١) أَفْعُلٌ : حَرْفٌ أَحْرُفٌ. شَهْرٌ أَشْهُرٌ. نَجْمٌ أَنْجُمٌ. عَيْنٌ أَعْيُنٌ. وَجْهٌ أَوْجُهٌ. كَفٌّ أَكُفٌّ.

(٢) أَفْعَالٌ : عِنَبٌ أَعْنَابٌ. ثَوْبٌ أَثْوَابٌ. سَيْفٌ أَسْيَافٌ. قُفْلٌ أَقْفَالٌ.

(٣) أَفْعِلَةٌ : رَغِيفٌ أَرْغِفَةٌ. عَمُودٌ أَعْمِدَةٌ. سِلَاحٌ أَسْلِحَةٌ. طَعَامٌ أَطْعِمَةٌ.

(٤) فِعْلَةٌ : فَتىً فِتْيَةٌ. غُلَامٌ غِلْمَةٌ. صَبِيٌّ صِبْيَةٌ.

أبنية جموع الكثرة :

(١) فُعْلٌ : أَحْمَرُ حَمْرَاءُ حُمْرٌ. أَعْمَى عَمْيَاءُ عُمْيٌ. أَبْيَضُ بَيْضَاءُ بِيْضٌ (أصله بُيْضٌ).

(٢) فُعُلٌ : كِتَابٌ كُتُبٌ. حِمَارٌ حُمُرٌ. سَرِيرٌ سُرُرٌ. جَدِيدٌ جُدُدٌ. رَسُولٌ رُسُلٌ. مَدِينَةٌ مُدُنٌ. صَحِيفَةٌ صُحُفٌ.

(٣) فُعَـلٌ : غُرْفَةٌ غُرَفٌ. سُورَةٌ سُوَرٌ. مُدْيَةٌ مُدًى. قَرْيَةٌ قُرًى. لِحْيَةٌ لُحًى. كُبْرَى كُبَرٌ.

(٤) فِعَـلٌ : إِبْرَةٌ إِبَرٌ. عِبْرَةٌ عِبَرٌ. حِجَّةٌ حِجَجٌ. مِرْيَةٌ مِرًى.

(٥) فُعَلَةٌ : مَاشٍ مُشَاةٌ (أصله مُشَيَةٌ). قَاضٍ قُضَاةٌ. رَامٍ رُمَاةٌ.

(٦) فَعَلَةٌ : طَالِبٌ طَلَبَةٌ. كَافِرٌ كَفَرَةٌ. فَاجِرٌ فَجَرَةٌ. سَيِّدٌ سَادَةٌ (أصله سَوَدَةٌ) بائِعٌ بَاعَةٌ (أصله بَيَعَةٌ).

(٧) فَعْلَى : مَرِيضٌ مَرْضَى. قَتِيلٌ قَتْلَى. مَيِّتٌ مَوْتَى. جَرِيحٌ جَرْحَى. أَحْمَقُ حَمْقَى.

(٨) فِعَلَةٌ : دِيكٌ دِيَكَةٌ. فِيلٌ فِيَلَةٌ. قِرْدٌ قِرَدَةٌ. دُبٌّ دِبَبَةٌ.

(٩) فُعَّـلٌ : رَاكِعٌ رُكَّعٌ. سَاجِدٌ سُجَّدٌ. صَائِمٌ صُوَّمٌ.

(١٠) فُعَّالٌ : طَالِبٌ طُلَّابٌ. رَاكِبٌ رُكَّابٌ. قَارِىءٌ قُرَّاءٌ.

(١١) فِعَالٌ : كَبِيرٌ كَبِيرَةٌ كِبَارٌ. ثَوْبٌ ثِيَابٌ. ذِئْبٌ ذِئَابٌ. جَبَلٌ جِبَالٌ. رَقَبَةٌ رِقَابٌ. ثَمَرٌ ثِمَارٌ. غَضْبَانُ غَضْبَى غِضَابٌ. جَوْعَانُ جَوْعَى جِيَاعٌ. قَائِمٌ قِيَامٌ. نَائِمٌ نِيَامٌ. أُنْثَى إِنَاثٌ. أَعْجَفُ عِجَافٌ.

(١٢) فُعُولٌ : بَيْتٌ بُيُوتٌ. نَجْمٌ نُجُومٌ. أَسَدٌ أُسُودٌ. ذَكَرٌ ذُكُورٌ. سَاجِدٌ سُجُودٌ. شَاهِدٌ شُهُودٌ.

(١٣) فِعْلَانٌ : غُلَامٌ غِلْمَانٌ . نَارٌ نِيرَانٌ . جَارٌ جِيرَانٌ . تَاجٌ تِيجَانٌ . خَرُوفٌ خِرْفَانٌ . غَزَالٌ غِزْلَانٌ . أَخٌ إِخْوَانٌ . نِسْوَةٌ نِسْوَانٌ .

(١٤) فُعْلَانٌ : شَابٌّ شُبَّانٌ . رَاكِبٌ رُكْبَانٌ . أَسْوَدُ سُودَانٌ . أَعْمَى عُمْيَانٌ . ذَكَرٌ ذُكْرَانٌ . قَضِيبٌ قُضْبَانٌ . رَغِيفٌ رُغْفَانٌ .

(١٥) فُعَلَاءُ : فَقِيرٌ فُقَرَاءُ . بَخِيلٌ بُخَلَاءُ . كَرِيمٌ كُرَمَاءُ . جَلِيسٌ جُلَسَاءُ . شَاعِرٌ شُعَرَاءُ . خَلِيفَةٌ خُلَفَاءُ .

(١٦) أَفْعِلَاءُ : طَبِيبٌ أَطِبَّاءُ . شَدِيدٌ أَشِدَّاءُ . عَزِيزٌ أَعِزَّاءُ . قَوِيٌّ أَقْوِيَاءُ . وَلِيٌّ أَوْلِيَاءُ . غَنِيٌّ أَغْنِيَاءُ . صَدِيقٌ أَصْدِقَاءُ .

(١٧) فَوَاعِلُ : كَافِرَةٌ كَوَافِرُ . كَاذِبَةٌ كَوَاذِبُ . زَوْبَعَةٌ زَوَابِعُ . طَابِعٌ طَوَابِعُ . فَارِسٌ فَوَارِسُ .

(١٨) فَعَائِلُ : رِسَالَةٌ رَسَائِلُ . صَحِيفَةٌ صَحَائِفُ . عَجُوزٌ عَجَائِزُ .

(١٩) فَعَالٍ : فَتْوَى فَتَاوٍ . صَحْرَاءُ صَحَارٍ .

(٢٠) فَعَالَى : سَكْرَانُ سَكَارَى . يَتِيمٌ يَتَامَى . أَيِّمٌ أَيَامَى . طَاهِرٌ طَهَارَى .
فُعَالَى : قَدِيمٌ قُدَامَى . أَسِيرٌ أُسَارَى . كَسْلَانُ كُسَالَى .

(٢١) فَعَالِيُّ : كُرْسِيٌّ كَرَاسِيُّ . بُخْتِيٌّ بَخَاتِيُّ . قُمْرِيٌّ قَمَارِيُّ .

(٢٢) فَعَالِلُ : فُنْدُقٌ فَنَادِقُ . بُرْثُنٌ بَرَاثِنُ . بُرْعُمٌ بَرَاعِمُ . جَوْهَرٌ جَوَاهِرُ .

فَعَالِيلُ :قِنْـدِيـلُ قَنَادِيلُ. قِرْطَاسٌ قَرَاطِيسُ. عُصْفُورٌ عَصَافِيرُ. فِنْجَانٌ فَنَاجِينُ.

تِلْمِيذٌ تَلَامِيذُ/ تَلَامِذَةٌ. أُسْتَاذٌ أَسَاتِيذُ/ أَسَاتِذَةٌ.

(٢٣) شِبْهُ فَعَالِلَ: مَسْجِدٌ مَسَاجِدُ. مِنْبَرٌ مَنَابِرُ. أَفْضَلُ أَفَاضِلُ.

شِبْهُ فَعَالِيلَ: أُسْبُوعٌ أَسَابِيعُ. مِفْتَاحٌ مَفَاتِيحُ.

تمــارين عامــة

س ١ : اقرأ الحديث ثم أجب عن الأسئلة التي تليه :

ياعبادي، إنّي حرَّمت الظلم على نفسي وجعلته بينكم محرّما فلا تَظَالَموا.
ياعبادي، كلّكم ضالّ إلا مَنْ هديته، فآستهدوني أَهْدِكم.
ياعبادي، كلكم جائع إلا من أطعمته، فآستطعموني أُطْعِمكم.
ياعبادي، كلكم عارٍ إلا من كسوته، فآستكسوني أَكْسُكم.
ياعبادي، إنكم تخطئون بالليل والنهار، وأنا أغفرُ لكم الذنوب جميعا. فاستغفروني أغفِرْ لكم.

(١) (أ) ماذا تفيد (جعل) هنا؟ وإلى كم مفعول تتعدّى؟

(ب) اذكر معنى آخر لـ (جعل)، ومثّل له.

(٢) (أ) ما الذي حذف من (تظالموا)؟ ولمه؟

(ب) اذكر البابين اللذين يجوز أن يقع فيهما هذا الحذف، واستشهد لكلّ واحد منهما بآية.

(جـ) من أي باب هذا الفعل؟ وماذا يفيد هذا الباب هنا في هذا الحديث؟ ولهذا الباب معنى آخر. اذكره، ومثّل له.

(٣) استخرج من الحديث فعلا ثلاثيا مجردا، واذكر بابه ومصدره، ومصدره الميميّ.

(٤) استخرج من الحديث فعلا ثلاثيا مزيدا بحرف واحد، واذكر بابه، ومصدره، واسم فاعله.

(٥) عيّن صيغة كلّ اسم مما يأتي، واذكر فعله : ضالّ. عارٍ. جائع. محرّم.

(٦) أعرب ما تحته خطّ إعرابا كاملا.

س ٢ : اقرأ الآية الكريمة، ثم أجب عن الأسئلة التي تليها:

﴿إمّا يبلغنّ عندك الكبر أحدهما أو كلاهما فلا تقل لهما أف ولا تنهرهما وقل لهما قولا كريما﴾.

(١) ما أصل (إمّا)؟ وما حكم توكيد الفعل المضارع بعده؟

(٢) لم اقترن (لا تقل) بالفاء؟

(٣) أعرب ما تحته خط.

س ٣ : ما إعراب ما تحته خطّ فيما يأتي :

(١) ﴿فلمّا رأى القمر بازغا قال هذا ربي﴾.

(٢) ﴿إنّهم يرونه بعيدا﴾. (الضمير يعود على وقوع العذاب).

س ٤ : أعرب ما تحته خطّ في البيت الآتي :

فصبراً في مجال الموت صبرا فما نيل الخلود بمستطاع

س ٥ : أعرب ما تحته خطّ فيما يأتي :

﴿قال: كم لَبِثْتَ؟ قال: لَبِثْتُ يوماً أو بعضَ يومٍ. قال: بل لبثت مائةَ عامٍ﴾.

س ٦ : اقرأ البيت الآتي، ثم أجب عن الأسئلة التي تليه :

إذا رأيت نيوب الليث بارزة فلا تظنّنّ أن الليث يبتسم

(١) ما حكم توكيد الفعل المضارع بالنون في هذا البيت؟ ولمه؟

(٢) (رأى) هنا بصرية هي أم قلبية؟

(٣) من أي باب (يبتسم)؟ كم حرفا زائدا فيه؟ هات منه الماضي والأمر والمصدر.

(٤) ما معنى (الليث)؟ وما جمعه؟

(٥) ما معنى (النيوب)؟ وما مفردها؟ هل تجمع هذه الكلمة جمعا آخر؟

(٦) لم اقترن (لا تظنّنّ) بالفاء؟

(٧) أعرب ما تحته خطّ.

س ٧ : ما إعراب اسم الإشارة في كل جملة مما يأتي؟ :

(١) أين تسافر هذه السنة؟

(٢) أتعاملني هذه المعاملة؟

(٣) حفظت هذه السورة.

(٤) ماذا في حقيبتك هذه؟

س ٨ : أعرب (خوفاً) في كل جملة مما يأتي :

(١) أنا أشدّ الناس خوفا من الحيّات.

(٢) بقيت في البيت خوفا من الحرّ.

(٣) خفت خوفا شديدا.

(٤) أَدْخَلَ الحادثُ في قلبه خوفا شديدا.

س ٩ : ما إعراب (كم) في كلّ جملة مما يأتي؟ :

(١) كم ريالا عندك ؟

(٢) كم سورة حفظت؟

(٣) كم يوما بقيت في مكة؟

(٤) كم سجدة سجـدت؟

(٥) بكم هــــذا؟

س ١٠ : ما إعراب (أيّ) في كل جملة مما يأتي :

(١) أيّ يوم هـــذا؟

(٢) أيّ كتــاب تقــرأ؟

(٣) أيّ صلاة تصلي؟

(٤) أيّكم غـــاب أمس؟

س ١١ : ما إعراب (ثلاث) في كلّ جملة مما يأتي ؟ :

(١) أكلت ثلاث تمرات .

(٢) طُبِعَ هذا الكتاب ثلاث طبعات .

(٣) انتظرتك ثلاث ساعات .

(٤) لي ثـــلاث أخـــوات .

(٥) دخلت الجامعة الآن ثلاث سيارات .

(٦) مدّة الدراسة في المعهد ثلاث سنوات .

(٧) ذُبِحَتْ ثلاث دجاجـات .

س١٢ : هات مثالا في جملة لكلٍّ ممّا يأتي :

(١) حرف امتناع لامتناع . (٢) حرف امتناع لوجود .

(٣) الاختصـــاص . (٤) التحضيض .

(٥) التنـــديم . (٦) التغليب .

(٧) ضمير الفصـــل . (٨) ضمير النصب المنفصل .

(٩) إذا الفجائيّة . (١٠) مِنْ التبعيضية .

(١١) مِنْ الزائـــدة . (١٢) تصرف كاف الخطاب .

(١٣) لا النافية للجنس . (١٤) لام الابتـــداء .

(١٥) اللام المزحلقــة . (١٦) الندبـــة .

(١٧) نفي الماضي بـ (لا) . (١٨) المفعول لأجلـــه .

(١٩) المفعول المطلق . (٢٠) الحـــال .

(٢١) تمييز الـــذات . (٢٢) تمييز النسبـــة .

(٢٣) رأي البصريـــة . (٢٤) رأي القلبيّـــة .

(٢٥) التحذير على أن يكون المحذّر منه مصدرا مؤوّلا .

(٢٦) اسم إشارة وقع نعتا . (٢٧) منادي اكتسب التعريف بالنداء .

(٢٨) نائب الفاعل . (٢٩) مضاف لم يكتسب التعريف بالإضافة .

(٣٠) شبه الجملة . (٣١) مصدر مؤوّل في محلّ رفع .

(٣٢) مصدر مؤوّل في محلّ نصب . (٣٣) مصدر مؤوّل في محلّ جرّ .

(٣٤) جملة اسمية خبرها جملة اسمية .

س١٣ : هات مثالا لكل ما يأتي :

(١) فعل ثلاثي مجرد من باب :

(أ) فَعِلَ يفْعَلُ.

(ب) فَعُلَ يَفْعُلُ.

(جـ) فَعَلَ يَفْعِلُ.

(٢) فعل ثلاثيّ مزيد :

(أ) بحــــرف.

(ب) بحرفــــين.

(جـ) بثلاثة أحـــرف.

(٣) الفعل الرباعي المجــــرد.

(٤) فعل رباعي مزيـــد (أ) بحـرف. (ب) بحرفـين.

س١٤ : انقل الأفعال الآتية إلى باب (افتعل): زاد. صبر. وقى.

س١٥ : هات مثالا لكل وزن من أوزان المصادر الآتية: فِعَالة. فُعْل. فَعِل. فَعْل.

س١٦ : أدخل همزة الاستفهام على الجمل الآتية :

(١) اِنْفَتَحَ باب المطعم. (٢) أرسلتَ البرقيــة.

(٣) المدير قال لك هذا. (٤) ورَنَّ الجـــرس.

س١٧ : ما نـوع (ما) في كلّ ما يأتي ؟ :

(١) ﴿ما هــذا بشــراً﴾.

(٢) ﴿ما أغنَى عنه ماله وما كسب﴾.

(٣) ﴿وما تفعلوا من خير يعلمْه الله﴾ .

(٤) ﴿إنّما الصدقات للفقراء﴾ .

(٥) ﴿أولئك يُجْزَوْنَ الغُرْفَةَ بما صبروا﴾ .

(٦) ﴿لا أعبـــد ما تعبـدون﴾ .

(٧) ﴿إن الله لا يستحيي أن يضرب مثلاً ما﴾ .

(٨) إن الله يقبل توبة العبد ما لم يُغَرْغِرْ.

(٩) ﴿ماذا أراد الله بهذا مثلا﴾ ؟

(١٠) لكلِّ شَيْءٍ إذا ما تَمَّ نُقْصانُ .

س١٨ : ما نوع (اللام) في كلّ ما يأتي ؟ :

(١) ﴿لله ما في السموات وما في الأرض﴾ .

(٢) ﴿وَلَأجْرُ الآخِرَةِ أكبرُ﴾ .

(٣) ﴿إنّ أوّل بيت وضع للناس لَلَّذى بِبَكّةَ﴾ .

(٤) ﴿وما خلقت الجنّ والإنس إلاّ لِيَعْبُدون﴾ .

(٥) ﴿فَلْيَضْحَكُوا قليلا وَلْيَبْكُوا كثيرا﴾ .

(٦) ﴿وتالله لأكيدنّ أصنامكم﴾ .

س١٩ : تَعَجَّبْ من جَمال النجوم مستعملا فِعْلَيِ التَّعَجُّبِ .

س٢٠ : هات شاهدا من القرآن الكريم لكلّ فعل من فعلي التعجّب .

س٢١ : هات المصدر، ومصدر المرة، ومصدر الهيئة، والمصدر الميميّ من (مات) .

س٢٢ : أعرب البيت الآتي إعرابا كاملا :

حتّى متى أنت في لهو وفي لعب والموت نحوك يهوي فاتحا فاه

س٢٣ : أعرب ما تحته خطّ فيما يأتي :

(١) ﴿فَمَنْ يكفرْ منكم فإني أعذّبُه عذاباً لا أعذّبه أحداً من العالمين﴾

(٢) ﴿فاجلدوهم ثمانين جلـــدة﴾ .

(٣) اتّصلت به هاتفيّــاً .

س٢٤ : اقرأ البيت، ثم أجب عن الأسئلة التي تليه :

وقد يجمع الله الشَّتِيتَيْنْ بعدَما يَظُنّانِ كلَّ الظّنِّ أنْ لا تَلاقِيَا

(١) ماذا تفيد (قد) هنا ؟

(٢) ما نـــوع (مـا) هنـــا؟

(٣) أعرب ما تحتـه خطّ .

س٢٥ : أعرب الآيــة الكريمــة الآتيــة :

﴿فمن يعمل مثقال ذرّة خيرا يره﴾ .

س٢٦ : اجعل كلّ جملة مما يأتي حـالاً :

(١) الشمس تغــرب .

(٢) غربت الشمس.

(٣) أقـــرأ القرآن.

س٢٧ : لماذا أُتِيَ بضمير النصب المنفصل في كلّ مما يأتي؟ :

(١) ﴿وٱشكروا الله إن كنتم إيّاهُ تعبدون﴾ .

(٢) ﴿نحن نرزقكم وإيّاهم﴾ .

(٣) ﴿أَمَرَ أَلّا تعبدوا إلّا إيّاه﴾ .

(٤) ﴿وما كان ٱستغفارُ إبراهيمَ لأَبِيه إلّا عَنْ مَوْعِدَةٍ وَعَدَها إيّاهُ﴾ .

(٥) حُبّي إيّاك أكثرُ من حُبِّك إيّايَ .

س٢٨ : حوّل الفعل في كل جملة مما يأتي إلى مصدر :

(١) أخرجني المدرس أمسِ .

(٢) سأله المدير.

(٣) دعاك الإمام .

(٤) ساعدتَنا .

س٢٩ : أجب عن السؤالين الآتيين مستعملا الضمائر. في أيهما يجوز الاتصال والانفصال؟ ولِمَ؟ .

(١) من علّمك العربية؟

(٢) من علّم أخاك العربية؟

س ٣٠ : مثّل لمعاني (جعل) الآتية : شرع . ظنّ . صيّر. أوجد .

س٣١ : ماذا تفيد (عسى) في كلّ آية مما يأتي؟

(١) ﴿وقل عسى أن يهدين ربّي﴾ .

(٢) ﴿وعسى أن تكرهوا شيئا وهو خير لكم﴾ .

س٣٢ : ما حكم توكيد الفعل بالنون في كلّ مثال مما يأتي؟ :

(١) ﴿فلا تموتنّ إلا وأنتم مسلمون﴾ .

(٢) ﴿فَإِمَّا تَرَيِنَّ مِنَ الْبَشَرِ أَحَداً فَقُولِي إِنِّي نَذَرْتُ لِلرَّحْمنِ صَوْماً﴾ .

(٣) ﴿وتالله لأكيدنّ أصنامكم﴾ .

(٤) ادخلُنَّ الفصل يا إخوان .

س٣٣ : اجعل كلّ جملة ممّا يأتي جوابا للقسم ، وغيّر ما يلزم :

(١) إلى المدير أشكوك غـدا .

(٢) أسافر إلى مكة بعد أسبوع .

(٣) لا أظلم أحدا في المستقبل .

(٤) أحب اللغـة العربيـة .

س٣٤ : هات مثالين للاستثناء المنقطع أحدهما من القرآن الكريم والآخر من إنشائك .

س٣٥ : هات مثالين للاستثناء المفرّغ أحدهما من القرآن الكريم والآخر من إنشائك .

س٣٦ : أدخل (ما) الزائدة على (إنْ) الشرطية في الجملة الآتية ، وغير ما يلزم .

إن تسافر إلى مكة أسافر معك .

تمت بعـــون الله

مفتاح

دروس اللغة العربية

د . ف . عبد الرحيم

LESSON 1

In this lesson we learn :
a) the Declension of Nouns, and
b) the Moods of Verbs.

(A) Declension of Nouns

We have already seen in Parts One and Two that most Arabic nouns are declinable, i.e., they indicate their function in the sentence by their endings. These endings are three. They are :

1) the _dammah_ to indicate the nominative case (الرَّفْعُ). A noun with this ending is called مَرْفُوعٌ.

2) the _fathah_ to indicate the accusative case (النَّصْبُ). A noun with this ending is called مَنْصُوبٌ.

3) the _kasrah_ to indicate the genetive case (الجَرُّ). A noun with this ending is called مَجْرُورٌ.

Here is an example :

دَخَلَ المُـــدرِّسُ 'The teacher entered'. Here «_al-mudarris-u_»is مرفوعٌ because it is the _fâ'il_ (الفَاعِلُ).

سَأَلْتُ المُـــدرِّسَ 'I asked the teacher'. Here _al-mudarris-a_« is منصوبٌ because it is the object (المَفعُولُ بِهِ).

هــــذه ســيّارةُ المُـــدرِّسِ 'This is the teacher's car'. Here «_al-mudarris-i_ »is مجرورٌ because it is _mudâf ilaihi_ (مُضافٌ إليهِ).

Now these endings (_dammah_, _fathah_ and _kasrah_) are called the Primary Endings (عَلامـــــاتُ الإعْرابِ الأَصْلِيَّةُ). There are other endings also which are called the Secondary Endings (عَلاماتُ الإعْرابِ الفَرْعِيَّة). The following groups of nouns have these endings :

a) The Sound Feminine Plural (جمعُ المؤنَّثِ السَّـالِمُ) : Only the *nasb*-ending is different in this group. It takes *kasrah* instead of *fathah*, e.g.,

سَأَلَتِ المديرةُ المدرِّسـاتِ 'The headmistress asked the female teachers'. Here *al-mudarrisât-i* takes *kasrah* instead of *fathah* because it is sound feminine plural. Note that in this group the *nasb*-ending is the same as the *jarr*-ending, e.g.,

رأيتُ السـيّاراتِ 'I saw the cars'. Here *al-sayyârât-i*[1] is منصوب because it is the object.

خرجَ الناسُ منَ السـيّاراتِ 'The people came out of the cars'. Here *al-sayyârât-i* is مجرورٌ because it is preceded by a preposition.

b) The Diptote (المَمْـنوعُ مِنَ الصَّرْفِ) : In this group the *jarr*-ending is *fathah* instead of *kasrah*, e.g.,

هذا كتابُ زينـبَ 'This is Zainab's book'. Here *Zainab-a* has *fathah* instead of *kasrah* because it is a diptote. Note that in this group the *jarr*-ending is the same as *nasb*-ending, e.g.,

سألتُ زينبَ 'I asked Zainab'. Here *Zainab-a* is منصوبٌ because it is مفعولٌ به.

ذهبتُ إلى زينـبَ 'I went to Zainab'. Here *Zainab-a* is مجرورٌ because it is preceded by a preposition.

c) The Five Nouns (الأسماءُ الخمسـةُ) : These are أَبٌ، أخٌ، حَمٌ، فَمٌ، ذُو[2]. These nouns take the secondary endings only when they are مُضافٌ, and the مُضافٌ إليه is not the pronoun of the first person singular. In this group the *raf'*-ending is *wâw*, the *nasb*-ending is *alif* and the *jarr*-ending is *yâ'*, e.g.,

ماذا قالَ أبو بـلالٍ؟ 'What did Bilal's father say?' Note it is أبو (**abû**) with a *wâw*, not : أبُ (**abu**).

---

[1]- This should be pronounced *as-sayyârât-i*. For the sake of uniformity I write the definite article **al-** even with the solar letters.

[2]- الحَمُ means the male relative of the husband such as his brother and his father.

أعرفُ أبَـا بـلالٍ 'I know Bilal's father'. Note it is أبا (**abâ**) with an *alif*, not : أبَ (**aba**).

ذهبتُ إلى أبِي بلالٍ 'I went to Bilal's father'. Note it is أبِي (**abî**) with a *yâ'*, not : أبِ (**abi**).

The مضاف إليه can be a pronoun, e.g.,

أين ذَهَبَ أخُوك؟ 'Where did your brother go?' (akh**û**-ka)

ما رأيتُ أخاك 'I did not see your brother'. (akh**â**-ka)

ما اسْمُ أخِيك؟ 'What is your brother's name?' (akh**î**-ka)

If the مُضافٌ إليـــه is the pronoun of the first person singular, the noun remains unchanged, e.g.,

يدرسُ أخِي بالجامعةِ 'My brother is studying at the university'.

أتعرفُ أخِي؟ 'Do you know my brother?'

خُذِ العُنوانَ مِن أخِي 'Take the address from my brother'.

The word فَـمٌ (mouth) can be used in two ways : with the *mîm*, and without it. When used with the *mîm* it is declined with the primary endings, e.g.,

فَمُك نَظِيفٌ 'Your mouth is clean'.

افْتَحْ فَمَك 'Open your mouth'

ماذا في فَمِك؟ 'What is in your mouth?'

If the *mîm* is dropped, it is declined like the Five Nouns (الأسماءُ الخَمْسةُ), e.g.,

فُوكَ صَغِيرٌ 'Your mouth is small'. (f**û**-ka)

افْتَحْ فَـاكَ 'Open your mouth'. (f**â**-ka)

ماذا في فِيـكَ؟ 'What is in your mouth?' (f**î**-ka)

The Five Nouns are declined with the special secondary endings only if they are مُضـافٌ as we have seen. Otherwise they are declined with the primary endings, e.g.,

هو أخٌ 'He is a brother'. أينَ الأخُ؟ 'Where is the brother?'

رأيتُ أخاً 'I saw a brother'. سألتُ الأخَ 'I asked the brother'.

هذا مِنْ أخٍ 'This is from a brother'. هذه سيارةُ الأخِ 'This the brother's car'.

d) The Sound Masculine Prural (جمعُ المذكَّرِ السالِمُ) : This group has **-û (na)** as the *raf* '-ending, and **-î (na)** as the *nasb/jarr*-ending, e.g.,

دخل المدرسونَ 'The teachers entered'. Here *al-mudarris-**ûna*** is مرفوعٌ.

ما سألتُ المدرسينَ 'I did not ask the teachers'. Here *al-mudarris-**îna*** is منصوبٌ.

أين غرفةُ المدرسينَ؟ 'Where is the teachers' room?' Here *al-mudarris-**îna*** is مجرورٌ.

Note that the *nasb*-ending is the same as the *jarr*-ending in this group.

The ن of **-û (na)** and **-î (na)** is omitted if the noun happens to be مضافٌ, e.g.,

أين مُدرِّسُو القرآنِ؟ 'Where are the Qur'an teachers?' (mudarris-**û**).

أرأيتَ مُدرِّسِي القرآنِ؟ 'Did you see the Qur'an teachers?' (mudarris-**î**).

You will learn more about the omission of the *nûn* in Lesson 9.

e) The Dual (المُثَنَّى) : The dual takes **-â (ni)** as the *raf* '-ending, and **-ai (ni)** as the *nasb/jarr*-ending, e.g.,

أجاءَ المدرِّسَانِ الجديدانِ؟ 'Have the two new teachers come?' (al-mudarris-**âni**).

أرأيتَ المدرِّسَيْنِ؟ 'Did you see the two teachers?' (al-mudarris-**aini**).

أسألُ عَنِ المدرسَيْنِ 'I as asking about the two teachers'. (al-mudarris-**aini**).

The ن of **-â (ni)** and **-ai (ni)** is omitted if the noun happens to be مُضافٌ , e.g.,

أين تدرسُ أُختا بلالٍ؟ 'Where are Bilal's two sisters studying?' (ukht-**â**).

أتعرفِينَ أختَيْ بلالٍ؟ 'Do you know Bilal's two sisters?' (ukht-**ai**).

أَكتبتِ إلى أختَيْ بلالٍ؟ 'Did you write to Bilal's two sisters?' (ukht-**ai**)

You will learn more about the omission of the *nûn* in Lesson 9.

Latent Endings(الإعرابُ التقديريّ)

There are three groups of nouns in which the endings do not appear for phonetic reasons. These are :

a) The *Maqṣûr* (المقصُــور) : It is a noun ending in long **â** like العَصا، الفتَى، المُسْتَشْفَى.

All the three endings are latent in the *maqṣûr*, e.g.,

قَـتَــلَ الفتَى الأفْعَى بالعَصَـا 'The young man killed the viper with the stick.' Here الفتَـــى (**al-fatâ**) is the فاعِلٌ, but it has no **u**-ending; الأفْـــعَى (**al-af'â**) is مفعــولٌ بـهِ, but has no **a**-ending, and العَصا (**al-'aṣâ)** is preceded by a preposition, and so it is مجرورٌ, but has no **i**-ending. Compare this sentence to the following sentence with the same meaning : قَتَلَ الولدُ الحَيَّةَ بِــالعُودِ (qatala l-walad-**u** l-ḥayyat-**a** bi l-'ûd-**i**). In these nouns all the endings appear.

b) The *Muḏâf* of the Pronoun of the First Person Singular (المضافُ إلى ياء المتَكَلّم) like زَمِيلي . In this group also all the three endings are latent, e.g.,

دَعا جَدِّي أُســتاذي مَــعَ زُمَلائــي 'My grandfather invited my teacher with my classmates'. Here جَدّي (*jadd-ī*) is فاعِلٌ, أستاذِي (*ustâdh-ī*) is مفعولٌ بهِ and زُملائي (*zumalâ'-ī*) is مضافٌ إليهِ. But none of the three has the ending. Compare this to :

دَعا جَدُّكَ أستاذَكَ معَ زُملائِــكَ 'Your grandfather invited your teacher with your classmates'. Here *jadd-u-ka* has the **u**-ending, *ustâdh-a-ka* has the **a**-ending and *zumalâ'-i-ka* has the **i**-ending.

c) The *Manqûṣ* (المنقُــوص) : It is a noun ending in an original *yâ'*, e.g., القاضِي 'the judge', المُحــامِي 'the advocate', الجانِي 'the culprit'. In this group the **u**- and the **i**-endings are latent, but the **a**-ending appears, e.g.,

سَأَلَ القاضِي المُحامِيَ عن الجانِي 'The judge asked the lawyer about the culprit'. Here القاضِي (*al-qâdiy*) which is مرفوعٌ and الجانِي (*al-jâniy*) which is مجرورٌ have no ending, but المُحامِيَ (*al-muhâmiy-a*) which is منصوبٌ has **a**-ending.

If the *manqûs* takes the *tanwîn* it loses the terminal *yâ'*, e.g., قاضٍ which was originally قـــاضِيٌ . After the loss of the **u**-ending and the *yâ'* it became **qâdi-n** (qâdiy-**u**-n → qâdi-n).

The *yâ'*, however, returns in the accusative case, e.g.,

هذا قاضٍ 'This is a judge'.

سألتُ قاضياً 'I asked a judge'.

هذا بيتُ قاضٍ 'This is the house of a judge'.

Note that the *yâ'* of the *manqûs* is retained only in the following three cases :

1) If it has the definite artical **al-**, e.g., المُحامِي، الوادِي، القاضِي ,

2) If it is مُضـــافٌ, e.g., قاضِي مكّـةَ '*qâdi* of Makkah', مُحامِي الدِّفاعِ 'defence lawyer', وادِي العَقِيق 'the Valley of Aqîq' (in Madinah Munawwarah).

3) If it is منصوبٌ, e.g., عَبَرْتُ وادياً 'I crossed a valley', سألتُ قاضياً 'I asked a judge', أريد ثانياً 'I want a second'.

The Indeclible Nouns

(الـــمَـــبْـــنِيُّ من الأسمـــاءِ)

We have seen that most Arabic nouns are declinable. Some are indeclinable, i.e., they do not indicate their functions by changing their endings. The following groups are indeclinable (*mabnî*).

1) The ponouns (الضَّمائر) like : أنا، أنتَ، هوَ. Likewise **tu** and **hu** in رأيـتُـهُ (I saw him) are pronouns. Also **ka** in كتـابُك (your book) and **hâ** in بَيْتُـــها (her house) are pronouns.

You might have noticed that there are two sets of pronouns. One set is used as *raf '* pronouns, and another set as *nasb* and *jarr* pronouns, e.g.,

نَحْنُ طُلابٌ '**We** are students'.

أرأيتَنا؟ 'Did you see **us**?'

هذا بيتُنا 'This is **our** house'.

But the changes that the pronouns undergo have no pattern. So each form of the pronoun is regarded as a separate entity. That is why the pronouns are classed as indeclinable though they undergo changes to indicate their functions in the sentence.

<u>2) Demontrative pronouns</u> (أسماء الإشارة) like: هذا، هذه، ذلكَ، هؤُلاءِ، أولائكَ

, but هذانِ and هاتانِ are declinable (مُعْرَبٌ).

<u>3) Relative pronouns</u> (الأسماءُ المَوصُولة) like : الَّذي، الَّتي، الَّذينَ، اللاتي , but اللَّذانِ and اللَّتانِ are declinable.

<u>4) Some interragative</u> words like : مَنْ، أينَ، ما، مَتَى، كيفَ.

<u>5) Some adverbs</u> (الظُّرُوف) like : إذا، حَيْثُ، أمْسِ، الآنَ.

<u>6) The verb-nouns</u> (أسماءُ الفِعْلِ) : A verb-noun is a noun with the meaning of a verb, like : أُفٍّ meaning *I am annoyed*, آهِ meaning *I feel pain*, آمِينْ meaning *accept*.

<u>7) Compound numbers</u> : These are أَحَدَ عَشَرَ up to تِسْعَةَ عَشَرَ along with their feminine forms. Only the first part of اثْنـَا عَشَرَ and اثْنَتَا عَشْرَةَ is declinable (as explained in Key to Part Two).

With regard to a *mu 'rab* noun we say 'it is *marfû '*, *mansûb* or *majrûr*', but with regard to a *mabnî* noun, we say : it is في مَحَلِّ رَفْعٍ/ في مَحَلِّ نَصْبٍ/ في مَحَلِّ جَرٍّ i.e., it is in the place of *raf '*, *nasb* or *jarr*, because a *mabnî* noun cannot be *marfû '*, *mansûb* or *majrûr*, but it occupies a place that belongs to a *marfû '*, *mansûb* or *majrûr* noun; and if the *mabnî* noun were to replaced by a *mu 'rab* one it will be *marfû '*, *mansûb* or *majrûr*, e.g., in رأيتُ بلالاً the noun بلالاً is *mansûb* because it is مفعـــول بـــه, but in رأيتُ هذا the noun هذا is 'in the place of *nasb*' because it occupies the same place as the *mansûb* بلالاً.

EXERCISES

(1) Sort out the *mu'rab* (declinable) from the *mabnî* (indeclinable).
(2) What are the primary endings of the noun?
(3) What are the secondary endings in the following groups?
a) The Five Nouns,
b) The Sound Masculine Plural, and
c) The Dual.
(4) What is the *jarr*-ending in the Diptote?
(5) What is the *nasb*-ending in the Sound Feminine Plural?
(6) Use a *maqsûr* noun in three sentences making it *marfû'* in the first, *mansûb* in the second and *majrûr* in the third.
(7) Use a *manqûs* noun with the *yâ'* in three sentences making it *marfû'* in the first, *mansûb* in the second and *majrûr* in the third.
(8) Use a *manqûs* noun without the *yâ'* in three sentences making it *marfû'* in the first, *mansûb* in the second and *majrûr* in the third.
(9) Use a *mudâf* of the pronoun of the first person singular (المضاف إلى ياء المتكلّم) in three sentences making it *marfû'* in the first, *mansûb* in the second and *majrûr* in the third.
(10) Mention the *i'râb*[1] of the underlined words.

When is a noun *marfû'* (in the nominative case)?

A noun is *marfû'* when it is :
1,2) *mubtada'* or *khabar*, e.g., اللهُ أكبرُ 'Allah is the greatest.'

[1] Mentioning the *i'râb* of a noun is to mention its case, the case-ending and the reason for its being in that case, e.g., in سألتُ المسلماتِ we say : المسلمات is *mansûb* because it is مفعول به, and its ending is *kasrah* because it is sound feminine plural.

3) *ism* of *kâna*, e.g., كانَ البابُ مفتوحاً 'The door was open.'

4) *khabar* of *inna*, e.g., إنّ اللهَ غفورٌ 'Surely, Allah is forgiving.'

5) *fâ'il*, e.g., خَلَقَنا اللهُ 'Allah created us.'

6) *nâ'ib al-fâ'il* 1, e.g., خُلِقَ الإنسانُ من طِينٍ 'Man was created from dust.'

When is a noun *mansûb* (in the accusative case)?

A noun is *mansûb* when it is :

1) *ism* of *inna*, e.g., إنّ اللهَ غفورٌ 'Surely, Allah is forgiving.'

2) *khabar* of *kâna*, e.g., كانَ الطّعامُ لذيذاً 'The food was delicious.'

3) *maf'ûl bihi*, e.g., فهِمتُ الدَّرْسَ 'I have understood the lesson.'

4) *maf'ûl fîhi*[2] e.g., سافرَ أبي ليلاً 'My father travelled by night', جلسَ المدرسُ عندَ المدير 'The teacher sat at the headmaster's'.

5) *maf'ûl lahu*[3] , e.g., ما خرجتُ من البيت خوفاً من الحرِّ 'I did not leave the house for fear of heat'.

6) *maf'ûl ma'ahu*[4] , e.g., سِرتُ والجبلَ. 'I walked along the mountain', ذهبتُ وخالداً إلى السوق 'I went to the market along with Khalid'.

7) *maf'ûl mutlaq*[5] , e.g., أُذْكُرُوا اللهَ ذِكْراً كثيراً 'Remember Allah much.'

8) *hâl* [1], e.g., جدّي يصلّي قاعداً 'My grandfather prays sitting'.

---

1 *Nâ'ib al-fâ'il* is the subject of a verb in the passive voice. See Lesson 3.

2 *Al-maf'ûl fihi*(المفعول فيه) is adverb of time or place. See Lesson 12.

3 *Al-maf'ûl lahu* (المفعول له) is the noun that gives the reason for doing a âhing.

4 *Al-maf'ûl ma'ahu* (المفعول معَه) is a noun coming after the *wâw* which means *'along with'*.

5 *Al-maf'ûl al-mutlaq* (المفعول المطلَق) is the مَصْدَر of the verb occuring in the sentence. See Lesson 28.

9) *tamyîz* [2], e.g., أنا أحسن منك خطّاً 'I am better than you in handwriting'.

10) *mustathnâ*[3], e.g., حضرَ الطلابُ كلُّهم إلاّ حامداً 'All the students attended except Hamid'.

11) *munâdâ*[4], e.g., يا عبدَ اللهِ 'O Abdullah!'

When is a noun *majrûr* (in the genetive case)?

A noun is *majrûr* when it is :

1) *mudâf ilaihi*, e.g., القرآنُ كتابُ اللهِ 'The Qur'an is the book of Allah.'

2) preceded by a preposition, e.g., الطلابُ في الفصْلِ 'The students are in the class.'

Nouns of Dependent Declension (التَّوابِعُ)

There are four grammatical elements which have no independent declension of their own; they are depedent on other nouns for their declension. These are :

a) the *na't* (النَّعْتُ), i.e. adjective. It follows its *man'ût* (المنْعوت) in its declension. The *man' ût* is the noun which the adjective qualifies, e.g.,

أحضَرَ الطالبُ الجديدُ؟ 'Did the new student attend?'

يَطْلُبُ المديرُ الطالبَ الجديدَ 'The headmaster wants the new student'.

هذا دفترُ الطالبِ الجديدِ 'This is the notebook of the new student'.

---

[1] *Al-hâl* (الحال) is adverb of manner. See Lesson 31.

[2] *Al-tamyîz* (التمييز) is a noun that specifies the meaning of a vague word. One may be better than the other in various fields; and 'in handwriting' specifies this. See Lesson 30.

[3] *Al-mustathnâ* (المُستثنى) is the noun that comes after إلا meaning 'except'. See Lesson 32.

[4] You have learnt this in Book Two.

In these sentences the *na't* الجَدِيد follows the *man'ût* الطالِب in the *i'râb*.

b) **the *taukîd*** (التَّوكِيد), i.e., a noun denoting emphasis like كُلُّهم *all of them*, نَفْسُهُ *himself*, e.g.,

حضر الطلابُ كلُّهم 'All the students attended'. قال لي هذا المديرُ نفسُهُ 'The headmaster himself told me this'.

سألتُ الطلابَ كلَّهم 'I asked all the students'. سألتُ المديرَ نفسَهُ 'I asked the headmaster himself'.

سلّمتُ على الطلابِ كلِّهم 'I greeted all the students'. سلّمتُ على المديرِ نفسِهِ 'I greeted the headmaster himself'[1].

Here the *taukîd* (كُل، نفْس) follows the *mu'akkad* (الطلاب، المدير). The *mu'akkad* (المُؤَكَّد) is the noun which is emphasized.

c) ***ma' tûf*** (المَعْطُوف), i.e., a noun joined to another by a conjunction like و *and*, e.g.,

خرج حامدٌ وصديقُه 'Hamid and his friend went out'.

طلبَ المديرُ حامداً وصديقَه 'The headmaster wanted Hamid and his friend'.

أين كُتُبُ حامدٍ وصديقِهِ؟ 'Where are the books of Hamid and his friend?'

d) ***badal***[2] (البَدَل), i.e., a noun in apposition to another, e.g.,

أنجح أخوك هاشمٌ؟ 'Has your brother Hashim passed?' أنجحَ هذا الطالبُ؟ 'Has this student passed?'

أعرفُ أخاك هاشماً 'I know your brother Hashim'. أعرفُ هذا الطالبَ 'I know this student'.

---

[1] See Key to Book Two, Lesson 18 : 3. There *taukîd* is written as *ta'kîd*. Both the terms are in use.

[2] See Lesson 21.

أين غرفةُ هذا الطالب؟ 'Where is the room of this student?'

أين غرفةُ أخيـــك هاشـــم؟ 'Where is your brother Hashim's room?'

(B) Moods of Verbs

You have already learnt in Book Two (Lesson 10) that Arabic verbs have three forms : the *mâḏî*, the *muḏâri'* and the *amr*. The *mâḏî* and the *amr* do not undergo any change. So they are *mabnî*. The *muḏâri'* undergoes changes to indicate its function in the sentence. So it is *mu'rab*. Just as the noun has three cases, the *muḏâri'* also has three cases which in English grammar are called moods. These are *marfû'*, *manṣûb* and *majzûm*. You have learnt this also in Book Two (Lessons 18 & 21)[1].

The *muḏâri'* is *mabnî* when it is *isnâd*ed to the pronouns of second & third persons feminine plural, e.g.,

الأخَواتُ يَكْـــتُـــبْـــنَ 'The sisters are writing'.

ماذا تَكْـــتُـــبْـــنَ يا أخَواتُ؟ 'What are writing, sisters?'

These two forms remain unchanged.

The Four Forms have **u**-ending in the *marfû'*, **a**-ending in the *manṣûb* and no ending in the *majzûm* :

Marfû' : يَكْـــتُبُ، تَكْـــتُبُ، أَكْـــتُبُ، نَكْـــتُبُ (yaktub-**u**, taktub-**u**, aktub-**u**, naktub-**u**).

Manṣûb : لنْ يكْـــتُـــبَ، لنْ تكْـــتُـــبَ، لن أكْـــتُـــبَ، لنْ تكْـــتُبَ (lan yaktub-**a**, lan taktub-**a**, lan aktub-**a**, lan naktub-**a**).

Majzûm : لَـــمْ يكتُبْ، لم تكتُبْ، لم أكتُبْ، لم نكتُـــبْ (lam yaktub, lam taktub, lam aktub, lam naktub).

---

[1] *Marfû'* and *manṣûb* are common both to the nouns and the verbs; while *majrûr* is peculiar to nouns, and majzum to verbs.

These are the Primary Endings (العَلامات الأصلِيَّة). There are Secodary Endings (العَلاماتُ الفَرْعِيَّة). These are in the following verb or verb-forms :

a) In the Five Forms (الأفعال الخَمْسَة) retention of the terminal **nûn** is the ending of the *marfû'*, and its omission is the ending of both the *mansûb* and *majzûm*, e.g.,

Marfû' : يكتُبانِ، تكتبانِ، يكتُبونَ، تكتُبون، تكتُبين (yaktubâ-**ni**, taktubâ-**ni**, yaktubû-**na**, taktubû-**na**, taktubî-**na**).

Mansûb : لنْ يكتُبا، لن تكتُبا، لن يكتبوا، لن تكتُبوا، لن تكتُبي (lan yaktubâ, lan taktubâ, lan yaktubû, lan taktubû, lan taktubî).

Majzûm : لمْ يكتبا، لم تكتبا، لم يكتُبوا، لم تكتُبوا، لم تكتُبي(lam yaktubâ, lam taktubâ, lam yaktubû, lam taktubû, lam taktubî).

b) In the *nâqis* verb the ending of the *majzûm* is the omission of the third radical which is a weak letter (See Book Two Lesson 28). Phonetically it amounts to shortening the long vowel, e.g.,

يَتْلو (yatl**û**)→ لمْ يَتْلُ (lam yatl**u**).

يَبْكي (yabk**î**) → لم يَبْكِ(lam yabk**i**).

يَنْسى (yans**â**) → لم يَنْسَ (lam yans**a**).

Latent Endings (الإعرابُ التَّقديريّ)

a) In the *nâqis* verbs the following ending are latent:

* The **u**-ending of the *raf'* in verbs ending in *yâ'*, *wâw* and *alif*, e.g., أَمْشِي 'I walk' (**amshî**), أَتْلُو 'I recite' (**atlû**), أَنْسَى 'I forget' (**ansâ**) for the original أَمْشِيُ، أَتْلُوُ، أَنْسَىُ.

* The **a**-ending of the *nasb* in verbs ending in *alif*, e.g., أُريدُ أنْ أنسَى 'I want to forget' (ansâ). But it appears in verbs ending in *yâ'* and *wâw*, e.g., أُريدُ أنْ أَمْشِيَ 'I want to walk' (amshiy-**a**), أُريدُ أنْ أتْلُوَ 'I want to recite' (atluw-**a**).

b) The *sukûn* of the *jazm* in the *muḏa''af* verbs, e.g., لَمْ أَحُجَّ 'I did not perform hajj'. Here أَحُجُّ (ahujj-**u**) drops the *ḏammah* after لم and becomes لم أَحُجْ (ahujj). As it involves اِلْتِقاءُ السَّاكِنَيْنِ a *fatḫah* is added, so it becomes لم أَحُجَّ (lam ahujj-**a**). See also Book Two, Lesson 29.

Exercises

1) Sort out the *mu'rab* from the *mabnî*.
2) What are the primary endings in the *mudâri'*?
3) What are the secondary endings in the Five Forms?
4) What is the *jazm*-ending in the *nâqiṣ* verb?
5) What is the *raf'*-ending in the *nâqiṣ* verb?
6) What is the *naṣb*-ending in the *nâqiṣ* verb ending in *alif*?
7) What is the *jazm*-ending in the *muḏa''af* verb?

LESSON 2

In this Lesson we learn the following :

#(1) *Wâw* can be a letter as in لَوْ، وَلَدٌ, and it can be a word as in أين بلالٌ وحامدٌ؟ 'Where are Bilal *and* Hamid?'

The word و has many meanings. We mention in this lesson three of them. They are :

a) *and* as in أريد كتاباً وقلماً 'I want a book and a pen', خرجَ الزُّبَيْرُ وحامدٌ 'al-Zubair and Hamid went out'. The word و in this sense is a conjunction (حَرْفُ العَطْفِ).

b) *by* as used in an oath, e.g., وَاللهِ ما رأيتُهُ 'By Allah, I did not see him'. The word و in this sense is a preposition (حَرْفُ الجَرِّ).

c) The third type of *wâw* is called *wâw al-ḫâl*. It is prefixed to a subordinate nominal sentence (الجملةُ الاسميّة) . This sentence describes the circumstance in which the action of the main sentence took place, e.g.,

دخلتُ المسجدَ والإمامُ يركَعُ 'I entered the mosque while the imam was permorming *rukû*'.'

ماتَ أبي وأنا صغيرٌ 'My father died when I was small.'

دخلَ المدرِّسُ الفصلَ وهو يحمِلُ كتباً كثيرةً 'The teacher entered the class carrying a lot of books.'

جاءني الولَدُ وهو يبكِي 'The boy came to me crying.'

لا تأكلْ وأنتَ شَبْعانُ 'Do'nt eat when you are full up.'

Note that if the *khabar* of this nominal sentence is a verb, it should be *muḏâri*'.

#(2) We have seen in Book Two (Lesson 1) that لَعَلَّ signifies hope or fear, e.g.,

لعلّه بِخير 'I hope he is well.' The meaning of hope is called التَّرَجِّي.

لعلّه مريضٌ 'I am afraid he is sick.' The meaning of fear is called الإِشْفاقُ .

Another example of الإشْـــفاق is the hadîth in which the Prophet صلَّى الله عليه وســـلَّم said لعلّي لا أَحُجُّ بعدَ عامِي هذا 'I am afraid I will not perform hajj after this year of mine'.

#(3) إِلَيْكُمْ أَمْثِلـــةً أخـــرَى 'Take some more examples'. Here إِلَيْكُمْ is اسمُ الفِعْلِ (verb-noun). It is made of the preposition إلَى and the pronoun ـــكُمْ. But in this construction it means 'take', and أمثِلةً is منصوب because it is its مفعول به. The radio and T.V. announcers say : إليكم نَشْرَةَ الأخبارِ which literally means : 'Take the news bulletin'.

The pronoun changes according to the person addressed to :

إليكَ هذا الكتابَ يا إبراهيمُ 'Take this book, Ibrahim.'

إليكِ المَلاعِقَ يا أختي 'Take the spoons, sister.'

إليكنَّ هذه الدّفاترَ يا أخواتُ 'Take these noteboks, sisters.'

#(4) The word أَشْـــياءُ 'things' is a diptote because it is originally أَشْيِئاءُ on the pattern of أغْنِياءُ، أَنْبِياءُ، أَصْدِقاءُ.

#(5) The *mâḏî* is also used to express a wish, e.g., رَحِمَه اللهُ 'May Allah have mercy on him!', غَفَرَ اللهُ لَهُ 'May Allah forgive him!', شَفاهُ اللهُ 'May Allah grant him health!'

The *mâḏî* in this sense is negated by the particle لا, e.g., لا أَراكَ اللهُ مكروهاً 'May Allah not show you anything unpleasant!', لا فَضَّ اللهُ فاكَ 'May Allah not smash your mouth!'[1]

---

[1] i.e., may Allah preserve your speech-organ. It is said in appreciation of of a beautiful statement. It signifies 'how beautifully you have said it!'

#(6) هَلْ مِنْ سُؤالٍ؟ 'Any question?'. The full construction of this sentence is like this : هَلْ مِنْ سُؤالٍ عندك؟ 'Do you have any question?' Here سُؤالٍ is *mubtada'* and عِنـدَكَ is *khabar*, and مِنْ in this construction is called مِنَ الزّائدةُ (the extra *min*), and is used to emphasize the meaning of the sentence. There are two conditions for using the extra *min*. These are :

1) The sentence should contain negation, prohibition or interrogation. The interrogation should only be with the particle هَلْ .

2) The noun following the extra *min* should be indefinite, e.g.,

Negation : ما غابَ مِنْ أحدٍ 'No one is absent', ما رأيْتُ من أحدٍ 'I did not see any one'.

Prohibition : لا يخْرُجْ من أحـدٍ 'None should go out', لا تكتُبْ من شَيْءٍ 'Don't write anything'.

Interrogation : هَلْ مِنْ سُؤالٍ؟ 'Any question?', هَلْ مِنْ جديدٍ 'Anything new?' In the Qur'an (50:30) : يَوْمَ نَقولُ لِجَهَنَّمَ هَلِ امْتَلأْتِ وَتَقُولُ هَلْ مِنْ مَزيدٍ 'On the day when We will say to Hell, "Are you full?" and it will say, "Have you any more?".'

Note that the noun following the extra *min* is *majrûr* because of this مِنْ, and loses its original ending, e.g., in ما رأيتُ أحداً the word أحداً is *mansûb* beacause it is مفعولٌ به; but after the introduction of the extra *min* it loses its *nasb*-ending and takes the *jarr*-ending even though its function remains what it was before. In the same way, in ما حَضَرَ أحدٌ the word أحدٌ is *marfû'* because it is فاعلٌ . After the introduction of the extra *min* أحد becomes *majrûr*, though it remains فاعلٌ in the sentence.

#(7) لَـدَى (ladâ) is a zarf (الظَّرْف = adverb) and has the same meaning as عِنْدَ, e.g., ماذا لَدَيْـكَ؟ 'What do you have?'. Note that the *alif* of لَدَى changes to *yâ'* when its مضاف إليه is a pronoun : لَدَى البابِ (ladâ), but لَدَيْك (ladai-ka).

#(8) دخلْتُ على المديرِ means 'I went to the headmaster in his office'.

#(9) The plural of مَعْـنىً (meaning) is مَعانٍ, and with the definite article المَعانِي.
Here are some more nouns which form their plural on this pattern :
نَوادٍ: (club) نادٍ -- (اللّيالِي) لَيالٍ : (night) لَيْلةٌ -- (الجَوارِي) جَـوارٍ : (girl) جاريَــةٌ
(النّوادي).
These nouns are declined like the *manqûs* (see Lesson 1), e.g.,
Marfû' : لِلواوِ مَعانٍ كثيرةٌ '*Wâw* has many meanings'. (ma'âni-**n**).

Masnsûb: أعرِفُ لِلواوِ مَعانِيَ كثيرةً 'I know many neanings of *wâw*'. (ma'âniy-**a**).

Majrûr : تَأْتِي الـواو لِـمَـعـانٍ كثـيرة '*Wâw* is used in many meanings'. (ma'âni-**n**).
Here is an example with **-al** :
Marfû' : المَعانِي كثيرةٌ 'The meanings are many'. (al-ma'ânî).

Mansûb : أكتبْتَ المَعانِيَ؟ 'Did you write the meanings?' (al-ma'âniy-**a**).

Majrûr : سألتُ المدرّسَ عنِ المعـانِي 'I asked the teacher about the meanings'. (al-ma'ânî)[1].

EXERCISES

1) Answer the following questions.
2) Learn these examples of *wâw al-hâl*.
3) Draw one line under *wâw al-'atf* (*wâw* meaning *and*), and two lines under *wâw al-hal*.
4) Name every *wâw* in the following sentence.
5) Complete each of the following sentences using a *hâl* clause (*wâw*+ nominal sentence).
6) Make each of the following sentences a *hâl* clause, and complete it with a main clause.
8) What does لَعَلَّ signify in each of the following sentences?[1]

---

[1] See also Lesson 34.

9) Learn the examples of اسمُ الفِعْلِ.

11) Give an example from the lesson of the *mâḏî* used to express a wish.

12) Form sentences on the pattern of the example using هلْ and the extra *min*.

13) Learn the use of لَدَى.

14) What is the opposite of مَرِيض ?

15) Give the *mâḏî* of each of the following verbs.
16) Give the singular of ecah of the following nouns.
17) Give the plural of each of the following nouns.

20) What is the difference between عَبْد and عُبَيْد? What is the form عُبَيْد called?

---

[1] The numbering in this Key follows the numbering in the main book. Numbers not representing questions have been left out.

LESSON 3

In this leson we learn the following :

#(1) The Passive Voice (الفِعْلُ الـمَبْـنـيُّ لِلْمَجْهُول) : Here is an example of the passive voice in English : 'The soldier killed the spy' ---- 'The spy was killed'. In the passive voice the subject is omitted, and the object takes the place of the subject. Let us see how to express the same idea in Arabic :

Active voice (الفعْلُ المَبْـنـيُّ للمَعْلُوم) : قَتَلَ الجُنْدِيُّ الجاسُوسَ. (qatala l-jundiyy-**u** l-jâsûs-**a**).

Passive voice (الفِعْلُ المَبْـنـيُّ للمجْهُول) : قُـتِـلَ الجاسُوسُ. (q**u**t**i**la l-jâsûs-**u**).

Note that in the passive voice the *fâ'il* (الجُنـدِيُّ) has been omitted, and the *maf'ûl bihi* has taken its place, and has become *marfû'*. It is now called نائبُ الفاعِلِ.

In English we may say, 'the spy was killed' or 'the spy was killed *by the soldier*'. The second construction is *not possible* in Arabic.

The original verb undergoes certain changes when it is converted to passive voice. In the *mâḏî*, the first radical has *ḏammah* and the second has *kasrah*. In the *muḏâri'*, the letter of the *muḏâra'ah*[1] has *ḏammah*, and the second radical has *fatḫah*, e.g.,

Mâḏî : قَـتَـلَ 'he killed' : قُـتِـلَ 'he was killed' (qatala : q**u**t**i**la).

If the second radical originally has *kasrah*, it remain, e.g., شَرِبَ 'he drank' : شُـرِبَ 'it was drunk' (shariba : shuriba); سَمِعَ 'he heard' : سُمِعَ 'he/it was heard'(sami'a : sumi'a).

Muḏâri' : يَـقْـتُـلُ 'he kills' : يُـقْـتَـلُ 'he is killed' (yaqtulu : y**u**qt**a**lu).

---

[1] The letters (أ، ت، ي، ن) which are prefixed to the *mudâri'* as in يكتُبُ، تكتُبُ، أكتُبُ، نكتُبُ are called 'letters of *mudâra'ah*'. These have been combined to form the word أتَـيْـنَ 'they came'.

If the second radical originally has *fat<u>h</u>ah*, it remain, e.g., يَفْـتَـحُ 'he opens': يُفْـتَـحُ 'it is opened'(yaft**a**hu : yuft**a**hu); يَقْـرَأُ 'he reads' : يُقْـرَأُ 'it is read'(yaqr**a**'u : yuqr**a**'u).

You know that if *wâw* is the first radical, it is omitted in the *mu<u>d</u>âri'* (See Book Two, Lesson 26). But it is restored in the passive voice, e.g., يَجِدُ 'he finds' : يُوجَدُ 'he/it is found' ; يَلِدُ 'he bears (a child)' : يُولَدُ 'he is born'.

Here are some examples of the passive voice :

خُلِقَ الإنسانُ من طِينٍ 'Man was created from clay.'

في أيِّ عامٍ وُلِدْتَ؟ 'In which year were you born?'

يُقْتَلُ آلافٌ مِنَ النَّاسِ في الحُرُوبِ 'Thousands of people are killed in wars.'

لا يُلْدَغُ المُؤْمنُ مِنْ جُحْرٍ واحدٍ مَرَّتَيْنِ 'A believer is not bitten (by a snake) from the same hole twice' (<u>h</u>adîth), i.e., does not repeat the same mistake.

لايُوجَدُ هذا الكتابُ في المَكْتَبات 'This book is not found in the bookshops'.

﴿لَمْ يَلِدْ ولَمْ يُولَدْ﴾ 'He neither begot, nor was he begotten' (Qur'an, 112:3).

If the نائِبُ الفاعلِ is feminine, the verb should also be feminine, e.g.,

عَمَّ سُئِلَتْ آمِنةُ؟ 'What was Aminah asked about?'

تُقْرَأُ سورةُ الفاتحةِ في كلِّ ركْعةٍ 'Sûrat al-Fati<u>h</u>ah is read in every *rak'ah.*'

If the مفعولٌ به is a pronoun, its corresponding *raf '*-form is used as explained in Ex 7 in the main Book. E.g.,

قَتَلَهمُ المُجرمُونَ 'The criminal killed them'. → قُـتِـلُوا 'They were killed'.

سَأَلَـني المديرُ 'The headmaster asked me'. → سُـئِـلْتُ 'I was asked'.

#(2) وُلِدْتُ عامَ سَبْعَةٍ وسِتِّينَ وتِسْعِـمِائَةٍ وأَلْـفٍ لِلْمِيـلادِ (2)# 'I was born in the year 1967 C.E.'[1] Here the word عـامَ is *man<u>s</u>ûb* because it is مفعولٌ فِيهِ, i.e., a noun

[1] 'C.E.' stands for 'Christian Era'. We do not use A.D. as it stands for 'Anno Domini' in Latin which means 'in the year of (our) Lord'.

denoting the time of action (adverb). It does not have the *tanwîn* becase it is *muḏâf*. Here are some more examples :

سَأدرُسُ اللغةَ الفِرَنسيَّةَ العامَ القادمَ إنْ شاءَ الله 'I will study French next year.'

كُنتُ في مكَّةَ يَوْمَ الجُمُعةِ 'I was in Makkah on Friday.'

أينَ تذهبونَ هذا المَساءَ؟ 'Where are you going this evening?'

#(3) Certain proper names have ال (**al-**) like الحَسَنُ، الحُسَيْنُ، الزُّبَيْرُ. When the particle يا is used with them, ال is dropped, e.g., يا حَسَنُ (not : يا الحَسَنُ).

#(4) هِنْدِيٌّ means 'Indian'. This is formed from الهِنْدُ by adding يّ (**-iyy**-un) at the end. This process is called *nasab* (النَّسَبُ), and the noun after the addition of this يّ is called *mansûb* (المَنْسُوب)[1].

Note that certain nouns have irregular *mansûb* forms, e.g., أَخَوِيٌّ (brotherly) from أَخٌ --- أَبَوِيٌّ (fatherly) from أَبٌ --- نَبَوِيٌّ (prophetic) from نَبِيٌّ.

#(5) أُخَرُ (ukhar-u) is the plural of أُخْرَى. It is a diptote. The plural of the masculine آخَرُ is آخَرُونَ. Here are some examples :

غابَ اليَوْمَ بلالٌ وطالِبٌ آخَرُ 'Bilal and another **student** were absent today.'

غابَ اليومَ بلالٌ وطُلاّبٌ آخَرُون 'Bilal and other **students** were absent today.'

غابتْ زَيْنَبُ وطالبةٌ أُخْرَى 'Zainab and another **female student** were absent.'

غابتْ زينبُ وطالباتٌ أُخَرُ 'Zainab and other **female students** were absent.'

In the Qur'an (2: 184): ﴿فَمَنْ كانَ مِنكُمْ مَرِيضاً أَوْ عَلَى سَفَرٍ فَعِدَّةٌ مِنْ أَيَّامٍ أُخَرَ﴾ 'But whoever of you is sick or is on a journey (fasts the same) number of other days'. As أَيَّام is an irrational noun the singular أُخْرَى can agso be used with it,

[1] Not to be used with *manṣûb* (مَنْصُوب) which is with the letter ص.

e.g., الفَنادِقُ غالِيَةٌ هذه الأيَّامَ، ولكنَّها رَخيصةٌ في أيّامٍ أُخْرَى 'The hotels are expensive these days, but they are cheap on other days.'

#(6) صَلَّى 'he offered s̲alâh'. The *mud̲âri'* is يُصَلِّي, and the *amr* is صَلِّ. The expression صَلَّى بِنا means 'he led us in s̲alâh', i.e., he was our imâm. So صَلِّ بِنا means 'lead us in s̲alâh as the imâm'.

#(7) إمَّا ... وإمَّا means 'either ... or', e.g., الاِسْمُ إمَّا مُذكَّرٌ وإمَّا مُؤنَّثٌ 'A noun is either masculine or feminine'. إمَّا تَزُورُني وإمَّا أزُورُكَ 'Either you visit me or I visit you.'

#(8) For the *i'râb* of ثلاثُمائةٍ through تِسعُمائةٍ see Key to Book Two, L 24(g).

#(9) اليَهُود is a generic plural noun (اِسْمُ الجِنْسِ الجَمْعِيُّ). Generic plural nouns are of two kinds :

a) those which make their singular with يّ (**iyy**-un), e.g., عَرَبٌ 'Arabs': عَرَبِيٌّ 'an Arab' ; تُرْكٌ 'Turks' : تُرْكِيٌّ 'a Turk' ; إنْكِلِيزٌ 'Englishmen' : إنكِلِيزِيٌّ 'an Englishman'. Note that this يّ is not the *yâ'* of *nasab* which we have just learnt in #(4).

b) those which make their singular with *tâ' marbûtah* (ة), e.g., تُفَّاحٌ 'apples' : تُفَّاحةٌ 'an apple'; شَجَرٌ 'trees' : شَجَرَةٌ 'a tree' ; سَمَكٌ 'fish' : سَمَكَةٌ 'a fish'.

To understand the use of the singular and the plural, consider the following examples : If the doctor asks you what fruit you like, you say, أُحِبُّ المَوزَ 'I like bananas.' And if he askes you how many you eat after lunch, you say, آكُلُ مَوزةً 'I eat one banana'.

In the same way you say, أُحِبُّ العَرَبَ لأنَّ النبيَّ صلّى الله عليه وسلم عَرَبِيٌّ 'I love the Arabs because the Prophet was an Arab.'

Note that the dual is formed from this singular form, e.g., عَرَبِيَّانِ 'two Arabs' (not عَرَبَانِ); مَوْزَتَانِ 'two bananas' (not مَوْزَانِ).

EXERCISES

1) Answer the following questions.

2) Underline the نائب الفاعل in the following sentences.

4) Change the following verbs in the *mâḏî* to passive form.
5) Change the following verbs in the *muḏâri'* to passive form.
6) Read the examples, and then change the following sentences to passive voice.

7) Learn how to change the sentence to passive voice when the object (مفعول به) is a pronoun.

8) Point out the نائبُ الفاعِل in the following sentences.

9) Change the following sentences to passive voice.
10) Write down all the sentences in the passive voice occuring in the lesson, and point out the نائِبُ الفاعِل in each of them.

11) Oral exercise : The teacher asks every sudent في أيِّ عامٍ وُلِدْتَ؟ ('In which year were you born?'), and the student replies saying , وُلِدتُ عام ... لِلْهِجْرَة/ لِلْمِيلاد[1] (commencing the date with the unit).

12) Use يَا before the following proper name.

13) Write the *mansûb* form of each of the following nouns.
14)Point out all the *mansûb* forms occuring in the main lesson.

16) Learn the use of يَسْتَطِيعُ meaning 'he can'.

17) Learn صَلَّى 'he offered *salâh*'.

18) Learn the names of the Arabic months.

19) Learn the use of إمّا ... وإمّا 'either ... or'.

---

[1] The word وُلِدْتُ is pronounced وُلِتُّ with the assimilation of د in ت.

20) What does الحَرْبُ العالَمِيَّةُ الأُولَى / الثّانية mean? Is الحَرْب masculine or feminine? How did you find out its gender?
21) Write the *muḏâri'* of each of these verbs.
22) Write the plural of each of these nouns.
23) Use each of the following words in a sentence.
24) Learn the *i'râb* of ثلاثُمائة through تِسْعُمائة, then read these numbers correctly in the following sentences.
25) Learn the generic plural nouns.

LESSON 4

In this lesson we learn :

#(1) The اسْـمُ الفـاعِلِ (*ismu 'l-fâ'il* = active participle) : In English one who reads is called a 'reader', and one who writes a 'writer'. In Arabic a noun on the pattern of **fâ'il**-un فـاعِلٌ[1] is derived from the verb to denote the one who does the action, e.g.,

كَتَـبَ 'he wrote' : كَـاتِبٌ 'writer' ; سَرَقَ 'he stole' :→سَارِقٌ 'thief' ; عَبَدَ 'he worshipped' : عَابِدٌ 'worshipper' ; خَلَقَ 'he created' : خَالِقٌ 'creator'.

In the Qur'an (6:95) : {إِنَّ اللهَ فَالِقُ الحَبِّ وَالنَّوَى} 'Allah is the splitter of the grains and fruit kernels' (i.e., makes them sprout).

#(2) The اِسْمُ المَفْعُول (*ismu 'l-maf'ûl* = passive participle) : This is a noun on the pattern of **maf'ûl**-un (مَفْعُـولٌ)[2] derived from the verb to denote the one who suffers the action, e.g.,

قَتَـلَ 'he killed' : مَقْتُولٌ 'one who has been killed' ; خَلَقَ 'he created' : مَخْلُوقٌ 'he who has been created / that which has been created' ; سَرَّ 'he pleased' : مَسْرُورٌ 'he who is pleased' ; كَسَرَ 'he broke' : مَكْسُورٌ 'that which is broken'.

The Prophet صلّى الله عليـه وسـلّم said, لا طاعةَ لِمَخْلوقٍ في مَعْصِيَةِ الخَالِقِ 'No creature has to be obeyed if it involves disobedience to the Creator.'

#(3) ما أنا بِغافِلٍ عَمّا تعمَـلُ 'I am not unmindful of what you are doing.' This مَا is called مـا الحِجازِيَّـةُ (the Hijâzi *mâ*), and acts like لَيْسَ . It is used in a nominal sentence, and after its introduction the *khabar* is rendered *manṣûb*. The *khabar* may also take an extra *bâ'* rendering it *majrûr*, e.g.,

---

[1] This pattern can be represented by the formula **1â2i3**-un, i.e., the first radical is followed by a long **â**, and the second radical is followed by a short **i**.

[2] This pattern can be represented by the formula **ma12û3**-un, i.e., an extra **ma**- is prefixed to the first radical, and the second radical is followed by a long **û**.

البيتُ جديدٌ : ما البَيْتُ جدِيداً / ما البَيْتُ بجديدٍ, just as we say,

ليس البيتُ بجديدٍ / ليس البيت جديداً.

We have in the Qur'an (12: 31) : { مَا هَذا بَشَراً } 'This is not a human being.' Here the *khabar* is *mansûb*. We also have examples of the *khabar* having *bâ'*, e.g., in 2 :74, {وَما اللهُ بِغافِلٍ عَمَّا تعمَلونَ} 'And Allah is not unmindful of what you do.'

EXERCISES

1) Answer the following questions.
2) Learn the formation of the *ismu 'l-fâ'il*.
3) Form *ismu 'l-fâ'il* from each of the following verbs.
4) Underline أسماء الفاعِلِينَ in the following sentences[1].
5) Learn the formation of the اسمُ المفعول.
6) Form اسمُ المفعول from each of the following verbs.
7) Draw one line under the أسماء الفاعِلِينَ and two lines under the أسماءُ المفعولِينَ in the following sentences.
8) Learn the use of اِشْتَــرَى 'he bought.'
9) Learn the Hijâzi *mâ*, and then rewrite the following sentences using this *mâ* as shown in the example.
10) Write the *mudâri'* of each of the following verbs.
11) Write the plural of each of the following the nouns.

[1] The plural of اِسْمُ الفاعِلِ is أَسْماءُ الفاعِلِينَ, and the plural of اسمُ المفعول is أسماءُ المفعولِين.

LESSON 5

In this lesson we learn the following :
#(1) We have learnt the formation of the passive voice from the *sâlim* verb. Now we learn its formation from the *ajwaf* verb.

Mâdi : قَالَ (**qâla**) becomes قِيلَ (**qîla**) 'it was said' ; بَاعَ (**bâ'a**) becomes بِيعَ (**bî'a**) 'it was sold' ; زَادَ (**zâda**) becomes زِيدَ (**zîda**) 'it was increased / added.'

Mudâri' : يَقُولُ (**yaqûlu**) becomes يُقَالُ (**yuqâlu**) 'it is said' ; يَبِيعُ (**yabî'u**) becomes يُبَاعُ (**yubâ'u**) 'it is sold' ; يَزِيدُ (**yazîdu**) becomes يُزَادُ (**yuzâdu**) 'it is increased / added'.

Here are some examples : يُقالُ إِنَّ هذه الأرضَ بِيعَتْ بِمَلْيُونِ رِيالٍ 'It is said that this land was sold for one million riyals.' -- هُنا تُباعُ الصُّحُفُ وَالمَجَلاَّتُ 'Here newspapers and magazines are sold.'

#(2) We have learnt in the previous lesson the formation of اسْمُ الفاعِلِ from the *sâlim* verb. Now we learn its formation from non-*sâlim* verbs[1].

a) *Muda''af* verb : حَجَّ : حَاجٌّ (**hâjj**-un) 'pilgrim' for حَاجِجٌ (**hâjij**-un). The *kasrah* of the second radical is dropped for assimilation.

b) *Ajwaf wâwî*[2] : قَالَ يَقُولُ : قَائِلٌ (**qâ'il**-un) 'one who says' for قَاوِلٌ (**qâwil**-un).

Ajwaf yâ'î : زَادَ يَزِيدُ : زَائِدٌ (**zâ'id**-un) 'more' for زَايِدٌ (**zâyid**-un).

c) *Nâqis wâwî* : نَجَا يَنْجُو : نَاجٍ (النَّاجِي) (**nâji**-n / al-**nâjiy**) 'one who has escaped' for نَاجِوٌ (**nâjiw**-un).

Nâqis yâ'î : سَقَى يَسْقِي : سَاقٍ (السَّاقِي) (**sâqi**-n / al-**sâqiy**) 'cupbearer'.

---

[1] For *sâlim* and non-*sâlim* verbs see Key to Book Two, Lessons 26 through 29.

[2] *Ajwaf wâwî* is *ajwaf* with *wâw* as the second radical, e.g., قَالَ يَقُولُ; and *ajwaf yâ'î* has *yâ'* as the second radical, e.g. زَادَ يَزِيدُ. This also applies to the *nâqis*.

#(3) We have learnt in the previous lesson the formation of the اسْمُ المفعُول from the *sâlim* verb. Now we learn its formation from non-*sâlim* verbs.

a) *Muda‘‘af* verb : The اسْمُ المفعُول from this verb is regular, e.g., سَرَّ : مَسْرُورٌ 'pleased' ; عَـدَّ : مَعْدُودٌ 'counted' ; صَبَّ : مَصْبُوبٌ 'poured out' ; حَلَّ: مَحْلُولٌ 'solved'.

b) *Ajwaf wâwî* : قَالَ يَقُولُ[1] : مَقُولٌ (**maqûl**-un) 'that which has been said' for مَقْوُولٌ (**maqwûl**-un). Here the second radical has been dropped.

Here is one more example : لاَمَ يَلُومُ : مَلُـومٌ (**malûm**-un) 'blameworthy' for(مَلْوُومٌ**malwûm**-un).

Ajwaf yâ'î : زَادَ يَزِيـدُ : مَزِيدٌ (**mazîd**-un) 'more' for مَزْيُودٌ (**mazyûd**-un). Here the second radical has been dropped, and the *wâw* of مَفْعُول has been changed to *yâ'*.

Here is one more example : كَـالَ يَكِيـلُ : مَكِيلٌ 'measured' (**makîl**-un) for مَكْيُـولٌ (**makyûl**-un).

c) *Nâqis wâwî* : دَعا يَدْعُـو : مَـدْعُوٌّ (**mad'ûw**-un) 'invited'. It is regular. It is written with one *wâw* bearing *shaddah*. If it is written like this مَـدْعُووٌ, you can see the two *wâws* : the first is the *wâw* of مَفْعُول, and the second is the third radical.

Here is another example : تَلا يَتْلُو : مَتْلُوٌّ (**matlûw**-un) 'that which is recited'.

Nâqis yâ'î : بَنَـى يَبْنِـي : مَبْـنِيٌّ (**mabnîy**-un) 'that which has been built' for مَـبْـنُـويٌ (**mabnûy**-un). Here the *wâw* of مَفْعُول has been changed to *yâ*.

---

[1] The اسْمُ المفعول is derived from the passive form of the verb. That is why the passive form of the verb is given in the main book. But here in the Key the active form is given as it is easier to understand.

Here is another example : شَــوَى يَشْــوِي : مَشْوِيٌّ (**mashwîy**-un) 'grilled' for مَشْوُويٌ (**mashwûy**-un)[1].

EXERCISES

1) Answer the following questions.
2) Form the passive voice from the following *ajwaf* verbs as shown in the examples.
3) Point out the *ajwaf* verbs in the following sentences.
4) Form the اسمُ الفـــاعِلِ from the following *mu<u>d</u>a''af* verbs as shown in the example.
5) Form the اسمُ الفـــاعِلِ from the following *ajwaf wâwî* verbs as shown in the example.
6) Form the اسمُ الفـــاعِلِ from the following *ajwaf yâ'î* verbs as shown in the example.
7) Form the اسمُ الفـــاعِلِ from the following *nâqi<u>s</u> wâwî* verbs as shown in the example.
8) Form the اسمُ الفـــاعِلِ from the following *nâqi<u>s</u> yâ'î* verbs as shown in the example.
9) Form the اسمُ الفـاعِلِ from each the following verbs and mention its original form, and other particulars as shown in the example.
10) Form the اسمُ المفعُول from the following *ajwaf wâwî* verbs as shown in the example.
11) Form the اسمُ المفعــول from the following *ajwaf yâ'î* verbs as shown in the example.
12) Form the اسمُ المفعُول from the following *nâqi<u>s</u> wâwî* verbs as shown in the example.
13) Form the اسمُ المفعُــول from the following *nâqi<u>s</u> yâ'î* verbs as shown in the example.

---

[1] The verb شَوَى يَشْوِي is *lafîf maqrûn*, but this rule is common to *nâqi<u>s</u> yâ'î* and *lafîf maqrûn*.

14) Form the اسمُ المفعُولِ from each the following verbs and mention its original form, and other particulars as shown in the example.

15) Point out all the examples of اسمُ الفاعِلِ and اسمُ المفعُولِ occuring in the main lesson, and mention the verb from which each of them is derived, and also the type of this verb.

16) Point out اسمُ الفـــاعل / اسم المفعول in each of the following sentences, and mention its original form, the verb from which it is derived, and the type of the verb.

17) Learn the use of the following verbs.

18) Write the *mudâri'* of each of the following verbs.

19) Write the plural of each of the following nouns.

20) Write the singular of each of the following nouns.

LESSON 6

In this lesson we learn the formation of the nouns of place and time اسْمَا الْمَكَانِ وَالزَّمَانِ. Both have the same form which is either مَفْعَلٌ (maf'al-un) or مَفْعِلٌ (maf'il-un), e.g., مَلْعَبٌ 'time/place of playing', مَكْتَبٌ 'time/place of writing', مَطْبَخٌ 'time/place of cooking'; مَغْرِبٌ 'time/place of the setting (of the sun)', مَشْرِقٌ 'time/place of the rising (of the sun)'.

It is on the pattern of مَفْعَل (maf'al-un) in the following cases :

a) if the verb is *nâqis* irrespective of the vowel of the second radical, e.g., جَرَى : يَجْرِي مَجْرًى 'course', لَهَا يَلْهُو : مَلْهًى 'place of entertainment'.

b) if the second radical of a non-*nâqis* verb has *fathah* or *dammah* in the *mudâri'*, e.g., لَعِبَ يَلْعَبُ : مَلْعَبٌ 'playground', شَرِبَ يَشْرَبُ : مَشْرَبٌ 'drinking place'; دَخَلَ يَدْخُلُ : مَدْخَلٌ 'entrance', طَبَخَ يَطْبُخُ : مَطْبَخٌ 'kitchen'.

It is on the pattern of مَفْعِل (maf'il-un) in the following cases :

a) if the verb is *mithâl* irrespective of the vowel of its second radical, e.g., وَقَفَ يَقِفُ : مَوْقِفٌ 'car-park', وَضَعَ يَضَعُ : مَوْضِعٌ 'place'.

b) if the second radical of a non-*mithâl* non-*nâqis* verb has *kasrah* in the *mudâri'*, e.g., جَلَسَ يَجْلِسُ : مَجْلِسٌ 'sitting-room', نَزَلَ يَنْزِلُ : مَنْزِلٌ 'place of getting down'[1].

A *tâ' marbûtah* (ة) may be added to both the patterns, e.g., مَنْزِلَةٌ 'position', مَدْرَسَةٌ 'school'.

---

[1] Exceptions to this rule are: مَسْجِدٌ from يَسْجُدُ, مَشْرِقٌ from يَشْرُقُ, مَغْرِبٌ from يَغْرُبُ. According to the rule these should have been on the pattern of **maf'al**.

EXERCISES

1) Form the nouns of time and place from the following verbs.

2) Point out the nouns of time and place in the following passages mentioning the pattern of each of them, and the verb from which it has been derived.

3) Point out the nouns of time and place occurring in the main lesson mentioning the pattern of each of them, and the verb from which it has been derived.

LESSON 7

In this lesson we learn the formation of the noun of instrument اسمُ الآلة. It denotes the instrument for the action denoted by the verb, e.g.,

فَتَحَ 'he opened' : مِفْتاحٌ 'an instrument for onening', i.e., a key.

رَأَى 'he saw' : مِرْآةٌ 'an instrument for seeing', i.e., a mirror.

وَزَنَ 'he weighed' : مِيزَانٌ[1] 'an instrument of weighing', i.e., a balance.

There are three patterns of اِسْمُ الآلةِ. These are :

a) مِفْعَالٌ (mif'âl-un), e.g., مِنْشارٌ 'a saw' (نَشَرَ he sawed), مِحْراثٌ 'a plough' (حَرَثَ he ploughed).

b) مِفْعَلٌ (mif'al-un), e.g., مِصْعَدٌ 'a lift' (صَعِدَ he ascended), مِثْقَبٌ 'a drill' (ثَقَبَ he drilled).

c) مِفْعَلَةٌ (mif'alat-un), e.g., مِكْنَسَةٌ 'a broom' (كَنَسَ he swept), مِقْلاةٌ 'a frying pan' (originally مِقْلَيَةٌ from قَلَى he fried), مِكْواةٌ 'an iron' (originally مِكْوَيَةٌ from كَوَى he ironed)[2].

EXRCISES

1) Answer the following questions.

3) Form the nouns of instrument on the pattern of **mif'âl**-un from the following verbs.

---

[1] Note that مِيزَانٌ is originally مِوْزَانٌ (miwzân→ mîzân). Arabic phonetic system does not admit of the **iw** combination. Wherever this combination occurs it is changed to **î**, i.e., the **w** is omitted and **i** gets a compensatory lengthening.

[2] It should be noted that words like مِقْلاةٌ، مِكْواةٌ are on the pattern of **mif'alat**-un and not **mif'âl.** According to the Arabic phonetic system the combinations **aya** and **awa** are changed to **â,** so **miqlayat-un** becomes **miqlât-un,** and **misfawat-un** from صَفَا يصفو *to filter, strain* becomes **misfât-un.**

4) Form the nouns of instrument on the pattern of **mif'al**-un from the following verbs.

5) Form the nouns of instrument on the pattern of **mif'alat**-un from the following verbs.

6) Point out the nouns of instrument in the following *ahâdîth* and mention the pattern of each of them.

7) Point out the nouns of instrument occurring in the main lesson and mention the pattern of each of them.

8) Mention the name of each of the following derivatives[1].

9) Mention the plural of each of the following nouns.

[1] You have studied four types of derivatives (المُشتقّات). These are : اسم الفاعلِ، اسم المفعولِ، اسم الآلة، اسما المكانِ والزمان.

LESSON 8

In this lesson we learn the following :

#(1) The *ma'rifah* and the *nakirah*, i.e., the definite (المَعْرِفة) and the indefinite nouns (النَّكِرَة).

Read this passage, "*A man* came to me and said that he was hungry. He was a stranger. I gave *the man* some money." Here *a man* is indefinite, because he is unkown to you and to your listner. But *the man* is definite because he has already been mentioned.

In Arabic the following seven categories of nouns are definite (مَعْرِفة) :

1) pronouns like أنا، أنت، هو.

2) proper names like أحمد، بِلال، مكّة.

3) demonstrative pronouns like هذا، ذلك، أولئك.

4) relative pronouns like الذي، الَّذين، التي، ما، مَنْ.

5) a noun with the article ال like الكِتاب، الرَّجُل.

6) a noun with a definite noun as its *mudâf ilaihi* like كتابُـهُ، كتابُ حامـدٍ كتابُ هذا، كتابُ الذي خَرَجَ، كتابُ المدرّسِ

A noun which has an indefinite noun as its *mudâf ilaihi* is indefinite like كتابُ طالبٍ 'a student's book', بيتُ مدرّسٍ 'a teacher's house'.

6) a *munâdâ* specified by *nidâ'* (calling), e.g., يا رَجُلُ 'O man', يا وَلَدُ 'O boy'.

Note that رَجُـلٌ and وَلَدٌ are indefinite. But they have become definite because they are the ones meant by the caller. If, however, an indefinite noun is not specified by the caller, it remains indefinite even after being *munâdâ*, as a blind man saying, يا رَجُلاً خُذْ بِيَـدي 'O man, hold my hand.' It is obvious that he does not mean any particular person.

Note that in يا رَجُلُ the *munâdâ* is *mabnî* and has **u**-ending while in يا رَجُلاً it is *mansûb*.

A *nakirah* becomes a *ma'rifah* by being *munâdâ* as we have seen, whereas a *ma'rifah* is not affected by *nidâ'*, e.g., بَلالٌ is *ma'rifah*, and remains so in يا بلالُ.

#(2) تَعـــالَ 'come!' This verb is used only in the *amr*. In the *mâdî* and the *mudâri'* the verbs جاءَ يجـــيء or أتَى يأتِي are used, e.g., جَاءَنِي بلالٌ أمسِ 'Bilal came to me yesterday.' -- لا تأتِني غداً 'Don't come to me tomorrow,'

Here is تَعَالَ *isnâd*ed to the other pronouns of the second person :

تَعالَيا ,(ta'âl**aina**) تَعالَيْنَ يا أَخَواتُ ,(ta'âl**ai**) تَعالَيْ يا خَدِيجَةُ ,(ta'âl**au**) تَعالَوا يا إِخـــوانُ يا وَلَدانِ / يا بنتانِ (ta'âl**ayâ**).

The verb تَعالَى is, however, used in the *mâdî* and the *mudâri'* in the sense of 'he went up, he rose, he was exalted'. The *amr* تَعالَ originally meant 'come up', 'ascend', then it came to mean just 'come'.

EXERCISES

1) Answer the following questions.
2a) Mention three examples of the *nakirah*.
2b) Mention three examples of each of the seven categories of the *ma'rifah*.
2c) Mention all the *nakirah* nouns occurring in the main lesson.
2d) Mention all the *ma'rifah* nouns occurring in the main lesson and specify the category of each of them.

2e)Which of these two words has become *ma'rifah* because of the *nida'* : يـــا ولـــدُ يا مالِكُ?

2f) Read the following *hadîth* and point out the *nakirah* and *ma'rifah* nouns occurring in it, and specify the category of each of the *ma'rifah* nouns.
2g) Change each of the following *nakirah* nouns to *ma'rifah* using the method mentioned in front of it[1].

---

[1] The word الإضافة means making the word *mudâf*. Of course you have to use a suitable *mudâf ilaihi* with it.

3) Point out the following in the main lesson :

a) two examples of *muḏâf* with *ma'rifah* nouns as *muḏâf ilaihi,* and two examples of *muḏâf* with *nakirah* nouns as *muḏâf ilaihi.*

b) three examples of اسمُ الفاعِلِ.

c) an example of *nasab.*

4) The students practise the two following language drills :

a) Each student says to his colleague, أَعْطِنِي قلَمَكَ / كتابَكَ / دفترَكَ 'give me your pen/book/notebook.'

b) Each student says to his colleague pointing to another colleague أَعْطِـــهِ كتابَكَ/ دفترَكَ 'give him your book/ notebook.'

5) Learn the following verbs.

6) Mention the plural of each of the following nouns.

7) What is the the opposite of فَوْقَ ?

LESSON 9

In this lesson we learn the following :

#(1) the omission of the *nûn* of the dual and the sound masculine plural.

You have seen in Book One that a noun loses its *tanwîn* when it becomes *mudâf,* e.g.,

كِتابٌ kitâb-u**n** : كِتابُ حامِدٍ kitâb-u Hâmid-in (not : kitâb-u**n** Hâmid-in).

In the same way the *nûn* of the dual and sound masculine plural is also omitted when they happen to be *mudâf,* e.g.,

أينَ البنتــانِ؟ : أينَ بِنْتا بــلالٍ؟ (bintâ**ni** : bintâ Bilâl-in) 'Where are Bilal's two daughters?'

رأيــتُ البِنْتَيْــنِ : رأيْتُ بِنْتَيْ بـــلالٍ (bintai**ni** : bintai Bilâl-in) 'I saw Bilal's two daughters'.

أبحثُ عنِ البنتَيْــنِ : أبحثُ عنْ بِنْتَيْ بلالٍ (bintai**ni** : bintai Bilâl-in) 'I am looking for Bilal's two daughters'.

جــاءَ المدرســون : جاءَ مدرِّسُو الحَديثِ (mudarrisû**na** : mudarrisû l-hadîth-i) 'The teachers of hadîth came.'

ســألتُ المدرِّســينَ : سألتُ مدرِّسِي الحديثِ (mudarrisî**na** : mudarrisî l-hadîth-i) 'I asked the teachers of hadîth.'

سلّمتُ علــى المدرِّســينَ : سلّمتُ على مدرِّسِيْ الحديث (mudarrisî**na** : mudarrisî l-hadîth-i) 'I greeted the teachers of hadîth.'

#(2) We have learnt in Book One that the dual of هذا is هذانِ, and that of هذِهِ is هاتانِ, e.g., هذانِ مَسْجدانِ، وهاتانِ مَدْرَسَتانِ. Now we learn that the dual of ذَلِكَ is ذانِكَ (dhânika), and that of تِلْكَ is تانِكَ (tânika), e.g.,

هـــذانِ مُدرِّســانِ، وذانــكَ طالبــانِ 'These two are teachers, and those two are students'.

هاتانِ طَبِيــبَتــانِ، وتانِكَ مُمَــرِّضَتانِ 'These two are lady doctors, and those two are nurses'.

In the *nas̲b* and *jarr* cases they become ذَيْنِكَ and تَيْنِكَ, (dhainika, tainika), e.g.,

افْتَحْ ذَيْنِكَ البَابَيْنِ وتَيْنِكَ النافِذَتَيْنِ 'Open those two doors and those two windows.'

مَنْ يسكُنُ في تَيْنِكَ الفِلَّتَيْنِ؟ 'Who lives in those two villas?' (الفِلَّةُ villa).

#(3) كِلاَ means 'both', and its feminine is كِلْتَا. These are always *mud̲âf*, and the *mud̲âf ilaihi* is a مُثَنًّى , e.g.,

كِلا الطالِبَيْنِ في المكتبةِ 'Both the students are in the library.'

كِلْتا السيَّارتَيْنِ أمامَ البيت 'Both the cars are in front of the house.'

كِلا and كِلْتا are treated as singular words, so their predicate is singular, e.g.,

كِلاَ الطالِبَيْنِ تَخَرَّجَ 'Both the students have passed out.' (Not : تَخَرَّجا).

كِلْتا الساعَتَيْنِ جميلةٌ 'Both the watches are beautiful.' (Not جميلتان).

In the Qur'an (18:33) : { كِلْتَا الجَنَّتَيْنِ آتَتْ أُكُلَها } 'Both the gardens brought forth their produce.'

كِلانا مَسْرُورٌ 'Both of us are happy.'

كِلا and كِلْتا remain unchanged in *nas̲b* and *jarr* cases if the *mud̲âf ilahi* is a **noun**, e.g., أعْرِفُ كِلا الرَّجُلَيْنِ 'I know both the men'; بَحَثْتُ عنْ كِلاَ الرجُلَيْنِ 'I looked for both the men.'

But they are declined like the مُثَنًّى if the *mud̲âf ilahi* is a **pronoun**, e.g.,

رأيْتُ كِلَيْهما 'I saw both of them.' (**kilai**-himâ).

مَنْ سألتِ؟ زَيْنَبَ أمْ آمِنَةَ؟ – سألتُ كِلْتَيْهما 'Whom did you ask, Zainab or Aminah?' - 'I asked both of them.' (**kiltai**-himâ).

In the same way, بَحَثْتُ عَنْ كِلَيْهما / عن كِلْتَيْهما 'I looked for both of them.'

#(4) You know that 'my book' in Arabic is كِتابِيْ. Note that the *yâ'* has *sukûn*. But it takes a *fat<u>h</u>ah* if it is preceded by an *alif* or a *sâkin ya'*, e.g., بِنْتايَ 'my two daughters' (bintâ-ya); غَسَلْتُ رِجْلَيَّ 'I washed my two feet' (rijlay-ya).

#(5) The *amr* from أَتَى يـأْتِي is ايـتِ (îti). It was originally ائْـتِ (i'ti). If two *hamzahs* meet, the first having a vowel and the second having none, the second *hamzah* is omitted, and the vowel of the first gets a compensatory lengthening, e.g., أَأْ → آ ; إِأْ → إِي ; أُأْ → أُو.

According to this rule ائْـتِ becomes ايـتِ. But if the word is preceded by another word, the first *hamzah* is omitted because it is *hamzat al-wa<u>s</u>l*, and the second returns because there is no more meeting of two *hamzahs* now. So the *amr* now becomes وَأْتِ 'and come', or فَـأْتِ 'so come.' It should have been written وَاأْتِ، فَـاأْتِ with the *hamzat al-wa<u>s</u>l*, but it is omitted so that two *alifs* do not appear side by side.

#(6) You have learnt in Book Two (Lesson 26) that هاهُوَذا means 'Here it is!' or 'Here he is!' Its dual form is هَهُماذانِ (**hâhumâdhâni**). Its feminine is هَهُماتانِ (**hâhumâtâni**). The masculine plural form is هاهُمْ أولاءِ (**hâhum'ulâ'i**), and the feminine plural form is هاهُنَّ أُولاءِ (**hâhunna'ulâ'i**).

أينَ بلالٌ؟ – هاهُوَذا 'Where is Bilal?' 'Here he is.'

أينَ بلالٌ وحامدٌ؟ – هَهُماذانِ 'Where are Bilal and Hamid?' 'Here they are.'

أين بلالٌ وأخَـواهُ؟ – هـاهم أُولاءِ 'Where are Bilal and his two brothers?' 'Here they are.'

أينَ مرْيَمُ؟ – هاهِيَ ذِي 'Where is Maryam?' 'Here she is.'

أين مريَمُ وآمِنَةُ؟ – هَهُماتانِ 'Where are Maryam and Aminah?' 'Here they are.'

أين مريمُ وأَخَواتُها؟ هـاهُنَّ أُولاءِ 'Where are Maryam and her sisters?' 'Here they are.'

أينَ إبراهيمُ؟ – هَأَنَذا 'Where is Ibrahim?' 'Here I am.' (**hâ'anadhâ**).

أينَ إبراهيمُ وزُمَلاؤُهُ؟ – هانَحْنُ أُولاءِ 'Where are Ibrahîm and his classmates?' 'Here we are.' (**hânahnu'ulâ'i**).

أين فاطِمَةُ؟ – هَأَنَذِي 'Where is Fatimah?' 'Here I am.' (**hâ'anadhî**).

أينَ فاطِمَةُ وزَمِيلاتُها؟ – ها نَحْنُ أُولاءِ 'Where are Fatimah and her classmates?' 'Here we are.'

EXERCISES

1) Answer the following questions.
3) Point out the dual and the sound masculine plural nouns occurring in the main lesson whose *nûn* has been omitted.
4) Read and understand the following examples of the dual and the sound masculine plural nouns whose *nûn* has been omitted.
5) Read the following examples, then write the figures in words.
6) There are groups of two words in the following. Make the first *mudâf*, and the second *mudâf ilahi* as shown in the example.
7) Change the underlined word in each of the following sentences to dual as shown in the example.
8) Make each of the following words *mudâf* and the pronoun of the first person singular its *mudâf ilahi* as shown in the example.
9) Make the underlined word in each of the following sentences *mudâf* and the pronoun of the first person singular its *mudâf ilahi* as shown in the example.
11) Answer the following questions using كِلا or كِلْتا.
13) Fill in the blank in each of the following sentences with the suitable demonstrative pronoun indicating distance (اسْمُ الإشارة للبعيد).
14) Give the *mudâri'* of each of the following verbs.
15) Give the plural of each of the following nouns.
16) Give the sigular of each of the following nouns.

LESSON 10

In this lesson we learn the following :

#(1) Types of Arabic setence. You have already learnt in Book Two (Lesson One) that there are two types of sentences in Arabic : the nominal sentence (الجُمْلَةُ الاسْمِيَّةُ) and the verbal sentence (الجُمْلَةُ الفِعْلِيَّةُ). The nominal sentence commences with a noun, e.g., البيتُ جميلٌ 'The house is beautiful', whereas the verbal sentence commences with a verb, دَخَلَ المدرّسُ 'The teacher has entered.'

Here are some more deatails about these two types.

The Nominal Sentence :

The beginning of the **nominal sentence** is one of the following :

a) a noun or a pronoun, e.g., هذِهِ مَدْرسةٌ، أنا مُجْتهِدٌ، اللهُ غفورٌ.

b) a *masdar mu'awwal* (المَصْدَرُ المُؤَوَّلُ), i.e., a clause functioning as a *masdar* [1] e.g., أَنْ تَصُومُوا خَيْرٌ لَكُمْ 'That you fast is better for you.' Here the clause أَنْ تَصُومُوا functions as a *masdar* (infinitive) as it means الصَّومُ 'fasting.'

---

[1] Here are some examples of the *masdar mu'awwal* :

In the place of *raf'* : أنْ تَدْرُسَ العَرَبِيَّةَ أفضَلُ 'That you study Arabic is better.' (Here it is *mubtada'* = دراسةُ العربيّةِ أفضلُ).

الإسلامُ أنْ تُؤْمِنَ بِاللهِ 'Islam means that you believe in Allah.' (Here it is *khabar* = الإسلامُ الإيمانُ باللهِ).

يَنْبَغِي أنْ تكْتُبَ عُنْوانَكَ بِوُضُوحٍ 'It is necessary that you write your address legibly.' (Here it is *fâ'il* = ينبغِي كتابةُ العنوانِ بِوُضُوحٍ).

In the place of *nasb* :

أُرِيدُ أنْ أخْرُجَ 'I want to go out.' (Here it is *maf'ûl bihi* = أُريدُ الخُرُوجَ).

In the place of *jarr* :

تَعالَ قبلَ أنْ تَخْرُجَ 'Come before you leave.' (Here it is *mudâf ilahi* = تعالَ قبلَ الخُرُوجِ).

لا تذْهَبْ إلى أنْ أرْجِعَ 'Don't go till I return.' (Here it is preceded by a preposition = لا تذهبْ إلى رُجوعِي).

c) a particle resembling the verb, e.g., إِنَّ اللهَ غفورٌ رحيمٌ 'Indeed Allah is Forgiving, Merciful.'

The particles resembling the verb (الحُرُوفُ المُشَبَّهَةُ بِالفِعْلِ) are إِنَّ and its sisters like لَيْتَ، لَعَلَّ، لَكِنَّ etc.

The Verbal Sentence :

The beginning of the **verbal sentence** is one of the following :

a) a complete verb (الفِعْلُ التَّامُّ), e.g., طَلَعَتِ الشَّمْسُ 'The sun rose.'

A complete verb is one that needs a *fâ'il*, like دَخَلَ، خَرَجَ، نامَ، جَلَسَ etc.

b) an incomplete verb (الفِعْلُ النَّاقِصُ), e.g., كَانَ الجَوُّ بارِداً 'The weather was cold.'

An incomplete verb is one that needs an *ism* and a *khabar*, e.g., صَارَ الماءُ ثَلْجاً 'Water became ice[1].'

#(2) طَفِقَ بلالٌ يكتُبُ 'Bilal began to write.' طَفِقَ is an incomplete verb. In this sentence بلالٌ is its *ism*, and the sentence يكْتُبُ is its *khabar*. The verb in the *khabar* should be *muḏâri'*. The verbs أَخَذَ and جَعَلَ are also used in the same way and with the same meaning, e.g.,

أَخَذَ المدرسُ يشرَحُ الدرسَ 'The teacher began to explain the lesson.'

جعلْتُ آكلُ 'I began to eat.' Here the pronoun تُ is its *ism*, and the setence آكُلُ its *khabar*.

EXERCISES

1) Answer the following questions.

2a) Point out all the nominal sentences occurring in the main lesson, and specify the type of the beginning in each of them.

2b) Point out all the verbal sentences occurring in the main lesson, and specify tha type of the beginning in each of them.

---

[1] See Book Two, Lesson 25.

2c) Change the *masdar* in each of the following sentences to *masdar mu'awwal.*
2d) Replace the *masdar mu'awwal* in this *âyah* by the corresponding *masdar* وَأَنْ تَعْفُوا أقْرَبُ لِلتَّقْوَى.

2e) Give three examples of the nominal sentence which begins with particles resembling the verb.
2f) Give three examples of the verbal sentence which begins with the complete verb.
2g) Give three examples of the verbal sentence which begins with the incomplete verb.

3) Use each of the following incomplete verbs in a sentence : طَفِقَ، جَعَلَ، أَخَذَ.

4) Give the *mudâri'* of each of the following verbs : تَحَرَّكَ، عَبَثَ، سَئِمَ.

LESSON 11

In this lesson we learn more about the nominal sentence.

As you already know the nominal sentence consists of the *mubtada'* and the *khabar*. The *mubtada'* is the noun about which you want to say something, and the *khabar* is what you have to say about it, e.g., بِلالٌ مَرِيضٌ. In this sentence you want to speak about Bilal (بِلالٌ), so it is the *mubtada'*. And the information you give about him is that he is 'sick' (مَرِيضٌ), so that is the *khabar*.

Both the *mubtada'* and the *khabar* are *marfû'* (Bilal-u-n marîd-**u**-n).

About the *mubtada'*

Types of the *mubtada'* :

The *mubtada'* may be :

a) a noun or a pronoun, e.g., اللهُ رَبُّنا 'Allah is our lord.'-- القِرَاءَةُ مُفِيدَةٌ 'Reading is useful.' -- الجُلُوسُ هُنا مَمْنُوعٌ 'Sitting here is prohibited.' -- نَحنُ طُلَّابٌ 'We are students.'

b) a *masdar mu'awwal*, e.g., وَأَنْ تَصُومُوا خَيْرٌ لَكُمْ 'And that you fast is better for you.'(Qur'an 2 : 184) -- وَأَنْ تَعْفُوا أَقْرَبُ لِلتَّقْوَى 'And that you should forgive is nearer to piety.' (Qur'an 2 : 237).

The *mubtada'* is normally definite as in the following examples :

مُحَمَّدٌ صلى الله عليه وسلم رَسُولُ اللهِ 'Muhammad (peace and blessings of Allah be on him) is the messenger of Allah.' (مُحَمَّدٌ) is definite because it is a prpoer noun (العَلَمُ).

أنا مُدَرِّسٌ 'I am a teacher.' (أنا) is definite because it is a pronoun).

هذا مَسْجِدٌ 'This is a mosque.' (هذا) is definite because it is a demontrative pronoun (اسمُ الإشارة).

الَّذِي يَعبُدُ غَيْرَ اللهِ مُشْرِكٌ 'He who worships other than Allah is a *mushrik*.' (الذي) is definite because it is a relative pronoun (الاسم الموصُول).

اَلْقُرآنُ كتابُ اللهِ 'The Qur'an is the book of Allah.' (القُرآن is definite as it has the definite atricle **al-**).

مِفْتاحُ الْجَنَّةِ الصَّـلاةُ 'The key to Paradise is *salah*.' (مِفْتاحُ is definite as its *mudâf ilaihi* is definite).

The *mubtada'* may be indefinite in the following circumstances :

a) If the *khabar* is a *shibhu jumlah* (شِبْهُ جُمْلَةٍ)[1] which is one of the following two things :

- a prepositional phrase like : فِي البيتِ، على المَكْتَبِ، كَالْمَاءِ.
- a *zarf* (الظَّرْفُ) like[2] : اليَوْمَ، غداً، تَحْتَ، فوقَ، عِندَ.

In this case the *khabar* **should** precede the *mubtada'*, e.g.,

فِي الغُرفَـةِ رَجُـلٌ 'There is a man in the room.' (رَجُلٌ فِي الغُرفةِ is not a sentence).

Here the indefinite noun رَجُـلٌ is the *mubtada'*, and the phrace فِي الغرفةِ is the *khabar*.

Here is another example : لِي أَخٌ 'I have a brother' (literally, 'there is brother for me'). Here the indefinite noun أَخٌ is the *mubtada'*.

تَحْتَ المكتَـبِ سـاعةٌ 'There is watch under the table.' (ساعةٌ تحتَ المكتبِ is not a sentence). Here ساعةٌ is the *mubtada'*, and the *zarf* تَحْتَ is the *khabar*.

Here is another example : عندَنا سـيَّارةٌ 'We have a car' (literally, 'There is car with us').

---

[1] The expression *shibhu jumlah* literally means 'that which resembles a sentence.'

[2] Words like تَحْتَ 'under', فَوْقَ 'above', عِنْدَ 'with' are not prepositions in Arabic. Prepositions like كَـ ، بِـ ، مِنْ، إلَى، عَلَى، فِي are particles, but words like تحتَ، فوقَ، عندَ are nouns which are declinable (i.e., change their endings), e.g., هذا مِنْ عِنْدِ اللهِ، مِنْ فوقِـه، مِنْ تحتِـه. And a *majrûr* noun following one of these words is a *mudâf ilaihi*, e.g., تَحْتَ المَاءِ 'under the water.'

b) If the *mubtada'* is an interrogative noun like مَنْ 'who', مَا 'what', كَمْ 'how many.' These nouns are indefinite. E.g.,

ما بِكَ؟ 'What is wrong with you?' (Here ما is the *mubtada'*, and the prepositional phrase بِكَ is the *khabar*).

مَنْ مريضٌ؟ 'Who is sick?' (Here مَنْ is the *mubtada'*, and مَرِيضٌ is the *khabar*).

كَمْ طالباً في الفصلِ؟ 'How many students are there in the class?' (Here كَمْ is the *mubtada'*, and the prepositional phrase في الفصْلِ is the *khabar*).

There are many more situations where the *mubtada'* can be indefinite, and you will learn them later إنْ شاء الله.

The order of the *mubtada'* and the *khabar* :

Normally the *mubtada'* precedes the *khabar*, e.g., أنتَ مدرّسٌ, but this order may also be reversed, e.g., أَمدرّسٌ أنتَ؟ 'Are you a teacher?', عَجيبٌ هذا 'This is strange' for هذا عجيبٌ.

But the *mubtada'* **should** predede the *khabar* if it is an interrogative noun, e.g., ما بِكَ؟ – منْ مريضٌ؟.

And the *khabar* **should** predede the *mubtada'* if

a) it is an interrogative noun, e.g., ما اسْمُكِ؟. Here اسمُ is the *mubtada'*, and ما is the *khabar*.

b) it is a *shibhu jumlah*, and the *mubtada'* is indefinite, e.g., في المسجدِ رجالٌ 'There some men in the mosque.' أمامَ البيتِ شَجَرَةٌ 'There is tree in front of the house.'

The omission of the *mubtada'* / the *khabar* :

The *mubtada'* or the *khabar* may be omitted, e.g., in reply to the question ما اسْمُكَ one may say حامِدٌ. This is the *khabar*, and the *mubtada'* has been omitted. The full sentence is اسمِي حامدٌ.

Similarly, in asnwer to the question مَنْ يَعْرِفُ؟ 'Who knows?' one may say أنا. This is the *mubtada'*, and the *khabar* has been omitted. The full sentence is أنا أعْرِفُ 'I know.'

About the khabar

Types of the *khabar*

There are three types of *khabar* : *mufrad, jumlah* and *shibhu jumlah.*

a) The *mufrad* is a word (not a sentence), e.g., المُؤْمِنُ مِرْآةُ المُؤمِنِ 'The believer is the mirror of the believer[1].'

b) The *jumlah* is a sentence. It may be a nominal or a verbal setence, e.g.,

- بِلالٌ أبوهُ وزيرٌ 'Bilal's father is a minister.' Literally, 'Bilal, his father is a minister.' Here بلالٌ is the *mubtada'*, and the nominal sentence أبوهُ وزيرٌ is the *khabar*, and this sentence, in turn, is made up of the *mubtada'* (أبوهُ) and the *khabar* (وزيرٌ).

Here is another example :

المُديرُ ما اسْمُهُ؟ 'What is the name of the headmaster?' Literally, it means 'The headmaster, what is his name?' Here المديرُ is the *mubtada'* and the nominal sentence ما اسْمُهُ is the *khabar* wherein اسْمُهُ is the *mubtada'*, and ما is the *khabar*.

-الطُلاّبُ دَخَلُوا 'The students entered.' Here الطُلاّبُ is the *mubtada'* and the verbal sentence دَخَلُوا 'they entered' is the *khabar*.

Here is another example :

واللهُ خَلَقَكُمْ 'And Allah created you.' Here اللهُ is the *mubtada'* and the verbal sentence خَلَقَكُمْ 'He created you' is the *khabar*.

---

[1] It means that a believer is like a mirror to another, i.e., just as a mirror shows a man the blemishes he may have on his face, a believer points out to his fellow-believer his defects that he may not perceive himself. This is a <u>h</u>adîth reported by Abû Dâwûd, Kitâb al-Adab: 57.

c) The *shibhu jumlah*, as we have already seen, is either a prepositional phrase or a *zarf* :

- الحَمْدُ لِلَّهِ 'Praise belongs to Allah.' Here الحمدُ is the *mubtada'* and the prepositional phrase لِلَّهِ (لِ + الله) is the *khabar*, and it is in the place of *raf'* (في مَحَلّ رَفْعٍ).

- الجَنَّةُ تَحْتَ ظِلالِ السُّيُوفِ 'Paradise is under the shadows of the swords[1].' Here الجَنَّةُ is the *mubtada'* and the *zarf* تَحْتَ is the *khabar* . As a *zarf* it is *mansûb*, and as a *khabar* it is in the place of *raf'* (في مَحَلّ رَفْعٍ).

Agreement between the *mubtada'* and *khabar* :

The *khabar* agrees with the *mubtada'* in number and gender, e.g.,

a) in number : المدرّسُ واقفٌ، والطُّلاّبُ جالسونَ. بابا الفصلِ مُغْلَقانِ، ونافِذَتاهُ مفتوحتانِ. We see here that if the *mubtada'* is singular, the *khabar* is also singular. If its dual or plural, the *khabar* is also dual or plural.

b) in gender : حامدٌ مُهَنْدِسٌ، وزَوْجَتُهُ طَبيبةٌ، وابْناهُما تاجِرانِ، وبِنْتاهُما مدرِّستانِ.

Here we see that if the *mubtada'* is masculine, the *khabar* is also masculine; and if it is feminine the *khabar* also is feminine.

---

[1] This is taken from a hadîth.The wording of the hadîth is وَاعْلَمُوا أنّ الجَنّةَ تحتَ ظِلالِ السُّيُوفِ 'Know that Paradise is under the shadow of the swords.' It is reported by Bukhâri, Kitâb Jihâd, 22, 112.

The order of the *mubtada* and *khabar*

سَبَبُ التَّقْدِيمِ/التأخيرِ The reason for being before the *khabar* or after it	مُقَدَّمٌ/مُؤَخَّرٌ Is it bebore the *khabar* or after it?	معرِفَةٌ/نكِرةٌ definite or indefinite	المبتدأ *mubtada*
This is the original order.	before the *kh*	definitc	ه غَفُورٌ.
This is optional	after the *kh*	definite	جِيبٌ كَلامُهُ.
Because the *m* is indefinite and the *kh* is *shibhu jumlah.*	the *m* should be after the *kh*	definite	ندَكَ سيَّارةٌ.
Because the *m* is indefinite and the *kh* is *shibhu jumlah.*	the *m* should be after the *kh*	indefinite	في اللهِ شَكٌّ؟
Because the *m* is an interrogative noun.	the *m* shuold be before the *kh*	indefinite	نْ غائِبٌ؟
Because the *kh* is an interrogative noun.	the *m* should be after the *kh*	definite	نْ أنتَ؟
This is the original order.	before the *kh*	definite because it means صِيامُكُمْ	أنْ تَصُوموا خَيْرٌ لَكُمْ.

EXERCISES

1) Use each of the following nouns in a sentence as *mubtada* .
2) Use each of the following nouns in a sentence as *khabar*.
3) Use the word المُدرِّس as *mubtada* in five sentences, the *khabar* being a *mufrad* in the first, a *ẕarf* in the second, a prepositional phrase in the third, a verbal sentence in the fourth, and a nominal sentence in the fifth.
4) Give three sentences the *khabar* in each being a *ẕarf.*
5) Give three sentences the *khabar* in each being a prepositional phrase.
6) Use each of the following nouns in a sentence as *mubtada* its *khabar* being a nominal sentence. Make the noun given in brackets the *mubtada* of this nominal sentence.
7) Point out all the nominal sentences occurring in the main lesson in each of which the *mubtada* has been omitted.
8) Point out all the nominal sentences occurring in the main lesson, and specify the type of *khabar* in each of them.

LESSON 12

In this lesson we learn the following :

#(1) The *zarf* (الظَّرْفُ) or the *maf'ûl fîhi* (المَفْعُولُ فِيهِ).

The *zarf* is a noun which denotes the time or place of an action, e.g.,

a) خَرَجْتُ لَيْلاً 'I went out at night' -- سَأُسافِرُ غداً إنْ شاء اللهُ 'I shall travel tomorrow' -- نمتُ بعْدَ نَوْمِكَ 'I slept after you slept.'

This is called *zarf al-zamân* (ظَرْفُ الزَّمان) i.e., adverb of time.

b) مَشَيْتُ مِيْلاً 'I walked a mile.' -- جَلَسْتُ عِنْدَ المديرِ 'I sat at the headmaster's.' -- نمْتُ تَحْتَ شَجَرَةٍ 'I slept under a tree.'

This is called *zarf al-makân* (ظَرْفُ المَكان), i.e., adverb of place.

The *zarf* is *mansûb*.

Some *zurûf*[1] are *mabnî*. Here are some : أَيْنَ which ends in *fathah*; أَمْسِ which ends in *kasrah*; حَيْثُ and قَطُّ which end in *dammah*; هُنا and مَتَى which end in *sukûn*[2].

مَتَى : مَتَى خرجْتَ؟ 'When did you go out?'

أَيْنَ : أَيْنَ تدرُسُ؟ 'Where do you study?'

أَمْسِ : لَمْ أَغِبْ أَمْسِ 'I was not absent yesterday.'

قَطُّ : لَمْ أَذُقْ هذه الفاكِهَةَ قَطُّ 'I have never tasted this fruit.'

هُنا : اجْلِسْ هُنا 'Sit here.'

حَيْثُ : اجْلِسْ حَيْثُ شِئْتَ 'Sit where you like.'

Here is an examples of the *i'râb* of *mabni zurûf* :

---

[1] *Zurûf* (الظُّرُوفُ) is the plural of *zarf*.

[2] Because both these words end in *alif* which is *sâkin*. (مَتَى is actually مَـتَـا).

In the sentence لَمْ أَغِبْ أَمْسِ the word أَمْسِ is *zarfu zamân*, it is *mabni* ending in *kasrah*, and it is in the place of *nasb* (فِي مَحَلّ نَصْبٍ).

In the sentence أَيْنَ تَدرُسُ؟ the word أَيْنَ is *zarfu makân*, it is *mabni* ending in *fathah*, and it is in the place of *nasb* (فِي مَحَلّ نَصْبٍ).

Words which function as *zurûf*:

A word may represent a *zarf* and so take the *nasb*-ending even though originally it is not a word denoting time or place. It happens with the following types of words:

a) words like كُلّ، بَعْض، نِصْف، رُبْـع when they have place/time words as their *mudâf ilaihi*, e.g.,

سَافَرْنَا كُلَّ النَّهَارِ 'We travelled the whole day.'

بَقِيتُ فِي المُسْتَشْفَى بَعْضَ يَومٍ 'I remained in the hospital for part of a day.'

انْتَظَرْتُكَ رُبْعَ ساعةٍ 'I waited for you fifteen minuites.'

مَشَيْتُ نِصْفَ كِيلُومِترٍ 'I walked half a kilometre.'

In these sentences the words كُلَّ، بَعْضَ، رُبْعَ، نِصْفَ are *mansûb* because they function as *zurûf*. But the actual words denoting time or place are their *mudâf ilaihi*.

b) the adjective of a *zarf* after the *zarf* itself has been omitted, e.g., جَلَسْتُ طَوِيلاً for جَلَسْتُ وَقْتاً طَوِيلاً 'I sat for a long time.' In the first sentence طَوِيلاً is *mansûb* because it functions as a *zarf*.

c) a demonstrative pronoun whose *badal* is a word denoting time or place, e.g., جِئْتُ هـــذا الأُسْـبُـوعَ 'I came this week.' Here هذا is *mabni*, and in the place of *nasb*.

d) numbers representing place/time words, e.g., مَكَثْتُ فِي بَغْــدادَ أربعــةَ أيامٍ 'I stayed in Baghdad four days.' -- سِرْنا مِائَــةَ كِيلُومِــترٍ 'We have travelled one hundred kilometres.' Here أربعةَ is *mansûb* because it represents a word denoting time (أيّـام), and مِائـة is *mansûb* because it represents a word denoting place (كِيلومِتْر).

In the same way, the word كَمْ 'how many' functions as a *zarf* if it represents a time/place word, e.g.,

كَمْ لَبِثْتَ؟ 'How long did you stay?' or 'How many (days/ hours) did you stay?'

كَمْ مَشَيْتَ؟ 'How many (kilometres) did you walk?'

#(2) The particle لَوْ is used to express an unfulfilled condition in **the past**, e.g.,

لَوِ اجْتَـهَدْتَ لَـنَجَحْتَ 'Had you worked hard you would have passed.' This means that you did not work hard, and so did not pass.

Its Arabic name is حَرْفُ امْتِناعٍ لِامْتِناعٍ which means that this particle signifies that one thing failed to happen because of another.

As you can see, the sentence is made up of two parts. The second part is called the *jawâb*. In the above example لَنَجَحْتَ is the *jawâb*.

The *jawâb* takes a *lâm*. This *lâm* is mostly omitted if the *jawâb* is negative, e.g., لَوْ عَرَفْتُ أنَّكَ مَرِيضٌ ما تَـأخَّرْتُ 'Had I known that you are sick I would not have been late.'

Here are some more examples of لَوْ :

لَو سمِعْتَ قِصَّتَه لَبَكَيْتَ 'Had you heard his story you would have cried.'

لو حضرْتَ أمسِ ما شَكَوْتُكَ إلى المديرِ 'Had you been present yesterday I would not have complained about you to the headmaster.'

هذا الطَّعامُ فاسِدٌ. لو أكَلَهُ الناسُ لَمَرِضُوا 'This food is rotton. Had the people eaten it, they would have fallen sick.'

لو رأيتَ ذاكَ المَنْظرَ لَبكيت 'Had you seen that sight, you would have cried.'

لو عرفتُ أنَّ الرِّحْلةَ اليومَ ما تَـأخَّرْتُ 'Had I known the trip is today, I would not have been late.'

#(3) In مِنْ قَبْلُ the word قَبْلُ is *mabnî* . قَبْلُ and بَعْدُ become *mabnî* when the *mudâf ilaihi* after them is omitted. We may say, أنا الآن مدرّسٌ، وكُنتُ مُديراً مِنْ قَبْلِ ذلك 'I am now a teacher, and was before that a headmaster.' Here ذَلِكَ is the *mudâf ilaihi*. 'Before that' means 'before being a teacher.' Now when the *mudâf ilaihi* is mentioned قَبْلِ is *mu'rab*, and it takes the *jarr*-ending (**-i**) after the preposition مِنْ. But when the *mudâf ilaihi* is omitted it becomes *mabnî,* and we say وكُنتُ مديراً مِنْ قَبْلُ which can be translated as 'and I was a headmaster earlier.'

In the same way we say, كانَ بلالٌ مَعِي إلى الساعةِ العاشِرَةِ، ولم أَرَهُ مِنْ بعْدِ ذلك 'Bilal was with me till ten o'clock, but I didn't see him after that.' If we omit the *mudâf ilaihi,* we say, ولم أره مِنْ بعْدُ 'But I didn't see him later.'

In the Qur'an (30 : 4) : لِلَّهِ الأَمْرُ مِنْ قَبْلُ وَمِنْ بَعْدُ 'The decision before and after (these events) is Allah's.'

EXERCISES

General : Answer the following questions.

The *zarf* :

1) Point out the *zurûf* occurring in the main lesson, and specify whether they are *zurûf al-zamân* or *zurûf al-makân.*
2) Point out the *mabni zuruf* occurring in the main lesson.
3) Point out in the main lesson words that are functioning as *zurûf.*
4) Point out the *zurûf* in the following sentences, and specify whether they are *zurûf al-zamân* or *zurûf al-makân.*
5) Point out the *zurûf* in the following *âyât*, and specify whether they are *zurûf al-zamân* or *zurûf al-makân.*
6) Give three sentences in each of which a number functions as a *zarf.*
7) Give three sentences in each of which a demonstrative pronoun (اسمُ إشارة) functions as a *zarf.*
8) Use each of the following *zurûf* in a sentence.

The particle لَوْ :

1) Rewrite each of the following sentences using لَوْ.

2) Complete the following sentences.

3) Use لَـــوْ in two sentences. The *jawâb* of the first sentence should be affirmative, and that of the second sentence should be negative.

General questions :

1) Give the *mudâri'* of each of the following verbs.

2) Give the singular of زُوَّار and شِدَاد.

3) Give the plural of جَرِيحٌ and نَفْسٌ.

4) Give the opposite of ضَرَّ:

5) Use each of the following words in a sentence.

LESSON 13

In this lesson we learn the following :

#(1) لامُ الأَمْــرِ : You have learnt the *amr* in Book Two, e.g., اُكْتُبْ 'write.' This form of the *amr* is used to command (or request) the second person. To command (or request) the third person, the form لِيَكْتُبْ (**li-yaktub**) is used. It means 'let him write' or 'he should write', e.g.,

لِيَكْتُبْ كلُّ طالبٍ اسْمَهُ في هذه الوَرَقَةِ 'Let every student write his name on this paper.'

لِتَجْلِسْ كلُّ طالبةٍ في مَكانها 'Let every female student sit in her place.'

This form is also used with the first person plural, e.g., لِنَأْكُلْ (**li-na'kul**) 'Let us eat.'

The *lâm* used in this form is called لامُ الأمْرِ. It is used with the *muḏâri' majzûm* :

لِيَكْتُبْ، لِيَكْتُبا، لِيَكْتُبُوا (li-yaktub, li-yaktubâ, li-yaktubû).

لِتَكْتُبْ، لِتَكْتُبا، لِيَكْتُبْنَ (li-taktub, li-taktubâ, li-yaktubna).

لأَكْتُبْ، لِنَكْتُبْ (li-aktub, li-naktub).

The لامُ الأمرِ has *kasrah*, but it loses this *kasrah* after وَ , فَ and ثُمَّ, e.g.,

لِيَجْلِسْ كُلُّ طالبٍ ولْيَكْتُبْ 'Let every student sit and write.' (l**i**-yajlis wa l-yaktub. **Not** : wa **li**-yaktub).

فَلْنَخْرُجْ 'So let us go out.' (fa l-nakhruj. **Not** : fa **li**-nakhruj).

لِنَقْرأْ قليلاً ثُمَّ لْنَنَمْ 'Let us read for sometime, then sleep.' (l**i**-naqra' thumma l-nanam. Not : thumma **li**-nanam).

#(2) We have learnt لاَ النّاهِيَةُ in Book Two (Lesson 15). Here is an example : لاَ تَجْلِسْ هُنـا 'Don't sit here.' There we have learnt the use of لا النَّاهِيَةُ with the second person only. Now we learn its use with the third person, e.g.,

لاَ يَخْرُجْ أحَدٌ مِنَ الفصْلِ 'Let no one leave the class' or 'No one should leave the class.'

Note the difference between these two sentences :

لا تَدْخُلُ سيَّارةُ الأُجرة الجامِعةَ 'A taxi *does not* enter the university.' (la tadkhul**u**).

لا تَدْخُـــــلْ ســيَّارةُ الأُجــرة الجامِعــةَ 'A taxi *should not* enter the university.' (la tadkhul).

The لا in the first sentence is the لا النَّافِيَةُ, and in the second sentence it is the لا النَّاهِيَةُ. The verb after the لا النَّافِيَةَ is مَرْفوع; and after the لا النَّاهِيَةُ it is مَجْزُوم.

#(3) الجَزْمُ بالطَّلَب : A *mu<u>d</u>âri'* preceded by an *amr* or a *nahy*[1] is *majzûm,* e.g.,

اِقْرَأْهُ مَرَّةً أُخْرَى تَفْهَمْـــهُ 'Read it again, and you will understand it.'

لا تَكْسَلْ تَنْجَحْ 'Don't be lazy, and you will pass.'

This is called الجَزْمُ بِــالطَّلَب, i.e., the *mu<u>d</u>âri'* being *majzûm* because of *amr* or *nahy*. The word الطَّلَبُ means 'demand' and is used to include both the *amr* and *nahy* because both of them signify demand.

The *mu<u>d</u>âri' majzûm* that comes after the *amr* or the *nahy* is called جَوابُ الطَّلَب.

#(4) وَا رأْســــاهْ! : This is used to express pain, and it is called النُّدْبَةُ. From رَأْسِي 'my head' the pronoun *yâ'* is omitted and the ending ـــاهْ (**âh**) is added. If one wants to express pain in his hand, he says وَا يَدَاهْ! (يَدَاهْ : يَدِي : yad-î→ yad**âh**).

النُّدْبــةُ is also used to express sorrow. To mourn the loss of بِلاَل we say وَا بِلاَلاهْ 'Alas for Bilal!'

#(5) We have learnt *mu<u>d</u>âri' majzûm* in Book Two (Lessons 15, 21), and we have been introduced there to three of the four particles that cause *jazm* in the

---

[1] *Nahy* (النَّهْيُ) is the negative *amr*, e.g. لا تَجْلِسْ هُنا 'Don't sit here.'

mudâri'. These are لا النَّاهِيَة, لَمْ and لَمَّا. And we have learnt the fouth particle in this lesson : لامُ الأَمْــــرِ. These four particles are called جَوَازِمُ الْمُضارِعِ. Here are some *âyât* which contain these جَوَازِم :

1) أَلَمْ نَجْعَلْ لَهُ عَيْنَيْنِ * وَلِسَانًا وَشَـفَتَيْنِ 'Have We not made for him a pair of eyes, and a tongue and a pair of lips?' (Qur'an, 90:8-9).

2) وَلَمَّا يَدْخُلِ الإِيمَــــانُ فِي قُلُوبِكُــمْ 'And faith has not yet entered into your hearts' (Qur'an, 49:14).

3) لا تَحْزَنْ إِنَّ اللهَ مَعَنَا 'Don't grieve. Surely Allah is with us' (Qur'an, 9:40).

4) فَلْيَنْـظُرِ الإِنْسَانُ إِلَى طَعَامِهِ 'Let man look at his food' (Qur'an, 80:24).

#(6) آهٍ ،آهْ is a verb-noun[1] meaning 'I feel pain.' Its *fâ'il* is a hidden pronoun representing أنا.

EXERCISES

General :

Answer the following questions.

لامُ الأَمْرِ :

1) Point out all the instances of لامُ الأَمْرِ occurring in the main lesson.

2) Point out the *lâm al-amr* in each of the following examples, and vocalize it correctly.

3) Write each of the following verbs with *lâm al-amr*, and vocalize the *lâm* and the verb correctly.

4) Give five sentences containing *lâm al-amr*.

لا الناهِيَةُ :

1) Read the following examples of the *lâ al-nâhiyah*, and vocalize the verb following it in each of them.

---

[1] For the verb-noun see Lessons 1 and 2.

2) Fill in the blank in each of the following sentences with the verb given in brackets preceded by *lâ al-nâhiyah,* and vocalize the verb correctly.
3) Give three examples of *lâ al-nâhiyah* used with the third person.

جَوازِمُ الفِعْلِ المُضارِعِ :

Give four sentences of your composition each containing one of the four *jawâzim.*

الجَزْمُ بالطَّلَبِ :

1) Point out the *jawâb al-talab* in each of the following sentences, and vocalize it correctly.
2) Fill in the blank in each of the following examples with the verb given in brackets after making the necessary changes.
3) Give three examples of الجَزْمُ بالطَّلَبِ.

النُّدبة :

Form the *nudbah* from the following nouns.

General questions :
1) Write the plural of each of the following nouns.
2) Write the singular of each of the following nouns.
3) Write the *mudâri'* of each of the following verbs.
4) Oral exercise :
a) Each student says to him colleague : أَرِنِي[1] كتابَكَ/ ساعتَكَ/ دفترَكَ 'Show me your book/ watch/ notebook....'
b) Each student says to his colleague pointing to another one : أَرِهِ كتابَكَ[2] 'Show him your book...'

---

[1] The feminine form is : أَرِيـــنِـــي كتابَكِ.

[2] The feminine form is : أَرِيـــها كتابَكِ.

LESSON 14

In this lesson we learn the following :

#(1) إذا : It is a *ẕarf* with a conditional meaning. It is mostly used with a verb in the past tense, **but the meaning is future**, e.g.,

إذا رأيْتَ خالداً فاسْأَلْهُ عن الكتابِ 'If[1] you see Khalid ask him about the book.'

إذا جاءَ رَمَضانُ فُتِحَتْ أبوابُ الجَنَّةِ 'When Ramadân comes the gates of Paradise are opened.'

The Arabic word for 'condition' is *sharṯ* (الشَّرْطُ). There are two parts in the *sharṯ*-construction : the first part is called *sharṯ*, and the second *jawâb al-sharṯ* (جَوابُ الشـرْطِ), e.g., إذا جاءَ رَمَضانُ is *sharṯ*, and فُتِحَتْ أبوابُ الجَنَّةِ is *jawâb al-sharṯ*.

We have seen earlier that the verb that comes after إذا is mostly *mâḏî*. Sometimes *muḏâri'* is also used. The verb in the *jawâb al-sharṯ* may also be *muḏâri'* as we see in the following line :

والنفسُ راغِبَةٌ إذا رَغَّبْتَها وإذا تُرَدُّ إلى قليلٍ تَقْنَـعُ

'The soul is desirous (of more) if you allow it to desire, but if you turn it towards a little, then it is content.'

The *jawâb al-sharṯ* should take a فَ in the following cases :

1) if it is a nominal sentence, e.g., إذا اجْتَهَدْتَ فَـالنَّجاحُ مَضْمُونٌ 'If you work hard success is certain.'

وَإذا سَأَلَكَ عِبادي عَنِّي فـإنِّي قَريـبٌ 'And if My servants ask you about Me, then surely I am close by' (Qur'an, 2:186).

2) if the verb in the *jawâb al-sharṯ* is *ṯalabî*. A *ṯalabî* verb is one containing *amr*, *nahy* or *istifhâm*[2] e.g.,

---

[1] The word إذا can be translated with 'if' or 'when.'

[2] *Istifhâm* (الإسْتِفْهام) is a question, e.g., أَفَهِمْتَ؟.

a) إذا رأيتَ حامداً فاسألْـهُ عَنْ مَوْعِدِ السَّـفرِ 'If you see Hamid ask him about the time of departure.' (*amr*).

إذا دَخَلَ أَحَدُكُمُ المسجدَ فَـلْـيَرْكَعْ رَكْعَتَيْنِ قَبْلَ أنْ يَجْلِسَ 'If one of you enters the mosque let him perform two *rak'ahs* before he sits down.' (*amr*).

b) إذا وَجَدْتَ المَرِيضَ نائِماً فَـلا تُوقِظْـهُ 'If you find the patient sleeping don't wake him up.' (*nahy*).

c) إذا رأيْتُ بِلالاً فَماذا أقولُ لَهُ؟ 'If I see Bilal what should I tell him?' (*istifhâm*).

#(2) We have learnt the *nasab* in Lesson 3, e.g., سُودانِيٌّ from السُّودانُ. Now we learn that if a wrod ends in *tâ' marbûṯah* (ة) it is omitted prior to the addition of the *yâ'* of *nasab*, e.g., مَكَّة : مَكِّيٌّ (not :مَكَّـتِيٌّ) -- مَدْرَسَةٌ : مَدْرَسِـيٌّ -- جامِعَةٌ : جامِعِيٌّ.

EXERCISES

General :

Answer the following questions.

إذا :

1) Point out the *sharṯ* and the *jawâb al-sharṯ* in each of the following senrences If the *jawâb al-sharṯ* has فَ, mention the reason.

2) Use إذا in two sentences of your own without using فَ in the *jawâb al-sharṯ*.

3) Use إذا in four sentences of your own. The *jawâb al-sharṯ* should be :

a) a nominal sentence in the first example,

b) an *amr* in the second,

c) a verb with the *lâm al-amr* in the third,

d) and a *nahy* in the fourth.

LESSON 15

In this lesson we learn the following :

#(1) In the previous lesson we have been introduced to *shart*. We will learn more about it in this lesson.

Another very important word denoting *shart* is إِنْ. It means 'if', e.g.,

إِنْ تَذْهَبْ أَذْهَبْ 'If you go I will (also) go.' Note that the both the verbs (i.e., in the *shart* and the *jawâb*) are *majzûm*. That is why إِنْ and its "sisters" (which we will shortly meet) are called أَدَوَاتُ الشَّرْطِ الجازِمَة, i.e., conditional words which render the verb *majzûm*. Here are some more examples :

إِنْ تَأْكُلْ طَعاماً فاسِداً تَمْرَضْ 'If you eat rotton food you will fall sick.'

إِنْ تَنْصُرُوا اللهَ يَنْصُرْكُمْ وَيُثَبِّتْ أَقْدامَكُمْ 'If you help Allah He will help you and make your foothold firm' (Qur'an, 47:7).

وَإِلاَّ تَغْفِرْ لِي وَتَرْحَمْنِي أَكُنْ مِنَ الخاسِرِينَ 'If You do not forgive me and have mercy on me I shall be among the losers' (Qur'an, 11:47). Here إِنْ لاَ = إِلاَّ.

Here are the other words belonging to أَدَوَاتُ الشَّرْطِ الجازِمَة :

1) مَنْ 'he who', e.g., فَمَنْ يَعْمَلْ مِثْقالَ ذَرَّةٍ خَيْراً يَرَهُ 'Whoever does an atom's weight of good shall see it' (Qur'an, 99:7).

2) مَا 'that which', e.g., وَما تَفْعَلُوا مِنْ خَيْرٍ يَعْلَمْهُ اللهُ 'And whatever good you do Allah knows it' (Qur'an, 2:197).

3) مَتَى 'whenever', e.g., مَتَى تُسافِرْ أُسافِرْ 'Whenever you travel I will (also) travel.'

4) أَيْنَ 'wherever', e.g., أَيْنَ تَسْكُنْ أَسْكُنْ 'Wherever you stay I will (also) stay.'

An extra مَا is often added to أَيْنَ for emphasis, e.g., أَيْنَما كُنْتُمْ يُدْرِكْكُمُ المَوْتُ 'Wherever you may be, death will overtake you' (Qur'an, 4:78)[1].

[1]- The verb of *shart* in this *âyah* is *mâdî*. This will be dealt will later in this lesson.

5) أيٌّ 'whichever', e.g., أيَّ مُعْجَمٍ نَجِدْهُ في المَكْتَبَةِ نَشْتَرِهِ 'Whichever dictionary we find in the bookshop we will buy it.'
6) مَهْما 'whatever', e.g., مَهْما تَقُلْ نُصَدِّقْكَ 'Whatever you say we believe you.'

The tense of the *shart* and *jawâb* verbs :

a) Both of them may be *mudâri'*, e.g., وَإِنْ تَعُودُوا نَعُدْ 'And if you return (to the attack) We (also) shall return' (Qur'an, 8:19). In this case both the verbs should be *majzûm*.

b) Both of them may be *mâdî*, but the meaning is future, e.g., وَإِنْ عُدْتُمْ عُدْنَا 'And if you return We shall (also) return[1]' (Qur'an, 17:8). The *mâdî* is *mabnî*, so the conditional words do not effect any change in them.

c) The first may be *mâdî*, and the second *mudâri'*, e.g., مَنْ كَانَ يُرِيدُ حَرْثَ الآخِرَةِ نَزِدْ لَهُ فِي حَرْثِهِ 'Whoever desires the harvest of the Hereafter, We give him increase in its harvest' (Qur'an, 42:20). In this case the second verb is *majzûm*.

d) The first may be *mudâri'*, and the second *mâdî*, e.g., مَنْ يَقُمْ لَيْلَةَ القَدْرِ إِيماناً واحْتِساباً غُفِرَ لَهُ ما تَقَدَّمَ مِنْ ذَنْبِهِ 'Whoever stands up (offering *salah*) on the Night of Qadr with faith and hope of reward, his past sins will be forgiven him[2].' In this case the first verb is *majzûm*.

When does the *jawâb* take فَ ?

We have seen in the previous lesson two of the situations in which the *jawâb al-shart* should take فَ. Here are the other situations :

3) If the *jawâb al-shart* is a *jâmid*[3] verb, e.g., مَنْ غَشَّنَا فَلَيْسَ مِنَّا.[1] 'Whoever deceives us is not one of us.'

---

[1]- The meaning is, 'If you return to sins, We shall return to punishment.' Allah says this to the Jews.

[2]- Hadîth reported by Bukhârî, Kitâb al-Îmân : 25; and al-Nasâ'î, Kitâb al- Îmân : 22.

[3]- A *jâmid* verb (الفِعْلُ الجامِدُ) is one which has only one form like لَيْسَ، عَسَى. These verbs have no *mudâri'* or *amr*.

4) If the verb in the *jawâb* is preceded by قَدْ, e.g., وَمَنْ يُطِعِ اللهَ وَرَسُولَهُ فَقَدْ فَازَ فَوْزاً عَظِيماً 'Whoever obeys Allah and His messenger has indeed achieved a great success' (Qur'an, 33:71).

5) If the verb in the *jawâb* is preceded by the negative مَا, e.g., مَهْما تَكُنْ الظُّرُوفُ فَمَا أَكْذِبُ 'Whatever may be the circumstances I don't lie.'

6) If the verb in the *jawâb* is preceded by the لَنْ, e.g., مَنْ لَبِسَ الحَرِيرَ في الدُّنْيا فَلَنْ يَلْبَسَهُ في الآخرة[2] 'Whoever puts on silk (dress) in this world will not put it on in the Hereafter.'

7) If the verb in the *jawâb* is preceded by سَ, e.g., إنْ تُسافِرْ فَسَأُسافِرُ 'If you travel, I will (also) travel.'

8) If the verb in the *jawâb* is preceded by سَوْفَ, e.g., وَإِنْ خِفْتُمْ عَيْلَةً فَسَوْفَ يُغْنِيكُمُ اللهُ مِنْ فَضْلِهِ إِنْ شَاءَ 'And if you fear poverty Allah will enrich you, if He wills, out of His bounty' (Qur'an, 9:28).

9) If the verb in the *jawâb* is preceded by كَأَنَّما (as if), e.g., أَنَّهُ مَنْ قَتَلَ نَفْساً بِغَيْرِ نَفْسٍ أَوْ فَسَادٍ فَكَأَنَّما قَتَلَ النَّاسَ جَمِيعاً 'That whoever kills a human being for other than murder or corruption in the earth, it is as if he has killed all mankind' (Qur'an, 5:32).

If the *jawâb al-shart* has فَ, the *muḏâri'* verb therein is not *majzûm*.(See Nos 5,6 & 8 above). In this case the whole *jawâb al-shart* is said to be in the place of *jazm* (في مَحَلِّ الجَزْمِ).

#(2) We have learnt the word كَمْ 'how many?' in Book One, e.g.,

---

[1]- H̲adîth reported by Muslim, Kitâb al-Îmân : 164.

[2]- H̲adîth reported by Bukhârî, Kitâb al-Libâs : 25.

كَمْ كتاباً عندَك؟ 'How many books you have?' Here كم is used to ask a question, so it is called كَمْ الاِسْتِفْهامِيَّةُ (the interrogative *kam*).

But if I say, كَمْ كتابٍ عندَك! it means 'How many books you have!' Here I am not asking you a question. I am wondering at the great number of books you have, so it is called كَمِ الخَبَرِيَّةُ (the predicative *kam*).

The points in which كَمْ الاِسْتِفْهامِيَّةُ and كَمِ الخَبَرِيَّةُ differ from each other :

a) The *tamyîz*[1] of كَمْ الاِسْتِفْهامِيَّةُ is always singular, and it is *mansûb*.

The *tamyîz* of كَمِ الخَبَرِيَّةُ *may* be singular or plural. It is *majrûr*. It may be preceded by مِنْ, e.g., كَمْ كتابٍ عندك! / كَمْ كُتُبٍ عندك! / كم مِنْ كتابٍ عندك!. It is better to avoid the construction كَمْ كُتُبٍ عندك!.

b) Each of the two types of كم has its own intonation in speech, and its own punctuation mark in writing (?, !).

Here are some more examples of كَمِ الخَبَرِيَّةُ :

كَمْ نَجْمٍ في السَّماءِ! 'How many stars are there in the sky!'

كَمْ مِنْ فِئَةٍ قَلِيلةٍ غَلَبَتْ فِئَةً كَثِيرَةً بِإِذْنِ اللهِ 'How many a small group has overcome a mighty host with Allah's leave!' (Qur'an,2:249).

#(3) حَتَّى has two meanings :

a) *till*, e.g., مَنْ جاءَ مُتَأَخِّراً فَلا يَدْخُلْ حَتَّى يَسْتَأْذِنَ 'Whoever comes late should not enter till he seeks permission.'

Here is another example : اِنْتَظِرْ حَتَّى أَلْبَسَ 'Wait till I get dressed.'

b) *so that*, e.g., دَخَلْتُ حَتَّى لا أَشْغَلَكَ 'I entered (without seeking permission) so that I might not distract you.'

---

[1]- The *tamyîz* (التَّمْيِيز) is the noun that comes after كَمْ to specify what *how many* denotes. This word is fully dealt with in Lesson 30.

Here is another example : أَدْرُسُ اللغةَ العربيةَ حتَّى أفهَمَ القــرآنَ 'I am studying Arabic so that I can understand the Qur'an.'
The *mudâri'* which comes after حَتَّى is *mansûb* because of a latent أَنْ.

#(4) هَاءَ is a verb-noun meaning 'take'. It is an *amr*. This is how it is *isnâd*ed to the other pronouns of the second person :

هاءَ الكتابَ يا علِــيُّ　　هاؤُمُ الكتابَ يا إخــوانُ

هاءِ الكتابَ يا آمنــةُ　　هاؤُنَّ الكتابَ يا أخَوات

In the Qur'an (69:19) : هَاؤُمُ اقْرَءُوا كِتابِــيَــهْ 'Take, read my book.'

#(5) We have been introduced to the diminutive in Book Two (Lesson 26). Here we learn more about it. The diminutive has three patterns :
a) فُـعَيْلٌ, e.g., زُهَيْرٌ from زَهْرٌ ; جُبَيْلٌ from جَبَلٌ (The first letter is followed by **u**, and the second by **ai**, e.g., jabal **: jubail).**
b)فُعَــيْــعِلٌ, e.g., دُرَيْهِمٌ from دِرْهَمٌ (The first letter is followed by **u**, the second by **ai** and the third by **i**, e.g., dirham: **duraihim**).
Note that that diminutive of كِتابٌ is كُــتَــيِّبٌ (**kutaiyib**) wherein the *alif* is changed to *yâ'*.
c) فُعَــيْــعِيلٌ, e.g., فُــنَــيْــجِيْنٌ from فِنْجانٌ (The first letter is followed by **u**, the second by **ai** and the third by **î**, e.g., finjân : **funaijîn**).

#(6) يَكُنْ، تَكُنْ، أَكُنْ، نَكُــنْ : these four *majzûm* forms of يَكُونُ may drop the نْ and become يَكُ، تَكُ، أَكُ، نَكُ , e.g.,
وَلَمْ أَكُ بَغِيّاً 'And I was not an unchaste woman' (Qur'an, 19:20).
وَقَدْ خَلَقْتُكَ مِنْ قَبْلُ وَ لَــمْ تَــكُ شَــيْئاً 'And I created you before while you were nothing' (Qur'an, 19:9).
قالُوا لَمْ نَكُ مِــنَ المُصَلّــينَ 'They said, "We were not among those who perform *salah*" ' (Qur'an,74:43).

فَإِنْ يَتُوبُوا يَكُ خَيْرًا لَهُمْ 'And if they repent it will be better for them' (Qur'an, 9:74).

وَمَنْ يَكُ ذا فَمٍ مُرٍّ مَرِيضٍ يَجِدْ مُرًّا بِهِ الماءَ الزُّلالاَ[1]

'Whoever has a bitter sickly mouth finds with it the purest fresh water bitter.' This optional omission of the *nûn*, which is the third radical, is peculiar to كانَ. يَكُونُ

#(7) In لَيْلَ نَهارَ ('day and night') two nouns have been combined into one. This combined word is *mabnî*. The same is true of صَباحَ مَساءَ ('morning and evening'). We say, أَعْمَلُ لَيْلَ نَهارَ. 'I work day and night.' نَعْبُدُ اللهَ صَباحَ مَساءَ 'We worship Allah morning and evening.'

EXERCISES

General :
Answer the following questions.
The shart :
1) Each of the following examples contains two sentences. Combine them using إِنْ and make the necessary changes.
2) Each of the following examples contains two sentences. Combine them using the conditional word given in brackets, and make the necessary changes.

The addition of فَ to the *jawâb al-shart* :

1) Add فَ to the *jawâb* wherever neccessary in the following sentences, and explain why it should be added.
2) Each of the following examples contains two sentences. Combine them using the *lâm al-amr* as explained in the first example, and make the necessary changes.

1- الزُّلالاَ should have been الزُّلالَ without the *alif* which has been added for metrical reason. This line is by the famous poet al-Mutanabbî (915-965 C.E.).

3) Draw one line under the conditional word, two under the *shart* and three under the *jawâb* in the following examples. If the *jawâb* has taken فَ explain why it has taken it.

4) Give ten examples of *shart* with the follwing as their *jawâb* :

a) a nominal sentence.
b) an *amr*.
c) a *nahy*.
d) an *istifhâm*.
e) a verb preceded by *lan*.
f) a verb preceded by the negative *mâ*.
g) a verb preceded by *saufa*.
h) a verb preceded by *sa*.
i) a *jâmid* verb.
j) a verb preceded by *qad*.

كَمْ :

1) Change كم الاستفهاميّة to كم الخَبَرِيَّة in the following sentences.

2) Change كم الخَبَرِيّة to كم الاستفهاميّة in the following sentences.

حتى :

1) Specify the meaning of حتى in each of the following sentences, and vocalize the verb following it.

2) Make sentences using حتى on the pattern of the example with the help of the verbs given below.

The diminutive :

Form the diminutive of each of following nouns.

General questions :

1) Write the *muḏâri‘* of each of the following verbs.
2) Write the *muḏâri‘* of each of the following verbs.
3) Give the plural of each of the following nouns.

LESSON 16

In this lesson we learn the following :

#(1) We have seen in Book Two (Lessons 4 and 10) that most Arabic verbs are made up of three letters which are called radiclas, e.g.,شَرِبَ، جَلَسَ، كَتَبَ .

A verb consisting of three radicals is called a *thulâthî* verb(الفِعْلُ الثُّلاثِي).

There are, however, certain verbs which consist of four radicals, e.g., تَرْجَمَ 'he translated', بَسْمَلَ 'he said *bismillahirrahmânirrahîm*', هَرْوَلَ 'he walked fast'.

A verb consisting of four radicals is called a *rubâ'î* verb (الفِعْلُ الرُّباعِي).

A verb in Arabic may be either *mujarrad* (المُجَرَّدُ) or *mazîd* (المَزِيدُ).

a) A *mujarrad* verb has only three letters if it is *thulâthî,* and only four letters if it is *rubâ'î,* and no extra letters have been added to them in order to modify the meaning, e.g., سَلِمَ **(salima)**[1] 'he was safe', زَلْزَلَ **(zalzala)** 'he shook (it) violently'.

b) In a *mazîd* verb one or more letters have been added to the radicals in order to modify the meaning, e.g.,

a *thulâthî* verb : from سَلِمَ (salima) :

سَلَّمَ sal**l**ama[2] 'he saved'. Here the second radical has been doubled.

سَالَمَ s**â**lama 'he made peace'. Here an *alif* has been added after the first radical.

تَسَلَّمَ **ta**sal**l**ama 'he received'. Here a *tâ'* has been added before the first radical, and the second radical has been doubled.

أَسْلَمَ **?**aslama[3] 'he became Muslim'. Here a *hamzah* has been added before the first radical.

اسْتَسْلَمَ **?ista**slama 'he surrendered'. Here three letters (*hamzah, sîn* and *tâ'*) have been added before the first radical.

---

[1]- Only the consonants are the radicals. In this verb the radicals are : **s l m**.

[2] - The extra letters are written in bold type to distinguish them from the radicals.

[3]- I use this sign (?) to reprsent the hamzah (ء) at the beginning of a word because the sign (') is too small.

a *rubâ'î* verb : from زَلْزَلَ zalzala :

تَزَلْــزَلَ tazalzala 'it shook violently[1]'. Here a *tâ'* has been added before the first radical.

Each of these modified forms is called a *bâb* (البابُ).

***Abwâb* of the *mujarrad* verb :**

There are six groups of the *mujarrad* verb of which we have learnt four in Book Two (L 10). Each of these groups is also called *bâb* in Arabic, and its plural is *abwâb* (الأَبْوابُ). Here are the six groups :

1) **a-u** group : سَجَدَ يَسْجُدُ (sa**j**ada ya-s**j**udu).

2) **a-i** group : جَلَسَ يَجْلِسُ (ja**l**asa ya-j**l**isu).

3) **a-a** group : فَتَحَ يَفْتَحُ (fata<u>h</u>a ya-fta<u>h</u>u).

4) **i-a** group : فَهِمَ يَفْهَمُ (fa**hi**ma ya-f**ha**mu).

5) **u-u** group : قَرُبَ يَقْرُبُ (qa**ru**ba ya-q**ru**bu) 'to approach, come near'.

6) **i-i** group : وَرِثَ يَرِثُ (wa**ri**tha ya-**ri**thu) 'to inherit'.

#(2) We have just been introduced to some of the *abwâb* of the *mazîd* verb. We will now learn one of these *abwâb* in some detail. The *bâb* we are going to learn is *bâb **fa''la*** (بابُ فَعَّلَ). In this *bâb* the second radical is doubled, e.g.,

قَبَّــلَ (qa**bb**ala) 'he kissed', دَرَّسَ (da**rr**asa) 'he taught', سَجَّلَ (sa**jj**ala) 'he recorded', كَبَّرَ (ka**bb**ara) 'he said *Allahu akbar*', عَلَّمَ ('a**ll**ama) 'he taught', رَتَّبَ (ra**tt**aba) 'he arranged'.

The *mu<u>d</u>âri'* : Let us now learn the *mu<u>d</u>âri'* of this *bâb*. As a rule the حَرْفُ المُضارَعَــةِ[1] takes <u>*d*</u>*ammah* if the verb is composed of four letters. As the verb in

---

[1]- e.g., زَلْزَلَ اللهُ الأَرْضَ، فَـتَـزَلْزَلَتْ 'Allah shook the earth violently, and it shook'.

this *bâb* is made up of four letters, the حَرْفُ الْمُضارَعَةِ takes *dammah*. The first radical takes *fathah*, the second takes *sukûn*, the third takes *kasrah*, and the fourth[2] takes the case-ending, e.g.,

قَبَّلَ : يُقَبِّلُ (yu-qabbil-u)-- سَجَّلَ : يُسَجِّلُ (yu-sajjil-u).

The ***amr*** : The *amr* is formed by dropping the حَرْفُ الْمُضارَعَةِ and the case-ending, e.g., تُقَبِّلُ : قَبِّلْ (tu-**qabbil**-u : qabbil) 'kiss!' -- تُدَرِّسُ : دَرِّسْ (tu-**darris**-u : darris) 'teach!'

The ***masdar*** : We have been introduced to the *masdar* in Book Two (L 11). The *thulâthî mujarrad* verbs do not have any particular pattern for the *masdar*. It comes on different patterns, e.g., قَتَلَ 'he killed' : قَتْلٌ 'killing' -- كَتَبَ 'he wrote' : كِتابَةٌ 'writing' -- دَخَلَ 'he entered' : دُخُولٌ 'entry' -- شَرِبَ 'he drank' : شُرْبٌ 'drinking'.

But in *mazîd* verbs each *bâb* has its own pattern for *masdar*. The *masdar*-pattern of *bâb* **fa''ala** is تَفْعِيلٌ (taf'îl-un), e.g., قَبَّلَ : تَقْبِيلٌ (taqbîl-un) 'kissing' -- سَجَّلَ : تَسْجِيلٌ (tasjîl-un) 'recording' -- دَرَّسَ : تَدْرِيسٌ (tadrîs-un) 'teaching'.

The *masdar* of a *nâqis* verb, and of a verb wherein the third radical is *hamzah*, is on the on the pattern of تَفْعِلَةٌ (taf'ilat-un), e.g., سَمَّى 'he named' : تَسْمِيَةٌ (**tasmiyat**-un) 'naming' -- رَبَّى 'he educated' : تَرْبِيَةٌ (**tarbiyat**-un) 'education' -- هَنَّأَ 'he congratulated' : تَهْنِئَةٌ (**tahni'at**-un) 'congratulation'.

---

[1] We have learnt in Book Two (L 10) that one these four letters ي، ت، أ، ن is prefixed to the *mudâri'*, e.g., يَكْتُبُ، تَكْتُبُ، أَكْتُبُ، نَكْتُبُ. These four letters are called حُرُوفُ الْمُضارَعةِ (***hurûf al-mudâra'ati***).

[2]- Because of the doubling of the second radical, the number of letters in this *bâb* are four. If the verb has four letters, the حَرْفُ الْمُضارَعةِ has *dammah*; and if it has three, five or six letters, the حَرْفُ الْمُضارَعةِ has *fathah*.

The ***ism al-fâ'il*** (اسمُ الفــاعِل) : We have learnt the formation of *ism al-fâ'il* from the *thulâthî mujarrad* in L 4 of this Book. Here we learn its formation fron *bâb* **fa''ala.** It is formed by replacing the حَرْفُ المُضارَعَةِ with **mu-.** As the *ism al-fâ'il* is a noun it takes the *tanwîn*, e.g., يُسَجِّلُ : مُسَجِّلٌ (**yu**-sajjil-u : **mu**-sajjil-un) 'a tape-recorder' -- يُدَرِّسُ : مُدَرِّسٌ (**yu**-darris-u : **mu**-darris-un) 'a teacher'.

The ***ism al-maf'ûl*** (اسْمُ المفعُــول) : In all the *abwâb* of the *mazîd* the *ism al-maf'ûl* is just like the *ism al-fâ'il* except that the second radical second takes *fathah* instead of *kasrah*, e.g., يُجَلِّدُ 'he binds (a book)' : مُجَلِّدٌ (**mujallid**-un) 'book-binder', مُجَلَّدٌ (**mujallad**-un) 'bound'.

يُحَمِّـدُ 'he praises much' : مُحَمِّدٌ (**mu<u>h</u>ammid**-un) 'one who praises much', مُحَمَّدٌ (**mu<u>h</u>ammad**-un) 'one who has been praised much'.

The noun of place and time (اسْما المَكانِ والزَّمــانِ) : In all the *abwâb* of the *mazîd* the noun of place and time is the same as the *ism al-maf'ûl,* e.g.,يُصَلِّي 'he prays' : مُصَلًّى (mu<u>s</u>alla-n) 'place of prayer'.

#(3)We have already learnt certain patterns of the the broken plural. Here we learn two more :

a) فَعَلَةٌ (**fa'alat**-un), e.g., طَلَــبَــةٌ 'students' plural of طالِبٌ.

b) فُعَلٌ (**fu'al**-un), e.g., نُسَخٌ 'copies' plural of نُسْخَةٌ.

#(4) Here we learn two more patterns of the *ma<u>s</u>dar* from the *thulâthî mujarrad*

a) فَــعْــلٌ (**fa'l**-un), e.g., شَرْحٌ (**shar<u>h</u>**-un) *ma<u>s</u>dar* of شَرَحَ يَشْرَحُ 'to explain'.

b) فِعَالٌ (**fi'âl**-un), e.g., غِيَابٌ (**ghiyâb**-un) *ma<u>s</u>dar* of غابَ يَغِيبُ 'to be absent'.

EXERCISES

General :

Answer the following questions.

1a) Sort out the *thulâthî* from the *rubâ'î* in the following.

1b) Sort out the *thulâthî mujarrad* from the *thulâthî mazîd* in the following.

2) Write the *mudâri'*, the *amr* and the *masdar* of each of the following verbs as shown in the example.

3) Write the *ism al-fâ'il* of each of the following verbs.

4) Write the *mudâri'*, *ism al-fâ'il* and *ism al-maf'ûl* of each of the following verbs.

6) Underline in the following sentences the verbs belonging to *bâb fa''al* and their various derivatives.

7) Give the plural of each of the following nouns on the pattern of فَعَلَةٌ.

8) Give the plural of each of the following nouns on the pattern of فُعَلٌّ.

9) Give the *masdar* of each of the following verbs on the pattern of فَعْلٌ.

10) Give the *masdar* of each of the following verbs on the pattern of فِعَالٌ.

11) What is the plural of دُكْتُورٌ?

12) Use the word يَبْدُو in a sentence of your own.

LESSON 17

In this lesson we learn the following :

#(1) *Bâb* **?af'ala** (بابُ أَفْعَلَ) : This is another *bâb* from the *abwâb* of the *mazîd*. In this a *hamzah* is prfixed to the first radical which loses its vowel, e.g., نَزَلَ (**nazala**) 'he came down' : أَنْـزَلَ (?**a**nzala) 'he brought down' -- خَرَجَ (**kharaja**) 'he went out' : أَخْرَجَ (?**a**khraja) 'he brought out'.

The ***mudâri'*** : The *mudâri'* should have been يُـأَنْزِلُ (yu?**a**nzil-u) but the *hamzah* along with its vowel is omitted. So it becomes يُـنْـزِلُ (yunzil-u)[1]. Note that the حَرْفُ الْمُضارَعَةِ has *dammah* because the verb originally had four letters. So يَـنْـزِلُ (y**a**nzil-u) is the *mudâri'* of نَـزَلَ , and يُـنْـزِلُ (y**u**nzil-u) is that of أَنْـزَلَ.

The ***amr*** : Note that the *amr* is formed from the original form of the *mudâri'*, and not from the existing form. So after omitting the حَرْفُ الْمُضارَعَةِ and the case-ending from تُأَنْـزِلُ (tu**?anzil**-u) we get أَنْـزِلْ (**?anzil**).

The ***masdar*** : The *masdar* of this *bâb* is on the pattern of إِفْعَالٌ (**?if'âl**-un), e.g., أَنْزَلَ : إِنْـزَالٌ (**?inzâl**-un) 'sending down' -- أَخْـرَجَ : إِخْرَاجٌ (**?ikhrâj**-un) 'bringing out' -- أَسْلَمَ : إِسْلامٌ (**?islâm**-un) 'becoming a Muslim'.

The ***ism al-fâ'il*** : As we have seen in *bâb* ***fa''ala*** the حَرْفُ الْمُضارَعَةِ is replaced with **mu**, e.g., يُسْـلِمُ (**yu**slim-u) 'he becomes a Muslim' : مُسْلِمٌ (**mu**slim-un) 'Muslim' -- يُمْكِنُ (**yu**mkin-u) 'it is possible' : مُمْكِنٌ (**mu**mkin-un) 'possible'.

The ***ism al-maf'ûl*** **:** It is just like the *ism al-fâ'il* except that the second radical has *fathah*, e.g., يُرْسِلُ (yursil-u) 'he sends' : مُرْسِلٌ (mursil-un) 'one who sends' :

---

[1]- **yu?anzilu** minus **?a** = **yunzilu.**

مُرْسَلٌ (mursal-un) 'one who has been sent' -- يُغْلِقُ (yughliq-u) 'he closes' : مُغْلِقٌ (mughliq-un) 'one who closes' : مُغْلَقٌ (mughlaq-un) 'closed'.

The noun of place and time (اِسْما المَكانِ والزَّمانِ) : It is the same as the *ism al-maf'ûl* , e.g., أَتْحَفَ يُتْحِفُ (?athafa yuthif-u) 'to present someone with a curio' : مُتْحَفٌ (muthaf-un) 'museum'.

Here are some non-*sâlim* verbs tranferred to this *bâb* :

الماضي	المُضارِعُ	المَصْدَرُ	اِسْمُ الفاعِلِ	اِسْمُ المَفْعُولِ
أَقامَ 'he made (him) stand'.	يُقِيمُ	إِقامَـــةٌ	مُقِـــيمٌ	مُقَامٌ
آمَنَ 'he believed' for أَأْمَنَ	يُؤْمِنُ	إِيـــمَانٌ for إِئْمانٌ	مُؤْمِنٌ	مُؤْمَنٌ
أَوجَبَ 'he made (it) obligatory'.	يُوجِبُ	إِيْجابٌ for إِوْجابٌ	مُوجِبٌ	مُوجَبٌ
أَتَمَّ 'he completed'	يُتِـــمُّ	إِتْمامٌ	مُــتِــمٌّ	مُــتَــمٌّ
أَلْقَى 'he put down'.	يُلْقِي	إِلْقايٌ for إِلْقاءٌ	مُلْقٍ (المُلْقِي)	مُلْقىً (المُلْقَى)

#(2) The verb أَعْطَـــى 'he gave' is from *bâb ?af'ala*. The *mudâri'* is يُعْطِي, the *masdar* is إِعْطاءٌ, the *amr* is أَعْطِ , the *ism al-fâ'il* is مُعْطٍ , and the *ism al-maf'ûl* is مُعْطًى .

It takes two objects, e.g., أَعْطَيْتُ بلالاً ساعةً 'I gave Bilal a watch.' In the Qur'an : إِنّا أَعْطَـــيْــنَـــاكَ الْكَوْثَرَ 'We have indeed given you abundance.'

The objects may be pronouns, e.g., مَنْ أَعْطاكَـــهُ؟ 'Who gave it to you?'

أعْطانيهِ المدرِّس 'The teacher gave it to me.'

#(3) وَلَوْ means 'even if', e.g.,

اشْتَرِ هذا المُعْجَمَ وَلَوْ كانَ غالِياً 'Buy this dictionary even if it is expensive.'

أُحْضُرِ الامْتِحانَ وَلَوْ كُنْتَ مريضاً 'Attend the examination even if you are sick.' لَنْ أَسْكُنَ هذا البيتَ وَلَوْ أَعْطَيْتَنِيْهِ مَجَّاناً 'I will not live in this house even if you give it to me free.'

Note that the verb after وَلَوْ is *madî.*

#(4) لامُ الإبْتِداءِ is a *lâm* with a *fathah* prefixed to the *mubtada'* for the sake of emphasis, e.g., وَلَذِكْرُ اللهِ أَكْبَرُ 'And indeed the remembrance of Allah is the greatest' (Qur'an, 29:45).

ولأَمَةٌ مُؤْمِنَةٌ خَيْرٌ مِنْ مُشْرِكَةٍ وَلَوْ أَعْجَبَتْكُمْ 'And indeed a believing slave girl is better than a *mushrikah* when though she might be pleasing to you' (Qur'an, 2:221).

This *lâm* is not to be confuesd with the preposition لِـ which has a *kasrah*, but takes a *fathah* when prefixed to a pronoun, e.g., لَـهُ، لَكَ، لَها، لَكُم. The لامُ الإبْتِداءِ does not change the ending of the *mubtada'*.

#(5) The verb أَصْبَحَ is a sister of كَانَ. It means 'to become in the morning', e.g., أَصْبَحَ حامدٌ مريضاً 'Hamid fell ill in the morning.' Here حامدٌ is the *ism* of أَصْبَحَ and مريضاً is its *khabar*. And in أَصْبَحْتُ نَشِيطاً 'I became active in the morning' the pronoun تُ is the *ism*.

It is also used in the sense of just 'he became' without reference to the timing, e.g., فَأَلَّفَ بَيْنَ قُلُوبِكُمْ فَأَصْبَحْتُمْ بِنِعْمَتِهِ إِخْوَاناً 'He united your hearts, and you became brothers by His grace' (Qur'an, 3:103).

#(6) أَوْشَكَ is a sister of كَانَ. Its *mudâri‘* is يُوشِكُ. It means ‘he is about to...’, e.g., يُوشِكُ الطلابُ أَنْ يَرْجِعُوا إلى بِلادِهِم في الإِجَازَةِ ‘The students are about to return to their countries in the holdays.’ Here الطُلاَّبُ is its *ism*, and the *masdar mu'awwal*[1] (أنْ يرجعوا) is the *khabar*. Its *khabar* is always a *masdar mu'awwal*, i.e., أَنْ + the *mudâri‘*. Here is another example : أُوشِكُ أنْ أَتَزَوَّجَ ‘I am about to get married.’ Here its *ism* is the *damîr mustatir* (hidden pronoun) أنا in the verb أُوشِكُ.

#(7) يُرِيدُها لأَمْرٍ ما. Here the word مَا is an adjective meaning ‘some’ or ‘certain’. لأَمرٍ ما means ‘for some reason.’ Here are some more examples : أَعْطِنِي كتاباً ما ‘Give me some book.’ -- رَأَيْتُهُ في مَكانٍ ما ‘I have seen him somewhere.’ -- سَتَفْهَمُ هذا يَوماً ما ‘You will understand this some day.’

This ما is called ما النَّكِرَةُ التَّامَةُ المُبْهَمَةُ ‘the completely indefinite and vague *mâ*’.

#(8) The *alif* of ابْـن is omitted in writing also if it is between the names of the son and the father, e.g., مُحَمَّدُ بْنُ وِلْيَمَ ‘Muhammad son of William’. This omission is subject to the following two conditions :

a) the father's name should not be preceded by any title. If it is preceded by a title, the *alif* should be retained, e.g., الحَسَنُ بْنُ عليٍّ ‘Hasan son of ‘Ali’, but الحَسَنُ ابْنُ الإمامِ عليٍّ ‘Hasan son of Imam ‘Ali’

b) all the three words should be in the same line, g., خالدُ بْنُ الوليد. If they are in different lines, the *alif* is not be omitted, e.g., خالد ابْنُ الوليد.

---

[1]- For the *masdar mu'awwal*(المَصْدَرُ المُؤَوَّلُ) see L 10 in this Book.

Note that the word preceding اِبْن loses its *tanwîn*, e.g. بِــلالُ بَــنُ حَامِــدٍ (Bilâl-u bn-u Ḥâmid-in), *not* بِلالٌ بْنُ حَامِدٍ (Bilâl-un bn-u Ḥâmid-in).

EXERCISES

1) Answer the following questions.

2) Write the *muḏâri'* and the *maṣdar* of each of the following verbs as shown in the example.

3) Write the *amr* of each of the following verbs as shown in the example.

4) Write the *ism al-fâ'il* of each of the following verbs.

5) Write the *ism al-maf'ûl* of each of the following verbs.

6) Underline in the following examples verbs belonging to *bâb* **?af'ala**, and their various derivatives.

7) Point out the verbs belonging to *bâb* **?af'ala** and their derivatives occurring in the main lesson.

8) Answer the following questions using pronouns as the two *maf'ûls* as shown in the example.

9) Learn the use of وَلَو in the following examples.

10) Learn the use of *lâm al-ibtidâ'* in the following examples.

11) Rewrite the following sentences using أَصْبَحَ.

15) Give the plural of each of the following nouns[1].

16) Give the *mâḏî* of يَأْبى .

17) Use each of the following words and expressions in a sentence of your own.

---

[1]- 12, 13 & 14 are not questions.

LESSON 18

In this lesson we learn the following :

#(1) Verbs are either transitive or intrasitive. A trasitive verb (الفِعْلُ المُتَعَدِّي) needs a subject which does the action, and an object which is affected by the action, e.g., قَتَلَ الجُنْدِيُّ الجاسُوسَ 'The soldier killed the spy.' Here the soldier did the killing, so the word الجُنْدِيُّ is the *fâ'il* (the subject), and the one affected by the killing is the spy. So the word الجاسُوسَ is the *maf'ûl bihi* (the object).

Here is another example : بَنَى إبراهِيمُ عليهِ السَّلامُ الكَعْبَةَ 'Ibrahim (peace be on him) built the Ka'bah.'

An intrasitive verb (الفِعْلُ اللازِمُ) needs only a subject which does the action. Its action is confined to the subject, and does not affect others, e.g., فَرِحَ المدرِّسُ 'The teacher was happy.' -- خَرَجَ الطُّلاَّبُ 'The students went out.'

The subject of certain verbs affect others but not directly. They do this with the help of prepositions, e.g., 'I looked *at* him', 'We believe *in* God.' This happens in Arabic also, e.g.,

غَضِبَ المدرِّسُ على الطَّالِبِ الكَسْلانِ 'The teacher got angry with the lazy student.'

ذَهَبْتُ بِالمريضِ إلى المُسْتشفى 'I took the patient to the hospital.'

نَظَرْنا إلَى الجَبَلِ 'We looked at the mountain.'

فَمَنْ رَغِبَ عَنْ سُنَّتِي فَلَيْسَ مِنِّي 'Whoever dislikes my way is not of me' (hadîth).

أُرِيدُ أنْ أَطَّلِعَ على مَنْهَجِ مَدْرَسَتِكَ 'I want to look into the syllabus of your school.'

لا أَرْغَبُ في السَّفَرِ هذا الأُسْبُوعَ[1] 'I don't like to travel this week.'

The object of such a verb is called المَفْعُولُ غَيْرُ الصَّرِيحِ (inexplicit object). It is *majrûr* because of the preposition, but it is in the place of *nasb*(في مَحَلِّ نَصْبٍ).

#(2) How to make an intransitive verb transitive?

---

[1]- Note that رَغِبَ فِي الشيءِ means to like a thing, and رَغِبَ عَنِ الشيءِ means to dislike it.

We say in English '**Rise** and **raise** your hand'. *Rise* is intransitive, and by changing the pattern of the verb we get *raise* which is transitive. But this kind of change is very rare in English. In Arabic it is very common. An intransitive verb can be made transitive by changing it to :

a) *bâb* **fa''ala** (فَعَّـــلَ), e.g., نَـــزَلَ (nazala) 'he got down' : نَزَّلَ (nazzala) 'he brought down'. نَزَلْتُ من السيّارة، ثُمَّ نَزَّلتُ الطِفْلَ 'I got down from the car, then I took down the child'.

This process of changing an intransitive verb into a transitive verb by doubling the second radical is called التَّضْعِيفُ (doubling).

b) *bâb* **?af'ala** (أفْعَـــلَ), e.g., جَلَسَ (jalasa) 'he sat' : أَجْلَسَ (**?a**jlasa) 'he seated (him)'. جَلَسْتُ في الصَّفِّ الأوَّلِ، وأَجْلَسْتُ الطِّفْلَ بِجانِبي 'I sat in the first row and I seated the child by my side.'

The *hamzah* which is prefixed to the verb in *bâb* **?af'ala** is called هَمْزَةُ التَّعْدِيَةِ (the transitive *hamzah*).

Certain verbs can be changed to both these *abwâb*, e.g., نَزَلَ : نَزَّلَ and أَنْزَلَ. Most verbs can be changed to either of these. One must learn this from books and dictionaries.

If a transtive verb is transferred to any of these two *abwâb* it becomes doubly transitive, and takes two objects, e.g.,

دَرَسْتُ اللغةَ العربيَّةَ 'I studied *Arabic*.' Here the verb دَرَسَ has one object, اللُّغَةَ.

دَرَّسْتُـــكَ اللغةَ العربيَّةَ 'I taught *you Arabic*.' Here it has two objects : كَ and اللغةَ.

فَهِمَ بلالٌ الدرسَ 'Bilal understood the lesson.'

أَفْهَمَ بلالٌ إبراهيمَ الدرسَ 'Bilal explained the lesson to Ibrahim.' (Literally, 'Bilal made Ibrahim understand the lesson).

#(2) أَرَى (**?arâ**) 'he showed' is *bâb* **?af'ala** from رأى 'he saw'. It was originally أَرْأَى (**?ar?â**) but the second *hamzah* has been omitted. The *muḏâri'* is يُـــرِي (**yurî**), and the *amr* is أَرِ (**?ari**). This is how the *amr* is *isnad*ed to the other pronouns of the second person :

أَرِنــي هذا الكتابَ يا عليُّ.   أَرُونــي هذا الكتابَ يا إخــوانُ.

أَرِيــنِي هذا الكتابَ يا مريَمُ.   أرِيــنَــني هذا الكتابَ يا أخَوات.

#(3) We have just seen that when a verb is transferred to *bâb* **fa''ala** it becomes transitive, e.g., نَــزَّلَ from نَزَلَ. If the verb is already transitive with one object it becomes doubly transitive with two objects, e.g. دَرَّسَ from دَرَسَ.

This *bâb* also signifies an extensive or intensive action. In Arabic the first is called التَّكْثِيرُ, and the second المُبالَغَةُ.

a) An **extensive** action is one done on a large scale, or done repeatedly, e.g., قَتَــلَ المُجْــرِمُ رَجُــلاً 'The criminal killed a man', but قَتَّلَ المُجْرِمُ أَهْلَ القَرْيَةِ 'The criminal massacred the people of the village.'

جُلْــــتُ في هــذا البَلَــدِ 'I went round this country', but جَوَّلْتُ في مَشارِقِ الأرْضِ ومَغارِبِها 'I travelled extensively all over the world.'

فَتَحْتُ البــابَ 'I opened the door', but فَتَّحْتُ أَبْوابَ الفُصُولِ 'I opened the doors of the classrooms.'

عَدَّ الرَّجُــــلُ مالَــهُ 'The man counted his money', but عَدَّدَ الرجُلُ مالَهُ 'The man repeatedly counted his money.'

b) An **intensive** action is one done thoroughly and with great force, e.g., كَسَرْتُ الكُوبَ 'I broke the glass', but كَسَّرتُ الكوبَ 'I smashed the glass.'

قَطَعْتُ الحَبْلَ 'I cut the rope', but قَطَّعْتُ الحَبْلَ 'I cut the rope to pieces.'

Note the the extensive action affects a number of objects, or one object a number of times, whereas an intensive action affects only one object only once but with great force.

#(4) إيَّاكَ والكِــلابَ means 'Beware of dogs!' This is called التَّحْذِيرُ (warning). Note that the noun after the *wâw* is *manṣûb*. إيَّاكَ is for masculine singular. For masculine plural it is إِيَّاكُمْ, for feminine singular إِيّاكِ and for feminine plural إِيّاكُنَّ.

Here is a h̲adîth : إِيَّاكُمْ والحَسَدَ، فإِنَّ الحَسَدَ يَأْكُلُ الحِسَناتِ كَمَا تَأْكُلُ النَّارُ الحَطَبَ 'Beware of jealousy, for jealousy eats up good deeds just as fire eats up the firewood.'

#(5) إِنَّما أنا مُدَرِّسٌ means 'I am only a teacher', i.e., I am a teacher, and nothing else. إِنَّما is إِنَّ plus ما. This is ما is called ما الكافَّة i.e., the preventive *mâ*, because it prevents إِنَّ from rendering the following noun *mans̲ûb*. We say إِنَّمَا الأَعْمالُ بالنِّيَّاتِ 'Actions are judged only by the intentions.' Here الأَعْمالُ is *marfû'* and not *mans̲ûb*. Unlike إِنَّ the word إِنَّما is used in a verbal sentence as well, e.g., إِنَّما يَكْذِبُ 'He is only telling a lie.'

In the Qur'an (9:18) : إِنَّما يَعْمُرُ مَساجِدَ اللهِ مَنْ آمَنَ بِاللّهِ والْيَوْمِ الآخِرِ 'Only those tend the mosques of Allah who believe in Allah and the Last Day.'

#(6) وَاللهِ 'By Allah' is an oath[1]. In Arabic it is called القَسَمُ, and the statement that follows the *qasam* is called *jawâb al-qasam* (جَوابُ القَسَمِ). If the *jawâb al-qasam* commences with a *mâd̲î* and is affirmative, it should take the emphatic لَقَدْ, e.g., وَاللهِ لَقَدْ فَرِحْتُ كَثِيراً 'By Allah, I was greatly delighted.' If, however, the verb is *mâd̲î* but negative, it does not take the emphatic particle, e.g., واللهِ ما رأَيْتُهُ 'By Allah, I did not see him[2].'

---

[1]- The *wâw* used for oath is a preposition, that is why the noun following it is *majrûr*. It should not be confused with *wâw al-'atf* (وَاوُ العَطْفِ) which means 'and'.

[2]- See L 2.

#(7) The verb أَمْسَى is a sister of كَانَ. It means 'he became in the evening', e.g., أَمْسَى الجَوُّ لَطيفــاً 'The weather became fine in the evening.' Here الجَوُّ is its *ism*, and لَطِيفاً is its *khabar*. See أَصْبَحَ in L 17.

#(8) إنَّ بي صُداعاً شَديداً 'I am suffering from severe headache.'

ماذا بكِ يا زيْنَبُ؟ 'What are you suffering from, Zainab?'

Note that many words denoting disease are on the pattern of فُعالٌ (**fu'âl**), e.g., صُداعٌ 'headache', زُكامٌ 'cold', دُوارٌ 'vertigo', سُعالٌ 'cough'.

#(9) One of the patterns of the *masdar* is فَعَالٌ (**fa'âl**), e.g., ذَهابٌ 'going' from ذَهَبَ -- نَجَاحٌ 'success' from نَجَحَ.

#(10) The plural of طَرِيــقٌ is طُرُقٌ ; and the plural طُرُقٌ is طُرُقاتٌ. This is called جَمْعُ الجَمْعِ (the plural of plural). Some nouns have جَمْعُ الجمْعِ, e.g.,

مَكَانٌ 'place' → أَمْكِنَةٌ → أَماكِنُ --- سِوَارٌ 'bracelet' → أَسْوِرَةٌ → أَساوِرُ.

يَدٌ 'hand' → أَيْــدٍ → أَيادٍ.

The جَمْعُ الجمْــعِ mostly has the meaning of the plural. But in some cases it has a different meaning, e.g., أَيْــدٍ means 'hands', but أَيادٍ means 'favours' -- بُيُوتٌ means 'houses', but بُيُوتَاتٌ means 'respectable families'.

#(11) دَرَى 'he knew', أَدْرَى 'he made (him) know', i.e., 'he informed (him)'.

وَما أَدْرَاكَ أَنَّه يكذِبُ؟ 'And what informed you that he is telling a lie?' = 'How did you come to know that he is telling a lie?' In the Qur'an (97:1-3) :

إِنَّــا أَنْزَلْناهُ في لَيْلَةِ القَدْرِ * وَمَا أَدْرَاكَ ما لَيْلَــةُ القَدْرِ * لَيْلَةُ القَدْرِ خَيْرٌ مِنْ أَلْفِ شَـهْرٍ 'We heve indeed revealed it on the Night of Decree. And what will inform you what the Night of Decree is. The Night of Decree is better than a thousand months.'

This expression has been used in the Qur'an about thirteen times.

#(12) The meaning of the poetic line :

وَلَمْ أَرَ كَالمَعْرُوف : أما مَذاقُــهُ فَحُلْوٌ، وأما وَجْهُــهُ فَجَمِيلُ[1]

'I have not seen anything like a good deed : its taste is sweet, and its face is beautiful.'

This is the line in the latest edition. Earlier editions had the following line :

وما التَّأنيثُ لاِسْمِ الشَّمْسِ عَيْبٌ ولا التَّذكيرُ فَخْــرٌ للهِلالِ

'The fact that the word *shams* is feminine is no disdredit to the sun, nor is the masculine gender of *hilâl* a matter of pride for the moon.'

EXERCISES

General :
Answer the following questions.

Transitive and intransitive verbs :
Sort out the transitive and the intransitive verbs in the following sentences.

Changing the intransitive to transitive verbs:

1) Use each of the following verbs in two sentences : in the first as it is, and in the second after changing it to *bâb* **?af 'ala**.

2) Use each of the following verbs in two sentences : in the first as it is, and in the second after changing it to *bâb* **fa''ala**.

3) By what process have the underlined verbs in the following sentences been rendered transitive?

The verb أَرَى (he showed) :

1) Oral exercise: Each student tells the other أَرِنِي كِتابَكَ, and the other replies saying either سَأُرِيكَــهُ بعدَ قليلٍ , or لا أُرِيكَــهُ [2].

---

[1]- The word جَمِيلُ should have the *tanwîn*, but it has been omitted for metrical reasons.

[2]- A female student says to another أَرِيــنِي كتابَكِ. She replies سَأُرِيــكِــهِ بعدَ قليلٍ / لا أُرِيــكِــهِ.

2) Oral exercise : The teacher says to each student أَأَرَيْــتَــنِي دَفْتَرَكَ؟ 'Did you show me your notebook?' He replies saying نَعَمْ، أَرَيْــتُــكَــهُ 'Yes, I showed it to you[1].'

Bâb fa''ala denotes extensive and intensive action :
Underline the verbs belonging to *bâb* **fa''ala** in the following *âyât*, and specify their meanings.

Tahdhîr :
Form examples of *tahdhîr* with the help of the following words.

Qasam :
Use each of the following sentences as *jawâb al-qasam*.

The verb أَمْسَى :

Rewrite the following sentences using أَمْسَى.

إِنَّ بِي صُدَاعاً :

1) Write the *i'râb* (grammatical analysis) of إِنَّ بِي صُدَاعاً.

2) Answer each of the following questions using the name of the disease mentioned in front of it in brackets.

General :
1) Give the *masdar* of each of the following verbs.
2) Use each of the following words in a sentence of your own.
3) Oral exercise : Each student says to his colleague something like سَيَرْجِعُ المديرُ غداً. And he replies saying وما أَدْرَاكَ أَنَّه يرجعُ غداً؟.

1- The teacher says to the female student أَأَرَيْــتِــنِي دفترَكِ؟ (**?a ?araitinî daftaraki**).

LESSON 19

In this lesson we learn lesson the following :

#(1) *Bâb* فَاعَلَ (**fâ'ala**) : In this *bâb* an *alif* is added after the first radical, e.g., قَابَلَ (qâbala) 'he met', شَاهَدَ (shâhada) 'he watched', سَاعَدَ (sâ'ada) 'he helped', حَاوَلَ (hâwala) 'he tried', رَاسَلَ (râsala) 'he corresponded', لاَقَى (lâqâ) 'he met'.

The *mudâri'* : As the verb is made up of four letters, the حَرْفُ الْمُضَارَعَةِ takes *dammah*, e.g., يُقابِلُ (**yu**-qâbil-u), يُساعِدُ, يُحاوِلُ, يُلاَقِي.

The *amr* : After omitting the حَرْفُ الْمُضَارَعَةِ and the case-ending from تُقَابِلْ we get قَابِلْ (tu-**qâbil**-u : qâbil). The *yâ'* is omitted from the *nâqis* verb. So the *amr* of تُلاقِي is لاَقِ.

The ***masdar*** : This *bâb* has two *masdars* :

a) one is on the pattern of مُفَاعَلَةٌ (**mufâ'alat**-un), e.g., سَاعَدَ : مُسَاعَدَةٌ 'help' -- قَابَلَ : مُقَابَلَةٌ 'meeting' -- حَاوَلَ : مُحَاوَلَةٌ 'trying'.

In *nâqis* verbs **-aya-** is changed to **-â-** , e.g., لاَقَى : مُلاَقَاةٌ (mulâqât-un) for the original مُلاَقَيَةٌ (mulâq**ayat**-un) -- بَارَى : مُبَارَاةٌ 'contest, match' (mubâr**â**t-un) for the original مُبَارَيَةٌ (mubâr**ayat**-un).

b) The other is on the pattern of فِعَالٌ (**fi'âl**-un), e.g., جَاهَدَ : جِهَادٌ 'striving' -- نَافَقَ : نِفَاقٌ 'hypocrasy'. In the *nâqis* verbs the *yâ'* is changed to *hamzah*, e.g., نَادَى : نِدَاءٌ 'calling' (nidâ'-un) for the original نِدَايٌ (nidây-un).

The *ism al-fâ'il* : يُرَاسِلُ : مُرَاسِلٌ (**mu**râsil-un) 'correspondent' -- يُشَاهِدُ : مُشَاهِدٌ 'viewer' -- يُلاَقِي : مُلاَقٍ (**mu**lâqi-n) 'one who meets' -- يُنَادِي : مُنَادٍ (**mu**nâdi-n) 'one who calls'.

The *ism al-maf'ûl* : This is just like the *ism al-fâ'il* except that the second radical has *fathah*, e.g., يُرَاقِبُ : مُرَاقِبٌ (murâqib-un) 'one who observes' :

مُرَاقَـبٌ (murâqab-un) 'one who is observed' -- يُخَاطِبُ : مُخَاطِبٌ (mukhâṯib-un) 'one who addresses' : مُخَاطَـبٌ (mukhâṯab-un) 'one who is addressed' --يُبَارِكُ 'he blesses' : مُبَارَكٌ (mubârak-un) 'blessed' -- يُنَادِي : مُنَادٍ (munâdi-n) 'one who calls' : مُنَادًى (munâda-n) 'one who is called'.

The noun of place and time : It is the same as the *ism al-maf'ûl*, e.g.,يُهَاجِرُ 'he migrates' : مُهَاجَرٌ (muhâjar-un) 'place of migration'.

#(2) We have seen *lâm al-ibtidâ'* in L 17, e.g., لَـبَـيْـتُكَ أَجْمَلُ 'Indeed your house is more beautiful.' Now if we want to use إِنَّ also in this sentence, the *lâm* has to be pushed to the *khabar* as two particles of emphasis cannot come together in one place. So the sentence becomes : إِنَّ بيتَكَ لأَجْمَلُ 'Indeed your house is more beautiful.' After its removal from its original position the *lâm* is no longer called *lâm al-ibtidâ'*. It is now called اللاَّمُ المُزَحْلَقَةُ (the displaced *lâm*). A sentence with both إِنَّ and the *lâm* is more emphatic than one with إِنَّ or the *lâm* only.

Here are some examples : إِنَّ أَوْهَنَ الْبُيُوتِ لَبَيْتُ الْعَنْكَبُوتِ 'Indeed the frailest of houses is the spider's house' (Qur'an, 29:41).

إِنَّ إِلَهَـكُمْ لَوَاحِدٌ 'Indeed your God is One' (Qur'an, 37:4).

إِنَّ أَوَّلَ بَيْتٍ وُضِعَ لِلنَّاسِ لَـلَّذِي بِبَكَّـةَ 'Indeed the first sanctuary appointed for mankind is the one which is in Bakkah (Makkah)' (Qur'an, 3:96).

إِنَّ أَنْكَرَ الأَصْوَاتِ لَصَوْتُ الحَمِـيرِ 'Indeed the harshest of all voices is the voice of the ass' (Qur'an, 31:19).

#(3) The particle قَدْ is prefixed to the verb, both *mâḏî* and *muḏâri'*.

a) With the *mâdî* it denotes certainty (اَلتَّأْكِيدُ), e.g., قَدْ دَخَلَ الْمُدَرِّسُ الْفَصْلَ 'The teacher has already entered the class.' قَدْ فَاتَتْكَ دُرُوسٌ 'You did miss many lessons.'

b) With the *mudâri'* it denotes one of the following things :

1) doubt or possibility (اَلشَّكُّ وَالِاحْتِمَالُ), e.g., قَدْ يَعُودُ الْمُدِيرُ غَدًا 'The headmaster *may* return tomorrow.' -- قَدْ يَنْزِلُ الْمَطَرُ الْيَوْمَ 'It *may* rain today.'

2) rarity or paucity (اَلتَّقْلِيلُ), i.e., it conveys the sense of 'sometimes', e.g., قَدْ يَنْجَحُ الطَّالِبُ الْكَسْلَانُ 'A lazy student *sometimes* passes the examination.' -- قَدْ يَصْدُقُ الْكَذُوبُ 'A liar *sometimes* tells the truth.'

3) certainty (اَلتَّحْقِيقُ), e.g., وَقَدْ تَعْلَمُونَ أَنِّي رَسُولُ اللهِ إِلَيْكُمْ 'While you know for sure that I am the messenger of Allah to you' (Qur'an, 61:5).

#(4) The plural of ذُو is ذَوُو. It is declined like the sound masculine plural, i.e., its *raf'*-ending is *wâw*, and *nasb/jarr*-ending is *yâ'*, e.g.,

raf' : ذَوُو الْقُرْبَى أَحَقُّ بِمُسَاعَدَتِكَ 'Relatives deserve your help more.' Here ذَوُو is *marfû'* as it is *mubtada'*, and the *raf'*-ending is *wâw*. (dhawû)

nasb : سَاعِدْ ذَوِي الْعِلْمِ 'help people of knowledge.' Here ذَوِي is *mansûb* because it is *maf'ûl bihi*, and the *nasb*-ending is *yâ'*. (dhawî)

jarr : سَأَلْتُ عَنْ ذَوِي الْحَاجَاتِ 'I asked about needy people.' Here ذَوِي is *majrûr* because it is preceded by a preposition, and the *jarr*-ending is *yâ'*. (dhawî)

#(5) We have learnt لَكِنَّ in Book Two (L 3). It is a sister of إِنَّ, and its *ism* is *mansûb*, e.g., جَاءَ بِلَالٌ، لَكِنَّ حَامِدًا لَمْ يَجِئْ 'Bilal came, but Hamid did not.' Its *nûn* has shaddah, but it is also used without the shaddah, i.e., لَكِنْ (lâkin), and in this case it loses two of its chracteristics :

a) It does not render the noun following it *mansûb*, e.g., جَاءَ الْمُدَرِّسُ، لَكِنِ الطُّلَّابُ مَا جَاءُوا 'The teacher came but the students did not come.' Here الطُّلَّابُ is *marfû'*. In the Qur'an (19:38) : لَكِنِ الظَّالِمُونَ الْيَوْمَ فِي ضَلالٍ مُبِينٍ 'But the wrong-doers are today in manifest error.' Note الظَّالِمُونَ not الظَّالِمِينَ.

b) It may also be used in a verbal sentence, e.g., غابَ عليٌّ، ولَكِنْ حَضَرَ أحْمَدُ 'Ali was absentt, but Ahmad attended.' In the Qur'an (2:12) وَلَكِنْ لا يَشْعُرُون 'But they do not perceive.'

#(6) The كَ in ذَلِكَ، تِلْكَ، أُولَئِكَ may be replaced with كُمْ، كِ and كُنَّ according to whom you are speaking to, e.g.,

لِمَنْ ذلِكَ البيتُ يا بـلالُ؟ لِمَنْ ذَلِكُمُ البيتُ يا إخوانُ؟

لِمَنْ ذَلِكِ البيتُ يا مريمُ؟ لِمَنْ ذَلِكُنَّ البيتُ يا أخوات؟

****

تِلْكَ الساعةُ جميلةٌ يا حامد. تِلْكُمُ الساعةُ جميلةٌ يا إخوان.

تِلْكِ الساعةُ جميلة يا مريمُ. تِلْكُنَّ الساعةُ جميلةٌ يا أخَوات.

This is called تَصَرُّفُ كافِ الخِطابِ, and it is optional.

In the Qur'an :

ذَلِكُمْ خَيْرٌ لَكُمْ 'That is better for you.'

أَكُفَّارُكُمْ خَيْرٌ مِنْ أُولَئِكُمْ 'Are your unbelievers better than those?'(54:43).

قالَ كَذَلِكِ 'He said, "Thus it will be"' (19:21).

وَنُودُوا أَنْ تِلْكُمُ الجَنَّةُ أُورِثْتُمُوها بِما كُنْتُمْ تَعْمَلُونَ 'It will be announced to them, "This Paradise you have inherited for what you used to do"' (7:43).

#(7) the *mudâri'* is sometimes used for the *amr* as in the Qur'an (61:11) تُؤْمِنُونَ بِاللهِ وَرَسُولِهِ. Here تُؤْمِنُونَ is for آمِنُوا 'believe'. That is why يَغْفِرْ in the next *âyah* is *majzûm*[1].

---

[1]- For الجَزْمُ بِالطَّلَب see L 13.

#(8) One of the *maṣdar* patterns is : فِعَالَةٌ (**fi'âlat**-un), e.g., عَادَ : عِيادَةٌ 'visiting the sick' -- قَرَأَ : قِرَاءَةٌ 'reading'.

#(9) مُضِـــيٌّ 'lapse, passing' is the *maṣdar* of مَضَى . It is on the pattern of فُعُولٌ, and is originally مُضُويٌ (**muḏûy**-un), but because of the final *yâ'*, the *wâw* has been changed to *yâ'*, and the *ḏammah* of the ض subsequently changed to *kasrah*, and the word became مُضِيٌّ (**muḏiyy**-un).

#(10) The broken plural pattern فَعَالِلُ (**fa'âlil**-u) like فَنَادِقُ، دَفَاتِرُ is called مُنْتَهَى الجُمُـــوعِ, and its singular form has four letters[1] (فُنْدُقٌ، دَفْتَرٌ). If the plural of a word with more than four letters is formed on this pattern, only four letters are retained in the plural and the rest are dropped, e.g., بَرْنامَجٌ 'programme' has six letters. Its plural is بَرَامِجُ . Note that the letters ن and *alif* have been dropped. Here are some more examples : سَفَرْجَلٌ 'quince' : سَفَارِجُ -- عَنْكَبُوتٌ 'spider' : عَنَاكِبُ -- عَنْدَلِيبُ 'nightingale' : عَنَادِلُ -- مُسْتَشْفَى 'hospital' : مَشَافٍ[2].

#(11) The plural of خَطِيـــئَةٌ is خَطَايَا. Here are some example of this pattern : هَدِيَّـــةٌ 'gift' : هَدَايَا -- مَـــنِـــيَّـــةٌ 'fate, death' : مَـــنَـــايَا -- زَاوِيَةٌ 'angle' : زَوَايَا .

EXERCISES

1) Answer the following questions.

2) Point out the verbs belonging to *bâb* فَاعَلَ occurring in the main lesson.

---

[1]- The plural pattern فَعَالِـــيـــلُ is also called مُنْتَهَى الجُمُوعِ, e.g., فِنْجانٌ : فَنَاجِينُ -- دُكَّانٌ : دَكَاكِينُ .

[2]- مُسْتَشْفَى also has a sound feminine plural : مُسْتَشْـــفَـــيَـــاتٌ.

3) Write the *mudâri'*, the *amr* and the *masdar* of each of the following verbs.

4) Give the *masdar* of each of the followung verbs on the pattern of فِعّال.

5) Give the *ism al-fâ'il* of each of the followung verbs.
6) Give the *ism al-fâ'il* and the *ism al-maf'ûl* of the following verb.

7) Point out in the following sentences the verbs belonging to *bâb* فاعَلَ and their derivatives[1].

14) Write the *masdar* of each of the following verbs on the pattern of فِعَالّة.

15) Give the *masdar* of هَوَى يَهْوِي bearing in mind the *masdar* of مَضَى يَمْضِي.

17) Give the plural of each of the following nouns on the pattern of خَطَايَا.

18) Give the verb from which the comparative أَوْهَنُ is derived, and give its *mudâri'* and *masdar*.
Also give four *âyât* in which this verb or one of its derivatives occurs.
19) Give the *mudâri'* of each of the following verbs.

---

[1]- Numbers omitted are not questions.

LESSON 20

In this lesson we learn the following :

#(1) *Bâb* تَفَعَّلَ. This *bâb* is formed by prefixing **ta** to *bâb* فَعَّلَ (**ta** + **fa''ala**), e.g., تَعَلَّمَ (ta-?allama) 'he learnt' -- تَكَلَّمَ (ta-kallama) 'he spoke' -- تَغَدَّى (ta-ghaddâ) 'he had lunch' -- تَلَقَّى (ta-laqqâ) 'he received'.

The *mudâri'* : As the verb is made up of five letters, the حَرْفُ المُضارَعَةِ takes *fathah*, e.g., يَتَكَلَّمُ (**ya-takallam-u**), يَتَلَقَّى (**ya-talaqqâ**).

This *bâb* commences with a **tâ'**, and if the حَرْفُ المُضارَعَةِ is a **tâ'**, two **tâ'**s come together, and this combination is somewhat difficult to pronounce. That is why one of the *tâ*'s may be omitted in literary writings. Here are two examples from the Qur'an : تَنَزَّلُ المَلائِكَةُ والرُّوحُ فِيها 'The angels and the Spirit (Jibrîl) descend therein' (97:4). Note تَنَزَّلُ for تَتَنَزَّلُ (ta-nazzal-u for **ta**-ta-nazzal-u).

ولاَ تَجَسَّسُوا 'Do not spy' (49:12). Note لا تَجَسَّسُوا for لا تَتَجَسَّسُوا (ta-jassasû for **ta**-ta- jassasû).

The *amr* : It is formed by omitting the حَرْفُ المُضارَعَةِ and the case-ending, e.g., تَتَكَلَّمُ : تَكَلَّمْ (ta-**takallam**-u : **takallam**). The *nâqis* verb drops the final *alif* (which is written *yâ'*), e.g., تَتَغَدَّى (ta-**taghaddâ**) : تَغَدَّ (**taghadda**) 'have lunch!'

The *masdar* : Thc *masdar* of thie *bâb* is on the pattern of تَفَعُّلٌ (**tafa''ul**-un), e.g., تَحَدَّثَ 'he spoke' : تَحَدُّثٌ 'speaking' -- تَذَكَّرَ 'he remembered' : تَذَكُّرٌ 'remembering'. In the *nâqis* verb, because of the final *yâ'* the *dammah* of he second radical changes to *kasrah*, e.g., تَلَقَّى 'he received' : تَلَقٍّ (التَّلَقِّي) (talaqq**i**-n for talaqq**uy**-un).

The *ism al-fâ'il* : It is formed by replacing the حَرْفُ المُضارَعَةِ with **mu-**. The second radical has *kasrah* in the *ism al-fâ'il* and *fathah* in *the ism al-maf'ûl* , e.g., مُـتَـعَلِّمٌ : يَـتَـعَلَّمُ (ya-ta?allam-u : mu-ta?allim-un) -- مُتَزَوِّجٌ : يَتَزَوَّجُ (ya-tazawwaj-u : mutazawwij-un). Here is an example of the *ism al-maf'ûl* : مُتَكَلَّمٌ :يَتَكَلَّمُ (mutakallam) 'one who is spoken to.'

The noun of place and time : It is the same as the *ism al-maf'ûl,* e.g., مُتَـوَضَّـأٌ 'place of wuḏû' ', مُـتَـنَـفَّسٌ 'breathing place'.

This *bâb* denotes, among other things, *mutâwa'ah* (المُطاوَعَةُ) which means that the object of a verb becomes the subject, e.g., زَوَّجَنِي أَبِي زَيْنَـبَ 'My father married me to Zainab.' Here 'my father' is the subject. There are two objects 'me' and 'Zainab'. Now if *bâb* **tafa''ala** is used, 'I' become the subject, and 'Zainab' becomes the object; and 'my father' has no role at all : تَزَوَّجْتُ زَيْنَبَ 'I married Zainab.'

Here is another example : عَلَّمَنِي بِلالٌ السِّـبَاحَةَ 'Bilal taught me swimming.' تَعَلَّمْتُ السِّبَاحَةَ 'I learnt swimming.'

#(2) لَمَّا سَمِعْتُ الأذانَ ذهبتُ إلى المسـجدِ 'When I heard the adhân I went to the mosque.' Here لَمَّـا is a *ẕarf al-zamân* meaning 'when'. The verb following it and its *jawâb* should be *mâḏî*, e.g., لَمَّا تُوُفِّيَتْ رُقِيَّةُ تَزَوَّجَ أُخْتَها 'When Ruqayyah died he married her sister.' In the Qur'an (6:77) : فَلَمَّا رَأَى القَمَرَ بَازِغاً قَالَ هَذَا رَبِّي 'When he saw the moon rising he said, "This is my lord".'

This لَمَّـا is called لَمَّا الحِيـنِـيَّـةُ (*lammâ* of time). It should not be confused with لَمَّا meaning 'not yet'[1] which is called لَمَّا الجازِمَةُ.

#(3) The word نَحْـنُ 'we' sometimes needs specification, e.g., نَحْنُ الطُّلابَ 'we the students', نَحْنُ التُّجارَ 'we the merchants', نَحْنُ المُسلِمِينَ 'we the Mulims'. This process is called الاِخْتِصاصُ, and the noun that follows نَحْنُ is called المَخْصُوصُ .

---

[1] See Book Two (L 21).

As you can see this noun is *mansûb*, because it is the *maf'ûl bihi* of a supposed verb, أَخُصُّ 'I specify, I mean'. Here are some examples :

نَحْنُ الْهُنُودَ نَتَكَلَّمُ عِدَّةَ لُغَاتٍ 'We Indians speak a number of languages.'

نَحْنُ الْمُسْلِمِينَ لَا نَأْكُلُ لَحْمَ الْخِنْزِيرِ 'We Muslims do not eat pork.'

نَحْنُ الطَّلَبَةَ الْمُتَفَوِّقِينَ حَصَلْنا علـــى جَوَائِـــزَ 'We the outstanding students received prizes.'

نَحْنُ وَرَثَـــةَ الْمُتَوَفَّى نُوافِقُ عَلَى ذلك 'We the heirs of the deceased agree to that.'

EXERCISES

1) Answer the following questions.

2) Point out the verbs belonging to *bâb* تَفَعَّلَ and their derivatives occurring in the main lesson.

3) Write the *mudâri'*, the *amr*, the *ism al-fâ'il*, and the *masdar* of each of the following verbs.

4) Write the *mudâri'*, the *amr*, and the *masdar* of each of the following verbs.

6) Point out in the following sentences the verbs belonging to *bâb* **tafa''ala** and their derivatives.

8) Rewrite the following sentence using *bâb* **tafa''ala** as shown in the example.

10) Fill in the blank in each of the following sentences using an appropriate مَخْصُوص.

Oral exercise : Each student gives an example of الاخْتِصاص using the name of

his people, e.g., نَحْنُ الهنودَ، نَحْنُ الأَفارِقَةَ، نَحْنُ الأَلْمانَ، نَحْنُ الإِنكِليزَ.

11) Give the *mudâri'* of each of the following verbs.

12) Give the singular of each of the following nouns.

13) Give the plural of each of the following nouns.

LESSON 21

In this lesson we learn the following :

#(1) *Bâb* تَفَاعَلَ . This *bâb* is formed by prefixing **ta** to *bâb* فَاعَلَ **(ta + fâ'ala)**, e.g., تَكَاسَلَ 'he was lazy', تَثَاءَبَ 'he yawned', تَفَاءَلَ 'he was optimistic', تَشَاجَرُوا 'they quarrelled with one another', تَبَاكَى 'he pretended to cry'.

The *mudâri'* : As the verb is made up of five letters, the حَرْفُ الْمُضارَعَةِ takes *fathah*, e.g., يَتَكَاسَلُ، يَتَثَاءَبُ، يَتَبَاكَى. As in *bâb* تَفَعَّلَ the حَرْفُ الْمُضارَعَةِ **ta** may be omitted in literary writings. Here are some examples from the Qur'an :

وَجَعَلْنَاكُمْ شُعُوباً وَقَبَائِلَ لِتَعَارَفُوا 'We have made you into nations and tribes so that you may know one another' (49:13). Here تَعَارَفُوا is for تَتَعَارَفُوا (ta'ârafû for **ta**-ta'ârafû).

وَلاَ تَنَابَزُوا بِالأَلْقَابِ 'And do not insult one another by nicknames' (49:11). Here تَنَابَزُوا is for تَتَنَابَزُوا.

وَلاَ تَعَاوَنُوا عَلَى الإِثْمِ وَالعُدْوَانِ 'And do not hehp one another in sin and transgression' (5:2). Here لاَ تَعَاوَنُوا is for لاَ تَتَعَاوَنُوا.

The *amr* : It is formed by omitting the حَرْفُ الْمُضارَعَةِ and the case-ending, e.g., تَتَنَاوَلُ : تَنَاوَلْ 'take!' (ta**tanâwal**-u : tanâwal). In the *nâqis* verb the final *alif* (written *yâ'*) is omitted, e.g., تَتَبَاكَى : تَبَاكَ 'pretend to cry!'(ta**tabâkâ** : tabâka).

The *masdar* : The *masdar* of this *bâb* is on the pattern of تَفَاعُلٌ **(tafâ'ul**-un), e.g., تَنَاوَلَ 'he took' : تَنَاوُلٌ 'taking' -- تَشَاءَمَ 'he was pessimistic' : تَشَاؤُمٌ 'pessimism'. In the *nâqis* verb the *dammah* of the second radical changes to *kasrah*, e.g., تَبَاكَى : تَبَاكٍ (التَّبَاكِي) for تَبَاكُيٌ **(tabâkuy**-un).

The *ism al-fa'il* and *ism al-maf'ûl* : These are formed by replacing the حَرْفُ المُضارَعَةِ with **mu-.** The second radical has *kasrah* in the *ism al-fa'il* and *fathah* in the *ism al-maf'ûl,* e.g., يَتَنَاوَلُ : مُتَنَاوِلٌ 'one who takes' : مُتَنَاوَلٌ 'that which is taken'.

The noun of place and time : It is exactly like the *ism al-maf'ûl*, e.g., مُتَنَاوَلٌ 'place of taking, reach'. يَجِبْ أنْ لا تُتْرَكَ الأَدْوِيَةُ في مُتَنَاوَلِ أيدِي الأَطْفالِ 'Medicines should not be left within the reach of children's hands.'

This *bâb* denotes, among other things, the following :

a) reciprocal action (المُشَارَكَةُ), e.g., سَأَلَ 'he asked' : تَسَاءَلَ النَّاسُ 'the people asked one another', تَعَاوَنَ النَّاسُ 'the people helped one another, cooperated'.

b) pretended action (إظْهارُ ما لَيْسَ في البَاطِنِ) , e.g., تَمَارَضَ 'he pretended to be sick', تَنَاوَمَ 'he pretended to sleep', تَعَامَى 'he pretended to be blind'.

#(2) لَيْتَ is a sister of إِنَّ, and it is used to express a wish which is either impossible, or remotely possible, e.g., لَيْتَ النُّجُومَ قريبةٌ 'Would that the stars were near' (impossible), لَيْتَنِي غَنِيٌّ 'Would that I were rich' (remotely possible). In the first example النُّجُومَ is the *ism* of *laita*, and قَرِيبةٌ is its *khabar*.

Here are some more examples :

لَيْتَ الشَّبابَ يَعُودُ 'Would that youth returned.' Here the verbal sentence يَعُودُ is the *khabar*.

لَيْتَ أُمِّي لم تَلِدْنِي 'How I wish my mother did not bear me.'

لَيْتَ لي مالاً كثيراً فَأَتَصَدَّقَ 'How I wish I had a lot of money so that I could give it in alms[1].' Here مالاً is the *ism*, and لِي is the *khabar*.

---

[1] In فَأَتَصَدَّقَ the *mudâri'* is *mansûb* because of the فَ which is called الفاءُ السَّبَبِيَّةُ. It comes after negation or *talab*. We have learnt in L 15 that *amr*, *nahy* and *istifhâm* are included in *talab*. Wish is also *talab*. So if a *mudâri'* verb is connected to *talab* by the فَ it is *mansûb*,

Sometimes the vocative particle يَـا is prefixed to لَيْتَ, e.g., يَا لَـيْـتَـنِي كُنْتُ تُرَاباً 'Would that I were dust' (Qur'an, 78:40).

#(3) لاَ كِتَابَ عِنْـدِي 'I don't have any kind of book.' This لاَ is called لا النَّافِيَةُ لِلْجِنْس (*lâ* that negates the entire genus). In the above sentence *lâ* negates anything which can be called a book. Its *ism* and *khabar* should both be indefinite. Its *ism* is *mabnî* and has **-a** ending. Here are some more examples :

لاَ دَاعِيَ للخوف 'There in no need to fear.'

لا إِكْرَاهَ فِي الدِّينِ 'There is no compulsion in religion.'

لا رَيْبَ فيهِ 'There is no doubt in it.'

لا إِلَـهَ إِلاَّ اللهُ 'There is no god but Allah.'

لا صَلاَةَ بعدَ الغَدَاةِ حتَّى تَطْلُعَ الشمْسُ، ولا صَلاةَ بعدَ العصْرِ حتَّـى تَغْـرُبَ الشـمسُ

'There is no *s̲alâh* after the *fajr (s̲alâh)* till the sun rises, and there is no *s̲alâh* after the *'as̲r (s̲alâh)* till the sun sets.'

#(4) In the previous lesson we learnt the *tah̲dhîr*, e.g., إِيَّاكَ وهذا الرَّجُلَ 'Beware of this man.' Now if the thing warned against is a *mas̲dar mu'awwal*[1] the *wâw* is omitted, e.g.,

إِيَّاكَ والنَّومَ فِي الفصْلِ 'Beware of sleeping in the class.' Here the thing warned against is a noun, النَّـوم and it is preceded by the *wâw* . But if a *mas̲dar mu'awwal* is used the *wâw* is dropped, e.g., إِيَّاكَ أَنْ تَنَامَ فِي الفصْلِ (not : وَأَنْ تنامَ).

إِيَّاكُمْ والزِّنا 'Beware of illegal sex.' : إِيَّاكُمْ أَنْ تَزْنُوا

إِيَّاكُنَّ والحَسَدَ 'Beware of jealousy.' : إِيَّاكُنَّ أَنْ تَحْسُدْنَ

---

e.g., لا تأكُلْ كَثيراً فتَنامَ 'Don't eat too much lest you go to sleep.' لَيتَني غَنِيٌّ فَأُساعِدَ الفُقَراءَ 'How I wish I were rich so that I might help the poor.'

[1] See L 11 for the *mas̲dar mu'awwal* (المَصْدَرُ المُؤَوَّلُ).

إِيّاكِ والنِسْـيانَ 'Beware of forgetfulness' : إِيّاكِ أن تَنْسَيْ (Note that تَنْسَيْ **tansai** is feminine. Tha masculine form is تَنْسَى **tansâ**).

#(5) The feminine of أَعْرَجُ (**a'raj**-u) 'lame' is عَرْجاءُ (**'arjâ'**-u); and the plural of both the masculine and the feminine forms is عُرْجٌ (**'urj**-un). This rule applies to all nouns on the pattern of أَفْعَلُ denoting defects and colours. Here is an example of a noun denoting colour : the feminine of أَحْمَرُ is حَمْرَاءُ; and the plural of both is حُمْرٌ. Note : الهُنودُ الحُمْرُ = Red Indians. The plural of أَبْيَضُ and بَيْضاءُ is بِيضٌ (**bîd**-un) which is originally بُيْضٌ (**buyd**-un). The *dammah* has changed to *kasrah* because of the following *yâ'*.

#(6) The verbs with *wâw* as the first radical have two *masdars* : one with the *wâw*, and the other without it. The second form takes a compensatory ة :
وَصَفَ 'he described' : وَصْفٌ and صِفَةٌ 'discription' -- وَعَظَ : وَعْظٌ and عِظَةٌ 'admonition' -- وَثِقَ : وُثُوقٌ and ثِقَةٌ 'trust, confidence'.

#(7) In حُجْرَةٌ the second letter has *sukûn*, but in the plural حُجُرَاتٌ it has *dammah*. This rule applies to all nouns on the pattern of فُعْلَةٌ, like غُرْفَةٌ، خُطْوَةٌ.

#(8) A prepositon preceding a *masdar mu'awwal* may be omitted, e.g., أَعُوذُ بِاللهِ مِنَ الكَذِبِ 'I seek refuge in Allah from telling lies.' The preposition مِنْ may be omitted if it is followed by a *masdar mu'awwal*, e.g., أَعُوذُ بِاللهِ أنْ أَكْذِبَ. This omission is optional, and we may also say : أَعُوذُ بِاللهِ مِنْ أنْ أَكْذِبَ. Here is another example : أَمَرَنا اللهُ بِالصلاة. Using the *masdar mu'awwal* we say أَمَرَنا اللهُ بِأَنْ نُصَلِّيَ, or أَمَرَنا اللهُ أَنْ نُصَلِّيَ.

#(9) We have learnt the *badal* (البَدَلُ) in L 1, e.g., أينَ أخوكَ هاشِمٌ؟ 'Where is your brother Hashim?
The *badal* is of four kinds :
1) total *badal* (بَدَلُ الكُلِّ مِنَ الكُلِّ), e.g., نَجَحَ أَخُوكَ مُحمَّدٌ 'Your brother Muhammad has passed.' Here محمّد is the same as أَخُوك.
2) partial *badal* (بَدَلُ البَعْضِ مِنَ الكُلِّ), e.g., أَكَلْتُ الدَّجاجةَ نِصْفَها 'I ate the chicken, half of it.' Here نِصْف is part of الدَّجاجة.
3) comprehensive *badal* (بَدَلُ الاِشْتِمالِ), e.g., أَعْجَبَنِي هذا الكتابُ أُسْلُوبُهُ 'I like this book, its style.' Here أُسْلُوب is not the same as الكِتابُ, nor is it part of it, but it is something contained in it. Here is another example : نَتَساءَلُ عَنِ الاِمْتِحانِ كَيْفَ يَكُونُ؟ 'We are asking each other about the examination, how it will be.'
4) dissimilar *badal* (البَدَلُ المُبَايِنُ), e.g., أَعْطِنِي الكتابَ الدَّفْتَرَ 'Give me the book - I mean - the notebook.' Here, the intended word is الدَّفْتَر, but by mistake the speaker said الكتاب, then he corrected himself.
The noun for which the *badal* (البَدَلُ) is the substitute is called the *mubdal minhu* (المُبْدَلُ مِنْهُ). In أينَ ابْنُكَ بِلالٌ؟ the word بلالٌ is the *badal*, and ابْنُكَ is the *mubdal minhu*.
The *badal* need not agree with the *mubdal minhu* in being definite or indefinite, e.g., أعْرِفُ لُغَتَيْنِ : الفرنسيَّةَ والإسبانيَّةَ 'I know two languages, French and Spanish.' Here لُغَتَيْنِ is indefinite, and الفرنسيَّة، الإسبانيّة are definite.
The *badal* and the *mubdal minhu* may :
a) both be nouns, e.g., يَسْأَلُونَكَ عَنِ الشَّهْرِ الحَرَامِ قِتَالٍ فِيهِ 'They ask you regarding the sacred month - regarding warfare in it' (Qur'an, 2:217).

b) both be verbs, e.g., وَمَنْ يَفْعَلْ ذَلِكَ يَلْقَ أَثاماً * يُضَاعَفْ لَهُ العَــذَابُ... 'And whoever does this shall receive punishment : the torment will be doubled for him...' (Qur'an, 25:68-69).

c) both be sentences, e.g., واتَّقُوا الَّذِي أَمَدَّكُمْ بِمَا تَعْلَمُونَ * أَمَدَّكُمْ بِأَنْعَامٍ وَبَنِينَ... 'And fear Him Who has provided you with (all good things) that you know : has provided you with cattle and sons' (Qur'an, 26:132-133).

d) be different, the first being a sentence and the second a noun, e.g., أَفَلاَ يَنْظُرُونَ إِلَى الإِبِــلِ كَيْــفَ خُلِقَــتْ 'Don't they look at the camels : how they have been created' (Qur;an, 88:17).

#(10) يَبْدُو أَنَّه مُنَــوِّمٌ 'It seems to be sleep-inducing.' In this sentence the *masdar mu'awwal* أَنَّــهُ مُنَوِّمٌ is the *fâ'il*.

You have already learnt one type of *masdar mu'awwal* which is made up of أَنْ + *mudâri'*, e.g., أُرِيــدُ أنْ أَخْــرُجَ 'I want to go out.' There is another type of *masdar mu'awwal* which is made up of أَنَّ + its *ism* and *khabar*, e.g., بَلَغَنِي أَنَّــهُ مــاتَ 'News has reached me that he died.' Here the *masdar mu'awwal* أَنَّــهُ ماتَ is the *fâ'il* of the verb بَلَغَ. Here are some more examples : يَسُرُّنِي أَنَّكَ تِلْمِيذِي 'I am pleased that you are my student' (literally, 'It pleases me that you are my student'). -- يَبْدُو أَنَّكَ مُسْتَعْجِلٌ 'It appears that you are in a hurry.'

EXERCISE

1) Answer the following questions.

2) Point out the verbs belonging to *bâb* تَفَاعَلَ and their derivatives occurring in the main lesson.

3) Write the *mudâri'*, the *amr*, and the *masdar* of each of the following verbs.

4) Write the *ism al-fâ'il* of each of the following verbs.

5) Point out in the following sentences all the verbs belonging to *bâb* تَفَاعَلَ and their derivatives.

7) Rewrite the following sentences using لَيْتَ.

8) Make sentences with the help of the following words using لا النَّافِيَةُ لِلْجِنْسِ.

9) Replace the noun with the *masdar mu'awwal* in each of the following sentences.

10) Write the feminine, and the masculine-feminine plural of each of the following nouns.

11) Give the two *masdar* forms of each of the following verbs.

12) Write the sound feminine plural of each of the following nouns.

The Particles That Resemble The Verb

These are six : إِنَّ، أَنَّ، كَأَنَّ، لَكِنَّ، لَيْتَ، لَعَلَّ. They are also called إِنَّ وَأَخَوَاتُها (*inna* and its sisters). We have already learnt them. They resemble the verb in two points :

a) in their meaning, for إِنَّ and أَنَّ mean 'I emphasize', كَأَنَّ means 'I liken', لَكِنَّ means 'I correct', لَيْتَ means 'I wish', and لَعَلَّ means "I hope' or 'I fear' ; and

b) in their grammatical function, for just as a verb renders its *maf'ûl bihi mansûb,* in the same way these particles render their *ism mansûb.*

The meanings of these particles :

إِنَّ، أَنَّ : These signify emphasis(التَّوكِيدُ), e.g., إِنَّ اللهَ شَدِيدُ العقابِ 'Indeed Allah is severe in punishment' (Qur'an, 5:2). وَاعْلَمُوا أَنَّ اللهَ شَدِيدُ العِقابِ 'And know that Allah is indeed severe in punishment (Qur'an, 8:25).

كَأَنَّ signifies resemblance(التَّشْبِيهُ), e.g., كَأَنَّ العِلْمَ نُورٌ 'It is as if knowledge is light.' It may also signify doubt (الظَّنّ), e.g., كَأَنَّنِي أَعْرِفُكَ 'It looks as if I know you.'

لَكِنَّ signifies correction (الاِسْتِدْرَاكُ), e.g., حامِدٌ ذَكِيٌّ، وَلَكِنَّهُ كَسْلانُ 'Hamid is intelligent, but he is lazy.'

لَيْتَ signifies wish (التَّمَنِّي), e.g., لَيْتَ الشَّبابَ يَعُودُ 'Would that youth returned!'

لَعَلَّ signifies hope or fear(التَّرَجِّي والإشْفاق) , e.g., لَعَلَّ اللهَ يَغْفِرُ لِي 'I hope Allah will forgive me', لَعَلَّ الجَرِيحَ يَمُوتُ 'I am afraid the wouded might die.'

These particles are usd with the *mubtada'* and *khabar*, and they render the *mubtada' mansûb.* After their introduction the *mubtada'* is called *'ism inna'*, and the *khabar* is called *'khabar inna'*.

غفورٌ.	إنَّ اللهَ	غفورٌ.	اللهُ
khabar inna	*ism inna*	*khabar*	*mubtada'*

Unlike the *mubtada'*, the *ism inna* may be indefinite if the *khabar inna* is a verbal sentence, e.g., كَأَنَّ شَيْئاً لم يَحْدُثْ 'As if nothing has happened.'

Just like the *khabar*, the *khabar inna* may be *mufrad*, *jumlah* or *shibh jumlah*, e.g.,

1) *mufrad* : إِنَّ اللهَ سَرِيعُ الحِسَابِ 'Surely Allah is swift in taking account' (Qur'an, 3:199).

2) sentence :

a) verbal sentence : إِنَّ اللهَ يَغْفِرُ الذُّنوبَ جَمِيعاً 'Surely Allah forgives all sins' (Qur'an, 39:53).

b) nominal sentence : إِنَّ اللهَ عِنْدَهُ عِلْمُ السَّاعَةِ 'Surely, Allah with Him is the knowledge of the Hour' (Qur'an, 31:34).

3) *shibh jumlah* :

a) prepositional phrase (الجارُّ والمَجْرُورُ) : كَأَنَّكَ مِنَ الصِّينِ 'It looks as if you are from China.'

b) *zarf* : لَعَلَّ المدرِّسَ عِنْدَ المُدِيرِ 'I hope the teacher is at the headmaster's.'

If the *khabar* is *shibh jumlah*, it may precede the *ism*, e.g., إِنَّ إِلَيْنَا إِيَابَهُمْ وَإِنَّ عَلَيْنَا حِسَابَهُمْ 'Surely to Us is their return, and Ours is their reckoning' (Qur'an, 88:25-26). The original sequence is : إنَّ إيابَهُم إلينا، وإنَّ حسابَهم علينا. Here the *ism* is definite (إيابَهُم، حِسابَهُم), so the change of order is optional. But if the *ism* is indefinite, it is compulsory, e.g.,[1] إِنَّ لَدَيْنا أَنْكَالاً وَجَحِيماً 'Surely with Us are fetters and a raging fire' (Qur'an, 73:12), إِنَّ مَعَ العُسْرِ يُسْراً 'Surely with hardship is ease' (Qur'an, 94:6). Here it is incorrect to say إِنَّ أَنكالاً لَدَيْنا or يُسْراً مَعَ العُسْرِ.

If the *ism* of لَيْتَ is the pronoun of the first person singular(ـي) it is compulsory to use نُونُ الوِقايةِ with it[2], e.g. لَيْتَنِي طِفْلٌ 'Would that I were a child.' With إِنَّ، أَنَّ، كَأَنَّ، لَكِنَّ it is optional. So one may say إِنِّي or إِنَّنِي. Likewise with other three particles. نُونُ الوِقايةِ is not used with لَعَلَّ. So we say لَعَلِّي لاَ أَرَاكَ مُدَّةً طَوِيلةً 'I am afraid I will not see you for a long time.'

---

[1] النِّكْلُ means 'fetter', and the plural is أَنْكَالٌ.

[2] For نُونُ الوِقايةِ (*nûn* of protection) see Key to Book Two (L 9).

LESSON 22

In this lesson we learn the following :

#(1) *Bâb* اِنْفَعَلَ : In this *bâb* **-in** is prefixed to فَعَلَ : **infa'ala**. The *hamzah* is *hamzat al-wasl*. We say سَقَطَ الفِنْجانُ وَانْـكَسَرَ 'The teacup fell and broke.' (wa nkasara, not : wa **in**kasara).

The *mudâri'* : The حَرْفُ الْمُضارَعَةِ takes *fathah*, e.g., اِنْكَسَرَ : يَنْكَسِرُ -- اِنْشَقَّ : يَنْشَقُّ (for يَـنْـشَقِقُ).

The *amr* : After the omission of the حَرْفُ الْمُضارَعَةِ the verb commences with a *sâkin* letter, so it needs *hamzat al-wasl*, e.g., تَـنْـصَرِفُ → نْصَرِفْ → اِنْصَرِفْ 'return!' (tan**s**arif-u → n**s**arif → in**s**arif).

The *masdar* : It is on the pattern of اِنْفِعالٌ (**infi'âl**-un), e.g., اِنْكَسَرَ : اِنْكِسارٌ 'breaking' -- اِنْقَلَبَ : اِنْقِلابٌ 'turning upside down'.

The assimilated letters get separated in the *masdar*, e.g., اِنْشَقَّ : اِنْشِقاقٌ 'splitting' (**inshaqqa** : **inshiqâq**-un).

In the *nâqis* verb the final *yâ'* changes to *hamzah*, e.g., اِنْجَلَى : اِنْجِلاءٌ for اِنْجِلايٌ.

The *ism al-fâ'il* : It is formed by replacing the حَرْفُ الْمُضارَعَةِ with **mu-** as we have seen in other *abwâb*. The second radical takes *kasrah* in the *ism al-fâ'il*, and *fathah* in the *ism al-maf'ûl*, e.g., يَنْكَسِرُ : مُنْكَسِرٌ -- يَنْشَقُّ : مُنْشَقٌّ (for مُنْشَقِقٌ).

The verbs of this *bâb* are mostly intransitive, so *ism al-maf'ûl* is not formed.

The noun of place and time : It is the same as the *ism al-maf'ûl*, e.g., يَنْعَطِفُ 'it bends' : مُنْعَطَـفٌ 'place of bending', i.e., a road bend. The word مُنْحَـنًى (**munhana**-n) is also used in this sense.

This *bâb* denotes المُطاوَعَة[1], e.g.

كَسَرتُ الكُـوب 'I broke the tumbler.' : اِنْكَسَرَ الكوبُ 'The tumbler broke.' Note that الكُـوب in the first sentence is *maf'ûl bihi*, and in the second *fâ'il*. Here are some more examples : فَتَحْتُ الباب 'I opened the door.' : اِنْفَتَحَ البابُ 'The door opened.' -- هَزَمَ المسلِمونَ الكُفّـار 'The Muslims defeated the unbelievers.' : اِنْهَزَمَ الكُفّارُ 'The unbelievers got defeated.'

Note that اِنْفَعَلَ is the مُطاوِعٌ of فَعَلَ ; and تَفَعَّلَ is the مُطاوِع of فَعَّلَ, e.g.,

كَسَرْتُ الزُّجاجَ 'I broke the glass.' : اِنْكَسَرَ الزُّجاجُ 'The glass broke.'

كَسَّرتُ الزُّجاجَ 'I smashed the glass.' : تَكَسَّرَ الزُّجاجُ 'The glass broke to pieces.'

#(2) If the interrogative *hamzah* (*hamzat al-istifhâm*) is prefixed to this *bâb*, the *hamzat al-wasl* is omitted, e.g., أَ انْكَسَرَ؟ : أَنْكَسَرَ؟ (?a inkasara → ?ankasara).

أَنْفَتَحَ البابُ؟ 'Did the door open?' -- أَنْقَلَبَتِ السيّارةُ؟ 'Did the car overturn?'

#(3) اِنْكَسَفَتِ الشمْسُ يَوْمَ مـاتَ إبْراهِيـمُ 'The sun was eclipsed the day Ibrahim died.' Here the sentence ماتَ إبْراهِيمُ is *mudâf ilaihi*, and in the place of *jarr*; and يَـوم is *mudâf*. Here are some more examples : وُلِدْتُ يَوْمَ ماتَ جَدّي 'I was born the day my grandfather died.' -- سافَرْتُ يوم ظَهَرَتِ النَّتائِجُ 'I left the day the results appeared.'

#(4) لَوْلا means 'but for...', e.g., لَوْلاَ الشَّمْسُ لَهَلَكَتِ الأَرْضُ 'But for the sun the earth would have perished.' This particle (لَـوْلاَ) is called حَرْفُ امْتِناعٍ لِوُجُود which signifies that something has failed to happen because of the existence of another. In this example the perishing of the earth has not taken place because of the existence of the sun.

---

[1] We have seen المُطاوِع in L 20.

The noun that comes after لَـوْلاَ is a *mubtada'* whose *khabar* is to be omitted. The second sentence is called جَوابُ لَوْلاَ . It is a verbal sentence with the verb in the *mâdî*. A *lâm* is prefixed to an affirmative *jawâb*. A negative *jawâb* does not take this *lâm*, e.g., لَولاَ الاخْتِبارُ ما حَضَرْتُ اليوم 'But for the examination I would not have attended today.'

Instead of the *mubtada'* we may also have a nominal sentence with أَنَّ, e.g., لَولا أنَّ الجَوَّ حارٌّ لَحَضَرْتُ المُحاضَرَةَ 'But for the fact that weather is hot, I would have attended the lecture.' -- لَولا أَنِّي مَريضٌ لَسافَرْتُ مَعَكَ 'But for the fact that I am sick, I would have gone with you.' -- لَولاَ أَنَّكَ مُسْتَعْجِلٌ لَدَعَوتُكَ إلى البَيْتِ 'But for the fact that you are in a hurry, I would have invited you to my house.'

#(5) مَنْ إبْراهيمُ هـذا؟ 'Who is this Ibrahim?' -- سيّارةُ المديرِ هذه جميلةٌ 'This car of the headmaster is beautiful.' If a demonstrative pronoun like هذا، هذه، ذلك etc comes after a proper noun or a *mudâf ilaihi* it is a *na't*[1]. Here are some more examples : لِمَنْ جَوازُ السَّفَرِ هـذا؟ 'Whose is this passport?' -- أَرِني ساعَتَكَ هـذه 'Show me this watch of yours.' لَعَلّي لا أَحُجُّ بعْدَ عامِي هذا 'I am afraid I will not perform hajj after this year of mine' (Hadîth). -- اذْهَبْ بِكِتابي هذا وأَلْقِـهْ[2] إلَيْهِمْ 'Go with this letter of mine, and drop it to them' (Qur'an, 27:28).

#(6) التَّغْلِيـبُ is using a masculine form to refer to a group containing both masculine and feminine nouns, e.g., أَبْنـائِي وبَنـاتِي يَدْرُسُـونَ 'My sons and daughters are studying.' Here we have used the masculine يَدْرُسُـونَ even though the pronoun refers to sons and daughters. In the hadîth : إنَّ الشمْسَ

---

[1]- النَّعْتُ = adjective.

[2]- أَلْقِـهْ for أَلْقِـهِ .

وَالقَمَرَ آيتان ... لا يَنْكَسِفان لِمَوْتِ أَحَدٍ ولا لِحَياتِهِ 'Indeed the sun and the moon are two signs. They are not eclipsed for the sake of someone's death or birth.' Here يَنْكَسِفان is the masculine form, and the pronoun in it refers to الشَّمْسُ which is feminine, and القَمَرُ which is masculine. Here is another example : المَسْجِدُ والمَدْرَسَةُ قريبان.

EXERCISES

1) Answer the following questions.

2) Point out the verbs belonging to *bâb* اِنْفَعَلَ and their derivatives occurring in the main lesson.

3) Write the *muḏâri'*, the *ism al-fâ'il* and the *maṣdar* of each of the following verbs.

6) Rewrite the following sentences using *hamzat al-istifhâm*.

7) Point out in the following sentences the verbs belonging to *bâb* اِنْفَعَلَ and their derivatives.

9) Complete each of the following examples of لَوْلا with a suitable *jawâb*.

15) Use each of the following words in a sentences of your own.

LESSON 23

In this lesson we learn the following :

#(1) *Bâb* افْـتَـعَـلَ . In this *bâb* **i-** is added before the first radical, and **ta** after it (**ifta**'ala), e.g., نَظَرَ : انْـتَـظَرَ (**inta**zara) 'he waited'. Note that this is not *bâb* انْفَعَلَ, because the ن is the first radical in this verb, and the ت is extra.

مَحَنَ : امْـتَـحَنَ (**imta**ḫana) 'he examined'.

The extra ت changes to د or ط as explined below :

a) If the first radical is د، ز، ذ the extra ت changes to د, e.g.,

دَعَا → ادَّعَى 'he claimed' for ادْتَعَى (id**ta**'â → id**da**'â).

ذَكَرَ → اذْدَكَرَ 'he remembered' for اذْتَكَرَ. With the assimilation of ذ to د the form اذْدَكَرَ also becomes ادَّكَرَ (idh**t**akara → idh**d**akara→iddakara).

زَحَمَ → ازْدَحَمَ for ازْتَحَمَ (izta̲ḫama → iz**da**ḫama).

b) If the first radical is ص، ض، ط، ظ the extra ت changes to ط, e.g.,

صَبَرَ → اصْطَبَرَ 'he had patience' for اصْتَبَرَ (is̲tabara → is̲t̲abara).

ضَرَبَ → اضْطَرَبَ 'he was in state of unrest' for اضْتَرَبَ (id̲taraba →id̲t̲araba).

طَلَعَ → اطَّلَعَ 'he knew' for اطْتَلَعَ (it̲tala'a → it̲t̲ala'a).

ظَلَمَ → اظْطَلَمَ 'he put up with wrong' for اظْتَلَمَ (iz̲talama → iz̲t̲alama).

If the first radical is و , it gets assimilated to the extra ت, e.g.,

وحد → اتَّحَدَ 'it was united' for اوْتَحَدَ (iwtaḫada → ittaḫada).

وَقَى → اتَّقَى 'he feared', 'he protected himself' for اوْتَقَى (iwtaqâ → ittaqâ).

The *mudâri'* : The حَرْفُ الْمُضَارِعَةِ takes *fathah*, e.g., يَنْتَظِرُ : اِنْتَظَرَ 'he waits' -- يَبْتَسِمُ : اِبْتَسَمَ 'he smiles' -- يَسْتَمِعُ : اِسْتَمَعَ 'he listens'. اِخْتَارَ 'he selected' : يَخْتَارُ 'he selects' for يَخْتَيِرُ .

The *amr* : After the omission of the حَرْفُ الْمُضَارِعَةِ, the verb commences with a *sâkin* letter, so *hamzat al-wasl* is to be prefixed, e.g., تَنْتَظِرُ : اِنْتَظِرْ (tan**tazir**-u : ntazir : **intazir**).

The *masdar* : It is on the pattern of اِفْتِعَالٌ (**ifti'âl**-un), e.g., اِنْتِظَارٌ 'waiting', اِجْتِمَاعٌ 'gathering', اِخْتِيَارٌ 'selection', اِلْتِقَاءٌ 'meeting' for اِلْتِقَايٌ.

The *ism al-fâ'il* and the *ism al-maf'ûl* : These are formed by replacing the حَرْفُ الْمُضَارِعَةِ with **mu**-. The second radical takes *kasrah* in the *ism al-fâ'il* and *fathah* in the *ism al-maf'ûl*, e.g., يَمْتَحِنُ 'he examines' : مُمْتَحِنٌ (**mu**mta**h**in-un) 'examiner' : مُمْتَحَنٌ (**mu**mta**h**an-un) 'one who is examined'.

In the *muda''af* and the *ajwab* verbs both the *ism al-fâ'il* and the *ism al-maf'ûl* have the same form, e.g., يَشْتَقُّ 'he derives' : مُشْتَقٌّ which stands for مُشْتَقِقٌ for the *ism al-fâ'il*, and مُشْتَقَقٌ for the *ism al-maf'ûl*.

In the same way from يَخْتَارُ 'he selects' : مُخْتَارٌ which stands for مُخْتَيِرٌ for the *ism al-fâ'il*, and مُخْتَيَرٌ for the *ism al-maf'ûl*.

The noun of place amd time : It is same as *ism al-maf'ûl*, e.g., مُجْتَمَعٌ 'society', literally 'place of gathering, -- الْمُلْتَزَمُ 'place of embracing'. It is the name given to the part of the Ka'bah which lies between the Black Stone and the door, because it is *sunnah* to embrace this part.

#(2) As in *bâb* اِنْفَعَلَ , the *hamzat al-wasl* is omitted in this *bâb* also when *hamzat al-istifhâm* is prefixed to the verb, e.g., أَنْتَظَرْتَنِي 'Did you wait for me?' for أأنْـتَـظَرْتَـني؟ (?a intazarta-nî : ?antazarta-nî). In the Qur'an (37:153) أَصْطَفَى البَنَاتِ عَلَى البَنِينَ 'Has He preferred daughters to sons?'

#(3) We have learnt إذا meaning 'if' or 'when' in L 14. It is also used to express surprise. On hearing a nock at the door, you go out expecting to see your old friend, but lo and behold, you find a policeman waiting for you. To express this unexpected turn of event you use إذا الفُجائِيَّة (*idhâ* of surprise), e.g., خَرَجْتُ فإذا شُرْطِيٌّ بالباب 'I went out, and to my surprise, there was a policeman at the door.' If one of us throws his walking stick nothing happens except that its position changes from vertical to horizontal. But when Mûsâ عليه السلام dropped his stick, something unexpected happened : it turned into a snake. The Qur'an uses *idhâ* of surprise to express this event :
فَأَلْقَى عَصَاهُ فَإِذَا هِيَ ثُعْبَانٌ مُبِينٌ * وَنَزَعَ يَدَهُ فَإِذَا هِيَ بَيْضَاءُ لِلنَّاظِرِينَ 'So he dropped his stick, and to their surprise, it was a snake visible; and he drew his hand (from his bosom), and to their surprise, it was white to the beholders (7:107-108).
Two things should be noted here :

a) a فـ is usually prefixed to إذا,

b) the *mubtada'* occurring after *idhâ* of surprise may be indefinite, e.g., دَخَلْتُ الغُرْفَةَ فإذا حَيَّةٌ على السَّرِير 'I entered the room, and to my shock and surprise, there was *a* snake on the bed.'

#(4) The verb ظَنَّ takes two objects which are originally *mubtada'* and *khabar*, e.g., أَظُنُّ الامتحانَ قريباً : الامْتِحانُ قَرِيبٌ 'I think the examination is near.' Here الامتحانَ is the first object, and قريباً is the second.
أَظُنُّ المديرَ يأتِي غداً : المديرُ يأتِي غداً 'I think the headmaster is coming tomorrow.' Here المُديرَ is the first object, and the sentence يأتِي غداً is the second object, and it is فِي مَحَلِّ نَصْبٍ.

ظَنَّ may be followed by أَنَّ or أَنْ, e.g.,

a) الامتِحانُ سَـــــهْلٌ : أَظُنُّ أنَّ الامتِحانَ سَهْلٌ 'I think the the examination is easy.' Here الامتحانَ is i*sm inna*, and سَهْلٌ is *khabar inna*. In the Qur'an (41:22) وَلَكِنْ ظَنَــنْــتُــمْ أَنَّ اللهَ لا يَعْلَمُ كَثِيراً مِمَّا تَعْمَلُــون 'But you thought that Allah does not know much of what you are doing.'

b) يَرْسُبُ أَحْمَــدُ 'Ahmad will fail.' : مَا ظَنَنْتُ أَنْ يَرْسُبَ أحمدُ 'I did not think that Ahmad would fail.' In the Qur'an (18:35) : قَال ما أَظُنُّ أَنْ تَبِيدَ هذِهِ أَبَداً 'He said, "I do not think that all this will ever perish".'

#(5) We say دخلتُ في الامْتِحانِ/ في الإسلامِ but دَخَلْتُ البيتَ/ المسجدَ/ الغُرفة, i.e., if what you enter is a place like a house or a mosque don't use فِي , otherwise use فِي. In the Qur'an: وَدَخَلَ جَنَّــتَــهُ 'And he entered his garden' (18:35). But وَلَمَّا يَدْخُــلِ الإِيمَــانُ في قُلُوبِكُــمْ 'And faith has not yet entered into your hearts' (49:14). We have both these usages in فَادْخُلِي في عِبادي وَادخُلِي جَنَّــتِي 'So enter among My servants, and enter My Paradise' (89:29-30).

#(6) We have learnt اِسْمُ الفاعِلِ in L 4. Now we learn the pattern فَعَّالٌ (**fa''âl**) which denotes intensity in the *ism al-fâ'il*, e.g., غَافِرٌ 'one who fogives', and غَفَّــارٌ 'one who forgives much' -- رَازِقٌ 'one who provides', and رَزَّاقٌ 'one who provides much' -- آكِلٌ 'one who eats', and أَكَّالٌ 'one who eats much'.

There are four other forms which denote intensity. These are :

a) فَعِيلٌ, e.g., عَلِيمٌ 'one who knows much', سَمِيعٌ 'one who hears much'.

b) فَعُــولٌ, e.g., غَفُورٌ 'one who forgives much', شَكُورٌ 'who thanke much', عَبُوسٌ 'one who frowns much', أَكُولٌ 'who eats much'.

c) فَعِلٌ, e.g., حَذِرٌ 'very cautious'.

d) مِفْعَالٌ, e.g., مِعْطَاءٌ 'one who gives much'.

These five patterns are called صِيَغُ مُبَالَغَةِ اسْمِ الفَاعِلِ 'patterns denoting intensity in the *ism al-fâ'il*'.

#(7) لَا بُدَّ مِــنَ الاخْتِبــارِ 'One must take the test.' It literally means 'there is no escape from the test.' Here لا is لا النَافِيَةُ لِلْجِنْسِ which we have learnt in L 21. If a *masdar mu'awwal* is used, مِنْ may be omitted, e.g., لَا بُدَّ أَنْ تَكْتُبَ لَهُ 'You must write to him', لَا بُــدَّ أَنْ نُســافِرَ 'We must travel', لَا بُدَّ أَنْ تَتَعَلَّمُوا تَشْغِيلَ الحَاسُوبِ 'You must learn how to operate the computer.'

EXERCISES

1) Answer the following questions.

2) Point out all the verbs belonging to *bâb* افْـــتَعَلَ and their derivatives occurring in the main lesson.

3) Write the *mudâri'*, the *amr*, the *ism al-fâ'il* and the *masdar* of each of the following verbs.

4) Change the following verbs to *bâb* افْـــتَعَلَ.

5) Change the following verbs to *bâb* افْـــتَعَلَ.

6) Change the following verbs to *bâb* افْـــتَعَلَ.

7) Write the original form from which each of the following verbs has been derived as shown in the example, and name the *bâb*.

8) Rewrite the following sentences using *bâb* افْـــتَعَلَ as shown in the example.

9) Point out the verbs belonging to *bâb* افْـــتَعَلَ and their derivatives occurring in the following sentences.

12) Rewrite each of the following sentences using the form of ظَنَّ indicated therein. Rewrite it again using أَنَّ after ظَنَّ.

13) Give the plural of each of the following nouns.

14) Give the *mudâri'* of each of the following verbs.

16) Derive the intensive form of *ism al-fâ'il* on the patterns of فَعَّالٌ، فَعِيلٌ، فَعُولٌ from the verbs given with each of them.

LESSON 24

In this lesson we learn the following :

#(1) *Bâb* اِفْعَلَّ. In this *bâb* **i-** is prefixed to the first radical, and the third radical is doubled (**if**ʿal**la**). This *bâb* is used only for colours and defects, e.g., اِحْمَرَّ 'it became red', اِعْوَجَّ 'it became crooked'.

The *mudâri*ʿ of اِحْمَرَّ is يَحْمَرُّ, and *ism al-fâʿil* is مُحْمَرٌّ. It has no *ism al-mafʿûl*. Its *masdar* is اِحْمِرَارٌ.

This *bâb* has another form with the addition of an *alif* after the second radical, i.e., اِفْعَالَّ (ifʿ**â**l**la**), e.g., اِحْمَارَّ 'it became red', اِدْهَامَّ 'it became dark green'.

The *mudâri*ʿ of اِحْمَارَّ is يَحْمَارُّ, its *ism al-fâʿil* is مُحْمَارٌّ, and its *masdar* is اِحْمِيرَارٌ.

Note that a verb like اِشْتَدَّ is not from *bâb* اِفْعَلَّ, but it is اِفْتَعَلَ from شَدَّ : the ت in اِشْتَدَّ is extra, but both the *dâl*s (د) are original, because its radicals are ش د د. In determining the *bâb*s we must find out the radicals. The forms in certain cases may be deceptive.

#(2) The verb رأى يَرَى has two meanings : (a) to see, and (b) to think, to deem, to judge. In the first sense it is called رأى البَصَرِيَّةُ (*raʾâ* of the eye), and in the second sense it is called رأى القَلْبِيَّةُ (*raʾâ* of the mind). The first takes only one object, e.g., رَأَيْتُ إبراهِيمَ 'I saw Ibrahim.' The second takes two objects which are originally *mubtadaʾ* and *khabar*, e.g., أَرَى حامِداً عالِماً : حامِدٌ عالِمٌ 'I think Hamid is a scholar.' -- أَرَاهُ جاهِلاً : هُو جاهِلٌ 'I think he is ignorant.' In the Qur'an (70:6-7) : إِنَّهُمْ يَرَوْنَهُ بَعِيداً * وَنَرَاهُ قَرِيباً 'They indeed deem it (the punishment) far off, and We deem it near.'

#(3) عَسَـى is a verb signifying hope or fear like the particle لَعَلَّ, e.g., عَسَى اللهُ أَنْ يَتُـوبَ عَلَيْـهِمْ 'It is hoped that Allah will turn to them in forgiveness' (Qur'an, 9:102), وَعَسَى أَنْ تَكْرَهُوا شَيْئاً وَهُوَ خَيْرٌ لَكُـمْ 'It is feared that you dislike a thing while it is good for you' (Qur'an, 2:216).

عَسَى can be used both as an incomplete and a complete verb[1].

a) An incomplete verb (الفِعْـلُ النـاقِص) is a sister of كَانَ, and takes *ism* and *khabar*, e.g., عَسَى اللهُ أن يَعْفُوَ عَنْـهُمْ 'It is hoped that Allah will forgive them' (Qur'an, 4:99). Here اللهُ is its *ism*, and the *maṣdar mu'awwal* أَنْ يَعْفُوَ its *khabar*. Remember that its *khabar* should be a *maṣdar mu'awwal*. Its *ism* can also be a pronoun, e.g., عَسَيْتُ أَنْ أَتَـزَوَّجَ هذا العـام 'It is hoped that I will get married this year.' Here ـتُ is its *ism*.

b) A complete verb (الفِعْلُ التَّـامُ) is followed by the *fâ'il*, e.g., دَخَلَ المدرِّسُ. If عَسَـى is used as a complete verb it is immediately followed by the *maṣdar mu'awwal*, e.g., عَسَى أَنْ يَهْدِيَنِ[2] رَبِّـي 'It is hoped that my Lord will guide me' (Qur'an, 18:24). Here the *maṣdar mu'awwal* أَنْ يَهْدِيَ is the *fâ'il*.

In عَسَيْتُ أَنْ أَرْسُـبَ 'I am afraid I will fail' عَسَى is incomplete, and in عَسَى أَنْ أَرْسُبَ it is complete.

#(4) بعْدَ ما دَخَلَ المـدرِّسُ 'After the the teacher entered.' Here مَا along with the verb that follows it has the meaning of a *maṣdar*. So بعدَ ما دَخَلَ المدرِّسُ means بعْدَ دُخُولِ المـدرِّسِ. That is why this ما is called ما المَصْدَرِيَّةُ (the infinitive *mâ*). The verb that follows the infinitive *mâ* may be *mâḏî* or *muḏâri'*. Here is an an

---

[1] See L 10.

[2] أَنْ يَهْدِيَـنِي = أَنْ يَهْدِيَنِ.

example of the latter : سَأُرِيكَ المَجَلَّةَ بعدَ ما يَخْرُجُ المـدرس 'I will show you the magazine after the tacher leaves.' Here بعدَ مـا يخرجُ المدرس has the force of بعدَ خُرُوجِ المدرسِ.

Here are some more examples : لَهُمْ عَذَابٌ شَدِيدٌ بما نَسُوا يَوْمَ الحِسابِ 'For them is a severe punishment for their fogetting the Day of Reckoning' (Qur'an, 38:26), فَذُوقُوا العَذَابَ بِمـا كُنْتُمْ تَكْفُـرُونَ 'So taste the punishment for your rejection' (Qur'an, 3:106).

#(5) We have learnt in Book Two (L 11) that the *khabar* coming after أَمَّا should take فَـ, e.g., أَخِي يدرسُ بِالمدرسةِ، أمَّا أنا فَـأَدْرُسُ بالجامعةِ. In the *âyah* فَأَمَّا الَّذِينَ اسْوَدَّتْ وُجُوهُهُمْ أَكَفَرْتُمْ بَعْدَ إِيمَـانِكُمْ there is no فَـ, because the *khabar* has been omitted as it is evident from the context. The omitted *khabar* is فَـيُقَالُ لَهُمْ 'it will be said to them.' Here is a translation of the meaning of this *âyah* : 'As for those whose faces will be darkened it will be said to them, "Did you reject the faith after believing?".'

EXERCISES

1) Answer the following questions.

2) Point out the verbs belonging to *bâbs* اِفعَلَّ and اِفْعَالَّ and their derivatives occurring in the main lesson.

3) Write the *mudâri'*, the *masdar* and the *ism al-fâ'il* of each of the following verbs.

4) Write the *mudâri'*, the *masdar* and the *ism al-fâ'il* of each of the following verbs.

5) Specify the *bâb* of each of the following verbs.

6) Point out the verbs belonging to *bâbs* اِفعَلَّ and اِفْعَالَّ and their derivatives occurring in the following sentences.

7) Rewrite the following sentences using رَأَى القَلْبِيَّة.

8a) Change عَسَى النَّاقِصَةُ to عَسَى التَّامَّةُ in the following sentences.

8b) Change عَسَى التَّامَّة to عَسَى النَّاقِصَةُ in the following sentences.

8c) Use عَسَى in two sentences of your own. It should be *nâqisah* in the first, and *tâmmah* in the second.

11) Give the *mudâri'* of each of the following verbs.

12) What is the meaning of الوَجْنَةُ, and what is its plural?

LESSON 25

In this lesson we learn the following :

#(1) *Bâb* اسْتَفْعَلَ. In this *bâb* **ista-** is prefixed to the first radical (**istaf'**ala), e.g., اسْتَغْفَرَ 'he asked forgiveness', اسْتَيْقَظَ 'he woke up', اسْتَعَدَّ 'he got ready', اسْتَحَمَّ 'he had a bath', اسْتَقَالَ 'he resigned', اسْتَلْقَى 'he lay down'.

The *mudâri'* : It is يَسْتَفْعِلُ, e.g., يَسْتَغْفِرُ، يَسْتَحِمُّ، يَسْتَقِيلُ، يَسْتَلْقِي.

The *amr* : It commences with a *sâkin* letter, so it takes *hamzat al-wasl*, e.g., تَسْتَغْفِرُ : اسْتَغْفِرْ (ta**staghfir**-u : staghfir : **i**staghfir) -- تَسْتَقِيلُ : اسْتَقِلْ -- تَسْتَلْقِي : اسْتَلْقِ -- تَسْتَحِمُّ : اسْتَحِمَّ (This has *fathah* at the end to avoid الْتِقاءُ السَّاكِنَيْنِ).

The *masdar* : It is on the pattern of اسْتِفْعَالٌ (**istif'âl**-un), e.g., اسْتِغْفَارٌ. In the *ajwaf* verbs a compensatory ة is added at the end, e.g., اسْتَقَالَ : اسْتِقَالَةٌ -- اسْتَشَارَ 'he consulted' : اسْتِشَارَةٌ. In *nâqis* verbs the final ي changes to *hamzah*, e.g., اسْتِلْقَاءٌ for اسْتِلْقَايٌ.

The *ism al-fâ'il* and the *ism al-maf'ûl* : The second radical has *kasrah* in the *ism al-fâ'il* and *fathah* in the *ism al-maf'ûl*, e.g., مُسْتَغْفِرٌ 'one who seeks pardon', and مُسْتَغْفَرٌ 'one whose forgiveness is sought' (mustaghfir/ mustaghfar).

The noun of place and time : It is the same as the *ism al-maf'ûl*, e.g., مُسْتَقْبَلٌ 'future', مُسْتَوْصَفٌ 'clinic', مُسْتَشْفًى 'hospital'.

This *bâb* signifies, among other things, the meaning of seeking, e.g., غَفَرَ 'he forgave' : اسْتَغْفَرَ 'he sought forgiveness', طَعِمَ 'he ate' : اسْتَطْعَمَ 'he asked for food', هَدَى 'he guided' : اسْتَهْدَى 'he sought guidance'.

#(2) أَدرُسُ اللغةَ العربيّةَ لِكَيْ أَفْهَمَ القُرآنَ الكَرِيمَ 'I am studying Arabic **so that** I may understand the Qur'an.' The word كَيْ is an infinitive particle, and لِكَيْ أَفْهَمَ القُرآنَ means لِفَهْمِ القرآنِ. It is used with the *mudâri'* which it renders *mansûb*.

لامُ التَّعْلِيل [1] is prefixed to it which may sometimes be omitted, e.g., كَيْ نُسَبِّحَكَ كَثِيراً 'So that we may glorify You much' (Qur'an, 20:33). Here كَيْ is for لِكَيْ.

لِكَيْ is joined to لا النَّافِيَة in writing, e.g., اجْتَهِدْ لِكَيْلا تَرْسُبَ 'Work hard lest you should fail.' -- أُكْتُبْ رَقْمَ هاتِفِي في المُفَكِّرَة لِكَيْلا تَنْسَى 'Write down my telephone number in the diary so that you do not forget.'

Here are some more examples of كَيْ :

ذَهَبَ زُمَلائِي إلى السُّوق لِكَيْ يَشْتَرُوا الحَوائِجَ 'My colleagues went to the market to buy the necessaries.' -- يامَرْيَمُ، اسْتَيْقِظِي مُبَكِّرَةً لِكَيْلا يَفُوتَكِ القِطارُ 'Maryam, get up early lest you should miss the train[2].'

#(3) إِذَنْ is another particle of *nasb*. It precedes the *mudâri'*, and renders it *mansûb*. It means 'in that case'. It is used only in reply to a statement. If your friend tells you يَرْجِعُ المديرُ اليومَ من الخارِجِ 'The headmaster is returning today from abroad', you will reply saying, إِذَنْ نَسْتَقْبِلَهُ في المَطار 'In that case we will receive him at the airport.' Note that the verb after إِذَنْ is *mansûb*.

إِذَنْ renders the verb *mansûb* only if the following three condition are met:

a) إِذَنْ should be at the beginning of the sentence, and it should not be preceded by any other word,

b) the verb should immediately follow it. Intervention by لا النافِيَة or an oath is permitted,

c) the verb should denote futurity.

---

[1] For لامُ التَّعْلِيلِ see Book Two (L 17).

[2] In English we say, 'I missed the train'. In Arabic we say, 'The train missed me' : فاتَنِي القِطارُ.

In the example cited above all the three conditions are met. إِذَنْ is at the beginning of the sentence, the verb نَسْتَقْبِلَه immeditely follows it, and it denotes futurity. But if we say نَحْنُ إِذَنْ نَسْتَقْبِلُه the verb should be *marfû'* because إِذَنْ is not at the beginning of the sentence. In the same way if we say إِذَنْ في المطار نَسْتَقْبِلُهُ the verb should be *marfû'* because the verb does not immediately follow إِذَنْ. We, may, however, say إِذَنْ واللهِ نستَقْبِلَهُ في المطار 'In that case we will by Allah receive him at the airport', and also إِذَنْ لا نستَقْبِلَهُ في المطار 'In that case we will not receive him at the airport.' The verb in these two cases is *mansûb*.

Here is an example where the verb does not denote futurity :

تَصِلُ الحافِلَةُ إِلَى المَطار السَّاعَةَ الثَّانِيَةَ 'The bus arrives at the airport at two.'

إِذَنْ أَخافُ أَنْ تَفُوتَني الرحْلَةُ 'In that case I am afraid I will miss the flight.' Here أَخافُ is *marfû'* because it does not denote futurity.

#(4) We have seen that the verb in the *mâdî* is negated with مَا, e.g., ما أَكَلْتُ 'I did not eat.' But if we negate two verbs in the *mâdî* together, we use لا, e.g., لا أَكَلْتُ ولا شَرِبْتُ 'I neither ate nor drank.' -- فَلاَ صَدَّقَ ولا صَلَّى 'He neither believed nor prayed' (Qur'an,75: 31).

#(5) We have seen *wâw al-hâl* prefixed to a nominal sentence, e.g., دَخَلْتُ المسجدَ والإمامُ يقرأُ الفاتِحةَ 'I entered the mosque while the imam was reading the Fâtihah.' It can also be prefixed to a verbal sentence with the verb in the *mâdî*, but then it should be followed by قَدْ, e.g., دخلْتُ المسجدَ وقد قَرَأَ الإمامُ الفاتِحَةَ 'I entered the mosque after the imam had finished reading the Fatihah.' Here are some examples :

خَرَجْنا من الفصلِ وقد شَرَحَ المدرّس الـدَّرْسَ 'We left the class after the teacher had finished explaining the lesson.' -- جَاءَ الطَّبِيبُ وقد مَاتَ المَرِيضُ 'The doctor came after the patient had died.' -- وَصَلْتُ المَطارَ وقد أَقْلَعَتِ الطائِرَةُ 'I arrived at the airport after the plane had taken off.'

#(6) The verb جَعَلَ has four meanings :

a) to make, i.e., to cause something to be or to become something. In this sense it takes two objects, e.g.,
سَأَجْعَلُ هذه الغُرْفَـةَ دُكّانـاً 'I will make this room a shop.' Here الغرفة is the first object, and دُكّاناً the second object. Here are some more examples :
جَعَلَ اللهُ الخَمْرَ حَراماً 'Allah had made alcoholic drinks *harâm*.'
وَجَعَلَ القَمَرَ فِيهِنَّ نُوراً وَ جَعَلَ الشَّـمْسَ سِـراجاً 'And He made the moon a light therein, and He made the sun a lamp' (Qur'an, 71:16).
وَلَوْ شَاءَ رَبُّكَ لَجَعَلَ النَّاسَ أُمَّةً واحِـدَةً 'And had your Lord so willed He would have made mankind one nation' (Qur'an, 11:118).
b) to think, to deem. In this sense also it takes two objects, e.g., أَجَعَلْتَـنِي مُديراً؟ 'Have you made me a headmaster?', i.e., 'Do you think I am a headmaster?'
وَجَعَلُوا المَلائِكَةَ الَّذِينَ هُمْ عِبادُ الرَّحْمـنِ إناثـاً 'And they made the angels, who are servants of Rahmân, females' (Qur'an, 43:19), i.e., believe they are females.
c) to make, i.e. to create. In this sense it takes only one object, e.g., الْحَمْدُ لِلهِ الَّذِي خَلَقَ السَّمَواتِ والأَرْضَ وَجَعَلَ الظُّلُماتِ والنُّـورَ 'All praise is for Allah Who created the heavens and the earth, and made darkness and light' (Qur'an, 6:1).
d) to begin. In this sense it acts like كَانَ, and has *ism* and *khabar*. Its *khabar* is a verbal sentence with the verb in *the mudâri'*, e.g., جَعَلَ حامِدٌ يَضْرِبُـنِي 'Hamid began beating me.' Here حامدٌ is its *ism*, and the sentence يَضْرِبُنِي its *khabar*[1].

---

[1] See L 10.

#(7) The plural of مَـاشٍ 'pedestrian' is مُشَاةٌ. It is on the pattern of فُـعَـلَـةٌ (**fu'alat**-un). So مُشَاةٌ (mushât-un) is originally مُـشَـيَـةٌ (mush**ayat**-un) where **-aya-** changes to **-â-**. Here are some more examples : قَـاضٍ 'judge' →قُضَاةٌ -- حَافٍ 'barefoot' → حُفَاةٌ -- عَارٍ 'naked' → عُرَاةٌ -- وَالٍ 'ruler' → وُلاَةٌ.

The *nawâsib* of the *mudâri'*

The particles that change the *mudâri'* to *mansûb* are called نَوَاصِبُ الفِعْـلِ المُضارِعِ. These are four, and we have learnt them all. They are :

a) أَنْ, e.g., وَاللهُ يُرِيدُ أَنْ يَتُوبَ عَلَيْكُـمْ 'And Allah wants to turn to you' (Qur'an, 4:27). This particle is called حَرْفُ مَصْدَرِيَّةٍ ونَصْبٍ وَاسْتِقْبَالٍ, i.e., an infinitive particle that changes the *mudâri'* to *mansûb* and denotes futurity.

b) لَـنْ, e.g., قَالَ إِنَّكَ لَنْ تَسْتَطِيعَ مَعِيَ صَبْراً 'He said, "Surely, you will not be able to have patience with me" ' (Qur'an, 18:67). This particle is called حَرْفُ نَفْيٍ ونَصْبٍ واسْـتِقْبالٍ , i.e., a negative particle that changes the *mudâri'* to *mansûb* and denotes futurity.

c) كَيْ, e.g., كَيْ نُسَبِّحَكَ كَثِيراً 'So that we may glorify You much.' This particle is called حَرْفُ مَصْدَرِيَّةٍ ونَصْبٍ واسْـتِقْبالٍ , i.e., an infinitive particle that changes the *mudâri'* to *mansûb* and denotes futurity.

d) إِذَنْ, e.g., سَأَزُورُكَ غَداً إنْ شاءَ اللهُ 'I shall come to visit you tomorrow *in shâ' Allah.*' إِذَنْ أَنْـتَـظِرَكَ 'In that case I will wait for you.' This particle is called حَرْفُ جَوَابٍ وجَزاءٍ ونَصْبٍ وَاسْتِقْبالٍ, i.e., an answering particle that changes the *mudâri'* to *mansûb* and denotes futurity.

EXERCISES

1) Answer the following questions.

2) Point out the verbs belonging to *bâb* اِسْتِفْعَل and their derivatives occurring in the main lesson.

3) Write the *mudâri*‘, the *amr* and the *masdar* of each of the following verbs.

4) Point out the verbs belonging to *bâb* اِسْتِفْعَل and their derivatives occurring in the following sentences.

5) Fill in the blank in each of the following sentences with كَيْ or لِكَيْلا and make necessary changes.

6a) Use إِذَنْ in three sentences of your own.

6b) Oral exercise : Each student says something, and his colleague replies to him using إِذَنْ.

7) Negate both the verbs in each of the following sentences.

8) Rewrite the following sentences changing the subordinate nominal sentences to verbal sentences.

9) Specify the meaning of جَعَل in each of the following sentences.

11) Oral exercise : Each student asks his colleague : مَتَى اسْتَيْقَظْتَ؟ ومَنْ أَيْقَظَكَ؟

12) Write the *mudâri* ‘ of each of the following verbs.

13) Specify the *bâb* of each of the verbs occurring in the hadîth of Abû Dharr.

14) Write the singular of الحَوائِج and الشُّرْطة and the plural of القَفا.

15) What is the original form of تَظالَمُوا occurring in the hadîth?

16) Write the plural of each of the following nouns on the pattern of عَارٍ/عُرَاةٌ.

LESSON 26

In this lesson we learn the following:

#(1) الفِعْلُ الرُّبَــاعِيُّ (the *rubâ'î* or quadriliteral verb) i.e., a verb which has four radicals, e.g., تَرْجَــمَ 'he translated', بَعْثَرَ 'he scattered', هَرْوَلَ 'he walked fast', بَسْمَلَ 'he said *bismillah*'.

Like the *thulâthî*, the *rubâ'î* is also either *mujarrad* or *mazîd*[1].

The *rubâ'î mujarrad* has only the four radicals without any extra letters as تَرْجَمَ which is composed of : t-r-j-m. Now the *rubâ'î mujarrad* has only one *bâb*, and it is فَــعْــلَــلَ (**fa'lala**). The *mudâri'* is يُــفَــعْلِــلُ, e.g., يُتَرْجِمُ. As the verb is composed of four letters, the حَرْفُ الْمُضارَعَةِ has *dammah*. The *masdar* is on the pattern of فَعْــلَــلَةٌ (**fa'lalat**-un), e.g., تَــرْجَــمَــةٌ 'translation'. The *ism al-fâ'il* is مُــتَــرْجِمٌ 'translator' wherein the third radical has *kasrah*, and in the *ism al-maf'ûl* it has *fathah*, e.g., كِتابٌ مُتَرْجَمٌ 'translated book'.

The *rubâ'î mazîd* has three *abwâb*. They are :

a) تَــفَــعْــلَــلَ where **ta**- has been prefixed to the first radical (**ta**fa'lala), e.g., تَرَعْرَعَ 'he grew up', تَمَضْمَضَ 'he rinsed his mouth with water'.

The *mudâri'* is يَــتَــرَعْــرَعُ, and the *masdar* is تَرَعْرُعٌ.

b) اِفْــعَــلَــلَّ where **i**- is prefixed to the first radical, and the fourth radical is doubled (**if'**alal**la**), e.g., اِطْمَأَنَّ 'he felt reassured', اِشْمَأَزَّ 'he detested'.

The *mudâri'* is يَطْــمَــئِــنُّ (yatma'inn-u), and the *masdar* is اِطْــمِــئْــنَــانٌ.

In the Qur'an (13:28) : أَلاَ بِذِكْرِ اللهِ تَطْمَئِنُّ الْقُلُوبُ 'Lo! in the remembrance of Allah do hearts find peace.'

---

[1] For these terms see L 16.

c) افْعَنْلَلَ where **i-** is prefixed to first radical, and **-n** is added after the second (**if**ʿa**n**lala), e.g., اِفْرَنْقَعَ. The *mudâri*ʿ is يَفْرَنْقِعُ, and the *masdar* is اِفْرِنْقاعٌ. The sentence اِفْرَنْقَعَ النَّاسُ means 'The people dispersed.'

#(2) 'This is **a** man' is هَذا رَجُلٌ, and 'This is **the** man' is هذا الرَّجُلُ. But this sentence may also mean 'This man'. The listener may think that you mean 'This man' and wait for the *khabar*. To avoid this ambiguity an appropriate pronoun is inserted between the *mubtada'* and the *khabar*, e.g., هذا هو الرجُلُ 'This is the man', هَؤُلاءِ هُمُ المُجْرِمُونَ 'These are the criminals', هَذِهِ هِيَ السيَّارَةُ 'This is the car', هَؤُلاءِ هُنَّ المُسْلِماتُ 'These are the Muslim ladies'.

The pronoun (الضَّمِيرُ) so used is called ضَمِيرُ الفَصْلِ (the differentiating pronoun).

This ambiguity also occurs in a sentence where the *mubtada'* is a proper noun, and the *khabar* an adjective or a noun having **al**, e.g., حامِدٌ اللاعِبُ which may mean 'Hamid the player' or 'Hamid is the player'. If we mean 'Hamid is the player' we say حامدٌ هو اللاعِبُ.

Here are some more examples of ضَمِيرُ الفَصْلِ :

وَأُولَئِكَ هُمُ المُفْلِحُونَ 'And those are the successful' (Qur'an, 2:5). ذَلِكَ هُوَ الفوزُ العَظِيمُ 'That is the great success' (Qur'an, 9:72).

But the use of ضَمِيرُ الفَصْلِ is not compulsory. If you think that there is no ambiguity, you need not use it. We have in the Qur'an ذَلِكَ الكِتابُ 'That is the Book' (2:2), ذَلِكَ الفَوزُ العَظِيمُ 'That is the great success' (9:89).

#(3) If you are offered something to eat with the instruction كُلْ هذا you can eat the whole thing. But if the instruction is كُلْ مِنْ هذا you are to take only part of it. In the same way we say : مِنَ الطُّلاَّبِ مَنْ لا يعْرِفُ الإنْكِلِيزِيَّةَ 'Of the students are some who do not know English.' This مِنْ is called مِنْ التَّبْعِيضِيَّةُ (the partitive *min*). Here are some more examples :

أَنْتَ مِنْ أَحْسَنِ الطُّلاَّبِ 'You are one of the best students.' Compare this with

أَنتَ أَحْسَنُ الطُّلاب 'You are the best student.'

وَمِمَّا رَزَقْنَاهُمْ يُنْفِقُونَ 'And they spend part of what We have given them' (Qur'an, 2:3).

وَمِنَ النَّاسِ مَنْ يَقُولُ آمَنَّا بِاللهِ وَبِالْيَوْمِ الآخِرِ وَما هُمْ بِمُؤْمِنِينَ 'And of mankind are some who say, "we believe in Allah and the Last Day", but they are not believers' (Qur'an, 2:8).

#(4) In وَهَلْ جَاءَ المُدِيرُ؟ 'And has the headmaster come?' the conjunction وَ comes first, and then the interrogative particle هَلْ. The *hamzat al-istifhâm* (أ) precedes the conjunction, e.g, أَوَجَاءَ المديرُ؟ We cannot say وَأَجاء المديرُ؟. Here are some examples from the Qur'an :

أَوَلَمْ يَنْظُرُوا فِي مَلَكُوتِ السَّمَواتِ وَالأَرْضِ 'And did they not look into the kingdom of the heavens and the earth?' (7:185).

أَثُمَّ إِذَا وَقَعَ آمَنْتُمْ بِهِ 'Then, will you believe in it when it has actually happened?' (10:51).

#(5) Many *âyât* commence with إِذْ, e,g., وَإِذْ قَالَ إِبْرَاهِيمُ. In such cases إِذْ is the object of the verb اُذْكُرُوا 'Remember' which is always omitted. The meaning of the above *âyah* is 'Rememer when Ibrahim said ...'.

#(6) The plural of مَيِّتٌ 'dead' is مَوْتَى on the pattern of فَعْلَى. It is a diptote[1], and so has no *tanwîn*. Here are some more examples : أَسِيرٌ 'captive' : أَسْرَى -- مَرِيضٌ 'patient' : مَرْضَى -- جَرِيحٌ 'wounded' : جَرْحَى.

---

[1] For diptotes see L 34.

#(6) If the *munâdâ* is a noun with the pronoun of the first person singular as its *mu<u>d</u>âf ilaihi*, it has five different forms, e.g.,

a) يَا رَبِّي **(yâ rabbî)** : this is the original form.

b) يَا رَبِّ **(yâ rabbi)** : here the *yâ'* (ي) has been omitted.

c) يَا رَبِّيَ **(yâ rabbiya)** : the *yâ'* is retained, but has *fat<u>h</u>ah*.

d) يَا رَبَّ **(yâ rabba)** : the *yâ'* is omitted, and the last letter has *fat<u>h</u>ah*.

e) يا رَبَّـا **(yâ rabbâ)** : the *yâ'* is omitted, and the last letter has *fat<u>h</u>ah* and *alif*.

The last form may take هاءُ السَّكْتِ at the end : يا رَبَّاهْ **(yâ rabbâh)**.

I have put all the five forms in this mnemonic : رَبِّ، رَبِّي، رَبَّ، رَبَّا، رَبِّيَ.

The fitst form (رَبِّ) is the most frequently used in the Qur'an.

#(7) We have seen in L 14 that if the *jawâb al-shar<u>t</u>* is a nominal sentence, it should take فَـــ, e.g., وَإِذَا مَرِضْتُ فَهُوَ يَشْفِين. This فَـ can be replaced with إِذَا الفُجائِيّــةُ, e.g., وَإِذَا ذُكِرَ الَّذِينَ مِنْ دُونِهِ إِذَا هُمْ يَسْتَبْشِرُونَ 'And when those (whom they worship) beside Him are mentioned, (surprisingly) they rejoice' (Qur'an, 39:45).

فَإِنْ أُعْطُوا مِنْهَا رَضُوا وَإِنْ لَمْ يُعْطَوا مِنْهَا إِذا هُمْ يَسْـخَطُونَ 'If they are given thereof[1] they are pleased, but if they are not given thereof (surprisingly) they are displeased' (9:58).

#(8) We have learnt the *mu<u>d</u>a''af* verb in Book Two (L 29). In all forms of the *mu<u>d</u>âri'* except two, the second radical loses its vowel and is assimilated to the third radical, e.g., يَحُجُّ، يَحُجَّان، يَحُجُّون؛ تَحُجُّ، تَحُجَّان، <u>يَحْجُجْنَ</u>؛ تَحُجُّ، تَحُجَّان، تَحُجُّونَ؛ تَحُجِّينَ، تَحُجَّان، <u>تَحْجُجْـــنَ</u>؛ أَحُـــجُّ، نَحُـــجُّ. This process is called الإِدْغام (assimilation). Only the two underlined forms do not undergo *idghâm* because they are *isnâd*ed to *muta<u>h</u>arrik* pronouns.

[1] i.e. out of *zakâh*.

Now, in the *mudâri' majzûm* these four forms : يَحُجُّ، تَحُجُّ، أَحُجُّ، نَحُجّ have two possibilities : one with *idghâm*, and the other without it, e.g.,
لَـمْ يَحُـجَّ (lam **ya-hujja**) or لَمْ يَحْجُجْ (lam **ya-hjuj**). Remember that يَحُجُّ (**ya-hujj-u**) is originally يَحْجُجُ (**ya-hjuj-u**).

In the same way, لَمْ تَحُجَّ or لَمْ تَحْجُجْ -- لَمْ أَحُجَّ or لَمْ أَحْجُجْ -- لَمْ نَحُجَّ or لَمْ نَحْجُجْ.

The *amr* of the second person masculine singular also has this possibility : حُجَّ (**hujja**) 'perform hajj' or اُحْجُجْ (**uhjuj**). The *amr* of the second person feminine plural is already without *idghâm* : اُحْجُجْنَ. It cannot have *idghâm* because it is *isnad*ed to a *mutaharrik* pronoun.

The process of removing the *idghâm* is called فَكُّ الإِدْغام (*fakk al-idghâm*).

Here are some examples of this from the Qur'an:

قَالَتْ أَنَّى يَكُونُ لِي غُلامٌ وَلَمْ يَمْسَسْنِي بَشَرٌ 'She said, "how can I have a son when no man has touched me?"'(19:20).

وَمَنْ يَحْلِلْ عَلَيْهِ غَضَبِي فَقَدْ هَوَى 'And he on whom My wrath descends is indeed lost' (20:81).

وَمَنْ يُضْلِلِ اللهُ فَمَا لَهُ مِنْ هَادٍ 'And none can guide him whom Allah does not show the way' (39:36).

قُلْ إِنْ كُنْتُمْ تُحِبُّونَ اللهَ فَاتَّبِعُونِي يُحْبِبْكُمُ اللهُ وَيَغْفِرْ لَكُمْ ذُنُوبَكُمْ 'Say, "If you love Allah, then follow me; Allah will love you and forgive you your sins"' (3:31).

وَاحْلُلْ عُقْدَةً مِنْ لِسَانِي 'And untie the knot from my tongue' (20:27).

EXERCISES

1) Answer the following questions.
2) Point out the *rubâ'î* verbs and their derivatives occurring in the main lesson, and specify the *bâb* of each of them.
3) Write the *mudâri'* and the *amr* of each of the following verbs.

4) Point out the *rubâ'î* verbs and their derivatives in thefollowing sentences, and specify the *bâb* of each of them.

5a) Point out all the instances of ضَمِير الفصْلِ occurring in the main lesson.

5b) Rewrite each of the following sentences making the *khabar* definite with **al-**, and make the necessary changes.

7) Rewrite the following sentences using *wâw al-'atf* (واوُ العَطْفِ).

9) Write the plural of each of the following nouns on the pattern of *fa'lâ*.

13) Specify the type of مَا in كَما يَتَكَلَّمُ أهْلُ فرنسا.

14) What is the singular of الجُلُود?

15) To which *bâb* does each of the following verbs belong?

LESSON 27

In this lesson we learn the following :
#(1) Kinds of pronouns :

Pronouns are either separate (الْمُنْفَصِل) or attached (الْمُتَّصِل).

The separate pronouns are independent and not attached to any other word. They also occur after إِلاَّ, e.g.,

أنا مُسْلِمٌ 'I am a Muslim' -- ما فَهِمَ الدَّرْسَ إِلاَّ أنتَ 'No one understood the lesson except you.'
إِيّاكَ رأيتُ 'It is you that I saw.' -- ما رأيتُ إِلاَّ إِيَّاكَ 'I saw none but you.'

The attached pronouns are not independent, but are always attached to other words, e.g., تُ and كَ in رَأَيْتُكَ 'I saw you.' Here **-tu** is the attached pronoun meaning *I*, and **-ka** is the attached pronoun meaning *you*.
We know that nouns indicate their functions in the sentence by changing their endings, e.g., دَخَلَ الوَلَدُ (al-walad-**u**), سَأَلْتُ الولَدَ (al-walad-**a**), قُلْتُ لِلْوَلَدِ (al-walad-**i**). But pronouns do not change their endings; they change themselves entirely, e.g., مَنْ أَنْتَ؟, but أَسْأَلُكَ. So أنتَ is the *marfû'* form, amd كَ is the *mansûb* form.
So there are two sets of pronouns : one for *raf'*, and the other for *nasb* and *jarr*. And each of these two sets has two forms : one separate and the other attached.

THE PRONOUNS OF *RAF'*

The separate forms :

Third person : هُوَ، هُما، هُمْ؛ هِيَ، هُما، هُنَّ.

Second person : أنْتَ، أَنْتُما، أَنتم؛ أنْتِ، أنتما، أنْتُنَّ.

First person : أنا، نَحْنُ.

The attached forms : The following are the attached pronouns of *raf'* :

1) the *mutaharrik tâ'*, as in ذَهَبْتُ، ذَهَبْتُما، ذهبْتُمْ، ذهبْتِ، ذهبْتُنَّ (**-tu, -tumâ, -tum, -ti, -tunna).**

2) the *alif* of the dual, as in ذَهَبَا، ذهَبَتَا، يذهبانِ، تَذْهَبَانِ، اذْهَبَا (**-â**).

3) the *wâw* of the plural, as in ذَهَبُوا، يَذْهَبُون، تَذْهَبُون، اذْهَبُوا (-**û**).

4) the *yâ'* of the second person feminine, as in تَذْهَبِينَ، اذْهَبِي (-**î**).

5) the *nûn* of the feminine plural, as in ذَهَبْنَ، يَذْهَبْنَ، تَذْهَبْنَ، اذْهَبْنَ (-**na**).

6) -**nâ** of the first person plural, as in ذَهَبْنَا (-**nâ**).

The attached pronouns of *raf'* are hidden in the following forms :

a) the *mâdî* : in the following two forms : ذَهَبَ and ذَهَبَتْ. Note that the *tâ'* in ذَهَبَتْ is not a pronoun. It is a particle denoting feminine gender.

b) the *mudâri'* : in the following four forms : يَذْهَبُ، تَذْهَبُ، أَذْهَبُ، نَذْهَبُ.

THE PRONOUNS OF *NASB*

The separate forms : You have not been introduced to these forms before. These forms are composed of the word إِيَّا plus the attached pronouns of *nasb* whuch you already know, e.g., إِيَّاكَ (**iyyâ-ka**).

Third person : إِيَّاهُ، إِيَّاهُما، إِيَّاهُمْ؛ إِيَّاها، إِيَّاهُما، إِيَّاهُنَّ.

Second person : إِيَّاكَ، إِيَّاكُما، إِيَّاكُمْ؛ إِيَّاكِ، إِيَّاكُما، إِيَّاكُنَّ.

First person : إِيَّايَ، إِيَّانَا.

The attached forms : These form cannot be mentioned independently. They should be attached to a verb or to إِنَّ or one of its sisters.

Third person : سَأَلَهُ، سَأَلَهُما، سَأَلَهُمْ؛ سَأَلَهَا، سَأَلَهُما، سَأَلَهُنَّ.

Second person : سَأَلَكَ، سَأَلَكُما، سَأَلَكُمْ؛ سَأَلَكِ، سَأَلَكُما، سَأَلَكُنَّ.

First person : سَأَلَنِي، سَأَلَنَا[1].

---

[1] The attached form of the pronoun of the first person singular is *yâ'* only. The *nûn* is the نُونُ الوِقايَةِ (the *nûn* of protection). See Book Two (L 9).

THE PRONOUNS OF *JARR*

The pronouns of *jarr* have only the attached form, and they are the same as the pronouns of *nasb*, e.g., مِنْــهُ، مِنْهُم؛ مِنْها، مِنْهُنَّ؛ مِنْكَ، مِنْكُم؛ مِنْكِ، مِنْكُنَّ etc.

WHEN TO USE THE SEPARATE PRONOUNS OF *NASB*

The pronoun of *nasb* should be separate in the following cases :

1) if it is a *maf'ûl bihi*, and precedes the verb, e.g., نَعْبُدُكَ 'We worship You', but : إِيَّــاكَ نَعْبُــدُ 'It is You that we worship.' We cannot say كَ نَعْبُدُ, as كَ is an attached pronoun, and cannot stand alone.

2) if it is a *maf'ûl bihi* of a *masdar*, *e.g.*, نَنْتَظِرُ زِيارَةَ المُدِيرِ إِيَّانا 'We are awiating the headmaster's visit to us.' Here إِيَّانا is the object of the *masdar* زِيــارة. Here is another example : مُساعَدَتُكَ إِيَّايَ كانَتْ قَبْلَ مُساعَدَتِي إِيّاكَ 'Your help to me was before my help to you.'

3) if it occurs after a conjunction, e.g., رَأَيْتُكَ وَإِيَّاهُ 'I saw you and him.' Here we cannot say رأيتُكَ وَهُ, as هُ is an attached pronoun and cannot stand alone. In the same way we say إِنِّي وَإِيَّاكَ ناجِحان 'Indeed I and you have passed.' We cannot say ... إِنِّي وَكَ nor can we say إِنِّي وَأَنْتَ because أَنتَ is a pronoun of *raf'*.

4) if it occurs after إِلاَّ, e.g., لا نَعْبُدُ إِلاَّ إِيَّــاهُ 'We worship none but Him.' -- ما سَأَلْتُ إِلا إِيّاكَ 'I asked none but you.'

5) if it occurs after an attached pronoun of *nasb*, e.g., أينَ مَجَلَّةُ المديرِ؟ – أعطَيْتُــهُ إِيّاهــا 'Where is the headmaster's magazine?' -- 'I gave it to him.' Here we cannot say أَعْطَيْــتُــهُــها. If both the pronouns belong to the same person - as in this example - the second pronoun should be separate. But if they belong to different persons, we may use either the attached or the separate pronoun,

though it is better to use the attached pronoun, e.g., in reply to أين كتابي؟ 'Where is my book?' you say :
أعْطَيْتُكَهُ / أعْطَيْتُكَ إيّاهُ 'I gave it to you.'

#(2) One of the patterns of the *masdar* is فَعِيلٌ (**fa'îl**-un), e.g., رَنَّ الجرَس 'The bell rang' : رَنِينٌ 'ringing' -- صَفَرَ 'he whisled' : صَفِيرٌ 'whistling'.

EXERCISES

1) Answer the following questions.
2) Point out all the pronouns occurring in the main lesson, and specify the category to which each of them belongs.
3) Point out all the separate pronouns of *nasb* occurring in the main lesson, and mention the reason for their being separate.
4) Rewrite the following sentences placing the pronoun of *nasb* before the verb in each of them.
5) Rewrite the following sentences using إلاّ as shown in the example.
6) Fill in the blank in each of the following sentences with the type of pronoun mentioned in brackets.
7) Answer the following questions using two pronouns of *nasb* as shown in the example.
8) Answer the following questions using two pronouns of *nasb* as shown in the example.
9) Oral exercise : Each student says to another يُريدُ فُلانٌ كتابكَ. أَفَأُعْطِيهِ إيّاهُ؟ 'So-and-so wants your book. Shall I give it to him?' And the other says نعم، أَعْطِهِ إيّاهُ 'Yes, give it to him', or لا، لا تُعْطِهِ إيّاهُ 'No, don't give it to him.'
10) Write the *masdar* of each of the following verbs on the pattern of ***fa'îl***.
11) Give the plural of الدُّرْجُ and الخاتَمُ.
12) Write the *mudâri'* and *amr* of each of the following verbs.

LESSON 28

In this lesson we learn the following :

#(1) المَفْعُولُ المُطْلَقُ (the absolute object) : It is the *masdar* of the verb occurring in the sentence used along with the verb for the sake of emphasis. It is *mansûb*, e.g., ضَرَبَنِي بلالٌ ضَرْبــاً 'Bilal beat me a beating.' The words ضَرَبَنِي بلالٌ convey the meaning, but you can say this even if he did not actually beat you, but merely raised his hand, or gently placed his hand on your body. But you can say ضَرَبَنِي بلالٌ ضَرْباً only when he gave you a real beating.

The *maf'ûl mutlaq* has four uses. It is used :

a) to emphasize as we have just seen. Here is another example : وَكَلَّمَ اللهُ مُوسَى تَكْلِيماً 'And Allah really spoke to Mûsâ' (Qur'an, 4:164).

b) to specify the number, e.g., طُبِعَ الكتابُ طَبْعَتَيْنِ 'The book was printed twice.' -- نَسِيتُ وسَجَدْتُ سَجْدَةً واحِدةً 'I forgot and performed only one *sajdah*.'

c) to specify the type of action, e.g., مَاتَ مِيتةَ الشُّهَداءِ 'He died the death of martyrs.' -- اُكْتُبْ كِتابةً واضِحةً 'Write legibly' (literally, 'write a clear writing').

d) as a substitute for the verb. In this case only the *masdar* is used, e.g., صَبْراً 'Have patience!' Here the *masdar* is a substitute for the *amr* اِصْبِرْ -- شُكْراً 'I thank you.' Here the *masdar* is a substitute for the *mudâri* ' أَشْكُرُ 'I thank.'

Words which deputize for the *masdar* :

The following words deputize for the *masdar*, and are therefore *mansûb*, and are grammatically regarded as *maf'ûl mutlaq* :

1) the words كُلّ، بَعْض، أَيّ with the *masdar* as their *mudâf ilaihi*, e.g.,

أَعْرِفُــهُ كُلَّ المَعْرِفَةِ 'I know him fully well.'

آخَذَنِي المُدِيرُ بَعْضَ المُؤاخَذَةِ 'The headmaster punished me to some extent.'

أيَّ نَــــومٍ تَنـــامُ؟ ‘What sort of sleep are you sleeping?’ In the Qur’an (26:227) : وَسَيَعْلَمُ الَّذِينَ ظَلَمُوا أيَّ مُنْقَلَــب يَنْقَلِبُــونَ ‘And those who do wrong will come to know how they will end up.’

2) a number with the *masdar* as its *tamyîz*[1], e.g.,

طُبعَ الكتابُ ثَلاثَ طَبَعــاتٍ ‘The book was printed thrice.’ In the Qur’an : فَاجْلِدُوا كُلَّ واحِدٍ مِنْهُما مِائَةَ جَلْــدَةٍ ‘...flog each one of them a hundred stripes’ (24:2). -- فَاجْلِدُوهُمْ ثَمانِينَ جَلْدَةً ‘...flog them eighty stripes’ (24:4).

3) an adjective of the *masdar* (the *masdar* itself being omitted), e.g., فَهِمْتُ الدّرْسَ جَيِّــداً ‘I understood the lesson well.’ This is for فهمتُ الدرسَ فَهْماً جَيِّداً which literally means ‘I understood the lesson with a good understanding.’

4) *ism al-masdar* (اِسْمُ المَصْدَرِ) : It is a word which has the same meaning as the *masdar*, but has less letters than it, e.g., كَلامٌ ‘speaking’ is *ism al-masdar*, and تَكْلِيمٌ is *masdar*; قُبْلَةٌ ‘kiss’ is *ism al-masdar*, and تَقبيلٌ is *masdar*.

كَلَّمَني كَلاماً شَدِيداً ‘He spoke to me harsh words.’

5) a cognate *masdar* : It is :

(a) the *masdar* of the *mujarrad* verb while the verb used in the sentence is *mazîd*, e.g., اِشْتَرَيْتُ هذه السيّارةَ شِراءً مُباشِــراً ‘I bought this car directly.’ Here شِــراء is the *masdar* of the *mujarrad* verb شَرَى يَشْرِي ‘to buy’ whereas the *masdar* of اشتَرَى يَشْــتَرِي is اِشْتِراءٌ. Here is an example fro the Qur’an (89:20) وتُحِبُّونَ المالَ حُبّاً جَمّــاً ‘And you love wealth with abounding love.’ Here حُبّاً is the *masdar* of the *mujarrad* verb حَبَّ يَحِبُّ (a-i) which is very rarely used, whereas the *masdar* of the *mazîd* verb أَحَبَّ يُحِبُّ is إِحْبابٌ and this *masdar* is very rarely used.

---

[1] The *tamyîz* (التَّمْييز) is a word used to specify a vague idea. The *tamyîz* of the number may be *majrûr* or *mansûb*, e.g., ثَلاثَةُ كُتُبٍ، عِشْرون كتاباً .

(b) a *masdar* of a *mazîd bâb* which is different from the *bâb* of the verb. e.g., تَبَسَّمْتُ ابْتِساماً 'I smiled.' Here ابْتِساماً is the *masdar* of the verb ابْتَسَمَ, which belongs to *bâb* افْتَعَلَ, whereas the verb تَبَسَّمَ belongs to *bâb* تَفَعَّلَ , and both have the same meaning. In the Qur'an (73:8) وَتَبَتَّلْ إِلَيْهِ تَبْتِيلاً 'And devote yourself to Him with complete devotion.' Here the verb تَبَتَّلَ belongs to *bâb* تَفَعَّلَ whereas the *masdar* is from *bâb* فَعَّلَ.

6) a demontrative pronoun with the *masdar* as its *badal*, e.g., أَتَسْتَقْبِلُنِي هذا الاِسْتِقْبالَ؟ 'Do you accord me this kind of reception?' Here هذا is the *maf'ûl mutlaq*, and so it is فِي مَحَلِّ نَصْبٍ, and الاسْتِقْبال is its *badal*.

7) a pronoun referring to the *masdar*, e.g., اجْتَهَدْتُ اجْتِهاداً لَمْ يَجْتَهِدْهُ غيري 'I worked hard in a way nobody else did.' Here the pronoun هُ stand for اجْتِهاداً.

8) a synonym of the *masdar*, e.g., عِشْتُ حَياةً سَعِيدةً 'I lived a happy life.' Here حَياةً 'life' is synonymous with عِيْشَةً derived from عاشَ.

#(2) There are many kinds of *masdar*.

a) One of them is مَصْدَرُ المَرَّة. This *masdar* denotes how many times the action took place, once, twice, thrice ... It is on the pattern of فَعْلَةٌ (**fa'lat**-un), e.g., ضَرَبْتُهُ ضَرْبَةً، وضَرَبَنِي ضَرْبَتَيْنِ 'I hit him once, and he hit me twice.' طُبِعَ هذا الكتابُ طَبَعاتٍ 'This book has been printed several times.' طَبَعاتٌ (**taba'ât**-un) is the plural of طَبْعَةٌ.

In the *abwâb* of the *mazîd* the *masdar al-marrah* is formed by adding ة to the original *masdar*, e.g., تَكْبِيرٌ : تَكْبِيرةٌ 'saying "Ahhahu akbar" once', إطْلالٌ 'peeping out' : إطْلالَةٌ 'peeping out once', e.g., نُكَبِّرُ أَرْبَعَ تَكْبِيراتٍ في الصلاةِ على

الْمَيِّتِ ‘We say ‘Allahu akbar’ four times in the funeral prayer.’ أَطْلَلْتُ مِنَ النافِذة

إِطْلاَلَتَيْنِ ‘I looked out from the window twice,’

b) Another kind of the *masdar* is مَصْدَرُ الهَيْئَةِ (the *masdar* of manner). It is on the pattern of فِعْلَة (**fi‘lat**-un), e.g., جِلْسَةٌ ‘manner of sitting’, مِشْيَةٌ ‘manner of walking’. We say, لا تَمْشِ مِشْيَةَ النِّساء يا ولدُ ‘Don’t walk like women, boy.’

اِجْلِسْ جِلْسَةَ طالِب عِلْم ‘Sit as students sit.’

Note that that the first letter has *fathah* in the *masdar al-marrah*, and *kasrah* in the *masdar al-hai’ah*.

Masdar al-hai’ah is not formed from the *mazîd abwâb*.

c) Another kind of the *masdar* is the *masdar mîmî* (المَصْدَرُ المِيمِيُّ). It is on the pattern of مَفْعَلٌ / مَفْعَلَةٌ (**maf‘al**-un / **maf‘alat**-un) and مَفْعِلٌ / مَفْعِلَةٌ (**maf ‘il**-un / **maf‘ilat**-un), e.g., مَمَاتٌ ‘death’, مَعْرِفَةٌ ‘knowledge’, مَغْفِرَةٌ ‘forgiveness’.

In the *mazîd abwâb* it is the same as the *ism al-maf‘ûl*, e.g., مُمَزَّقٌ ‘tearing asunder’, مُخْرَجٌ ‘taking out’, مُنْقَلَبٌ ‘return’. In the Qur’an, فَجَعَلْنَاهُمْ أحاديث وَمَزَّقْنَاهُمْ كُلَّ مُمَزَّقٍ ‘So We made them tales, and totally scattered them’ (34:19).

EXERCISES

1) Answer the following questions.

3a) Point out all the instances of *maf‘ûl mutlaq* occurring in the main lesson, and specify the signification of each of them.

3b) Point out words deputizing for the *masdar* in the examples of the *maf‘ûl mutlaq*.

4) Point out the instances of *maf‘ûl mutlaq* occurring in the following sentences, and specify the signification of each of them.

5) Point out words deputizing for the *masdar* in the following examples of the *maf‘ûl mutlaq*.

6) Complete the sentence ...سَجَدْتُ with three instances of *maf'ûl mutlaq*. In the first instance it should specify the number, in the second the type of action and in the third it should signify emphasis.

7) Mention all the words that deputize for the *masdar* in the *maf'ûl mutlaq*.

8) Give three examples of the *masdar* which functions as a substitute for the verb.

8) Derive *masdar al-marrah* from each of the following verbs.

9) Derive *masdar al-hai'ah* from each of the following verbs.

LESSON 29

In this lesson we learn the following :

#(1) المَفْعُولُ لأَجْلِهِ or المَفْعُولُ لَهُ : It is a *masdar* which tells us the reason for doing an action, e.g., لم أخرُجْ خوفاً من المَطَرِ 'I did not go out for fear of rain', حَضَرْتُ حُبّاً لِلنَّحْوِ 'I attended (the class) for the love of grammar.' Here the *masdar* خَوْفاً tells us the reason for not going out, and the *masdar* حُبّاً tells us the reason for attending the class. This *masdar* mostly denotes a mental action like fear, love, desire, respect etc. It is *mansûb*.

The *masdar* in *maf'ûl lahu* is mostly with the *tanwîn,* but it may also be *mudâf*, e.g., وَلاَ تَقْتُلُوا أولادَكُمْ خَشْيَةَ إمْلاق 'Do not kill your chidren for fear of poverty' (Qur'an, 17:31). Here is a hadith :

نَهَى النَّبِيُّ صلَّى الله عليه وسلَّمَ أَنْ يُسافِرَ بالقُرْآنِ إلَى أرْضِ العَدُوِّ مَخافَةَ أنْ يَنالَهُ العَدُوُّ

'The Prophet (peace and blessings of Allah be upon him) prohibited (the Muslims) from taking the Qur'an to the land of the enemy for fear that the enemy should harm it.'

#(2) هَلاَّ : This particle is used in a verbal sentence. It is used with the *mudâri'* to urge one to do an action, and with the *mâdî* to rebuke him for neglecting an action, e.g., هَلاَّ تَشْكُوهُ إلَى المديرِ 'Should you not complain about him to the headmaster?', i.e., 'you should do', هَلاَّ شَكَوتَهُ إلَى المديرِ 'Should you not have complained about him to the headmaster?', i.e., 'you should have.'

In the first case it is called حَرْفُ التَّحْضِيضِ (the particle of urging), and in the second حَرْفُ التَّنْدِيمِ (the particle of rebuke). The words أَلاَ، أَلاَّ، لَوْما، لَوْلاَ are also used for *tahdîd* and *tandîm*. In the Qur'an (24:12) : لَوْلاَ إذْ سَمِعْتُمُوهُ ظَنَّ المُؤْمِنُونَ وَالمُؤْمِناتُ بِأَنْفُسِهِمْ خَيْراً وَقالُوا هَذا إفْكٌ مُبِينٌ 'Why did not the believers, men and women, when you heard it, think good of themselves, and say, "It is an obvious lie"?'

#(3) رَغْبَةً في العِلْم، لا رَهْبَةً مِنَ الامْتِحَــــان 'out of love for knowledge, not out of fear of examination.' This لا is a conjunction (لا العاطِفَــةُ). It is used in an affirmative sentences, or one containing an *amr*, e.g., خَرَجَ بلالٌ، لا حامدٌ 'Bilal left, not Hamid.' اِسْأَلِ المديرَ، لا المدرس 'Ask the headmaster, not the teacher.' كُلِ التُّفَّاحَ، لا المَوز 'Eat apples, not bananas.'

EXERCISES

1) Answer the following questions.
3) Point out all the instances of *maf'ûl lahu* occurring in the main lesson.
4) Point out all the instances of *maf'ûl lahu* in the following sentences.
5) Fill in the blank in each of the following sentences with the word given in brackets making it *maf'ûl lahu.*
7) Give the singular of each of the following nouns.
8) Oral exercise : Every student uses the expression دَأْبِي ودَيْدَنِي in a sentence.
9) Oral exercise : Every student uses هَلاَّ in two sentences, one being for *tahdîd* and the other for *tandîm*.

LESSON 30

In this lesson we learn the following :

#(1) التَّمْيِيز : It is a noun used to specify and define an indeterminate idea contained in the previous word, or in the whole sentence, e.g.,

a) شَرِبْتُ لِتْراً حليباً 'I drank a litre of milk.' The word لِتر (litre) refers to an amount, but the meaning is not complete unless words like *water*, *milk*, *oil* etc are mentioned.

b) إبراهِيمُ أحْسَنُ مِنّي خَطّاً 'Ibrahim is better than I with regard to handwriting.' There are many things in which one may be better than the other. In this example the word خطّاً specifies the particular aspect.

The *tamyîz* is *mansûb*.

There are two kinds of *tamyîz* :

a) تَمْيِيزُ الذَّات : This comes after words denoting quantity. There are four kinds of quantity :

(1) العَدَدُ (number), e.g., : يا أَبَتِ إنِّي رَأَيْتُ أَحَدَ عَشَرَ كَوْكَباً 'O my father I saw (in a dream) eleven stars...' (Qur'an,12:4). The *tamyîz* of numbers is *mansûb* after 11 to 99. After 3 to 10 it is plural and *majrûr*, and after 100 and 1000 it is singular and *majrûr* as we have learnt in Book Two (L 24).

(2) المِساحةُ (linear measurement), e.g., اِشْتَرَيْتُ مِتْراً حَرِيراً 'I bought one metre of silk.'

(3) الكَيْلُ (measure of capacity), e.g., أَعْطِنِي لِتْرَيْنِ حَلِيباً 'Give me two litres of milk.'

(4) الوَزْنُ (weight), e.g., عندي كيلوغِرامٌ بُرْتُقالاً 'I have one kilogram of oranges.'

Words resembling words of quantity also take *tamyîz* , e.g.,

(1) the word كَمْ 'how many' resembles the number, e.g., كَمْ بِنْتاً لكَ؟ "How many daughters have you?'

(2) ما في السَّماء قَدْرُ راحةٍ سَحاباً 'There is not in the sky a piece of cloud the size of the palm of the hand.' Here the wods قَدْرُ راحةٍ 'the size of a palm' resemble words denoting linear measurement.

(3) هَلْ عندَك كِيسٌ دَقِيقـاً 'Have you got a sack of flour?' Here the word كِيسٌ 'sack' resembles words denoting measure of capacity.

(4) فَمَنْ يَعْمَلْ مِثْقالَ ذَرَّةٍ خَيْراً يَـرَهُ 'Whoever does an atom's weight of good will see it' (Qur'an, 99:7). Here the words مِثْقـالَ ذَرَّةٍ 'atom's weight' resemble words denoting weight.

The *tamyîz al-dhât* may also be *majrûr* either because of the preposition مِنْ, or because of its being *mudâf ilaihi*, e.g., اِشْتَرَيْتُ مِتْراً حَرِيراً can also be اشْتَريتُ مِتْراً مِنْ حَرِيـرٍ or اشتريتُ مِتْرَ حَرِيـرٍ. But this rule does not apply to the *tamyîz* of the number, which has its own rules.

b) تَمْيِيزُ النِّسْـبَةِ **:** It is used to specify and define an indeterminate idea contained in the whole sentence, e.g., حَسُنَ هذا الطّالِبُ خُلُقاً 'This student is good with regard to manners.'

This *tamyîz* can be construed as either the *fâ'il* or the *maf'ûl bihi* of the sentence, e.g.,

حَسُنَ بلالٌ خُلُقـاً 'Bilal is good with regard to manners' can be construed as حَسُنَ خُلُقُ بلال 'Bilal's manners are good' (*fâ'il*).

وَفَجَّرْنا الأَرْضَ عُيُونـاً 'We exploded the earth with springs' (Qur'an, 54:12) can be construed as وَفَجَّرْنا عُيُونَ الأرْضِ 'We exploded the springs of the earth' (*maf'ûl bihi*).

This *tamyîz* is always *mansûb*, and cannot be *majrûr*[1].

#(2) On of the patterns of the *masdar* is فُعْلٌ (**fu'l**-un), e.g., شَرِبَ 'he drank' : شُرْبٌ 'drinking' --شَكَرَ 'he thanked' : شُكْرٌ 'thanks'.

---

[1] There are certain exceptions which you can learn later.

#(3) We have learnt فِعْلُ التَّعَجُّب (the verb of wonder) in Book Two (L 9), e.g., ما أَجْمَلَ النَّجُـــومَ! 'How beautiful the stars are!' This verb has another form. It is أَفْعِلْ بِـــهِ, e.g.,

ما أَكْثَرَ النُّجُومَ! 'How numerous the stars are!' = أَكْثِرْ بِالنُّجُومِ!.

ما أفْقَرَهُ! 'How poor he is!' = أَفْقِرْ بِـــهِ!.

Both these forms have been used in the Qur'an : فَما أَصْبَرَهُمْ عَلَى النَّارِ 'How patiently they can endure fire!' (2:175).

أَبْصِرْ بِـــهِ وأَسْمِعْ 'How clearly He sees and how keenly He hears!' (18:26). The word بِـــهِ has been omitted after أَسْمِعْ to avoid repetition.

EXERCISES

1) Answer the following questions.

3) Point out all the instances of *tamyîz* occurring in the main lesson and specify its kind in each of them.

4) Point out the *tamyîz* in the following sentences and specify its kind.

5) Complete each of the following sentences with a suitable *tamyîz*.

6) Change the *tamyîz* to *majrûr* in the following sentence.

7) Write the *masdar* of each of the following verbs on the pattern of ***fu'l***.

8) Oral exercise : Each student says .... زَمِيلِي أَحْسَـــنُ الطـــلابِ using an appropriate *tamyîz*.

9) Rewrite each of the following sentences using both the forms of *fi'l al-ta'ajjub*.

10) Use the word مِلْء in five sentences on the pattern of أُرِيدُ مِلْءَ كَفٍّ سُكَّراً 'I want a fistful of sugar.'

LESSON 31

In this lesson we learn the following :

#(1) الْحَالُ : It is a noun used to express the state of the *sâhib al-hâl* while an act is taking place, e.g., جَاءَ بِلاَلٌ رَاكِباً 'Bilal came riding.' Here بِلاَلٌ is the *sâhib al-hâl*, i.e., the one whose state is being described, رَاكِباً is the *hâl* and جَاءَ is the act. The *hâl* is the answer to the question كَيْفَ 'how'. In answer to the question كَيْفَ جَاءَ بِلاَلٌ؟ 'How did Bilal come?' one says, جَاءَ رَاكِباً. Here are some more examples :

جَاءَتْنِي الطِّفْلَةُ بَاكِيَةً، وَرَجَعَتْ ضَاحِكَةً 'The child came to me weeping and returned laughing.'

أُحِبُّ اللَّحْمَ مَشْوِيّاً، وَالسَّمَكَ مَقْلِيّاً، وَالبَيْضَ مَسْلُوقاً 'I like the meat grilled, the fish fried and the egg boiled.'

The *hâl* is *mansûb*.

The *sâhib al-hâl* is one of the following :

a) the *fâ'il*, e.g., كَلَّمَنِي الرَّجُلُ بَاسِماً 'The man spoke to me smiling.'

b) the *nâ'ib al-fâ'il*, e.g., يُسْمَعُ الأَذَانُ وَاضِحاً 'The adhân is clearly heard.'

c) the *maf'ûl bihi*, e.g., اشْتَرَيْتُ الدَّجَاجَةَ مَذْبُوحَةً 'I bought the chicken slaughtered.'

d) the *mubtada'*, e.g., الطِّفْلُ فِي الغُرْفَةِ نَائِماً 'The child is in the room sleeping.'

e) the *khabar*, e.g., ذَلِكَ الهِلاَلُ مُخْتَفِياً خَلْفَ السَّحَابِ 'That is the crescent hiding behind the cloud.'

The *sâhib al-hâl* is mostly definite as in the previous examples. It may be indefinite, but then it should be :

a) qualified by an adjective, e.g., جَاءَنِي طَالِبٌ مُجْتَهِدٌ مُسْتَأْذِناً 'A hard-working student came to me seeking permission.'

b) or *mudâf* to an indefinite *mudâf ilaihi*, e.g., سَأَلَنِي ابْنُ مُدَرِّسٍ غَاضِباً 'A teacher's son asked me angrily.'

If one of these requirements is not met, then the *hâl* :

a) should precede the indefinite ṣâḥib al-ḥâl, e.g., جاءَني سائِلاً طالِبٌ 'A student came to me asking', or

b) it should be a nominal sentence connected to the main sentence with *wâw al-ḥal*, e.g., جاءَني وَلَدٌ وَهُوَ يَبْكِي 'A boy came to me crying.' In the Qur'an (2:259) أَوْ كَالَّذِي مَرَّ على قَرْيَةٍ وهِيَ خاوِيَةٌ علـــى عُرُوشِـــها 'Or like him who passed by a township while it was in utter ruins.'

Sometimes the *ṣâḥib al-ḥâl* may be indefinite without meeting these requirement as in this ḥadîth :صَلَّى رَسُولُ اللهِ صلَّى اللهُ عليـــهِ وسلَّمَ قاعِداً، وصلَّى وَراءَهُ رِجالٌ قِيامـــاً 'The Prophet (may peace and blessings of Allah be upon him) prayed sitting, and some men prayed behind him standing.'

Kinds of *ḥâl* :

The *ḥâl* is either a word (الحالُ المُفْرَدُ) or a sentence (الحالُ الجُمْلَةُ).

a) الحالُ المُفــــرَدُ : We have already seen examples of this. Here is another, دَخَلَ المدرسُ الفصْلَ حامِلاً كُتُبـــاً كثـيرةً 'The teacher entered the class carrying a lot of books.'

b) The الحالُ الجُمْلَةُ : The sentence may be either nominal or verbal, e.g.,

Verbal : جَلَسْـــتُ أَسْتَمِعُ إِلَى تِلاوةِ القرآنِ الكريمِ مِنَ الإذاعةِ 'I sat listening to the Quranic recitation from the radio.' Here the verb is *muḍâri'*.

الْتَحَقْـــتُ بالجامعةِ وقد تَخَرَّجَ أخِـــي 'I joined the university after my brother had graduated.' Here the verb is *mâḍî*.

Nominal : حَفِظْـــتُ القرآنَ وأنـــا صَغِـيرٌ 'I memorized the Qur'an while I was small.' جاءَ الجَرِيحُ دَمُهُ يَتَدَفَّقُ 'The wounded man came with blood gushing out.'

The الحــالُ الجُمْلَـــةُ should contain a word (الرَّابطُ) connecting it to the main sentence. This word is either a pronoun or *wâw* or both, e.g.,

a) جاءَتِ الأخَواتُ يَضْحَكْــنَ 'The sisters came laughing.' Here the نْ in يَضْحَكْنَ is the pronoun connecting the *ḥâl* to the *ṣâḥib al-ḥâl*.

b) دَخَلْتُ مَكَّةَ والشَّمْسُ تَغْرُبُ 'I entered Makkah while the sun was setting.'
Here the *h̲âl* has no pronoun connecting it to the *s̲âh̲ib al-h̲âl.* The only connecting word is the *wâw*.
c) رَجَعَ الطُّلاّبُ وهُمْ مُتْعَبُونَ 'The students returned tired.' Here the pronoun هُمْ and the *wâw* connect the *h̲âl* to the *s̲âh̲ib al-h̲âl.*

Agreement of the *h̲âl* with the *s̲âh̲ib al-h̲âl* :
The *h̲âl* agrees with the *s̲âh̲ib al-h̲âl* in number and gender, e.g.,
جاءَ الطالِبُ ضاحِكاً 'The student came laughing.'

جاءَ الطالِبان ضاحِكَيْنِ

جاءَ الطُّلابُ ضاحِكِين

جاءَتِ الطالِبَةُ ضاحِكَةً 'The female student came laughing.'

جاءَتِ الطالِبتان ضاحِكَتَيْنِ

جاءَتِ الطالِباتُ ضاحِكاتٍ

#(2) One of patterns of the *mas̲dar* is فَعِلٌ (**fa'il**-un), e.g., لَعِبَ 'he played' : لَعِبٌ 'playing'.

#(3) Here are two more patterns of the broken plural :
a) فِعَالٌ (**fi'âl**-un), e.g., the plural of نائِمٌ and نائِمَةٌ is نِيامٌ -- the plural of قائِمٌ and قائِمةٌ is قِيامٌ.

b) فُعُولٌ (**fu'ûl**-un), e.g., the plural of قاعِدٌ and قاعِدَةٌ is قُعُودٌ -- the plural of جالِسٌ and جالِسَةٌ is جُلُوسٌ.

In the Qur'an (3:191) : ... الَّذِينَ يَذْكُرُونَ اللهَ قِياماً وقُعُوداً وعَلَى جُنُوبِهِم 'Those who remember Allah standing, sitting and reclining...'
In the h̲adîth : خَرَجَ رسولُ اللهِ صلّى اللهُ عليْهِ وسلَّمَ فَإذا نِسْوَةٌ جُلُوسٌ 'The Messenger of Allah (peace and blessings of Allah be upon him) went out, and there were women sitting.'

EXERCISES

1) Answer the following questions.
3) Point out all the instances of *h̲âl* occurring in the main lesson.
4) Point out the *h̲âl* and the *s̲âh̲ib al-h̲al* in the following sentences.
5) Complete each of the following sentences with the *h̲âl* used in the example after making necessary changes.
6) Point out the *h̲âl*-sentence and the *râbit̲* in each of the following sentences.
7) Oral exercise : Each student says, جلسْتُ أقــرأُ / أكتُــبُ / أُفكّــرُ 'I sat reading/writing/ thinking' using a *h̲al*-sentence.
9) Give the *mas̲dar* of each of the following verbs on the pattern of **fa'il**-un.
10) Write the *mud̲âri'* of each of the following verbs.
11) Give the plural of بَيْتٌ (in the sense of 'a line of poetry') and فَمٌ.
12) Give the singular of أرْحامٌ and سُكَارَى.

LESSON 32

In this lesson we learn the following :

#(1) نَجَحَ الطُّلاَّبُ كُلُّهُمْ إلاَّ خالداً 'All the students have passed except Khalid.'

This is an example of الإسْتِثْناء (exception). The *istithnâ'* has three elements :

a) المُسْتَثْنَى : it is the thing that is excepted, and in the above example it is خالد.

b) المُسْتَثْنَى مِنْهُ : it is the thing from which exdeption is made, and in the above example it is الطُّلاَّبُ.

c) أَداةُ الإسْتِثْناء : it is the tool of exception which is إلاَّ in the above example. إلاَّ is a حَرْفٌ. There are other tools also. These are :

* غَيْر and سِوَى . These are nouns.

* ما خَلاَ and ما عَدَا. These are verbs.

Kinds of *istithnâ'* :

1) If the *mustathnâ* is of the same kind as the *mustathnâ minhu*, the *istithnâ'* is said to be مُتَّصِلٌ. In the above example خالدٌ is a student. Here is another example : زُرْتُ البِلادَ الأُورُبِّيَّةَ كُلَّها إلاَّ اليُونانَ 'I have visited all the European countries except Greece.' Greece is a European country.

2) If the *mustathnâ* is wholly different in kind from the *mustathnâ minhu,* the the *istithnâ* is said to be مُنْقَطِعٌ, e.g., وَصَلَ الضُّيُوفُ إلاَّ أَمْتِعَتَهُمْ 'The guests have arrived except their baggage.' It is obvious that the baggage is wholly different in kind from the guests. The meaning of the sentence is that the guest have arrived, but their baggage has not yet arrived. In the Qur'an, Ibrahim عليه السلام says about the idols فَإِنَّهُمْ عَدُوٌّ لِي إلاَّ رَبَّ العالَمِينَ 'Surely, they are enemies to me except the Lord of the Universe' (26:77). It is obvious that the Lord of the Universe is not of the kind of the idols.

From another point of view the *istithnâ'* is either تامّ or مُفرَّغ. If the *mustathnâ minhu* is mentioned, it is *tâmm* as in the previous examples. And if it is not mentioned, it is *mufarragh*, e.g., ما جاء إلاّ حامِدٌ 'Nobody came except Hamid', ما رأيْتُ إلاّ حامداً 'I saw none but Hamid.'

In the *istithnâ mufarragh* the sentence is always negative, prohibitive or interrogative.
The sentence containing the *istithnâ'* is also of two kinds :

a) an affirmative sentence is called مُوجَبٌ, e.g., اِفْتَحِ النَّوافِذَ إلاّ الأخِيرة 'Open the windows except the last one.'

b) a negative, prohibitive or interrogative sentence is called غَيْرُ مُوجَب, e.g.,

ما غـــابَ الطُّـــلابُ إلاّ إبْراهِيـــمَ / إبراهيـــمُ 'The students were not absent except Ibrahim.' (negative).

لا يَخْرُجْ أحَـــدٌ إلاّ الجُـــدُدَ / الجـــددُ 'No one should leave except the new ones.' (prohibitive).

هَلْ يرْسُبُ أحَـــدٌ إلاّ الكَسْـــلانَ / الكَســـلانُ؟ 'Does anyone fail except the lazy?' (interrogative).

The *i'râb* of the *mustathnâ'* :

The *mustathnâ* after *illâ*

1) In the *istithnâ' munqati'* :

Tthe *mustathnâ* is always *mansûb*, e.g., لِكُلِ داءٍ دَواءٌ إلاّ الموتَ 'Every sickness has a medicine except death.' Death is not a sickness.

2) In the *istithnâ' muttasil* :

a) If the sentence is *mûjab*, the *mustathnâ is mansûb* e.g., يَغْفِرُ اللهُ الذُّنُوبَ كلَّها إلاّ الشِّرْكَ 'Allah forgives all the sins except *shirk*.'

b) If the sentence is *ghair mûjab*, there are two possibilities : the *mustathnâ* may be *mansûb* or may have the same *i'râb* as the *mustathnâ minhu*, e.g.,

Negative (النَّفْي) :

ما حَضَرَ الطُّلابُ إلاَّ حامداً / حامدٌ 'The students did not attend except Hamid.'

ما سَأَلْتُ الطلابَ إلا حامداً / حامداً 'I did not ask the students except Hamid.'

ما اتَّصَلْتُ بِالطلابِ إلا حامداً / حامدٍ 'I did not contact the students except Hamid.'

Prohibitive (النَّهْيُ) :

لا يَخْرُجْ أَحَدٌ إلاَّ حامداً / حامدٌ 'No one should leave except Hamid.'

لا تَسْأَلْ أحداً إلاَّ حامداً / حامداً 'Don't ask anyone except Hamid.'

لا تَتَّصِلْ بأحدٍ إلا حامداً / حامدٍ 'Don't contact anyone except Hamid.'

Interrogative (الاسْتِفْهامُ) :

هَلْ غابَ أَحدٌ إلا حامداً / حامدٌ؟ 'Was anybody absent except Hamid?'

هلْ رأيتَ أحداً إلا حامداً / حامداً؟ 'Did you see anyone except Hamid?'

هل اتَّصَلْتَ بأحدٍ إلا حامداً / حامدٍ؟ 'Did contact anyone ecept Hamid?'

3) In the *istithnâ' mufarragh* :

Here the *mustathnâ* does not have a fixed *i'râb*. It takes the *i'râb* it deserves in the sentence, e.g.,

ما رَسَبَ إلاَّ بِلالٌ 'No one failed except Bilal.' Here the *mustathnâ* (بلالٌ) is the

fâ'il. To find out the *i'râb* it deserves omit إلاَّ, and it will become clear to you,

e.g., if we omit إلاَّ in the above example, we get ما رَسَبَ بلالٌ, and here بلالٌ is

the *fâ'il*. This is done only to find out the *i'râb*. The meaning, of course, is the

opposite of what the original sentence means.

And in ما رأيْتُ إلاَّ بلالاً 'I saw no one except Bilal' بلالاً is *maf'ûl bihi* as it is

clear from ما رأيْتُ بلالاً.

There is no problem with the *majrûr* as it is preceded by a prepositon, e.g., ما

بَحَثْتُ إلا عَنْ خالِدٍ 'I was looking for none except Khalid', ما درسْنا إلاَّ بالجامعةِ

الإسلاميَّةِ 'We did not study in any university except Islamic University.'

Note : We have seen in L 27 that only the separable form of the pronoun is used after إلاّ. Here are some examples of this : لا نَعْبُدُ إلاّ إيّاهُ 'We worship none but Him' (not : إلاّهُ). -- سألَ المدرسُ الطلاّبَ كلَّهُمْ إلاّ إيّاكَ 'The teacher asked all the students except you' (not : إلاّكَ).

The *mustathnâ* after غَيْر and سِوَى

The *mustathnâ* after these words is *majrûr* because it is *mudâf ilaihi*. Its original *i'râb* is shown by these two words, e.g.,
نَجَحَ الطلابُ غَيْرَ حامدٍ. Here غَيْرَ is *mansûb* just as حامداً is *mansûb* in نَجَحَ الطلابُ إلاّ حامداً.
ما نَجَحَ الطلاّبُ غَيْرَ حامدٍ. Here غَيْر may be *mansûb* or *marfû'* just as حامد may be *mansûb* or *marfû'* in ما نَجَحَ الطلاّبُ إلاّ حامداً /حامدٌ.
ما نجح غَيْرُ حامدٍ. Here غَيْرُ is *marfû'* just as حامد is *marfû'* as in ما نجح إلاّ حامدٌ.
ما سألتُ غَيْرَ حامدٍ. Here غَيْر is *mansûb* just as حامد is *mansûb* in ما سألتُ إلاّ حامداً.

The *i'râb* of سِوَى is exactly like that of غَيْر, but it is latent as سِوَى is a *maqsûr* noun[1].

The *mustathnâ* after ما عَدا، ما خَلاَ

After these two tools of exception the *mustathnâ* is *mansûb*, e.g., اخْتَبَرْتُ الطلابَ ماعدا ثلاثةً 'I have examined the students except three.' The poet says:

أَلا كُلُّ شَيْءٍ ما خلاَ اللهَ باطِلُ

'Lo! every thing, except God, is untrue.' Here بَاطِلٌ should have the *tanwîn*, but it has been omitted for metrical reason.

---

[1] See L 1.

#(2) أَلاَ (alâ) is a particle used to draw attention to something important, e.g., ألا إِنَّهُمْ هُمُ الْمُفْسِدُونَ وَلَكِنْ لا يَشْعُرُونَ 'Beware, they themselves are the mischief-makers, but they do not perceive' (Qur'an, 2:12). This particle is called حَرْفُ اسْتِفْتَاحٍ وَتَنْبِيهٍ , i.e., the particle of commencement and cautioning.

#(3) One of the patterns of the *masdar* is فَعْلٌ (**fa'l**-un), e.g., شَرَحَ 'he explained' : شَرْحٌ 'explanation'.

#(4) The plural of دِينَارٌ (**dînâr**-un) is دَنَانِيرُ (**danânîr**-u). Note that in the singular there is only one ن, but in the plural there are two. There are some other words like دِيوانٌ، قِيراطٌ، دِيماسٌ which form their plural like دِينار.

#(5) If the *khabar* of كَانَ is a pronoun, it may be either attached or separate, e.g., in reply to the question, أتُرِيدُ أنْ تكونَ قاضِياً؟ 'Do you want to be a judge?' you may say, لا، ما أُرِيدُ أنْ أكونَهُ 'No, I don't want to be one' with the attached pronoun, or لا، ما أُرِيدُ أنْ أكونَ إِيَّاهُ with the separate pronoun.
Both أكُونَهُ and أكونَ إِيَّاهُ are right.

EXERCISES

1) Answer the following questions.
3) Point out all the instances of *istithnâ'* occurring in the main lesson, and specify the kind in each instance (*muttasil, munqati', mufarragh*).
4) Point out the *mustathnâ* and *mustathnâ minhu*, and specify the kind of *istithnâ'* in the following examples.
5) Fill in the blank in each of the following sentences with the word given in brackets, and makes the necssary changes.

6) Fill in the blank in each of the following sentences with the word given in brackets, and makes the necessary changes.

7) Fill in the blank in each of the following sentences with the word given in brackets, and makes the necessary changes.

8) Fill in the blank in each of the following sentences with the word given in brackets, and makes the necessary changes.

9) Complete each of the following sentences with a suitable *mustathnâ*.

11) Write the plural of each of the following nouns.

12) Write the *maṣdar* of each of the following verbs on the pattern of **faʻl-un**.

13) What is the meaning of الأَمَة؟ And what is its plural?

14) Write the plural of each of the following nouns on the pattern of دَنانِير.

LESSON 33

In this lesson we learn the following :

#(1) وَاللهِ لأَنْشُــرَنَّ الإسْــلامَ فِي بَلَــدِي 'By Allah, I shall propagate Islam in my country.' This is called نُونُ التَّوْكِيدِ (the *nûn* of emphasis[1]). It is of two kinds :

a) one with a double *nûn*, e.g., اُخْرُجَنَّ 'get out.' This is called نُونُ التَّوكِيدِ الثَّقِيلَةُ.

b) and the other with a single *nûn*, e.g., اُخْرُجَنْ. This is called نُونُ التَّوكِيدِ الخَفِيفَةُ.

This is less frequently used than the *thaqîlah*.

This *nûn* signifies emphasis. It is used only with the *mudâri'* and the *amr*, not with the *mâdî*.

How to suffix this *nûn*?

a) The *mudâri' marfû'* :

(1) In the four forms يَكْتُبُ، تَكْتُبُ، أَكْتُبُ، نَكْتُبُ the final *dammah* is replaced with the *fathah*. So يَكْتُبُ becomes يَكْتُبَنَّ (yaktub-**u** : yaktub-**a**-nna). The same process is used with the other three forms also.

(2) In the following three forms, the final *nûn* along with the *wâw* or *yâ'* are dropped : يَكْتُبُونَ، تَكْتُبُونَ، تَكْتُبِينَ. So يَكْتُبُونَ becomes يَكْتُبُنَّ. After omitting **-na** from <yaktubû**na**> and adding **-nna** we get <yaktub**ûnna**>. As a long vowel is not followed by a vowelless letter in Arabic, the long **û** is shotened. So we get <yaktub**unna**>. In the same way from تَكْتُبُونَ is formed تَكْتُبُنَّ (taktub**ûna:** taktubû**nna** : taktub**unna**). Note that the difference between the singular يَكْتُبَنَّ and the plural يَكْتُبُنَّ is the **-a-** in the first and the **-u-** in the second (yaktub-**a**-nna, yaktub-**u**-nna).

The second person feminine singular تَكْتُبِينَ becomes تَكْتُبِنَّ. After omitting **-na** from <taktubî**na**> and adding **-nna** we get <taktub**înna>.** Here also the long vowel is followed by a vowelless letter, and so it is shortened. The result is <taktub**inna**>.

---

[1] European Arabists call it 'the energetic *nûn*'.

(3) In the two dual forms يَكْتُبان، تَكْتُبان the final *nûn* is omitted, but the *alif* is retained because its omission will make this dual form identical with the singular form. An important difference in the dual forms is that the *nûn* takes *kasrah* instead of *fathah*. So the resulting form is يَكْتُبانِّ، تَكْتُبانِّ. After omitting **-ni** from <yaktubâni> and addinig **-nna** we get <yaktubâ**nna**>. The final **-a** is changed to **-i** for the sake of dissimilation, and so the resulting forms are <yaktub**ânni**> and < taktub**ânni**>.

(4) In the two feminine plural forms يَكْتُبْنَ، تَكْتُبْنَ the final *nûn* is retained and **-ânni** is added. As in the dual forms the *nûn* takes *kasrah* in these plural forms also. The resulting forms are يَكْتُبْنانِّ، تَكْتُبْنانِّ. Note that an *alif* is added between the *nûn* of the pronoun and the *nûn* of emphasis (yaktubna : yaktubn-**â**-**nni,** taktubna : taktubn-**â**-**nni).**

b) The *mudâri' majzûm* :
The process is the same as in the *mudâri' marfû'* except that the *nûn* in the five forms is already omitted in the *mudâri' majzûm*. Here are some examples:

لا تَجْلِسَنَّ في هذا الكُرسيِّ فإنّه مكسورٌ 'Don't sit in this chair for it is broken.'

يا إخوانُ، لا تَخرُجُنَّ منَ الفصْلِ قبلَ السّاعةِ الواحِدَةِ 'Brothers, don't leave the class before one o'clock.'

يا زينبُ، لا تَغْسِلِنَّ ثوبَكِ بهذا الصابون 'Zainab, don't wash your clothes with this soap.'

يا أخواتُ، لا تَشْرَبْنانِّ هذا الماءَ 'Sisters, don't drink this water.'

Note that in the *nâqis* verb, the omitted third radical is restored before suffixing the *nûn*, e.g.,

لا تَدْعُوَنَّ : لا تَدْعُ -- لا تَنْسَيَنَّ : لا تَنْسَ -- لا تَمْشِيَنَّ : لا تَمْشِ. This also happens in the *amr*.

c) The *amr* :
This process is primarily the same in the *amr* also, e.g.,

أُكْتُبَنَّ : أُكْتُبْ (uktub : uktub-**anna**).

أُكْتُبانِّ : أُكْتُبا (uktubâ : uktubâ-**nni**).

أُكْـتُـبُـوا : أُكْـتُـبُـنَّ (uktubû : uktubu-**unna**).

أُكْـتُـبِي: أُكْـتُـبِـنَّ (uktubî : uktubi-**nna**).

أُكْـتُـبْـنَ : أُكْـتُـبْـنَـانِّ (uktubna : uktubn-â-**nni**).

WHEN TO USE THIS *NÛN*?

Its use is either optional, compulsory or near-compulsory.

a) Optional : It is optional in the following two cases :

(1) in the *amr*, e.g., انْزِلَنَّ من السيّارة يا وَلَدُ 'Do get out of the car, boy.'

(2) in the *mudâri'* if it signifies *talab* (الطَّلَب), i.e., *amr, nahy* or *istifhâm*[1], e.g.,

لا تأكُلَنَّ وأنت شَبْعانُ 'Never eat when you are full up.'

هَلْ تُسافِرَنَّ وأنت مَريضٌ؟ 'Are you travelling when you are so sick?'

If the speaker feels the need for emphasis, he may use it.

b) Compulsory : It is compulsory in the *mudâri'* if it is *jawâb al-qasam*, e.g., وَاللهِ لأَحْفَظَنَّ القُـرآنَ الكـريمَ 'By Allah! I will memorize the Qur'an.' Here the *mudâri'* أَحْفَـظُ happens to be *jawâb al-qasam* as it is preceded by the *qasam* وَاللهِ. Note that this verb has not only the *nûn* suffixed to it, but it has also a *lâm* prefixed to it (**la**-ahfaz-**anna**). This *lâm* is called لامُ تَلَقِّي القَسَمِ.

There are, however, three conditions for its use in the *jawâb al-qasam*. These are :

a) the verb should be affirmative as in the above example. Neither the *lâm* nor the *nûn* is used with a negative verb, e.g., وَاللهِ لا أَخْرُجُ 'By Allah! I will not go out.'

b) the verb should be future. If it is present only the *lâm* is used, not the *nûn*, e.g., وَاللهِ لأُحِبُّكَ 'By Allah! I love you.' -- وَاللهِ لأَظُـنُّـهُ صادقاً 'By Allah! I think he is truthful.'

---

[1] For *talab* see L 15.

Note that وَاللهِ لأُساعِدَنَّـــــــهُ means 'By Allah! I **will help** him.' and وَاللهِ لأُساعِدُهُ means 'By Allah! I **am helping** him.'

c) the *lâm* should be attached to the verb. If it is attached a word other than the verb, the *nûn* cannot be used, e.g., وَاللهِ لإِلَى مَكَّةَ أَذْهَبُ 'By Allah! to Makkah I will go.' Here the *lâm* is attached to إِلَى (la-ilâ). But if it is attached to the verb, the *nûn* has to be used, e.g., وَاللهِ لأَذْهَبَـــنَّ إِلَى مَكَّةَ. Here is another example : وَاللهِ لَسَـــوْفَ أَزُورُكَ 'By Allah! I will visit you.' In the Qur'an (93:5) وَلَسَوْفَ يُعْطِيـــكَ 'And He will give you.' This is *jawâb al-qasam*, and the *qasam* is وَالضُّحَى 'By the forenoon!'

c) Near-compulsory : The use of the *nûn* is near-compulsory after the conditional particle إِمَّا which is made up of إِنْ plus ما for strengthening. The *nûn* of إِنْ has been assimilated to the *mîm* of ما. Here are some examples :

إِمَّا تَذْهَبَنَّ إِلَى مَكَّةَ أَذْهَبْ مَعَـــكَ 'If you go to Makkah, I will go with you.' In the Qur'an (17:23) : إِمَّا يَـــبْـــلُغَنَّ عِنْدَكَ الكِبَرَ أَحَدُهُما أَوْ كِلاَهُما فَلاَ تَقُلْ لَهُما أُفٌّ ولا تَنْهَرْهُما وقُلْ لَهُما قَوْلاً كَرِيـــمـاً 'If one or both of them attain old age with you, do not asy to them 'Fie', nor repulse them, but speak to them a gracious word.'

#(2) أُفٌّ is a verb-noun meaning 'I am annoyed' or 'I am irritated'. It is *mabnî*.

#(3) In the Qur'an (3:169) : بَلْ أَحْيَاءٌ. Here the *mubtada'* is omitted. The full sentence is بَلْ هُمْ أَحْيَـــاءٌ 'On the contrary, they are alive.' When بَلْ precedes a sentence it called حَرْفُ الابْتِداءِ, i.e., introductory particle. It denotes digression, i.e., change of subject. This change signifies one of the two following things :

a) الإِبْطالُ, i.e., cancellation of the previous statement as in this verse : وَلا تَحْسَبَنَّ الَّذِينَ قُتِلُوا فِي سَبِيلِ اللهِ أَمْواتاً بَلْ أَحْياءٌ عِنْدَ رَبِّهِمْ يُرْزَقُـــونَ 'Never think of those who are killed in the way of Allah as dead; on the contrary, they are alive. With their

Lord they have provision.' بَلْ is used here to cancel the idea that they are dead, and to assert that they are alive.

b) الإنْتِقَال, i.e., transition from one idea to another without cancelling the first, e.g., إبراهيمُ كَسْلانُ، بلْ هو مُهْمِلٌ 'Ibrahim is lazy; nay, he is negligent.' In the Qur'an (69:26-27) : فَلَمَّا رَأَوْها قالُوا إنَّا لَضَالُّونَ* بَلْ نَحْنُ مَحْرُومُونَ 'When they saw it [1] they said, "Surely, we have lost our way; nay, we have been deprived (of our fruit)".'

EXERCISES

1) Make the following verbs emphatic using the *nûn al-taukîd al-thaqîlah.*
2/1) Point out all the instances of *nûn al-taukîd* occurring in the main lesson, and mention in which of them the use of the *nûn* is optional, and in which it is compulsory.
2/2) Oral exercises :
(a) Each student says to the other لا تفعلْ كذا, and he replies saying واللهِ لأَفْعَلَنَّ كذا.

(b) Each student says to the other افْعَلْ كذا, and he replies saying واللهِ لا أفْعَلُ كذا. Actual verbs like لا تَجْلِسْ، اجْلِسْ؛ لا تفْتَحْ، افْتَحْ should be used.
2/3) Rewrite each of the following sentences making it *jawâb al-qasam*, and make necessary changes.
2/4) Write the *muḏâri'* and *amr* of each of the following verbs.

[1] i.e., their garden which had been burnt down.

LESSON 34

In this lesson we learn the following :

#(1) المَمْنوعُ مِنَ الصَّرْف (the diptote) : It is a *mu'rab* noun which does not accept the *tanwîn*, e.g., إبْراهِيمُ، فاطِمَةُ، أحْمَرُ، مِساجِدُ، زُمَلاءُ.

It is of two kinds :

a) Nouns which do not accept the *tanwîn* for only one reason.

b) Nouns which do not accept the *tanwîn* for two reasons.

Nouns which do not accept the *tanwîn* fo only one reason

This reason is one of the two following things :

a) أَلِفُ التَّأْنيثِ، i.e., the *alif* signifying femininity. It is either مَقْصورة (short) or مَمْدُودة (elongated). The first is a long **-â** written in Arabic with a *yâ'* (ـَـى), and the second is a long **-â** followed by a *hamzah* (اء), and both these should be extra added after the third radical, e.g.,

* أَلِفُ التأنيثِ المقْصـــورةُ : مَرْضَى، دُنْيا، حُبْلَى، هَدايا، فَتَاوَى[1]. Note that words like فَتًـى 'young man', رَحًى 'grinding stone', عَصًا 'stick' are not diptotes because the *alif* in these words is the third radical, and not extra.

* أَلِفُ التَّـــأْنيثِ المَمْـــدُودةُ : صَحْراءُ، حَمْراءُ، أَصْدِقاءُ، فُقَراءُ[2]. Note that words like أَسْماءٌ، آباءٌ، آلاءٌ، أَنْحاءٌ are not diptotes because these are like أَقْلامٌ، أَوْلادٌ، أَحْكامٌ on the pattern of أَفْعالٌ, and the *hamzah* is the third radical, and not extra.

b) الجَمْعُ المُتَنَــــاهِي[1], i.e., that is the plural on the patterns of مَفَاعِلُ and مَفَاعِيلُ, e.g., مَساجِدُ، مَدَارِسُ، أَساوِرُ، حَدَائِقُ، سَلاسِلُ، أَنامِلُ، فَنَادِقُ.

---

[1] مَرْضَى is the plural of مَرِيضٌ -- دُنْيا 'world' -- حُبْلَى 'pregnant' -- هَدَايا 'gifts' -- فَتَاوَى plural of فَتْوَى 'religious ruling'.

[2] صَحْراءُ 'desert' -- حَمْراءُ 'red', feminine of أَحْمَرُ -- أَصْدِقاءُ plural of صَدِيقٌ 'friend' -- فُقَراءُ plural of فَقِيرٌ 'poor'.

مَفَاتِيحُ، أَسابِيعُ، فَنَاجِينُ، ثَعابِينُ، مَنادِيلُ.

Words on the pattern of مَفَاعِلَةٌ (i.e., ة + مَفَاعِل) are not diptotes, e.g., أَساتِذَةٌ، تَلامِذَةٌ، دَكاتِرَةٌ. These words accept the *tanwîn*.

Even singular nouns on these two patterns are diptotes, e.g., طَماطِمُ 'tomatoes', بَطاطِسُ 'potatoes'[2] ; طَبَاشِيرُ 'chalk', سَرَاوِيلُ 'trousers'.

NOUNS WHICH DO NOT ACCEPT THE *TANWÎN* FOR TWO REASONS

These are either proper nouns (العَلَمُ) or adjectives (الوَصْفُ).

(a) Proper Nouns

Proper nouns do not accept the *tanwîn* when they have one of the following reasons:

(1) if they are feminine, e.g., آمِنَةُ، زَيْنَبُ، حَمْزَةُ. Note that حَمْزَةُ is the name of a man, but the word is feminine as it ends in *tâ' marbûṯah* (ة).

If a feminine proper noun is made up of three letters of which the second letter is *sâkin*, it may be used both as a diptote and as a triptote[3], but it is better to use it as a diptote, e.g., هِنْدُ دَعْدُ رِيْمُ or هِندٌ، دَعدٌ، رِيمٌ.

(2) if they are non-Arabic (أَعْجَمِيٌّ), e.g., إِبْراهِيمُ، وِلْيَمُ، بَاكِسْتانُ. If a non-Arabic proper noun is masculine, and is made up of three letters of which the second is

---

[1] الجمْعُ المُتَناهِي means 'the ultimate plural'. Some plural forms can be changed to this form to get what is called جَمْعُ الجمْعِ, e.g., أَمْكِنَةٌ is the plural of مَكانٌ, and أَمْكِنَةٌ itself can be changed to أَماكِنُ. But this last form cannot be made plural further. That is why it is called the 'ultimate plural'.

[2] These two words belong to the class of اسمُ الجِنْسِ الجَمْعِيُّ like التَّمْرُ، العِنَبُ etc. These words are treated as singular, though they are plural in meaning.

[3] A triptote is a regular noun which accepts the *tanwîn*.

sâkin, it accepts the *tanwîn*, e.g., نُوحٌ، لُوطٌ، شِيثٌ، جُرْجٌ، خــــانٌ[1]. But if it is feminine, it remains a diptote, e.g., بَلْخُ، حِمْصُ، نِيسُ، مُوشُ، باثُ، بَرْثُ[2].

If a non-Arabic word was taken in Arabic as a common noun, and was later used as a proper noun, it accepts the *tanwîn*, e.g., جَوْهَرٌ which is a Persian word meaning a gem, and is also used as a name.

(3) if they are مَعْدُولٌ, i.e., on the pattern of فُعَلُ (**fu'al**-u), e.g., عُمَرُ، زُفَرُ، زُحَلُ، هُبَلُ[3].

(4) if they end in extra *alif* and *nûn*, e.g., رَمَضانُ، مَرْوانُ، شَعْبانُ، عُثْمانُ. The name حَسَّــانٌ accepts the *tanwîn* because it is on the pattern of فَعَّالٌ from حُسْنٌ, and so the ن is the third radical, and is not extra.

(5) if they resemble a verb in their form, e.g., أَحْمَدُ which is on the pattern of أَذْهَبُ 'I go' ; يَزِيدُ which is on the pattern of يَبِيعُ 'he sells'.

(6) if they are compound of two nouns, e.g., مَعْدِيــكَرِبُ، حَضْرَمَوْتُ.

(b) Adjectives

Adjectives do not accept the *tanwîn* in the following cases :

(1) if they are on the pattern of أَفْعَلُ provided they are not made feminine with the *tâ' marbûṭah* (ة), e.g., أَكْبَرُ، أَحْمَرُ . The feminine of أَكْبَرُ is كُبْرَى, and that of أَحْمَــرُ is حَمْــراءُ. The word أَرْمَلٌ 'widower' accepts the *tanwîn* because its feminine is أَرْمَلَــةٌ 'widow'.

---

[1]- نُوحٌ and لُوطٌ are prophets, شِيثٌ is one of the sons of Adam (may peace be on him), جُرْجٌ is George, خانٌ is a name in India and Pakistan.

[2]- Names of cities in Australia, England, Turkey, France, Syria and Afghanistan : Perth, Bath, Mu , Nice, Homs, Balkh.

[3]- عُمَرُ and زُفَرُ are names of persons; زُحَلُ is the planet Saturn, and هُبَلُ is the name of a pre-Islamic idol.

(2) if they are on the pattern of فَعْلانُ, e.g., جَوْعانُ، شَبْعانُ، عَطْشانُ، مَلآنُ .

(3) if they are مَعْدُول. A *ma'dûl* adjective is one of the two following things :

a) the numbers which are on the patterns فُعال and مَفْعَل, e.g., ثُلاثُ 'three at a time', رُباعُ 'four at a time'; مَثْنَى 'two at a time', مَثْلَثُ 'three at a time'.

In the Qur'an (4:3) : وَإِنْ خِفْتُمْ أَلاَّ تَعْدِلُوا فِي اليَتَامَى فانْكِحُوا ما طَابَ لَكُمْ مِنَ النِّساءِ مَثْنَى وثُلاثَ ورُبَاعَ 'And if you fear that you will not deal justly with regard to the orphans, then marry of the women, who please you, two or three or four...'

b) the word أُخَرُ, plural of أُخْرَى. In the Qur'an (2:185) : وَمَنْ كانَ مَرِيضاً أَوْ عَلَى سَفَرٍ فَعِدَّةٌ مِنْ أَيّامٍ أُخَرَ 'And he who is sick or on a journey (let him fast the same number of) other days.'

I'RÂB OF THE DIPTOTE

We have learnt the *i'râb* of the diptote in Book One (L 23), and in the first lesson of this book. The *jarr*-ending of the diptote is *fatḫah* instead of *kasrah*, e.g., دَرَسْتُ فِي مَدارسَ كثيرةٍ 'I studied in many schools.' -- سافَرْتُ من لَنْدَنَ إلَى بَرْلِينَ 'I travelled from London to Berlin.' -- هذه كُتُبُ زَيْنَبَ 'These are Zainab's books.'

But it takes *kasrah* like a regular noun in the following two cases :

a) when it has the definite article **-al**, e.g., نزلتُ في هذهِ الفنادقِ 'I stayed in these hotels.' -- أُكْتُبْ بِالقَلَمِ الأَحْمَرِ 'Write with a red pen.' سَلَّمْتُ الرَّغِيفَ للوَلَدِ الجَوْعانِ 'I gave the loaf to the hungry boy.'

In the Qur'an (70:40) : فَلاَ أُقْسِمُ بِرَبِّ المَشَارِقِ وَالمَغَارِبِ إِنَّا لَقَادِرُونَ 'But, nay! I swear by the Lord of the easts and the wests that We are indeed Able.'

b) when it is *muḏâf*, e.g., دَرَّسْتُ فِي مَدَارِسِ المدينةِ 'I taught in the schools of Madinah.' -- اتَّصَلْتُ بِأَصْدِقاءِ بِلالٍ 'I contacted Bilal's friends.' هُوَ مِنْ أَحْسَنِ

الطُلاب 'He is one of the best students.'

In the Qur'an (95:4) :لَقَدْ خَلَقْنا الإِنْسَانَ فِي أَحْسَنِ تَقْوِيمٍ 'We have indeed created man in the best stature.'

Note the words : مَعانٍ plural of مَعْنًى 'meaning', جَوَارٍ plural of جارِيَةٌ 'girl' -- نَوَادٍ plural of نادٍ 'club'. Such words are on the pattern of مَفاعِل, and at the same time they are *manqûs* as their third radical is *yâ'*, which appears if these words take the definite article **-al**, المَعانِي، الجَوارِي، النَّوادِي. These are called the *manqûs* of the الجمعُ المُتَناهِي, and they are treated just as the *manqûs* in *i'râb*. They take the *tanwîn* in the *raf'* and *jarr* cases, but not in the *nasb* case, e.g.,

Marfû' : هَذِهِ الكلمةُ لها مَعانٍ كثيرةٌ 'This word has many meanings.' Here مَعانٍ is *mubtada'*, and is *marfû'*. Here it takes the *tanwîn*.

Mansûb : أَعْرِفُ مَعانِيَ كثيرةً لهذه الكلمة 'I know many meanings of this word.' Here it is *maf'ûl bihi*, and so it is *mansûb*. Here it does not take the *tanwîn*.

Majrûr : تُسْتَعْمَلُ هذه الكلمةُ بِمَعانٍ كثيرة 'This word is used in many meanings.' Here it is *majrûr* as it is preceded by a preposition. Here also it takes the *tanwîn*. Here is another example :

Marfû' : تُوجَدُ هُنا نَوَادٍ مُخْتَلِفَةٌ 'Various clubs are found here.'

Mansûb : أَسَّسَ النَّاسُ نَوَادِيَ مُخْتَلِفَةً 'People have founded various clubs.'

Majrûr : هُوَ عُضْوٌ فِي نَوَادٍ مُخْتَلِفَةٍ 'He is member in various clubs.'

EXERCISES

1) Point out all the instances of the diptote (المَمْنُوعُ مِنَ الصَّرْفِ) occurring in the main lesson, and mention the reason for their being diptotes.

2) Point out the diptotes occurring in the main lesson which have *kasrah* in the *jarr* case, and mention the reason for that.

3) Point out the diptotes (المَمْنُوعُ مِنَ الصَّرْفِ) in the following sentences, and mention the reason for their being so. If they have *kasrah* in the *jarr* case, mention the reason for that.

4) Rewrite the following sentence with the diptote having *kasrah*.

5) Use the word جَوَارٍ in three sentences making it *marfû'* in the first, *mansûb* in the second and *majrûr* in thr third.

6) In the sentence عَائِشَةُ عائِشَةٌ the first word has no *tanwîn* while the second has. Why?

7) Why is the word أَرْنَبٌ not a diptote though it has a verbal pattern?

8) Give an example of a diptote having *kasrah* in the *jarr* case because of its having the definite article.
9) Give an example of a diptote having *kasrah* in the *jarr* case because of its being *mudâf*.
10) Give an example of each of the following :
a) an adjective which is *ma'dûl*.
b) a non-Arabic proper noun.
c) an adjective on the pattern of فَعْلانُ.
d) a feminine proper noun.
e) a *ma'dûl* proper noun.
f) an adjective on the pattern of أَفْعَلُ.
g) a proper noun ending in extra *alif* and *nûn*.
h) a compound proper noun.
i) الجمعُ المُتَناهِي .
j) a noun ending in *alif al-ta'nîth al-mamdûdah*.
k) a noun ending in *alif al-ta'nîth al-maqsûrah*.
l) the *manqûs* of the الجمعُ المُتَناهِي.
m) a feminine proper noun which accepts the *tanwîn*.
n) a non-Arabic proper noun which accepts the *tanwîn*.

11) Both the proper nouns إبراهيمُ and لُوطٌ are non-Arabic, but the first does not accept the *tanwîn* while the second does. Why?

12) Both the proper nouns جُرْجٌ and بَلْخُ are non-Arabic, and both are made of three letters of which the second is *sâkin*. But the first accepts the *tanwîn* while the second does not. Why?

13) Which proper noun may be used both as a diptote and a triptote?

General Questions
(covering the whole book)

#(1) Read the *ḥadîth qudsi,* and answer the questions following it :

1(a) What does جَعَلَ mean here? How many objects does it take?

1(b) Mention another meaning of جَعَلَ, and use it in a sentence.

2(a) What has been omitted in تَظَالَمُوا? and why?

2(b) Mention tht two *abwâb* in which this omission takes place, and give an *âyah* for each *bâb.*

2(c) To which *bâb* does تَظَـــالَمُوا belong? What does this *bâb* signify in this *ḥadîth?* Mention the other signification of this *bâb,* and give an example in a sentence.

3) Point out a *thulâthi mujarrad* verb occurring in the *ḥadîth,* and mention its *bâb,* its *maṣdar* and its *maṣdar mîmî.*

4) Point out a *mazîd* verb with one extra letter, and mention its *bâb,* its *maṣdar* and its *ism al-fâ'il.*

5) What kind of derivative is each of the following nouns? Mention the verb from which it has been derived.

6) Write the *i'râb* of the underlined words.

#(2) Read the *âyah,* and answer the questions following it :

1) What is إِمَّـا made up of?   Is the use of the emphatic *nûn* in the *muḍâri'* following it optional or compulsory?

2) Why has لَا تَقُلْ taken the ف?

3) Write the *i'râb* of the underlined words.

#(3) Write the *i'râb* of the underlined words in the following *âyahs.*

#(4) Write the *i'râb* of the underlined words in the following *ḥadîth.*

#(5) Write the *i'râb* of the underlined words in the following *âyah.*

#(6) Read the following couplet, and answer the questions following it :

١٦٦

1) Is the use of the emphatic *nûn* in the *mudâri'* here optional or compulsory?

2) Is the verb رَأَى here *ra'â* of the eye or *ra'â* of the mind?

3) To which *bâb* does the verb يَتَسَمُ belong? How many extra letters are there in it? Give its *mâdî, amr* and *masdar*.

4) What is the meaning of اللَّيْث and what is its plural?

5) What is meaning of النُّيُـــوب and what is its singular? Does this word have another plural?

6) Why has the verb لا تَظُنَّنَ taken the فَ?

7) Write the *i'râb* of the underlined words.

#(7) What is the *i'râb* of هذِه in each of the following sentences?

#(8) What is the *i'râb* of خَوْفًا in each of the following sentences?

#(9) What is the *i'râb* of كَمْ in each of the following sentences?

#(10) What is the *i'râb* of أَيِّ in each of the following sentences?

#(11) What is the *i'râb* of ثَلاث in each of the following sentences?

#(12) Illudtrate each of the following in a sentence.

#(13) Give an example of each of the following.

#(14) Change each of the following verbs to *bâb* اِفْتَعَلَ .

#(15) Give an example of each of the following *masdar* patterns.

#(16) Rewrite the following sentences using *hamzat al-istifhâm*.

#(17) Specify the type of مَا in each of the following sentences.

#(18) Specify the type of *lâm* in each of the following sentences.

#(19) Wonder at the beauty of the stars using the two verbs of wonder.

#(20) Give an *âyah* containing each of the two verbs of wonder.

#(21) Give the *masdar, masdar al-marrah, masdar al-hai'ah* and *masdar mîmî* of the verb مَات .

#(22) Give the complete *i'râb* of the following couplet.

#(23) Write the *i'râb* of the underlined words in the following.

#(24) Read the couplet, and answer the questions following it :

1) What does قَدْ signify here?

2) What type of مَا is the one in بَعْدَمَا?

3) Write the *i'râb* of the underlined words.
#(25) Write the complete *i'râb* of the following *âyah*.
#(26) Use each of the following sentences as *ḥâl*.
#(27) Why has the separate form of the pronoun of *naṣb* been used in each of the following sentences?
#(28) Rewrite each of the following sentences replacing the verb with the *maṣdar*.
#(29) Answer each of the following sentences using two pronouns as the objects. In which answer can both the pronouns be in the attached form?
#(30) Illustrate each of the following meanings of جَعَلَ in a sentence.

#(31) What does عَسَى signify in each of the followong sentences?

#(32) Is the use of the emphatic *nûn* in each of the following examples optional or compulsory?
#(33) Use each of the following sentences as *jawâb al-qasam*, and make necessary changes.
#(34) Give two examples of the *istithnâ' munqaṭi'*. One of them should be your own composition and the other from the Qur'an.
#(35) Give two examples of the *istithnâ' mufarragh*. One of them should be your own composition and the other from the Qur'an.
#(36) Rewrite the following sentence using إِمَّا instead of إِنْ, and make necessary changes.

كان الفراغ منه في الساعة السادسة والنصف صباحاً من يوم الأحد الثامن والعشرين من ربيع الآخر عام ١٤٢١هـ الموافق ٣٠ من تموز عام ٢٠٠٠م في داري الكائنة في مدينة الرسول صلى الله عليه وسلم. والحمد لله الذي بفضله وتوفيقه تتم الصالحات. والصلاة والسلام على نبينا محمد وعلى آله وصحبه أجمعين.

معاني المصطلحات الحديثة

VOCABULARY OF MODERN TERMS

ـ أ ـ

radio & tv (literally : the audible and the visible transmissions)	الإذاعتان المسموعة والمرئية
couch, sofa	الأريكة
to hire	استأجر
to have a bath	استحم
first aid	الإسعاف
ambulance	سيارة الإسعاف
announcement	الإعلان
suggestion, idea	الاقتراح
to join (a school, a university etc)	التحق بـ
half-yearly examination	الامتحان النصفي
secretary	الأمين
cashier	أمين الصندوق
departure from school	الانصراف

ـ ب ـ

telegram	البرقية
programme	البرنامج
potato	البطاطس
grocer	البقال
municipal corporation	البلدية
(%) per cent	بالـــمـــائة

ـ ت ـ

to graduate	تخرج
vaccination	التطعيم
circular	التعميم
grade (in examination result)	التقدير
with distinction	بتقدير ممتاز
television (set)	التلفاز

to go for a walk	تَنَزَّهَ
distribution	التَّوْزِيع

- ث -

cultural	ثَقَافِيٌّ

- ج -

prize	الجائزة
cheese	الجُبْن
pound (currency)	الجُنَيْـــهُ
weather	الجَوُّ
directions	الجِهات
students from different sections, classes, colleges etc	طُلاَّبٌ من جِهاتٍ مُختَلِفةٍ

- ح -

bus	الحافِلة
size	الحَجْم
war	الَحَرْب
world war	الحَرْبُ العالَمِيَّةُ
civil war	الحَرْبُ الأَهْلِيَّةُ
period (duration of a lesson)	الحِصَّة
tea party	حَفْلُ الشّاي

- خ -

graduate	الخِرِّيج
map	الخَرِيطةُ

- د -

habit	الدَّأْبُ والدَّيْدَنُ
to smoke	دَخَّنَ
postgraduate studies	الدِّراساتُ العُلْيا
drawer (in a table)	الدُّرْجُ
tonic	الدَّواءُ المُقَوِّي
vertigo	الدُّوارُ
state (country)	الدَّوْلَة – الجمع دُوَلٌ

- ر -

president	الرَّئِيس
to fail (an examination)	رَسَبَ
one who has failed	راسِبٌ

- ز -

saturn	زُحَلُ

- س -

to record (in a tape-recorder)	سَجَّلَ
to draw (money from a bank)	سَحَبَ
cancer	السَّرَطانُ
cough	السُّعال
quince	السَّفَرْجَلُ
ambulance	سيارةُ الإِسْعافِ

- ش -

lorry	الشَّاحِنةُ
(t.v) screen	الشَّاشةُ
youth, young men	الشَّبابُ (جمع شَابٌ)
policemen	الشُّرْطةُ
policeman	الشُّرْطِيُّ
tape (of a tape-recorder)	الشَّرِيطُ
to switch on (a machine)	شَغَّلَ
flat (building)	الشَّقَّة

- ص -

fund	الصُّندُوق
charity fund	صُندُوقُ البِرِّ

- ض -

exactly	(الضَّبْطُ) بِالضَّبْطِ

- ط -

storey	الطَّابَقُ
chalk (for writing)	الطَّباشِيرُ

model	الطّراز
tomato	الطّماطِمُ
to strike a student's name off the rolls, to expel	طُوِيَ قَيْدُه
another name of madinah	طَيْبَةُ
spectrum	الطّيْفُ

- ع -

lentil	العَدَسُ

- غ -

gram	الغرام
gargling	الغَرْغَرةُ
cover, title-page	الغِلافُ

- ف -

break (during school time)	الفُسْحة
courtyard	الفِناء
from time to time	الفَيْنَةَ بعدَ الفَيْنَةِ

- ق -

examination hall	قاعةُ الامتحان
ball-point pen	القَلَمُ الجافُّ
rainbow	قَوْسُ قُزَحَ

- ك -

football	كُرَةُ القَدَمِ
electricity	الكَهْرَباءُ
sack, bag	الكِيسُ
kilogram	الكِيلُوغرامُ

- ل -

rules and regulations	اللائحةُ
litre	اللّتْرُ
chart	اللّوْحةُ

- م -

objection	المانِعُ

match	الـــمــبــاراة
file (instrument)	الـــمــبــرد
museum	الـــمــتــحف
metre	الـــمتر
exemplary	مثالي
free (without money)	مجانا
(railway) station	الـــمحطة
camp	الـــمخيم
vice-chancellor (or president) of a university	مدير الجامعة
radio announcer, newsreader	الـــمذيع
correspondent	الـــمراسل
educationist	الـــمربي
controller (of students' attendance)	لـــمراقب
traffic	الـــمرور
bolt (on a door)	الـــمزلاج
contest	الـــمسابقة
swimming contest	مسابقة السباحة
tape-recorder	الـــمسجل
pedestrians	الـــمشاة
supervisor	الـــمشرف
teacher in charge of cultural activities	الـــمشرف على النشاط الثقافي
bank	الـــمصرف
lift (in a building)	الـــمصعد
airport	الـــمطار
dictionary	الـــمعجم
school level dictionary	الـــمعجم الـــمــدرسي
university level dictionary	الـــمعجم الجامعي
camp	الـــمعسكر
institute	الـــمعهد
scoop	الـــمغرفة
colic, gripe	الـــمغص

crossroads	مفترق الطرق
words	المفردات
fan	المروحة
interview, meeting	المقابلة
article (in a journal)	المقال
scissors	المقص
canteen	المقصف
frying-pan	المقلاة
air-conditioner	المكيف
million	المليون
distinction (grade)	الممتاز
eraser	الممحاة
sickle	المنجل
bend or turn (in a road)	المنعطف
regular (in attendance)	مواظب
car park	موقف السيارات
era after the birth of christ	ميلادي / للميلاد

- ن -

club	النادي
literary club	النادي الأدبي
activity	النشاط
news bulletin	نشرة الأخبار
to provide, to lay down, to specify	نص
spectacles	النظارة

- هـ -

telephone	الهاتف

- و -

absentees' list	ورقة الغياب
to distribute	وزع